필요한 유형으로 꽉 채운 핵심유형서

낯선유형

미적분

이 책을 공부하기 전에 기대하는 것

1 _____   3 _____

2 _____   4 _____

년   월   일   서명

날카롭게 선별한 유형
날선유형

학교시험의 트렌드

변화하는 학교시험에 대비하는 새로운 유형서는 없나요?

시험에 나오는 문제를 유형별로 익히는 **날선유형**으로
자신 있게 **수학시험**에 도전하세요.

표지 속 인물
라이프니츠
(Leibniz, G. W., 1646~1716)

17세기에 뉴턴과 함께 미적분학을 발전시킨 수학자이다.
라이프니츠는 곡선에 접선을 긋는 기하적 관점에서 미분의
아이디어를 생각해냈고, 적분 기호 ∫, dy, dx 등을 처음 사용하여
미적분을 계산기술로 발전시키는 데 크게 기여했다.

1. 학생의 마음을 읽는 동아수학콘텐츠 연구팀

동아수학콘텐츠 연구팀은 동아출판의 수학 교재 기획 및 개발 연구원,
학교와 학원의 현장 선생님, 그리고 원고 집필 전문가들이
공동 연구를 통해 최적의 콘텐츠를 개발하는 연구팀입니다.

2. 원고 개발에 참여하신 선생님들

| 고현주 | 이정연 | 조은수 |

3. 교재 검토에 도움을 주신 선생님들

강장헌(경남 창원)	고호근(광주 남구)	구명선(인천 계양구)
길승호(대전 유성구)	김국철(광주 서구)	김기홍(경기 의왕)
김도규(서울 금천구)	김미애(서울 영등포구)	김아린(인천 서구)
김인혜(서울 구로구)	김장현(경기 안양)	김재삼(서울 금천구)
김종관(서울 강남구)	김종익(부산 사하구)	김차순(전북 익산)
김형철(광주 북구)	남덕우(서울 서초구)	남정순(대구 북구)
박민선(경기 성남)	박신애(경남 창원)	박운학(부산 북구)
서보성(서울 송파구)	설향순(서울 구로구)	송우찬(경기 안양)
안영준(서울 구로구)	양경실(서울 노원구)	오석주(대구 북구)
오주영(경남 창원)	오현진(충북 청주)	위혜진(부산 남구)
유병빈(서울 광진구)	유한칠(경기 안양)	윤여민(대구 수성구)
이경희(서울 노원구)	이고운(광주 광산구)	이동훈(대구 서구)
이상수(서울 서초구)	이승열(광주 북구)	이종석(경기 성남)
이창성(인천 부평구)	이태섭(경기 수원)	이홍민(대구 북구)
임용석(대구 수성구)	장성수(광주 남구)	전병민(대구 달서구)
전상호(부산 부산진구)	전재성(경북 경산)	정미라(전북 익산)
정민교(서울 송파구)	정석(광주 서구)	정재현(대구 서구)
조병교(충북 청주)	차현근(경남 창원)	채기주(대구 수성구)
최범열(전북 익산)	최원필(전북 익산)	홍재룡(서울 노원구)
황상훈(서울 관악구)		

451 ③　　**452** $\dfrac{\sqrt{10}}{10}$　　**453** ④　　**454** ⑤

455 ⑤　　**456** ①　　**457** ③　　**458** 8

459 $\dfrac{5}{12}$　　**460** ②　　**461** 12　　**462** ③

463 ④　　**464** $\dfrac{1}{4}$　　**465** ①　　**466** $\dfrac{8\sqrt{3}}{3}\pi$

467 ②　　**468** ⑤　　**469** -2　　**470** $\dfrac{1}{3}$

03 여러 가지 미분법　→ 본책 74쪽~89쪽

471 $y'=-\dfrac{1}{(x-3)^2}$　　**472** $y'=\dfrac{2}{(x+1)^2}$

473 $y'=\dfrac{1-x}{e^x}$　　**474** $y'=-\dfrac{2}{x^3}$　　**475** $y'=-\dfrac{6}{x^4}$

476 $y'=-\dfrac{1}{x^2}+\dfrac{4}{x^5}+1$　　**477** $y'=\sec^2 x-\csc^2 x$

478 $y'=-\sin x+\sec x\tan x$　　**479** $y'=\csc x(1-x\cot x)$

480 $y'=\sin x(1+\sec^2 x)$　　**481** $y'=\dfrac{\sec x(x\tan x-1)}{x^2}$

482 $y'=\tan x+x\sec^2 x$　　**483** $y'=10(2x+1)^4$

484 $y'=3e^{3x-1}$　　**485** $y'=(2x+3)\cos(x^2+3x)$

486 $y'=\dfrac{2x+1}{x^2+x-2}$　　**487** $y'=\dfrac{e^x}{e^x-1}$

488 $y'=\dfrac{3}{(3x-1)\ln 2}$　　**489** $y'=\ln|x|+1$

490 $y'=\dfrac{1}{3\sqrt[3]{x^2}}$　　**491** $y'=\sqrt{2}x^{\sqrt{2}-1}$

492 $y'=-\dfrac{1}{2x\sqrt{x}}$　　**493** $y'=\dfrac{x+2}{\sqrt{x^2+4x+5}}$

494 $\dfrac{dy}{dx}=-\dfrac{x}{y}$ (단, $y\neq 0$)

495 $\dfrac{dy}{dx}=\dfrac{3x-2y}{2x+y}$ (단, $2x+y\neq 0$)

496 $\dfrac{dy}{dx}=-\dfrac{2y}{3x}$ (단, $x\neq 0$)　　**497** $\dfrac{dy}{dx}=\dfrac{1}{5y^4}$

498 $\dfrac{dy}{dx}=\dfrac{1}{3\sqrt[3]{(x+2)^2}}$　　**499** $\dfrac{dy}{dx}=\dfrac{3}{4\sqrt[4]{27x^3}}$

500 (가) : 5, (나) : 1, (다) : $\dfrac{1}{3}$　　**501** $\dfrac{dy}{dx}=t$

502 $\dfrac{dy}{dx}=-\dfrac{4}{3t}$　　**503** $\dfrac{dy}{dx}=\dfrac{3t^2}{2t-1}$

504 $\dfrac{dy}{dx}=\dfrac{\cos t}{2+\sin t}$　　**505** $y''=6x+8$

506 $y''=-\cos x$　　**507** $y''=\dfrac{2}{(x+1)^3}$

508 $y''=-\dfrac{1}{4x\sqrt{x}}$　　**509** $y''=4e^{2x+1}$

510 $y''=-\dfrac{1}{x^2}$　　**511** ⑤　　**512** 1　　**513** ②

514 -3　　**515** 9　　**516** ⑤　　**517** ⑤

518 -55　　**519** $\dfrac{2}{3}$　　**520** ①　　**521** ②

522 $-4(\sqrt{3}+1)$　　**523** ③　　**524** $\dfrac{9}{2}$

525 $\sqrt{3}$　　**526** ②　　**527** ②　　**528** -2

529 ①　　**530** -8　　**531** ③　　**532** $\dfrac{1}{3}$

533 ③　　**534** $\dfrac{17}{8}$　　**535** -1　　**536** ④

537 ②　　**538** $-\sqrt{2}$　　**539** $\dfrac{1}{8}$　　**540** 1

541 ①　　**542** $4\ln 2+5$　　**543** ③　　**544** $-\ln \pi$

545 4　　**546** $\dfrac{1}{6}$　　**547** $\sqrt{7}$　　**548** ③

549 -1　　**550** ④　　**551** 2　　**552** 1

553 -2　　**554** ①　　**555** 7　　**556** $\dfrac{1}{3}$

557 ①　　**558** -9　　**559** ⑤　　**560** $\dfrac{1}{e^2}$

561 $-\dfrac{4}{3}$　　**562** ③　　**563** 5　　**564** 3

565 ⑤　　**566** -3　　**567** ②　　**568** ②

569 $-2\sqrt{3}$　　**570** 8　　**571** 11　　**572** $\dfrac{3}{2}$

573 ①　　**574** ③　　**575** ④　　**576** ⑤

577 -20　　**578** 1

04 도함수의 활용 (1)　→ 본책 90쪽~103쪽

579 $-\dfrac{1}{4}$　　**580** e^2　　**581** $y=\dfrac{3}{2}x-\dfrac{1}{2}$

582 $y=-x+\pi$　　**583** $y=x-2$　　**584** $(2, 1)$

585 $y=\dfrac{1}{2}x$　　**586** $(1, 2e)$　　**587** $y=2ex$

588 (가) : 1, (나) : $+$, (다) : 감소, (라) : 증가　　**589** 풀이 참조

590 풀이 참조　　**591** 풀이 참조　　**592** 풀이 참조　　**593** 풀이 참조

594 풀이 참조　　**595** (가) : $\dfrac{4}{e^2}$, (나) : 0, (다) : -2, (라) : 0

596 극댓값 : $\dfrac{1}{2}$, 극솟값 : $-\dfrac{1}{2}$

597 극댓값 : $\dfrac{5}{3}\pi+\sqrt{3}$, 극솟값 : $\dfrac{\pi}{3}-\sqrt{3}$

598 (가) : -2, (나) : $\dfrac{4}{e^2}$, (다) : 0, (라) : 0

599 극댓값 : -4, 극솟값 : 4　　**600** 극솟값 : $-\dfrac{1}{2e}$

601 ③　　**602** $y=\dfrac{1}{2}x+1$　　**603** ③　　**604** ①

605 $a=1$, $b=3$　　**606** ②　　**607** ⑤

608 ②　　**609** 2　　**610** ②　　**611** 1

612 e　　**613** 1　　**614** $a<-4$ 또는 $a>0$

615 ④ **616** ② **617** $\dfrac{1}{e}$ **618** ②

619 $\dfrac{1}{2e}$ **620** ⑤ **621** -1 **622** 9

623 5 **624** $y=x-2$ **625** $-\dfrac{3}{2}$

626 $y=\dfrac{1}{5}x+\dfrac{2}{5}$ **627** ① **628** ④

629 -1 **630** ③ **631** ④ **632** ③

633 $a\le-2$ **634** ② **635** $0<a\le\dfrac{1}{3}$

636 ⑤ **637** 2 **638** $-\dfrac{1}{e^2}$ **639** ④

640 ③ **641** $\dfrac{4}{e^2}$ **642** ① **643** $-\dfrac{1}{2}e^{\frac{3}{2}\pi}$

644 ④ **645** $-\dfrac{5}{4}-\ln2$ **646** $\sqrt{3}$ **647** ③

648 ⑤ **649** $a\le-2$ 또는 $a\ge2$ **650** ③

651 $y=2x-\dfrac{\pi}{2}$ **652** ④ **653** ⑤

654 $\dfrac{1}{e}$ **655** $-\dfrac{1}{e}$ **656** ③ **657** $-\dfrac{\sqrt{5}}{5}$

658 ② **659** ③ **660** $\dfrac{1}{e}$ **661** ①

662 4 **663** $-\dfrac{1}{2}<a<0$ 또는 $0<a<\dfrac{1}{2}$

693 ③ **694** ③ **695** 2 **696** ㄷ, ㄹ

697 ③ **698** ④ **699** ② **700** ③

701 ④ **702** ④ **703** ③

704 $-2<a<0$ 또는 $0<a<2$ **705** ③ **706** 6

707 A, D **708** ⑤ **709** ④ **710** ④

711 $3-\sqrt{5}$ **712** e **713** $\dfrac{1}{2e}$ **714** π

715 ⑤ **716** ② **717** ③ **718** 2

719 $\dfrac{\pi}{3}-\sqrt{3}$ **720** ④ **721** 3 **722** $\dfrac{2}{e}$

723 ③ **724** $\dfrac{\sqrt{6}}{3}$ **725** ③ **726** 4

727 $0<k<\dfrac{1}{2}$ **728** $0<k<\dfrac{4}{e^2}$ **729** $0\le k<1$ **730** $a>0$

731 $0\le a<2e$ **732** ③ **733** $a>-e$ **734** $-\dfrac{1}{2e}$

735 ① **736** ④ **737** ② **738** ⑤

739 -4 **740** 25 **741** 20 **742** 2

743 2 **744** $\sqrt{13}$ **745** $(2, 6\sqrt{3})$ **746** ②

747 8 **748** 21 **749** 5 **750** ③

751 ③ **752** $a>\ln3e$ **753** ③ **754** ⑤

755 ③ **756** ① **757** ⑤ **758** $\dfrac{\sqrt{3}}{6}$

759 $2-2\ln2$

05 도함수의 활용 (2)
➡ 본책 104쪽~119쪽

664 구간 $(-\infty, 2)$에서 위로 볼록, 구간 $(2, \infty)$에서 아래로 볼록하다.

665 구간 $(-\infty, \infty)$에서 아래로 볼록하다.

666 구간 $(0, 1)$에서 위로 볼록, 구간 $(1, \infty)$에서 아래로 볼록하다.

667 구간 $\left(0, \dfrac{\pi}{4}\right)$에서 아래로 볼록, 구간 $\left(\dfrac{\pi}{4}, \pi\right)$에서 위로 볼록하다.

668 $(1, 0)$ **669** $(0, 0)$ **670** $(e, 1)$ **671** $\left(\dfrac{\pi}{2}, \dfrac{\pi}{2}\right)$

672 ㈎: y축, ㈏: $\ln2$, ㈐: $\ln2$ **673** 풀이 참조 **674** 풀이 참조

675 풀이 참조 **676** 풀이 참조 **677** 1 **678** 풀이 참조

679 2 **680** 1 **681** 0

682 ㈎: e^x-1, ㈏: 0, ㈐: 0 **683** 풀이 참조 **684** 풀이 참조

685 속도: 4, 가속도: 1 **686** 속도: $2\pi-1$, 가속도: 2

687 속도: $(4, 2t)$, 속력: $2\sqrt{t^2+4}$

688 가속도: $(0, 2)$, 가속도의 크기: 2

689 속도: $(-6\sin2t, 6\cos2t)$, 속력: 6

690 가속도: $(-12\cos2t, -12\sin2t)$, 가속도의 크기: 12

691 속도: $\left(\dfrac{1}{2}, -\dfrac{\sqrt{3}}{2}\right)$, 속력: 1

692 가속도: $\left(-\dfrac{\sqrt{3}}{2}, \dfrac{1}{2}\right)$, 가속도의 크기: 1

Ⅲ. 적분법

01 여러 가지 적분법
➡ 본책 122쪽~135쪽

760 $\ln|x|-\dfrac{1}{x}+C$ **761** $\dfrac{3}{5}x^3\sqrt[3]{x^2}-\dfrac{2}{3}x\sqrt{x}+C$

762 $\dfrac{2}{5}x^2\sqrt{x}-\dfrac{1}{2x^2}+C$ **763** $-\dfrac{2}{\sqrt{x}}+C$

764 $4x-3\ln|x|-\dfrac{1}{2x^4}+C$ **765** $2x-\ln|x|+\dfrac{3}{x}+C$

766 $x+4\sqrt{x}+\ln|x|+C$ **767** $\dfrac{2}{5}x^2\sqrt{x}-3x^2+6x\sqrt{x}+C$

768 $\dfrac{2}{3}x\sqrt{x}-x+C$ **769** $\dfrac{3}{4}x^3\sqrt[3]{x}-3\sqrt[3]{x}+C$

770 $2e^{x+1}+C$ **771** $\dfrac{3^{x+5}}{\ln3}+C$ **772** $\dfrac{2^{2x-1}}{\ln2}+C$

773 $-e^{-x}-\dfrac{2^{x-3}}{\ln2}+C$ **774** $\dfrac{25^x}{2\ln5}-\dfrac{2\times5^x}{\ln5}+x+C$

775 $\dfrac{2^x}{\ln2}-x+C$ **776** $-2\cos x-3\sin x+C$

777 $\tan x-5\cot x+C$ **778** $-5\cos x+\sec x+C$

779 $x+\csc x+C$ **780** $\tan x-x+C$

781 $-\cot x-3x+C$ **782** $-\cos x+C$

783 $x+\cos x+C$

784 $\frac{1}{12}(2x-3)^6+C$

785 $\frac{2}{3}(x-2)\sqrt{x+1}+C$

786 $-\frac{1}{2}e^{-2x+1}+C$

787 $-\frac{1}{4}\cos(4x-1)+C$

788 $\frac{1}{5}(x^2+1)^5+C$

789 $\frac{1}{3}(x^2+2)\sqrt{x^2+2}+C$

790 $\frac{1}{2}(\ln x)^2+C$

791 $\frac{1}{3}\sin^3 x+C$

792 $\frac{1}{2}\ln(x^2+4)+C$

793 $\ln(e^x+e^{-x})+C$

794 $-\ln|\cos x|+C$

795 $\ln|\ln x|+C$

796 $x+5\ln|x-3|+C$

797 $\frac{1}{2}x^2+x+2\ln|x-1|+C$

798 $\frac{1}{2}x^2+x+2\ln|x+2|+C$

799 $\frac{1}{2}\ln\left|\frac{x}{x+2}\right|+C$

800 $\ln\frac{(x-1)^2}{|x+1|}+C$

801 $\ln\frac{(x-2)^4}{(x-1)^2}+C$

802 $-(x+1)e^{-x}+C$

803 $(x-1)\sin x+\cos x+C$

804 $x\ln x-x+C$

805 $(x+1)e^x+C$

806 $-x\cos x+\sin x+C$

807 $\frac{1}{2}x^2\ln x-\frac{1}{4}x^2+C$

808 -4

809 ④

810 $F(x)=-\frac{2}{\sqrt{x}}+\frac{1}{2x^2}-\frac{1}{2}$

811 24

812 ③

813 $\frac{1}{2}e^2-e+2$

814 ②

815 $f(x)=\frac{e^x-e^{-x}}{2},\ g(x)=\frac{e^x+e^{-x}}{2}$

816 -4

817 $f(x)=2\tan x-x+\frac{\pi}{3}$

818 ③

819 $-\sqrt{3}$

820 ③

821 ⑤

822 $-\frac{\pi}{2}$

823 $\frac{2}{5}$

824 ①

825 $\frac{1}{9}e^{3x-1}-\sin x-\frac{1}{3e}x+C$

826 ③

827 $-4\sqrt{2}$

828 ②

829 $2\sqrt{3}$

830 e

831 ②

832 2

833 ③

834 $\ln(e+1)$

835 ①

836 $f(x)=e^{2x+1}$

837 6

838 ②

839 ⑤

840 ③

841 0

842 1

843 ③

844 ④

845 e^2+2

846 3

847 2

848 ③

849 -3

850 ④

851 ⑤

852 ②

853 $\frac{7}{15}$

854 ④

855 ④

856 ②

857 12π

858 ④

859 $\frac{1}{4}$

860 ③

861 ⑤

862 ②

863 ⑤

864 $\frac{3}{e}-1$

865 $\frac{\pi}{2}-2$

---

02 정적분 ➡ 본책 136쪽~151쪽

866 4

867 $\frac{8}{\ln 3}+2$

868 $4(e-1)$

869 $\frac{5}{3}$

870 $3\sqrt{3}$

871 $e-\frac{1}{e}$

872 6

873 $\frac{1}{7}$

874 $\frac{34}{15}$

875 $\frac{\sqrt{2}}{6}$

876 $\frac{1}{2}$

877 $\ln\frac{3}{2}$

878 $\ln 2$

879 (가) : $2\cos\theta$, (나) : $\frac{\pi}{6}$, (다) : $\frac{\pi}{2}$, (라) : $\sin 2\theta$, (마) : $\frac{2}{3}\pi-\frac{\sqrt{3}}{2}$

880 $\frac{\pi}{12}$

881 $\frac{\pi}{2}$

882 1

883 $2\pi-2$

884 1

885 $2-\frac{5}{e}$

886 $f(x)=1+\frac{4}{x^3}+\frac{1}{2\sqrt{x}}$

887 $f(x)=2e^{2x}+\sin x$

888 $f(x)=\ln x+1$

889 4

890 $\pi+1$

891 e

892 $\frac{2}{3}$

893 ②

894 25

895 ④

896 ③

897 ③

898 45

899 1

900 ⑤

901 e

902 ①

903 e^2+e-2

904 ②

905 $\frac{2}{\pi}$

906 ④

907 ④

908 ②

909 ④

910 ①

911 $4\left(e-\frac{1}{e}\right)$

912 $\frac{1}{3}$

913 ⑤

914 ⑤

915 63

916 $\frac{1}{2}\ln 5$

917 ④

918 ②

919 ④

920 ②

921 ④

922 $2-\pi$

923 $\frac{1}{4}$

924 ④

925 ①

926 $-\frac{1}{2}$

927 ③

928 ③

929 ②

930 ①

931 1

932 $2e$

933 ③

934 ④

935 1

936 ①

937 ④

938 ①

939 ②

940 e

941 $\frac{1}{6}$

942 ④

943 ⑤

944 ④

945 ①

946 $\frac{2}{3}$

947 30

948 ①

949 ④

950 -35

951 $\frac{8}{7}$

952 $e-\frac{1}{e}$

953 ①

954 3

955 ②

956 ④

957 ④

958 ②

959 ④

960 ⑤

961 e^2-1

962 ③

963 ③

964 4

965 25

966 $\frac{1}{3}$

Ⅱ. 미분법

01 지수함수와 로그함수의 미분
➔ 본책 42쪽~55쪽

240 ∞ 241 ∞ 242 0 243 0

244 $\dfrac{25}{4}$ 245 $\dfrac{1}{6}$ 246 $-\infty$ 247 -1

248 $-\infty$ 249 ∞ 250 ∞ 251 $-\infty$

252 $\log_2 3$ 253 -1 254 ∞ 255 1

256 e 257 e^4 258 e^5 259 $e^{\frac{3}{2}}$

260 3 261 $\dfrac{1}{2}$ 262 -2 263 $\ln 3$

264 3 265 $\dfrac{2}{3}$ 266 $-\dfrac{5}{\ln 3}$ 267 $\dfrac{1}{2}\ln 2$

268 $y'=4e^x$ 269 $y'=e^{x+3}$ 270 $y'=3e^{x-2}$

271 $y'=(2-x)xe^{-x}$ 272 $y'=5^x \ln 5$

273 $y'=3\ln 2 \times 2^x$ 274 $y'=4^x \ln 4 + 6^{x+1}\ln 6$

275 $y'=3^x\{(x+1)\ln 3 + 1\}$ 276 $y'=\dfrac{1}{x}$ 277 $y'=\dfrac{1}{x}$

278 $y'=\dfrac{2}{x}$ 279 $y'=\ln x + 1$

280 $y'=\dfrac{5}{x\ln 10}+1$ 281 $y'=\dfrac{1}{x\ln 2}$

282 $y'=\log x + \dfrac{1}{\ln 10}$ 283 $y'=2x\log_4 x + \dfrac{x}{2\ln 2}$

284 ④ 285 ③ 286 ① 287 ③

288 3 289 1 290 ② 291 ①

292 81 293 2 294 ④ 295 ②

296 ① 297 $e^{\frac{1}{3}}$ 298 ③ 299 ③

300 ③ 301 5 302 ④ 303 ①

304 e 305 ⑤ 306 3 307 ①

308 ⑤ 309 $\ln 2$ 310 ④ 311 2

312 ④ 313 ① 314 ③ 315 3

316 2 317 ⑤ 318 e^2 319 2

320 $\ln 3$ 321 11 322 $\dfrac{1}{2}$ 323 ②

324 ② 325 ① 326 ③ 327 ②

328 ⑤ 329 ② 330 $25e$ 331 $\dfrac{1}{e^2}$

332 $2-2\ln 2$ 333 ⑤ 334 3 335 ②

336 ⑤ 337 ③ 338 $\dfrac{1}{5}$ 339 ②

340 ① 341 ② 342 ③ 343 9

344 ④ 345 $\dfrac{5}{e}$ 346 $33e^{10}$ 347 6

02 삼각함수의 미분
➔ 본책 56쪽~73쪽

348 $-\dfrac{5}{4}$ 349 $\dfrac{5}{3}$ 350 $-\dfrac{3}{4}$

351 $\csc\theta=\sqrt{2}$, $\sec\theta=\sqrt{2}$, $\cot\theta=1$

352 $\csc\theta=\dfrac{2\sqrt{3}}{3}$, $\sec\theta=-2$, $\cot\theta=-\dfrac{\sqrt{3}}{3}$

353 $\csc\theta=-\sqrt{2}$, $\sec\theta=-\sqrt{2}$, $\cot\theta=1$ 354 $-2\sqrt{2}$

355 $-\sqrt{6}$ 356 $\sec\theta=-\sqrt{5}$, $\csc\theta=-\dfrac{\sqrt{5}}{2}$

357 $\tan\theta=-\sqrt{3}$, $\cot\theta=-\dfrac{\sqrt{3}}{3}$ 358 $\dfrac{\sqrt{6}+\sqrt{2}}{4}$

359 $\dfrac{\sqrt{2}-\sqrt{6}}{4}$ 360 $2-\sqrt{3}$ 361 $\dfrac{\sqrt{3}}{2}$ 362 $\dfrac{1}{2}$

363 1 364 $\dfrac{24}{25}$ 365 $\dfrac{7}{25}$ 366 $\dfrac{24}{7}$

367 $2\sin\left(\theta+\dfrac{\pi}{3}\right)$ 368 $\sqrt{2}\sin\left(\theta+\dfrac{\pi}{4}\right)$

369 $2\sin\left(\theta+\dfrac{11}{6}\pi\right)$ 370 $\dfrac{\sqrt{3}}{2}$ 371 $\dfrac{1}{2}$

372 $\dfrac{\sqrt{2}}{2}$ 373 2 374 2 375 1

376 3 377 $\dfrac{5}{2}$ 378 2 379 4

380 $y'=2\cos x$ 381 $y'=\cos x + \sqrt{5}\sin x$

382 $y'=-2\sin x\cos x$ 383 $y'=\cos^2 x - \sin^2 x$

384 ⑤ 385 $2\tan\theta$ 386 ① 387 ②

388 $\dfrac{4-6\sqrt{2}}{15}$ 389 ① 390 $-\dfrac{5}{8}$ 391 ⑤

392 ⑤ 393 ③ 394 $\dfrac{3}{2}$ 395 $\dfrac{4}{7}$

396 ③ 397 $\dfrac{2\sqrt{6}+\sqrt{15}}{9}$ 398 13.6 m 399 ③

400 -8 401 ② 402 $-\dfrac{31}{25}$ 403 ②

404 ④ 405 ⑤ 406 $\dfrac{\sqrt{2}}{4}$ 407 $-\dfrac{9\sqrt{10}}{10}$

408 ④ 409 ① 410 $\dfrac{8}{5}$ 411 $-\dfrac{7}{9}$

412 ④ 413 ⑤ 414 π 415 4

416 $\dfrac{5}{13}$ 417 70 m 418 ① 419 ⑤

420 ① 421 2 422 ⑤ 423 ⑤

424 1 425 ③ 426 $\dfrac{10}{11}$ 427 ①

428 $\dfrac{3}{4}$ 429 $\dfrac{1}{2}$ 430 ⑤ 431 1

432 ② 433 ④ 434 $-\dfrac{\pi}{2}$ 435 ④

436 5 437 ⑤ 438 $a=0$, $b=\dfrac{1}{2}$

439 1 440 2 441 1 442 $\dfrac{3}{4}$

443 ② 444 ③ 445 $\dfrac{\pi}{2}$ 446 e^π

447 6 448 ③ 449 -2 450 -1

03 정적분의 활용　→ 본책 152쪽~168쪽

967 (가) : $\dfrac{k}{n}$, (나) : $\dfrac{1}{n^3}$, (다) : $\dfrac{1}{3}$　**968** (가) : $\dfrac{1}{n}$, (나) : $\dfrac{k}{n}$, (다) : $\dfrac{1}{5}$

969 $\dfrac{15}{4}$　**970** e^2-1　**971** 4　**972** $\ln 2$

973 2　**974** $\dfrac{1}{6}$　**975** $2\sqrt{2}$

976 $\dfrac{1}{2}e^2-e+\dfrac{3}{2}$　**977** $2(e^2-1)$　**978** $\dfrac{10\sqrt{5}}{3}$ cm³

979 130 cm³　**980** $\dfrac{17}{6}$　**981** $\dfrac{\sqrt{3}}{2}$

982 (가) : x^2, (나) : $\dfrac{1}{3}x^3$, (다) : $\dfrac{1}{3}Sh$　**983** $\dfrac{2}{\pi}$

984 $\dfrac{1}{2\pi}$　**985** $\dfrac{4}{\pi}$　**986** 12　**987** 6

988 $\dfrac{15}{2}$　**989** $\dfrac{16-4\sqrt{2}}{3}$　**990** $e-\dfrac{1}{e}$　**991** $\dfrac{2}{\pi}$

992 $\ln 2$　**993** ①　**994** $2\pi-4$　**995** $\dfrac{6}{\pi}$

996 $2(e^2-1)$　**997** $e+\dfrac{1}{e}-2$　**998** ⑤　**999** 2

1000 $\dfrac{1}{2}$　**1001** ②　**1002** $e^2+\dfrac{1}{e}+4\ln 2-6$

1003 ②　**1004** ④　**1005** 68　**1006** $\dfrac{3\sqrt{3}}{2}-1$

1007 ①　**1008** $2\ln 2-1$　**1009** $\log_a b-1$　**1010** $\dfrac{9}{2}$

1011 $\dfrac{5}{6}$　**1012** $e+\dfrac{1}{e}-2$　**1013** $\dfrac{e}{2}-1$　**1014** e^2-1

1015 $2\sqrt{3}$　**1016** $\dfrac{2}{\pi}$　**1017** $\dfrac{9}{8}$　**1018** $2e-6$

1019 ⑤　**1020** $\dfrac{1}{8}$　**1021** $\dfrac{3\sqrt{3}}{4\pi}$　**1022** $\dfrac{4}{3}$

1023 ②　**1024** $2e^2-e$　**1025** ②　**1026** 4

1027 $1-\dfrac{4}{\pi}\ln 2$　**1028** ③　**1029** 15

1030 3　**1031** $\dfrac{\pi}{8}$　**1032** $\dfrac{81}{10}$　**1033** ④

1034 $4-\pi$　**1035** $\dfrac{6}{\pi}$　**1036** ④　**1037** -2

1038 $e-\dfrac{1}{e}$　**1039** ④　**1040** $\dfrac{1}{8}(e^2+7)$　**1041** ①

1042 $\dfrac{59}{24}$　**1043** $\dfrac{15}{4}+\ln 2$　**1044** ②　**1045** $\dfrac{\pi}{3}$

1046 ②　**1047** $\dfrac{8}{\pi}$　**1048** 2　**1049** ②

1050 $\dfrac{1}{e}$　**1051** 96　**1052** ⑤　**1053** $\ln 3$

1054 $\dfrac{16}{\ln 3}+45$　**1055** $\dfrac{128\sqrt{3}}{3}$　**1056** 10 cm

1057 $\dfrac{1}{2}\ln\dfrac{18}{13}$　**1058** ⑤　**1059** 64　**1060** 78

1061 ②　**1062** ②　**1063** $\dfrac{\pi}{2}-\dfrac{2}{\pi}$　**1064** 8

I. 수열의 극한

01 수열의 극한 → 본책 6쪽~23쪽

001 수렴, 1 　**002** 수렴, -3 　**003** 발산 (양의 무한대로 발산)

004 발산 (진동) 　**005** 수렴, 0

006 발산 (양의 무한대로 발산) 　**007** 수렴, 4

008 발산 (음의 무한대로 발산) 　**009** 발산 (진동)

010 발산 (진동) 　**011** 1 　**012** 8

013 -30 　**014** -1 　**015** -2 　**016** 1

017 3 　**018** 0 　**019** 4 　**020** 2

021 수렴, -1 　**022** 수렴, 2 　**023** 발산 　**024** 수렴, $\dfrac{1}{3}$

025 발산 　**026** 발산 　**027** 발산 　**028** 수렴, 0

029 발산 　**030** 수렴, 4 　**031** ㈎ : 2, ㈏ : 2, ㈐ : 2

032 5 　**033** ㈎ : 4, ㈏ : 4, ㈐ : 4 　**034** 2

035 수렴, 0 　**036** 수렴, 0 　**037** 수렴, 0 　**038** 발산

039 발산 　**040** 수렴, 0 　**041** 발산 　**042** 수렴, 0

043 발산 　**044** 수렴, -1 　**045** 수렴, 0 　**046** 수렴, $\dfrac{25}{4}$

047 $-\dfrac{1}{3} \leq x < \dfrac{1}{3}$ 　**048** $-2 < x \leq 2$ 　**049** $0 < x \leq 1$

050 $-4 < x \leq -2$ 　**051** ㄴ 　**052** ②

053 ③ 　**054** -5 　**055** ⑤ 　**056** 28

057 25 　**058** $\dfrac{1}{3}$ 　**059** ㄴ, ㄷ 　**060** ④

061 ① 　**062** 1 　**063** ③ 　**064** $\dfrac{1}{3}$

065 $\dfrac{1}{8}$ 　**066** 24 　**067** ⑤ 　**068** ②

069 ② 　**070** ⑤ 　**071** 1 　**072** -1

073 6 　**074** ④ 　**075** ② 　**076** 9

077 ② 　**078** 48 　**079** $\dfrac{1}{12}$ 　**080** ④

081 ④ 　**082** 6 　**083** 4 　**084** $\dfrac{1}{5}$

085 ① 　**086** ⑤ 　**087** ㄱ, ㄴ 　**088** ㄴ, ㄹ

089 ⑤ 　**090** ② 　**091** 27 　**092** ③

093 7 　**094** 18 　**095** 6 　**096** ②

097 ② 　**098** ④ 　**099** ⑤ 　**100** ⑤

101 ⑤ 　**102** ④ 　**103** ③ 　**104** 123

105 $-\dfrac{13}{2}$ 　**106** ④ 　**107** ② 　**108** $\dfrac{27}{8}$

109 ⑤ 　**110** $\dfrac{8}{3}$ 　**111** 5 　**112** $\dfrac{1}{4}$

113 ① 　**114** ① 　**115** ③ 　**116** 4

117 ④ 　**118** -1 　**119** $\dfrac{1}{2}$ 　**120** ③

121 ⑤ 　**122** $\dfrac{2\sqrt{3}}{3}$ 　**123** ④ 　**124** 3

125 $\dfrac{1}{2}$ 　**126** $\dfrac{1}{4}$ 　**127** $\dfrac{1}{5}$

02 급수 → 본책 24쪽~40쪽

128 발산 　**129** 수렴, $\dfrac{5}{4}$ 　**130** 수렴, 1 　**131** 발산

132 발산 　**133** 수렴, $\dfrac{1}{6}$ 　**134** 수렴, $\dfrac{1}{2}$ 　**135** 발산

136 ㈎ : $\dfrac{n^2}{n^2+2n-1}$, ㈏ : 1 　**137** 풀이 참조 　**138** 풀이 참조

139 풀이 참조 　**140** 풀이 참조 　**141** 풀이 참조 　**142** 풀이 참조

143 -3 　**144** -11 　**145** $-\dfrac{5}{6}$ 　**146** 발산

147 수렴, $\dfrac{9}{4}$ 　**148** 발산 　**149** 수렴, 40 　**150** 발산

151 수렴, 1 　**152** $\dfrac{5}{4}$ 　**153** $\dfrac{8}{3}$ 　**154** 2

155 $-2 < x < 2$ 　**156** $-\dfrac{1}{3} < x < \dfrac{1}{3}$

157 $0 < x < 1$ 　**158** $\overline{P_1Q_1} = \dfrac{1}{2}$, $\overline{P_2Q_2} = \dfrac{1}{4}$, $\overline{P_3Q_3} = \dfrac{1}{8}$

159 1 　**160** $\dfrac{19}{33}$ 　**161** $\dfrac{15}{37}$ 　**162** $\dfrac{11}{90}$

163 $\dfrac{122}{99}$ 　**164** 4 　**165** 6 　**166** $\dfrac{1}{4}$

167 ⑤ 　**168** 2 　**169** $\dfrac{1}{2}$ 　**170** ③

171 5 　**172** 1 　**173** ① 　**174** 수렴, 0

175 ④ 　**176** $\dfrac{5}{6}$ 　**177** $\dfrac{3}{2}$ 　**178** $-\dfrac{1}{4}$

179 ② 　**180** ④ 　**181** 2 　**182** ④

183 ③ 　**184** ⑤ 　**185** ③ 　**186** $\dfrac{15}{4}$

187 $\dfrac{2}{5}$ 　**188** ② 　**189** 3 　**190** $\dfrac{17}{15}$

191 25 　**192** $\dfrac{3}{2}$ 　**193** ① 　**194** $\dfrac{\pi}{6}$

195 ③ 　**196** ① 　**197** ② 　**198** ①

199 ③ 　**200** ⑤ 　**201** ① 　**202** $\dfrac{25}{4}$

203 $\dfrac{4}{27}$ 　**204** $\left(\dfrac{25}{34}, \dfrac{15}{34}\right)$ 　**205** $\left(\dfrac{16}{7}, \dfrac{12}{7}\right)$ 　**206** $\dfrac{10}{13}$

207 50 　**208** ⑤ 　**209** 3 　**210** 6π

211 $30+18\sqrt{5}$ 　**212** 18 　**213** $\dfrac{\sqrt{3}}{5}$ 　**214** $128-32\pi$

215 36π 　**216** $\dfrac{4}{3}$ 　**217** 12π 　**218** 120 m

219 10000시간 　**220** ① 　**221** $-45 < x < 45$

222 ① 　**223** $\dfrac{13}{60}$ 　**224** 6 　**225** $\dfrac{3}{8}$

226 ⑤ 　**227** ② 　**228** ④ 　**229** ②

230 32 　**231** $\dfrac{54}{5}$ 　**232** ⑤ 　**233** 1

234 13 　**235** $\dfrac{1}{3}$ 　**236** 2 　**237** $\dfrac{1}{2}$

238 $\dfrac{30}{7}$ 　**239** $\dfrac{1}{2}$

아~ 열심히 공부했는데 …….
도대체 왜! 시험지만 보면 하나도 모르겠는걸까?

열심히 공부했는데도 수학 성적이 나오지 않는다면 공부 방법을 바꿀 필요가 있어!
아래 방법만 완벽하게 따라한다면
수학 1등급은 나의 것!

연산으로 개념을 다지는 유형입문서

**날선
유형**

미적분

첫째, 개념과 공식은 이해한 후 반드시 외운다.

개념 정리를 읽고 '아~' 하는 것은
개념을 '아는 것'이 아니라 그냥 한 번 '본 것'입니다.
빈 종이에 해당 단원의 개념을
막힘없이 쓸 수 있을 때까지 반복해서 외우세요!

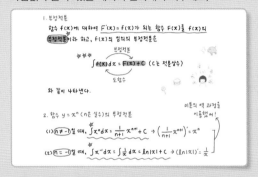

둘째, 문제를 풀 때 ◯, △, ✕ 표시를 이용한다.

문제를 푸는 건 내가 무엇을 모르는지 확인하는 단계입니다.
확인만 하고 책을 덮어버리면 수학 성적이 절대 오르지 않아요.
날선유형의 유형 제목 위에는 ◯, △, ✕ 표시가 있어요.

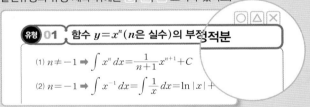

◯△✕ 확실히 맞은 유형문제는 ◯
◯△✕ 실수로 틀렸거나 우연히 맞은 유형문제는 △
◯△✕ 틀린 유형문제는 ✕
표시를 해 두세요.
△, ✕ 표시가 된 문제는 다시 풀어서 ◯표로 만들어 보세요.
그리고 틀린 문제들만 모아서 시험 전에 확인하면 끝!

셋째, 문제를 다 풀고 나면 해당 단원의 내용을 혼자서 설명해 본다.

이 단원에는 어떤 개념이 있고,
이 공식이 왜 나왔으며,
문제 유형은 어떤 것들이 있는지
친구들에게 가르쳐준다고 생각하고 설명해 봅니다.
설명하다 막히는 부분이 생기면 그 부분을 다시 복습하세요!

날선유형은
학교시험 대비에 최적화된
핵심유형서입니다.

1 새 교육과정에 맞게 최신 기출문제를 분석하여 유형별로 분류했습니다.

최신 기출문제를 반영하고, 새 교육과정에 맞게 모든 수학 문제를 분석하여
유형별로 분류하였습니다.

2 시험에 꼭 나오지만 자주 실수하는 유형을 날카롭게 선별했습니다.

출제자가 어떤 의도로 문제를 만들었는지,
다른 친구들은 어느 부분에서 실수를 많이 하는지,
첨삭 설명과 캐릭터의 대화를 통해 짚어볼 수 있습니다.

3 실제 시험에는 어떻게 출제되고 있는지 살펴볼 수 있습니다.

교과서 심화 , 교육청 기출 , 평가원 기출 , 수능 기출 문제를 통해
학교시험과 모의고사에서 출제되고 있는 실제 시험 문제를 엿볼 수 있습니다.

4 서술형 문제를 강화했습니다.

서술형 문제와 따라하기 문제를 통해 점점 강화되고 있는 서술형 시험에서
어떻게 모범 답안을 작성할 수 있는지 살펴볼 수 있습니다.

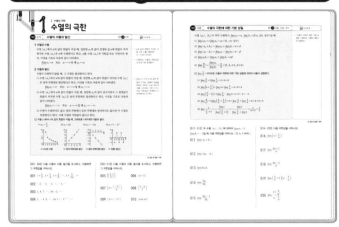

알찬! 개념 정리

알차게 정리된 개념을 학습하고, 문제로 개념을 꼼꼼히 정리할 수 있습니다. 개념과 공식을 바로 적용할 수 있는 문제로 개념을 내 것으로 만들어 보세요.

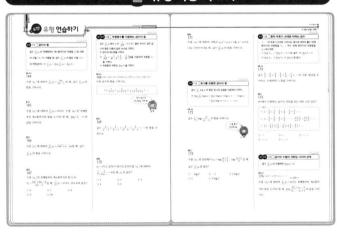

도전! 유형 연습하기

최신 트렌드를 반영한 유형 문제를 통해 실력이 착착 쌓이는 것을 느껴 보세요. 문제를 보는 순간 어떻게 풀면 되는지 떠올릴 수 있게 됩니다.

날선 유형 시험에 꼭 나오지만 자주 실수하는 문제를 날카롭게 선별했습니다. 특히, 문제에서 어떤 개념이 사용되고 있는지 해설을 보면 더욱 자세히 이해할 수 있습니다.

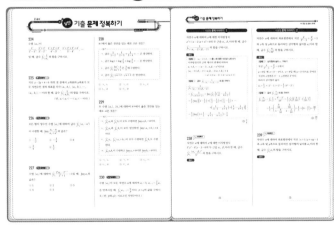

실전! 기출문제 정복하기

공부한 내용이 학교시험과 모의고사에는 어떻게 출제되고 있을까요? 교과서 심화 문제, 기출 문제, 서술형 문제까지 살펴보고 학교시험에 대비해 보세요.

Contents

수열의 극한

미분법

적분법

수열의 극한

1 수열의 극한
2 급수

선생님 Talk!

- ☑ 수학Ⅰ에서는 수열의 일반항과 제n항까지의 합을 구하는 방법을 배웠습니다. 이 단원에서는 n이 커짐에 따라 제n항의 값이 어떻게 변화하는지 살펴보게 됩니다.

- ☑ 무한 개념을 바탕으로 하는 수열의 극한에 대한 기본 성질은 일반적인 수학의 성질과는 다른 점들이 있기 때문에 비교하여 정확하게 이해할 수 있도록 합니다.

- ☑ 특히 등비수열이 수렴할 조건은 등비급수의 합을 구하는데 기초가 되므로 문제를 많이 풀어 보세요.

선배 Talk!

- ☑ 수열의 극한에 대한 기본 성질과 극한값을 계산하는 방법은 함수의 극한과 비슷하니 비교하면서 기억해 둬!

- ☑ 극한에 대한 명제의 참, 거짓을 정확하게 판단할 수 있도록 문제를 반복하여 풀면서 주의 깊게 공부해야 해.

- ☑ 무한히 반복되는 도형과 연관된 극한 문제들이 자주 출제되니까 도형의 넓이, 길이의 비 등에서 규칙성을 찾는 연습을 해야 해.

- ☑ 문제 상황에서 수열을 직접 구한 후 극한값을 구하는 문제들도 있으니까 찾아서 풀어 봐.

꼭 외우자!

- 등비수열 $\{r^n\}$에서

  $r>1$일 때, $\lim\limits_{n\to\infty} r^n = \infty$

  $r=1$일 때, $\lim\limits_{n\to\infty} r^n = 1$

  $-1<r<1$일 때, $\lim\limits_{n\to\infty} r^n = 0$

  $r \leq -1$일 때, 수열 $\{r^n\}$은 진동한다.

- 등비급수 $\sum\limits_{n=1}^{\infty} ar^{n-1} = a+ar+ar^2+\cdots+ar^{n-1}+\cdots \ (a\neq 0)$에서 $|r|<1$일 때, 수렴하고 그 합은 $\dfrac{a}{1-r}$

  $|r| \geq 1$일 때, 발산한다.

수열의 극한

개념 01 **수열의 수렴과 발산** C 유형 01

📖 note

1 수열의 수렴

수열 $\{a_n\}$에서 n의 값이 한없이 커질 때, 일반항 a_n의 값이 일정한 값 α에 한없이 가까워지면 수열 $\{a_n\}$은 α에 수렴한다고 하고, α를 수열 $\{a_n\}$의 극한값 또는 극한이라 한다. 이것을 기호로 다음과 같이 나타낸다.

$$\lim_{n\to\infty} a_n = \alpha \quad \text{또는} \quad n\to\infty일 \text{ 때 } a_n \to \alpha$$

- n의 값이 한없이 커지는 것을 기호 ∞를 사용하여 $n\to\infty$로 나타낸다.

- 수렴하는 수열의 극한값은 오직 한 개만 존재한다.

2 수열의 발산

수열이 수렴하지 않을 때, 그 수열은 발산한다고 한다.

(1) 수열 $\{a_n\}$에서 n의 값이 한없이 커질 때, 일반항 a_n의 값이 한없이 커지면 수열 $\{a_n\}$은 양의 무한대로 발산한다고 하고, 이것을 기호로 다음과 같이 나타낸다.

$$\lim_{n\to\infty} a_n = \infty \quad \text{또는} \quad n\to\infty일 \text{ 때 } a_n \to \infty$$

(2) 수열 $\{a_n\}$에서 n의 값이 한없이 커질 때, 일반항 a_n의 값이 음수이면서 그 절댓값이 한없이 커지면 수열 $\{a_n\}$은 음의 무한대로 발산한다고 하고, 이것을 기호로 다음과 같이 나타낸다.

$$\lim_{n\to\infty} a_n = -\infty \quad \text{또는} \quad n\to\infty일 \text{ 때 } a_n \to -\infty$$

(3) 수열이 수렴하지도 않고 양의 무한대나 음의 무한대로 발산하지도 않으면 이 수열은 진동한다고 한다. 이때 수열의 극한값이 없다고 한다.

- $\lim\limits_{n\to\infty} a_n = \infty$는 a_n의 값이 한없이 커지는 상태에 있음을 뜻하는 것이다. ∞는 하나의 수를 나타내는 기호가 아니므로 극한값이 존재한다고 생각해서는 안 된다.

예 수열 $\{a_n\}$에서 n의 값이 한없이 커질 때, 그래프로 나타내면 다음과 같다.

(1) $a_n = \dfrac{1}{n}$

➡ 0으로 수렴

(2) $a_n = 2n$

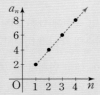

➡ 양의 무한대로 발산

(3) $a_n = -2n$

➡ 음의 무한대로 발산

(4) $a_n = (-1)^n$

➡ 진동(발산)

➡ 정답 및 풀이 1쪽

[001~004] 다음 수열의 수렴, 발산을 조사하고, 수렴하면 그 극한값을 구하시오.

001 $1+\dfrac{1}{2},\ 1+\dfrac{1}{4},\ 1+\dfrac{1}{6},\ \cdots,\ 1+\dfrac{1}{2n},\ \cdots$

002 $-3,\ -3,\ -3,\ \cdots,\ -3,\ \cdots$

003 $1,\ 4,\ 7,\ \cdots,\ 3n-2,\ \cdots$

004 $2,\ -4,\ 6,\ \cdots,\ 2n\times(-1)^{n+1},\ \cdots$

[005~010] 다음 수열의 수렴, 발산을 조사하고, 수렴하면 그 극한값을 구하시오.

005 $\left\{\left(\dfrac{1}{3}\right)^n\right\}$

006 $\{n+5\}$

007 $\left\{4+\dfrac{(-1)^n}{n}\right\}$

008 $\left\{\dfrac{1-n}{2}\right\}$

009 $\{3+(-1)^n\}$

010 $\{\cos n\pi\}$

수열 $\{a_n\}$, $\{b_n\}$이 각각 수렴하고 $\lim\limits_{n\to\infty} a_n = \alpha$, $\lim\limits_{n\to\infty} b_n = \beta$ (α, β는 실수)일 때

(1) $\lim\limits_{n\to\infty} ca_n = c\lim\limits_{n\to\infty} a_n = c\alpha$ (단, c는 상수)

(2) $\lim\limits_{n\to\infty} (a_n + b_n) = \lim\limits_{n\to\infty} a_n + \lim\limits_{n\to\infty} b_n = \alpha + \beta$

(3) $\lim\limits_{n\to\infty} (a_n - b_n) = \lim\limits_{n\to\infty} a_n - \lim\limits_{n\to\infty} b_n = \alpha - \beta$

(4) $\lim\limits_{n\to\infty} a_n b_n = \lim\limits_{n\to\infty} a_n \times \lim\limits_{n\to\infty} b_n = \alpha\beta$

(5) $\lim\limits_{n\to\infty} \dfrac{a_n}{b_n} = \dfrac{\lim\limits_{n\to\infty} a_n}{\lim\limits_{n\to\infty} b_n} = \dfrac{\alpha}{\beta}$ (단, $b_n \neq 0$, $\beta \neq 0$)

예 $\lim\limits_{n\to\infty} \dfrac{1}{n} = 0$이므로 수열의 극한에 대한 기본 성질에 의하여 다음이 성립한다.

(1) $\lim\limits_{n\to\infty} \dfrac{3}{n} = 3\lim\limits_{n\to\infty} \dfrac{1}{n} = 3 \times 0 = 0$

(2) $\lim\limits_{n\to\infty} \left(4 + \dfrac{1}{n}\right) = \lim\limits_{n\to\infty} 4 + \lim\limits_{n\to\infty} \dfrac{1}{n} = 4 + 0 = 4$

(3) $\lim\limits_{n\to\infty} \left(\dfrac{2}{n} - 5\right) = 2\lim\limits_{n\to\infty} \dfrac{1}{n} - \lim\limits_{n\to\infty} 5 = 2 \times 0 - 5 = -5$

(4) $\lim\limits_{n\to\infty} \dfrac{6}{n^2} = 6\lim\limits_{n\to\infty} \left(\dfrac{1}{n} \times \dfrac{1}{n}\right) = 6 \times \lim\limits_{n\to\infty} \dfrac{1}{n} \times \lim\limits_{n\to\infty} \dfrac{1}{n} = 6 \times 0 \times 0 = 0$

(5) $\lim\limits_{n\to\infty} \dfrac{2}{\frac{1}{n} + 3} = \dfrac{\lim\limits_{n\to\infty} 2}{\lim\limits_{n\to\infty} \left(\frac{1}{n} + 3\right)} = \dfrac{\lim\limits_{n\to\infty} 2}{\lim\limits_{n\to\infty} \frac{1}{n} + \lim\limits_{n\to\infty} 3} = \dfrac{2}{0 + 3} = \dfrac{2}{3}$

● 수열의 극한에 대한 기본 성질은 수렴하는 수열에 대해서만 성립한다.

➔ 정답 및 풀이 **2**쪽

[011~015] 두 수열 $\{a_n\}$, $\{b_n\}$에 대하여 $\lim\limits_{n\to\infty} a_n = 3$, $\lim\limits_{n\to\infty} b_n = -2$일 때, 다음 극한값을 구하시오. (단, $b_n \neq 0$이다.)

011 $\lim\limits_{n\to\infty} (a_n + b_n)$

012 $\lim\limits_{n\to\infty} (2a_n - b_n)$

013 $\lim\limits_{n\to\infty} 5a_n b_n$

014 $\lim\limits_{n\to\infty} \dfrac{2a_n}{3b_n}$

015 $\lim\limits_{n\to\infty} \dfrac{3a_n - 1}{2b_n}$

[016~020] 다음 극한값을 구하시오.

016 $\lim\limits_{n\to\infty} \left(1 + \dfrac{2}{n}\right)$

017 $\lim\limits_{n\to\infty} \dfrac{3n + 7}{n}$

018 $\lim\limits_{n\to\infty} \dfrac{4n - 1}{n^2}$

019 $\lim\limits_{n\to\infty} \left(\dfrac{3}{n} + 1\right)\left(4 - \dfrac{1}{n}\right)$

020 $\lim\limits_{n\to\infty} \dfrac{2 + \dfrac{5}{n^2}}{1 - \dfrac{1}{n}}$

1 $\dfrac{\infty}{\infty}$ 꼴

분모의 최고차항으로 분자, 분모를 각각 나눈다.

(1) (분자의 차수)＝(분모의 차수) ➡ 극한값은 최고차항의 계수의 비이다.

(2) (분자의 차수)＜(분모의 차수) ➡ 극한값은 0이다.

(3) (분자의 차수)＞(분모의 차수) ➡ 발산한다. →극한값은 없다.

예 $\displaystyle\lim_{n\to\infty}\dfrac{4n-5}{3n+1}=\lim_{n\to\infty}\dfrac{4-\dfrac{5}{n}}{3+\dfrac{1}{n}}=\dfrac{\displaystyle\lim_{n\to\infty}\left(4-\dfrac{5}{n}\right)}{\displaystyle\lim_{n\to\infty}\left(3+\dfrac{1}{n}\right)}=\dfrac{4}{3}$

2 $\infty-\infty$ 꼴

(1) 다항식은 최고차항으로 묶는다.

(2) 무리식은 근호를 포함한 쪽을 유리화한다.

예 $\displaystyle\lim_{n\to\infty}(\sqrt{n+2}-\sqrt{n})=\lim_{n\to\infty}\dfrac{(\sqrt{n+2}-\sqrt{n})(\sqrt{n+2}+\sqrt{n})}{\sqrt{n+2}+\sqrt{n}}$

$=\displaystyle\lim_{n\to\infty}\dfrac{2}{\sqrt{n+2}+\sqrt{n}}=0$

주의 ∞는 수가 아니라 한없이 커지는 상태를 나타내는 기호이므로 $\dfrac{\infty}{\infty}\neq1$, $\infty-\infty\neq0$임에 주의한다.

- 복잡한 수열은 수열의 극한에 대한 기본 성질을 이용하여 간단한 수열의 합, 차, 곱, 몫으로 고쳐서 수열의 극한값을 구할 수 있다.

- $\dfrac{(\text{상수})}{\infty}\to0$

- $\displaystyle\lim_{n\to\infty}a_n=\alpha$ (α는 실수), $\displaystyle\lim_{n\to\infty}b_n=\infty$일 때
  (1) $\alpha>0$이면 $\displaystyle\lim_{n\to\infty}a_nb_n=\infty$
  (2) $\alpha<0$이면 $\displaystyle\lim_{n\to\infty}a_nb_n=-\infty$

- $\infty-\infty$ 꼴의 극한 : $\sqrt{\ }$가 있는 경우와 없는 경우로 나누어 생각한다.
  (1) $\sqrt{\ }$가 있는 경우 : $\sqrt{\ }$가 있는 쪽을 유리화한다.
  (2) $\sqrt{\ }$가 없는 경우 : 최고차항(또는 최고 큰 수)으로 묶어낸다.

➡ 정답 및 풀이 **2**쪽

[021~025] 다음 극한을 조사하고, 극한이 존재하면 그 극한값을 구하시오.

021 $\displaystyle\lim_{n\to\infty}\dfrac{2-n}{n+3}$

022 $\displaystyle\lim_{n\to\infty}\dfrac{(n+4)(2n-1)}{n^2}$

023 $\displaystyle\lim_{n\to\infty}\dfrac{-n^2+9}{2n+1}$

024 $\displaystyle\lim_{n\to\infty}\dfrac{n^2-1}{3n^2-5n+7}$

025 $\displaystyle\lim_{n\to\infty}\dfrac{3n^2-5n}{n+1}$

[026~030] 다음 극한을 조사하고, 극한이 존재하면 그 극한값을 구하시오.

026 $\displaystyle\lim_{n\to\infty}(n^3-8n)$

027 $\displaystyle\lim_{n\to\infty}(n-2n^2-3)$

028 $\displaystyle\lim_{n\to\infty}(\sqrt{n+5}-\sqrt{n})$

029 $\displaystyle\lim_{n\to\infty}\dfrac{1}{\sqrt{n^2+3}-n}$

030 $\displaystyle\lim_{n\to\infty}(\sqrt{n^2+4n}-\sqrt{n^2-4n})$

수열 $\{a_n\}$, $\{b_n\}$이 각각 수렴하고 $\lim\limits_{n\to\infty} a_n = \alpha$, $\lim\limits_{n\to\infty} b_n = \beta$ (α, β는 실수)일 때

(1) 모든 자연수 n에 대하여 $a_n \le b_n$이면 $\alpha \le \beta$이다.

(2) 수열 $\{c_n\}$이 모든 자연수 n에 대하여 $a_n \le c_n \le b_n$이고 $\alpha = \beta$이면 $\lim\limits_{n\to\infty} c_n = \alpha$이다.

예 수열 $\{a_n\}$이 모든 자연수 n에 대하여 $1 - \dfrac{1}{n} \le a_n \le 1 + \dfrac{1}{n}$이면

$$\lim_{n\to\infty}\left(1 - \frac{1}{n}\right) = 1,\ \lim_{n\to\infty}\left(1 + \frac{1}{n}\right) = 1$$이므로 $\lim\limits_{n\to\infty} a_n = 1$

참고 (1)에서 모든 자연수 n에 대하여 $a_n < b_n$이지만 두 수열의 극한값이 같은 경우, 즉 $\alpha = \beta$인 경

우도 있다. 예를 들어 $a_n = \dfrac{1}{n}$, $b_n = \dfrac{2}{n}$이면 모든 자연수 n에 대하여 $a_n < b_n$이지만

$\lim\limits_{n\to\infty} a_n = \lim\limits_{n\to\infty} b_n = 0$이다.

마찬가지로 (2)에서도 $a_n = \dfrac{1}{n}$, $b_n = \dfrac{3}{n}$, $c_n = \dfrac{2}{n}$이면 모든 자연수 n에 대하여 $a_n < c_n < b_n$이지

만 $\lim\limits_{n\to\infty} a_n = \lim\limits_{n\to\infty} b_n = \lim\limits_{n\to\infty} c_n = 0$이다.

● 수열 $\{a_n\}$, $\{b_n\}$에서 모든 자연수 n에 대하여 $a_n \le b_n$일 때, $\lim\limits_{n\to\infty} a_n = \infty$이면 $\lim\limits_{n\to\infty} b_n = \infty$이다.

→ 정답 및 풀이 **3**쪽

031 다음은 수열 $\{a_n\}$이 모든 자연수 n에 대하여 부등식 $2 - \dfrac{3}{n} < a_n < 2 + \dfrac{1}{n^2}$을 만족시킬 때, $\lim\limits_{n\to\infty} a_n$의 값을 구하는 과정이다.

> 수열 $\{a_n\}$이 모든 자연수 n에 대하여
> $2 - \dfrac{3}{n} < a_n < 2 + \dfrac{1}{n^2}$을 만족시키면
> $\lim\limits_{n\to\infty}\left(2 - \dfrac{3}{n}\right) = \boxed{(가)}$, $\lim\limits_{n\to\infty}\left(2 + \dfrac{1}{n^2}\right) = \boxed{(나)}$
> 이므로 수열의 극한의 대소 관계에 의하여
> $\lim\limits_{n\to\infty} a_n = \boxed{(다)}$

위의 과정에서 (가), (나), (다)에 알맞은 것을 써넣으시오.

032 수열 $\{a_n\}$이 모든 자연수 n에 대하여 부등식 $\dfrac{5n^2 - 2}{n^2 + 3} < a_n < \dfrac{5n^2}{n^2 + 1}$을 만족시킬 때, $\lim\limits_{n\to\infty} a_n$의 값을 구하시오.

033 다음은 수열 $\{a_n\}$이 모든 자연수 n에 대하여 부등식 $4n - 1 \le na_n \le 4n + 3$을 만족시킬 때, $\lim\limits_{n\to\infty} a_n$의 값을 구하는 과정이다.

> $4n - 1 \le na_n \le 4n + 3$에서 각 변을 n으로 나누면
> $\dfrac{4n - 1}{n} \le a_n \le \dfrac{4n + 3}{n}$
> 이때 $\lim\limits_{n\to\infty} \dfrac{4n - 1}{n} = \boxed{(가)}$, $\lim\limits_{n\to\infty} \dfrac{4n + 3}{n} = \boxed{(나)}$
> 이므로 수열의 극한의 대소 관계에 의하여
> $\lim\limits_{n\to\infty} a_n = \boxed{(다)}$

위의 과정에서 (가), (나), (다)에 알맞은 것을 써넣으시오.

034 수열 $\{a_n\}$이 모든 자연수 n에 대하여 부등식 $2n^2 + 1 \le (n^2 + n)a_n \le 2n^2 + 3n$을 만족시킬 때, $\lim\limits_{n\to\infty} a_n$의 값을 구하시오.

등비수열 $\{r^n\}$에서

(1) $r > 1$일 때, $\lim\limits_{n \to \infty} r^n = \infty$ (발산)

(2) $r = 1$일 때, $\lim\limits_{n \to \infty} r^n = 1$ (수렴)

(3) $-1 < r < 1$일 때, $\lim\limits_{n \to \infty} r^n = 0$ (수렴)

(4) $r \leq -1$일 때, 수열 $\{r^n\}$은 진동한다. (발산)

예 (1) 등비수열 $\{4^n\}$은 공비가 4이고, $4 > 1$이므로 양의 무한대로 발산한다. ➡ $\lim\limits_{n \to \infty} 4^n = \infty$

(2) 등비수열 $\left\{\left(\dfrac{1}{3}\right)^n\right\}$은 공비가 $\dfrac{1}{3}$이고, $-1 < \dfrac{1}{3} < 1$이므로 수렴한다. ➡ $\lim\limits_{n \to \infty} \left(\dfrac{1}{3}\right)^n = 0$

(3) 등비수열 $\{(-2)^n\}$은 공비가 -2이고, $-2 < -1$이므로 발산(진동)한다.

참고 (1) 등비수열 $\{r^n\}$이 수렴한다. $\Longleftrightarrow -1 < r \leq 1$

(2) 등비수열 $\{ar^{n-1}\}$이 수렴한다. $\Longleftrightarrow a = 0$ 또는 $-1 < r \leq 1$

● r^n을 포함한 수열의 극한은 r의 값의 범위를 $|r| < 1$, $r = 1$, $|r| > 1$, $r = -1$ 인 경우로 나누어 구한다.

➔ 정답 및 풀이 **3**쪽

[035~042] 다음 수열의 수렴, 발산을 조사하고, 수렴하면 그 극한값을 구하시오.

035 $\left\{\left(\dfrac{2}{5}\right)^n\right\}$

036 $\{(-0.3)^n\}$

037 $\left\{\dfrac{(-1)^n}{4^n}\right\}$

038 $\{(\sqrt{1.5})^n\}$

039 $\left\{\dfrac{5^n}{4^{n+1}}\right\}$

040 $\left\{\dfrac{3^n}{2^{2n}}\right\}$

041 $\left\{\left(\dfrac{2}{3}\right)^{1-n}\right\}$

042 $\{3^{-n} - 2^{-n}\}$

[043~046] 다음 수열의 수렴, 발산을 조사하고, 수렴하면 그 극한값을 구하시오.

043 $\left\{\dfrac{5^n - 1}{3^n}\right\}$

044 $\left\{\dfrac{3^n - 6^n}{3^n + 6^n}\right\}$

045 $\left\{\dfrac{3^{n+1} - 1}{4^n - 2^n}\right\}$

046 $\left\{\dfrac{5^{n+1} + 2^n}{5^n - 5^{n-1}}\right\}$

[047~050] 다음 등비수열이 수렴하기 위한 실수 x의 값의 범위를 구하시오.

047 $1, -3x, 9x^2, -27x^3, \cdots$

048 $1, \dfrac{x}{2}, \dfrac{x^2}{4}, \dfrac{x^3}{8}, \cdots$

049 $\{(2x-1)^n\}$

050 $\{(x+3)^n\}$

유형 01 수열의 수렴과 발산

0이 아닌 상수 a에 대하여 n이 한없이 커지면

(1) 수열 $\left\{\dfrac{a}{n}\right\}$ ➡ 0에 수렴

(2) 수열 $\left\{\dfrac{n}{a}\right\}$ ➡ 양의 무한대 또는 음의 무한대로 발산

대표 문제
051

보기에서 수렴하는 수열인 것만을 있는 대로 고르시오.

┌ 보기 ┐

ㄱ. $\left\{-\dfrac{n}{2}\right\}$ ㄴ. $\left\{\log_3\left(\dfrac{n+1}{n}\right)\right\}$ ㄷ. $\left\{\dfrac{3^{2n-1}}{n}\right\}$

052

다음 수열 중 수렴하는 것은?

① $\{n^2+2n\}$ ② $\left\{1-\dfrac{1}{n^2}\right\}$

③ $\left\{\dfrac{1}{n}+(-1)^{n+1}\right\}$ ④ $\{3^n\}$

⑤ $\{2+(-1)^n\}$

053

보기에서 발산하는 수열인 것만을 있는 대로 고른 것은?

┌ 보기 ┐

ㄱ. $\left\{\dfrac{-n^2}{2n+1}\right\}$ ㄴ. $\left\{\dfrac{1}{n^2+1}\right\}$

ㄷ. $\left\{(-1)^n \times \dfrac{1}{n+2}\right\}$ ㄹ. $\left\{\dfrac{(-1)^n+1}{n}\right\}$

ㅁ. $\{n\sin 30°\}$

① ㄱ, ㄷ ② ㄱ, ㄹ ③ ㄱ, ㅁ

④ ㄷ, ㄹ ⑤ ㄷ, ㅁ

유형 02 수열의 극한에 대한 기본 성질

수렴하는 두 수열 $\{a_n\}$, $\{b_n\}$에 대하여

$\lim\limits_{n\to\infty} a_n=\alpha$, $\lim\limits_{n\to\infty} b_n=\beta$ (α, β는 실수)일 때

(1) $\lim\limits_{n\to\infty} ca_n=c\lim\limits_{n\to\infty} a_n=c\alpha$ (단, c는 상수)

(2) $\lim\limits_{n\to\infty}(a_n+b_n)=\lim\limits_{n\to\infty} a_n+\lim\limits_{n\to\infty} b_n=\alpha+\beta$

(3) $\lim\limits_{n\to\infty}(a_n-b_n)=\lim\limits_{n\to\infty} a_n-\lim\limits_{n\to\infty} b_n=\alpha-\beta$

(4) $\lim\limits_{n\to\infty} a_n b_n=\lim\limits_{n\to\infty} a_n \times \lim\limits_{n\to\infty} b_n=\alpha\beta$

(5) $\lim\limits_{n\to\infty}\dfrac{a_n}{b_n}=\dfrac{\lim\limits_{n\to\infty} a_n}{\lim\limits_{n\to\infty} b_n}=\dfrac{\alpha}{\beta}$ (단, $b_n\neq 0$, $\beta\neq 0$)

대표 문제
054

두 수열 $\{a_n\}$, $\{b_n\}$에 대하여 $\lim\limits_{n\to\infty} a_n=2$, $\lim\limits_{n\to\infty} b_n=-5$일 때, $\lim\limits_{n\to\infty}(3a_n-1)(b_n+4)$의 값을 구하시오.

055

두 수열 $\{a_n\}$, $\{b_n\}$에 대하여 $\lim\limits_{n\to\infty} a_n=3$, $\lim\limits_{n\to\infty}(2a_n-b_n)=-4$일 때, $\lim\limits_{n\to\infty} b_n$의 값은?

① 6 ② 7 ③ 8

④ 9 ⑤ 10

056

수렴하는 두 수열 $\{a_n\}$, $\{b_n\}$에 대하여 $\lim\limits_{n\to\infty}(a_n+b_n)=6$, $\lim\limits_{n\to\infty} a_n b_n=8$일 때, $\lim\limits_{n\to\infty}(a_n^2+a_n b_n+b_n^2)$의 값을 구하시오.

유형 03 $\lim\limits_{n\to\infty}a_n=\lim\limits_{n\to\infty}a_{n+1}=\alpha$의 이용

$\lim\limits_{n\to\infty}a_n=\alpha$ (α는 실수)이면

$\lim\limits_{n\to\infty}a_{n+1}=\lim\limits_{n\to\infty}a_{n+2}=\cdots=\alpha$

대표 문제
057

수렴하는 수열 $\{a_n\}$에 대하여 $\lim\limits_{n\to\infty}\dfrac{a_{n+2}+7}{a_{n+1}-9}=2$일 때, $\lim\limits_{n\to\infty}a_n$의 값을 구하시오.

058

수열 $\{a_n\}$이 0이 아닌 실수에 수렴하고

$9a_n+\dfrac{1}{a_{n+1}}=6$ ($n=1,\ 2,\ 3,\ \cdots$)을 만족시킬 때, $\lim\limits_{n\to\infty}a_n$의 값을 구하시오.

유형 04 $\dfrac{\infty}{\infty}$ 꼴의 극한

$\dfrac{\infty}{\infty}$ 꼴의 극한은 분모의 최고차항으로 분자, 분모를 각각

나눈 다음 $\lim\limits_{n\to\infty}\dfrac{1}{n}=0$임을 이용하여 극한값을 구한다.

참고 (1) (분자의 차수)=(분모의 차수)인 경우
 ➡ 극한값은 최고차항의 계수의 비
(2) (분자의 차수)<(분모의 차수)인 경우
 ➡ 극한값은 0
(3) (분자의 차수)>(분모의 차수)인 경우
 ➡ 발산

대표 문제
059

다음 보기의 수열 중에서 극한값이 존재하는 것만을 있는 대로 고르시오.

┌ 보기 ┐

ㄱ. $\left\{\dfrac{n^3-8}{(n-2)n}\right\}$ ㄴ. $\left\{\dfrac{\sqrt{n^2+4n}}{4n}\right\}$ ㄷ. $\left\{\dfrac{\sqrt{2n}}{n+1}\right\}$

060

다음 중 극한값이 가장 큰 것은?

① $\lim\limits_{n\to\infty}\dfrac{2n-1}{3n+1}$ ② $\lim\limits_{n\to\infty}\dfrac{3n^2-5n+6}{-n^2+4n-5}$

③ $\lim\limits_{n\to\infty}\left(2-\dfrac{3}{n}\right)\left(\dfrac{2}{n}+5\right)$ ④ $\lim\limits_{n\to\infty}\dfrac{(9n+7)(1-4n)}{(3+n)(1-2n)}$

⑤ $\lim\limits_{n\to\infty}\left(-\dfrac{1}{n^2}+6\right)$

061

자연수 n에 대하여 다항식 $f(x)=2x^2+3x+1$을 $2x-n$으로 나눈 나머지를 $R(n)$이라 할 때, $\lim\limits_{n\to\infty}\dfrac{R(n)}{f(n)}$의 값은?

① $\dfrac{1}{4}$ ② $\dfrac{1}{3}$ ③ 1

④ 2 ⑤ 4

$R(n)=f\left(\dfrac{n}{2}\right)$

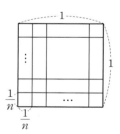

062

오른쪽 그림은 자연수 n에 대하여 한 변의 길이가 1인 정사각형의 각 변을 n 등분하여 각 변에 평행한 선분을 나타낸 것이다. 한 변의 길이가 $\dfrac{1}{n}$인 모든 정사각형의 개수를 a_n, 한 변의 길이가 $\dfrac{1}{n}$인 모든 정사각형의 꼭짓점의 개수를 b_n이라 할 때, $\lim\limits_{n\to\infty}\dfrac{b_n}{a_n}$의 값을 구하시오.

(단, 중복되는 꼭짓점은 한 번만 센다.)

유형 05 $\dfrac{\infty}{\infty}$ **꼴의 극한 – 합 또는 곱**

a_n이 합 또는 곱의 꼴로 주어진 경우 다음과 같은 순서로 구한다.

❶ 합 또는 곱으로 된 부분을 간단히 정리하여 n에 대한 식으로 나타낸다.

❷ $\dfrac{\infty}{\infty}$ 꼴의 극한을 구하는 방법을 이용하여 극한값을 구한다.

대표 문제
063

$\displaystyle\lim_{n\to\infty}\dfrac{n^2+3}{1+2+3+\cdots+n}$ 의 값은?

① $\dfrac{1}{2}$ ② 1 ③ 2

④ 3 ⑤ 4

064

두 수열 $\{a_n\}$, $\{b_n\}$의 일반항이

$a_n=\left(1-\dfrac{1}{2}\right)\left(1-\dfrac{1}{3}\right)\left(1-\dfrac{1}{4}\right)\times\cdots\times\left(1-\dfrac{1}{n+1}\right)$,

$b_n=1^2+2^2+3^2+\cdots+n^2$일 때, $\displaystyle\lim_{n\to\infty}\dfrac{a_nb_n}{n^2}$의 값을 구하시오.

065

자연수 n에 대하여 $f(n)=1+2+3+\cdots+n$이라 할 때, $\displaystyle\lim_{n\to\infty}\dfrac{\{f(n)\}^2}{(n+3)^2f(2n)}$의 값을 구하시오.

유형 06 $\dfrac{\infty}{\infty}$ **꼴의 극한 – 미정계수의 결정**

$\displaystyle\lim_{n\to\infty}a_n=\infty$, $\displaystyle\lim_{n\to\infty}b_n=\infty$이고, $\displaystyle\lim_{n\to\infty}\dfrac{a_n}{b_n}=\alpha$ (α는 실수)일 때

(1) $\alpha=0$이면 ➡ (a_n의 차수) $<$ (b_n의 차수)

(2) $\alpha\neq0$이면 ➡ (a_n의 차수) $=$ (b_n의 차수)이고, 최고차항의 계수의 비가 α이다.

대표 문제
066

$\displaystyle\lim_{n\to\infty}\dfrac{an^2+bn+1}{4n+3}=6$일 때, 상수 a, b에 대하여 $a+b$의 값을 구하시오.

067

$\displaystyle\lim_{n\to\infty}\dfrac{a(n+2)^2}{bn^3+3n^2}=4$가 되도록 하는 상수 a, b에 대하여 $3a+b$의 값은?

① 12 ② 20 ③ 24

④ 30 ⑤ 36

유형 07 $\infty-\infty$ **꼴의 극한**

(1) 주어진 식이 다항식인 경우
➡ 최고차항으로 묶어서 $\infty\times$(상수) 꼴로 변형한다.

(2) 주어진 식이 무리식인 경우
➡ 근호를 포함한 쪽을 유리화하여 $\dfrac{\infty}{\infty}$ 꼴로 변형한다.

대표 문제
068

$\displaystyle\lim_{n\to\infty}(\sqrt{16n^2-5n}-4n)$의 값은?

① $-\dfrac{3}{4}$ ② $-\dfrac{5}{8}$ ③ $-\dfrac{1}{2}$

④ $-\dfrac{3}{8}$ ⑤ $-\dfrac{1}{4}$

069

$\lim\limits_{n\to\infty}\sqrt{n}(\sqrt{3n+1}-\sqrt{3n-1})$의 값은?

① $\dfrac{1}{3}$ ② $\dfrac{\sqrt{3}}{3}$ ③ 1

④ $\dfrac{2\sqrt{3}}{3}$ ⑤ $\sqrt{3}$

070

첫째항이 0이고 공차가 8인 등차수열 $\{a_n\}$의 첫째항부터 제n항까지의 합을 S_n이라 할 때, $\lim\limits_{n\to\infty}(\sqrt{S_{n+1}}-\sqrt{S_n})$의 값은?

① $\dfrac{1}{8}$ ② $\dfrac{1}{4}$ ③ $\dfrac{1}{2}$

④ 1 ⑤ 2

071

자연수 n에 대하여 $\sqrt{n^2+2n}$의 정수 부분을 a_n, 소수 부분을 b_n이라 할 때, $\lim\limits_{n\to\infty}\dfrac{a_nb_n}{a_n+b_n}$의 값을 구하시오.

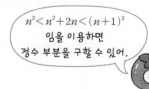

$n^2<n^2+2n<(n+1)^2$
임을 이용하면
정수 부분을 구할 수 있어.

072

이차방정식 $x^2-3x+n-\sqrt{n^2+6n}=0$의 두 근을 α_n, β_n이라 할 때, $\lim\limits_{n\to\infty}\left(\dfrac{1}{\alpha_n}+\dfrac{1}{\beta_n}\right)$의 값을 구하시오.

유형 08 ∞ − ∞ 꼴의 극한 – 미정계수의 결정

∞ − ∞ 꼴의 극한에서 미정계수는 다음과 같은 순서로 구한다.

❶ 무리식을 유리화하여 $\dfrac{\infty}{\infty}$ 꼴로 변형한다.

❷ 극한값이 0이 아닌 실수 α로 수렴하면 최고차항의 계수의 비가 α임을 이용한다.

대표 문제
073

$\lim\limits_{n\to\infty}(\sqrt{n^2+an}-n)=3$일 때, 상수 a의 값을 구하시오.

074

$\lim\limits_{n\to\infty}\{\sqrt{n^2+4n+2}-(an+b)\}=8$일 때, 상수 a, b에 대하여 a^2+b^2의 값은?

① 34 ② 35 ③ 36

④ 37 ⑤ 38

075

$\lim\limits_{n\to\infty}\dfrac{an+4}{\sqrt{n^2+bn}-n}=6$일 때, 상수 a, b에 대하여 $a-b$의 값은?

① $-\dfrac{8}{3}$ ② $-\dfrac{4}{3}$ ③ 0

④ $\dfrac{4}{3}$ ⑤ $\dfrac{8}{3}$

정답 및 풀이 **7쪽**

날선 유형 09 일반항 a_n을 포함한 식의 극한

$\lim\limits_{n\to\infty}\dfrac{ra_n+s}{pa_n+q}=\alpha$ (α는 실수)일 때, $\lim\limits_{n\to\infty}a_n$의 값은 다음과 같은 순서로 구한다. (단, p, q, r, s는 상수)

❶ $\dfrac{ra_n+s}{pa_n+q}=b_n$으로 놓고 a_n을 b_n에 대한 식으로 나타낸다.

❷ $\lim\limits_{n\to\infty}b_n=\alpha$임을 이용하여 $\lim\limits_{n\to\infty}a_n$의 값을 구한다.

대표 문제
076 #일반항_a_n_포함 #극한_기본_성질 #$\lim\limits_{n\to\infty}\dfrac{1}{n}=0$

수열 $\{a_n\}$이 $\lim\limits_{n\to\infty}na_n=\dfrac{1}{3}$을 만족시킬 때, $\lim\limits_{n\to\infty}\dfrac{3n+5}{n^2a_n}$의 값을 구하시오.
→ $na_n=b_n$으로 놓고 a_n을 b_n에 대한 식으로 나타낸다.

077

수열 $\{a_n\}$에 대하여 $\lim\limits_{n\to\infty}\dfrac{a_n}{4n^2+1}=2$일 때,

$\lim\limits_{n\to\infty}\dfrac{5n^2+2a_n}{n^2+3}$의 값은?

① 20　　　　② 21　　　　③ 22

④ 23　　　　⑤ 24

078

두 수열 $\{a_n\}$, $\{b_n\}$에 대하여

$\lim\limits_{n\to\infty}\dfrac{a_n}{3n-1}=4$, $\lim\limits_{n\to\infty}\dfrac{b_n}{2n+5}=2$

일 때, $\lim\limits_{n\to\infty}\dfrac{a_nb_n}{(n+1)^2}$의 값을 구하시오.

079

두 수열 $\{a_n\}$, $\{b_n\}$에 대하여

$\lim\limits_{n\to\infty}(n^3+1)a_n=4$, $\lim\limits_{n\to\infty}(2n+3)b_n=6$

일 때, $\lim\limits_{n\to\infty}\dfrac{b_n}{(3n+1)^2a_n}$의 값을 구하시오.

날선 유형 10 수열의 극한의 대소 관계

모든 자연수 n에 대하여 $a_n\leq c_n\leq b_n$이고
$\lim\limits_{n\to\infty}a_n=\lim\limits_{n\to\infty}b_n=\alpha$ (α는 실수)이면 $\lim\limits_{n\to\infty}c_n=\alpha$

대표 문제
080 #수열_부등식 #극한의_대소_관계 #양_끝_극한값

수열 $\{a_n\}$이 모든 자연수 n에 대하여
$\sqrt{9n^2-n}<(n+1)a_n<\sqrt{9n^2+2n}$을 만족시킬 때,
$\lim\limits_{n\to\infty}a_n$의 값은?
→ 각 변을 $n+1$로 나눈다.

① $\dfrac{\sqrt{3}}{3}$　　　② 1　　　③ $\sqrt{3}$

④ 3　　　⑤ 9

081

수열 $\{a_n\}$이 모든 자연수 n에 대하여

$4n-2<na_n<\dfrac{4n^2+5n+1}{n}$을 만족시킬 때, $\lim\limits_{n\to\infty}a_n$의 값은?

① $\dfrac{5}{2}$　　　② 3　　　③ $\dfrac{7}{2}$

④ 4　　　⑤ $\dfrac{9}{2}$

082

수열 $\{a_n\}$이 모든 자연수 n에 대하여
$(2n-1)(3n^2+1)<(n+1)^2a_n<6n^2(n+1)$을 만족시킬 때, $\lim\limits_{n\to\infty}\dfrac{a_n}{n}$의 값을 구하시오.

083

수열 $\{a_n\}$이 모든 자연수 n에 대하여

$6n^2+4n-1 < a_n < 6n^2+4n+3$을 만족시킬 때,

$\lim\limits_{n\to\infty} \dfrac{a_n-6n^2}{n}$의 값을 구하시오.

084

수열 $\{a_n\}$이 모든 자연수 n에 대하여

$2n < a_n < 2n+1$을 만족시킬 때,

$\lim\limits_{n\to\infty} \dfrac{a_1+a_2+a_3+\cdots+a_n}{5n^2+4}$의 값을 구하시오.

유형 **11** 수열의 극한에 대한 참·거짓 ○□△⊗

수열의 극한에 대한 기본 성질을 바탕으로 주어진 명제가
옳은지 판단한다. 이때 거짓인 명제는 반례를 찾는다.

대표 문제
085

세 수열 $\{a_n\}$, $\{b_n\}$, $\{c_n\}$에 대하여 보기에서 옳은 것만을
있는 대로 고른 것은?

┌ 보기 ┐

ㄱ. $\lim\limits_{n\to\infty}(a_n-3b_n)=0$, $\lim\limits_{n\to\infty}b_n=1$이면 $\lim\limits_{n\to\infty}a_n=3$이다.

ㄴ. $\lim\limits_{n\to\infty}a_n=\infty$, $\lim\limits_{n\to\infty}b_n=0$이면 $\lim\limits_{n\to\infty}a_nb_n=0$이다.

ㄷ. 모든 자연수 n에 대하여 $a_n < b_n < c_n$이고
$\lim\limits_{n\to\infty}(c_n-a_n)=0$이면 수열 $\{b_n\}$은 수렴한다.

① ㄱ   ② ㄴ   ③ ㄱ, ㄷ

④ ㄴ, ㄷ   ⑤ ㄱ, ㄴ, ㄷ

086

두 수열 $\{a_n\}$, $\{b_n\}$에 대하여 다음 중 옳은 것은?

(단, α, β는 상수이다.)

① $\lim\limits_{n\to\infty}a_n=\alpha$, $\lim\limits_{n\to\infty}b_n=\beta$이면 $\lim\limits_{n\to\infty}\dfrac{a_n}{b_n}=\dfrac{\alpha}{\beta}$이다.

② $\lim\limits_{n\to\infty}a_n=\infty$, $\lim\limits_{n\to\infty}b_n=\infty$이면 $\lim\limits_{n\to\infty}(a_n-b_n)=0$이다.

③ $\lim\limits_{n\to\infty}a_n=\infty$, $\lim\limits_{n\to\infty}b_n=-\infty$이면 $\lim\limits_{n\to\infty}(a_n+b_n)=0$이다.

④ 두 수열 $\{a_n\}$, $\{b_n\}$이 모두 수렴할 때, 모든 자연수 n
에 대하여 $a_n < b_n$이면 $\lim\limits_{n\to\infty}a_n < \lim\limits_{n\to\infty}b_n$이다.

⑤ 모든 자연수 n에 대하여 $a_n < b_n$일 때, $\lim\limits_{n\to\infty}a_n=\infty$이
면 $\lim\limits_{n\to\infty}b_n=\infty$이다.

087

두 수열 $\{a_n\}$, $\{b_n\}$에 대하여 보기에서 옳은 것만을 있는
대로 고르시오.

┌ 보기 ┐

ㄱ. $\lim\limits_{n\to\infty}a_n=\alpha$ (α는 실수)이고 $\lim\limits_{n\to\infty}(a_n-b_n)=0$이면
$\lim\limits_{n\to\infty}b_n=\alpha$이다.

ㄴ. $\lim\limits_{n\to\infty}a_n=\infty$이고 $\lim\limits_{n\to\infty}(a_n-b_n)=\alpha$ (α는 실수)이면
$\lim\limits_{n\to\infty}\dfrac{b_n}{a_n}=1$이다.

ㄷ. $\lim\limits_{n\to\infty}a_n=\infty$, $\lim\limits_{n\to\infty}b_n=\infty$이면 $\lim\limits_{n\to\infty}\dfrac{b_n}{a_n}=1$이다.

유형 **12** 등비수열의 수렴과 발산 ○□△⊗

등비수열 $\{r^n\}$에서

(1) $-1 < r \leq 1$ ➡ 수렴

(2) $r \leq -1$ 또는 $r > 1$ ➡ 발산

대표 문제
088

보기에서 수렴하는 수열인 것만을 있는 대로 고르시오.

┌ 보기 ┐

ㄱ. $\{1.09^n\}$ ㄴ. $\left\{\left(-\dfrac{3}{4}\right)^n\right\}$

ㄷ. $\left\{\dfrac{1}{0.5^n}\right\}$ ㄹ. $\{(-0.6)^{2n}\}$

089

다음 수열 중 발산하는 것은?

① $\left\{\dfrac{1}{2^n}\right\}$　　② $\{0.4^{2n}\}$　　③ $\{(\sqrt{0.99}\,)^n\}$

④ $\left\{\left(-\dfrac{3}{10}\right)^n\right\}$　　⑤ $\left\{\dfrac{3^{2n-1}}{5^n}\right\}$

090

다음 중 옳지 <u>않은</u> 것은?

① $\lim\limits_{n\to\infty}\left(-\dfrac{1}{2}\right)^n=0$　　② $\lim\limits_{n\to\infty}\dfrac{1}{1.5^n}=\infty$

③ $\lim\limits_{n\to\infty}(0.9^n+1)=1$　　④ $\lim\limits_{n\to\infty}\dfrac{2^{2n+1}}{3^n}=\infty$

⑤ $\lim\limits_{n\to\infty}\left\{\left(\dfrac{3}{5}\right)^{-2n}+2\right\}=\infty$

유형 13 **등비수열이 포함된 수열의 극한**

수열 $\left\{\dfrac{c^n+d^n}{a^n+b^n}\right\}$ (a, b, c, d는 실수) 꼴의 극한값은 다음과 같은 순서로 구한다.

❶ 분모에서 a^n과 b^n 중 절댓값이 가장 큰 항으로 분자, 분모를 각각 나눈다.

❷ $|r|<1$이면 $\lim\limits_{n\to\infty}r^n=0$임을 이용하여 주어진 수열의 극한값을 구한다.

대표 문제
091

$\lim\limits_{n\to\infty}\dfrac{9^{n+1}+5^n}{3^{2n-1}-4^n}$의 값을 구하시오.

092

수렴하는 수열 $\{a_n\}$이 $\lim\limits_{n\to\infty}\dfrac{5^n+9^{n+1}\times a_n}{5^n\times a_n-3^{2n}}=18$을 만족시킬 때, $\lim\limits_{n\to\infty}3a_n$의 값은?

① -12　　② -9　　③ -6

④ -3　　⑤ -1

093

다음 수열의 극한값을 구하시오.

$$\sqrt{7},\ \sqrt{7\sqrt{7}},\ \sqrt{7\sqrt{7\sqrt{7}}},\ \cdots$$

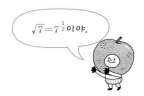

$\sqrt{7}=7^{\frac{1}{2}}$이야.

094

자연수 n에 대하여 다항식 $6x^{n+1}+4x+1$을 $x-2$로 나누었을 때의 나머지를 a_n, $x-3$으로 나누었을 때의 나머지를 b_n이라 할 때, $\lim\limits_{n\to\infty}\dfrac{a_n+b_n}{3^n+2}$의 값을 구하시오.

095

$0<a<b$이고 $\lim\limits_{n\to\infty}\dfrac{a^{n+1}+2b^n}{a^n+b^{n+1}}=\dfrac{1}{3}$일 때, 상수 b의 값을 구하시오.

$\dfrac{a}{b}<1$이니까 $\lim\limits_{n\to\infty}\left(\dfrac{a}{b}\right)^n=0$임을 이용해!

096

첫째항이 5, 공비가 2인 등비수열 $\{a_n\}$에 대하여

$\lim\limits_{n\to\infty}\dfrac{a_1+a_2+a_3+\cdots+a_n}{a_n+a_{n+1}}$의 값은?

① $\dfrac{1}{3}$ ② $\dfrac{2}{3}$ ③ 1

④ $\dfrac{4}{3}$ ⑤ $\dfrac{5}{3}$

유형 **14**   **등비수열의 수렴 조건**   ○△☓

(1) 등비수열 $\{r^n\}$이 수렴하려면 ➡ $-1<r\le1$

(2) 등비수열 $\{ar^{n-1}\}$이 수렴하려면

➡ $a=0$ 또는 $-1<r\le1$

대표 문제

097

등비수열 $\{(5x+4)^{n-1}\}$이 수렴하도록 하는 실수 x의 값의 범위는?

① $-1\le x<-\dfrac{3}{5}$ ② $-1<x\le-\dfrac{3}{5}$

③ $0<x\le\dfrac{3}{5}$ ④ $\dfrac{3}{5}\le x<1$

⑤ $\dfrac{3}{5}<x\le1$

098

두 수열 $\{(\log_3 x-2)^n\}$, $\{(x-3)(11-2x)^n\}$이 모두 수렴하도록 하는 실수 x의 값의 범위는?

① $3<x\le5$ ② $3<x\le6$

③ $3<x\le27$ ④ $5\le x<6$

⑤ $5\le x<27$

099

등비수열 $\left\{\left(\dfrac{x^2-6x+7}{2}\right)^n\right\}$이 수렴하도록 하는 모든 정수 x의 값의 합은?

① 8   ② 9   ③ 10

④ 11   ⑤ 12

100

등비수열 $\{r^n\}$이 수렴할 때, 보기에서 항상 수렴하는 수열인 것만을 있는 대로 고른 것은?

┌─ 보기 ─

ㄱ. $\{(-r)^n\}$ ㄴ. $\left\{\left(\dfrac{1+r}{2}\right)^{n-1}\right\}$

ㄷ. $\{r^{2n-1}\}$ ㄹ. $\left\{\left(\dfrac{2-r}{3}\right)^n\right\}$

└─────

① ㄱ, ㄷ   ② ㄴ, ㄹ   ③ ㄷ, ㄹ

④ ㄱ, ㄴ, ㄹ   ⑤ ㄴ, ㄷ, ㄹ

유형 15 r^n을 포함한 수열의 극한

r^n을 포함한 수열의 극한은 r의 값의 범위를
$$|r|<1,\ r=1,\ |r|>1,\ r=-1$$
인 경우로 나누어 구한다.

대표 문제
101

$\lim\limits_{n\to\infty}\dfrac{r^{n+1}-1}{r^n+1}=9$를 만족시키는 실수 r의 값은?

(단, $r\neq-1$이다.)

① -3 ② $-\dfrac{1}{3}$ ③ $\dfrac{1}{3}$

④ 3 ⑤ 9

102

수열 $\left\{\dfrac{r^{2n-1}+4}{r^{2n}+1}\right\}$가 수렴할 때, 다음 중 그 극한값이 될 수 <u>없는</u> 것은? (단, r는 실수이다.)

① $\dfrac{1}{2}$ ② $\dfrac{3}{2}$ ③ $\dfrac{5}{2}$

④ 3 ⑤ 4

103

수열 $\left\{\dfrac{r^n}{r^{2n}-5}\right\}$의 극한에 대하여 다음 중 옳지 <u>않은</u> 것은?

① $r<-1$이면 0에 수렴한다.

② $r=-1$이면 발산한다.

③ $-1<r<1$이면 $\dfrac{1}{4}$에 수렴한다.

④ $r=1$이면 $-\dfrac{1}{4}$에 수렴한다.

⑤ $r>1$이면 0에 수렴한다.

유형 16 x^n을 포함한 극한으로 정의된 함수

x^n을 포함한 극한으로 정의된 함수는 x의 값의 범위를
$$|x|<1,\ x=1,\ |x|>1,\ x=-1$$
인 경우로 나누고 다음을 이용하여 함수의 식을 구한다.

(1) $|x|<1$이면 ➡ $\lim\limits_{n\to\infty}x^n=0$

(2) $|x|>1$이면 ➡ $\lim\limits_{n\to\infty}\dfrac{1}{x^n}=0$

대표 문제
104

함수 $f(x)=\lim\limits_{n\to\infty}\dfrac{x^{2n+3}+4x}{x^{2n}+1}$일 때, $f(5)+f\left(-\dfrac{1}{2}\right)$의 값을 구하시오. (단, n은 자연수이다.)

105

함수 $f(x)$를 $f(x)=\lim\limits_{n\to\infty}\dfrac{x^{n+1}-2}{x^n+1}$로 정의할 때,

$f(-4)+f\left(\dfrac{1}{3}\right)+f(1)$의 값을 구하시오.

(단, $x\neq-1$이다.)

106

$x>0$에서 정의된 함수 $f(x)=\lim\limits_{n\to\infty}\dfrac{x^{n+1}+2}{x^n+x}$에 대하여 $y=f(x)$의 그래프의 개형으로 가장 적당한 것은?

① 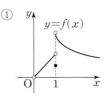   ②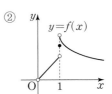

③ 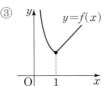   ④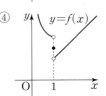

⑤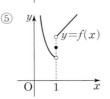

날선유형 17 함수의 그래프와 수열의 극한

함수의 그래프 위의 점의 좌표에 대한 극한값은 다음과 같
은 순서로 구한다.

❶ 그래프 위의 점의 좌표를 n에 대한 식으로 나타낸다.
❷ 극한을 구하는 수열의 일반항을 구한다.
❸ ❷의 식의 극한값을 구한다.

대표 문제
107 #함수의_그래프_위의_점의_좌표 #극한값

이차함수 $f(x)=3x^2$의 그래프 위의 두 점 $P_n(n, f(n))$
과 $Q_n(n+1, f(n+1))$을 지나는 직선의 기울기를 a_n이라
할 때, $\lim\limits_{n\to\infty}\dfrac{a_n}{n}$의 값은? (단, n은 자연수이다.)

$$a_n=\frac{f(n+1)-f(n)}{n+1-n}$$

① 5　　　　② 6　　　　③ 7

④ 8　　　　⑤ 9

108

자연수 n에 대하여 두 직선

$x+y=3$, $y=\dfrac{3n}{n+2}x$가 만나는

점을 P_n, 직선 $x+y=3$이 x축과

만나는 점을 A라 하자. 삼각형

OAP_n의 넓이를 S_n이라 할 때,

$\lim\limits_{n\to\infty}S_n$의 값을 구하시오. (단, O는 원점이다.)

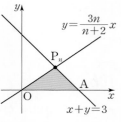

109

오른쪽 그림과 같이 자연수

n에 대하여 직선

$x=4-\dfrac{1}{n}$과 원 $x^2+y^2=16$

의 두 교점을 각각 A_n, B_n

이라 할 때, $\lim\limits_{n\to\infty}n\overline{A_nB_n}^2$의

값은?

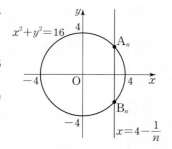

① 16　　　　② 20　　　　③ 24

④ 28　　　　⑤ 32

110

오른쪽 그림과 같이 자
연수 n에 대하여 중심
이 원점이고 반지름의
길이가 $2n$인 원
$x^2+y^2=4n^2$ 위의 점
$P_n(n, \sqrt{3}n)$에서의 접
선이 x축, y축과 만나
는 점을 각각 A_n, B_n이라 하자. 삼각형 OA_nB_n의 넓이를
a_n이라 할 때, $\lim\limits_{n\to\infty}\dfrac{a_n}{\sqrt{3n^2+2}}$의 값을 구하시오.

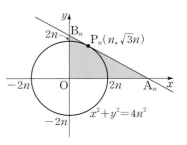

111

오른쪽 그림과 같이 자연수 n에
대하여 두 곡선 $y=5^x$, $y=4^x$의
그래프와 직선 $x=n$의 두 교점
을 각각 P_n, Q_n이라 하자. 이때
$\lim\limits_{n\to\infty}\dfrac{\overline{P_{n+1}Q_{n+1}}}{\overline{P_nQ_n}}$의 값을 구하시오.

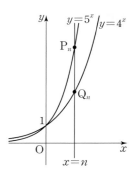

112

오른쪽 그림과 같이 기울기가 n
이고 이차함수 $y=x^2$에 접하는
직선이 x축, y축과 만나는 점을
각각 P_n, Q_n이라 하자.
$l_n=\overline{P_nQ_n}$이라 할 때, $\lim\limits_{n\to\infty}\dfrac{l_n}{n^2}$의
값을 구하시오.

(단, n은 자연수이다.)

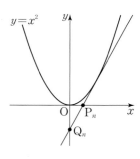

직선의 방정식을 $y=nx+k$로
놓고, $y=x^2$과 연립하여 판별식
$D=0$임을 이용해.

113

$\lim\limits_{n \to \infty} \dfrac{1 \times 2 + 2 \times 3 + \cdots + n(n+1)}{4n^3 + n^2}$ 의 값은?

① $\dfrac{1}{12}$ ② $\dfrac{1}{6}$ ③ $\dfrac{1}{3}$

④ $\dfrac{1}{2}$ ⑤ 1

114 교육청 기출

모든 항이 양수인 수열 $\{a_n\}$에 대하여 $\lim\limits_{n \to \infty} \dfrac{1}{a_n} = 0$일 때,

$\lim\limits_{n \to \infty} \dfrac{-2a_n + 1}{a_n + 3}$ 의 값은?

① -2 ② -1 ③ 0

④ 1 ⑤ 2

115

길이가 1인 성냥개비를 정사각형 모양으로 배열하고, 다음 그림과 같이 붙여나갈 때, [n단계]에서 사용한 성냥개비의 개수를 a_n, [n단계]에서 한 변의 길이가 1인 정사각형의 개수를 b_n이라 하자. 이때 $\lim\limits_{n \to \infty} \dfrac{9b_n}{a_n}$의 값은?

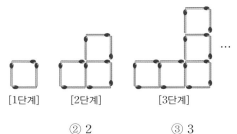

[1단계] [2단계] [3단계]

① 1 ② 2 ③ 3

④ 4 ⑤ 5

116

자연수 n에 대하여 점 $(3n, 4n)$을 중심으로 하고 y축에 접하는 원 O_n과 점 $(-1, 0)$을 중심으로 하고 y축에 접하는 원 C가 있다. 원 O_n 위를 움직이는 점과 원 C 위를 움직이는 점 사이의 거리의 최댓값을 a_n, 최솟값을 b_n이라 할 때, $\lim\limits_{n \to \infty} \dfrac{a_n}{b_n}$의 값을 구하시오.

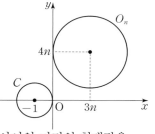

117

자연수 n에 대하여 $\sqrt{9n^2 + 4n + 1}$보다 크지 않은 최대 정수를 a_n이라 할 때, $\lim\limits_{n \to \infty} (\sqrt{9n^2 + 4n + 1} - a_n)$의 값은?

① $\dfrac{1}{6}$ ② $\dfrac{1}{3}$ ③ $\dfrac{1}{2}$

④ $\dfrac{2}{3}$ ⑤ $\dfrac{5}{6}$

118

두 수열 $\{a_n\}$, $\{b_n\}$에 대하여 $\lim\limits_{n \to \infty} a_n = \infty$, $\lim\limits_{n \to \infty} (a_n - b_n) = 2$일 때, $\lim\limits_{n \to \infty} \dfrac{a_n + b_n}{a_n - 3b_n}$의 값을 구하시오.

119

수열 $\{a_n\}$이 모든 자연수 n에 대하여 $2n - 1 < na_n < \sqrt{4n^2 + 7n}$을 만족시킬 때, $\lim\limits_{n \to \infty} \dfrac{(n^2 + 2n)a_n}{4n^2 + 3}$의 값을 구하시오.

120

두 수열 $\{a_n\}$, $\{b_n\}$에 대하여 보기에서 옳은 것만을 있는 대로 고른 것은?

┌ 보기 ┐

ㄱ. 수열 $\{a_n\}$이 수렴하고 $\lim\limits_{n\to\infty}(a_n+b_n)=0$이면
　$\lim\limits_{n\to\infty}a_n=-\lim\limits_{n\to\infty}b_n$이다.

ㄴ. 두 수열 $\{a_n\}$, $\{a_nb_n\}$이 모두 수렴하면 수열 $\{b_n\}$은 수렴한다.

ㄷ. $\lim\limits_{n\to\infty}a_n=0$, $\lim\limits_{n\to\infty}\dfrac{b_n}{a_n}=1$이면 $\lim\limits_{n\to\infty}(a_n-b_n)=0$이다.

① ㄱ　　　　② ㄴ　　　　③ ㄱ, ㄷ
④ ㄴ, ㄷ　　⑤ ㄱ, ㄴ, ㄷ

121　교육청 기출

$\lim\limits_{n\to\infty}\dfrac{3n-1}{n+1}=a$일 때, $\lim\limits_{n\to\infty}\dfrac{a^{n+2}+1}{a^n-1}$의 값은?

(단, a는 상수이다.)

① 1　　　　② 3　　　　③ 5
④ 7　　　　⑤ 9

122　교과서 심화

자연수 n에 대하여 점 $(2n,\ 0)$을 지나고 원 $x^2+y^2=n^2$에 접하는 직선의 y절편을 a_n이라 할 때, $\lim\limits_{n\to\infty}\dfrac{a_n}{n+3}$의 값을 구하시오. (단, $a_n>0$이다.)

123　교육청 기출

자연수 n에 대하여 원 $x^2+y^2=4n^2$과 직선 $y=\sqrt{n}$이 제1사분면에서 만나는 점의 x좌표를 a_n이라 할 때, $\lim\limits_{n\to\infty}(2n-a_n)$의 값은?

① $\dfrac{1}{16}$　　　② $\dfrac{1}{8}$　　　③ $\dfrac{3}{16}$

④ $\dfrac{1}{4}$　　　⑤ $\dfrac{5}{16}$

124　교과서 심화

오른쪽 그림과 같이 자연수 n에 대하여 곡선 $y=\dfrac{4n}{x}$과 직선 $y=5-\dfrac{x}{n}$의 두 교점을 각각 A_n, B_n이라 하자. 선분 $\mathrm{A}_n\mathrm{B}_n$의 길이를 d_n이라 할 때, $\lim\limits_{n\to\infty}(d_{n+1}-d_n)$의 값을 구하시오.

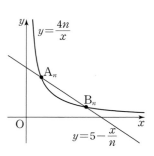

125

자연수 n에 대하여 두 직선 $2x+y=3^n$, $x-2y=2^n$이 만나는 점의 좌표를 $(a_n,\ b_n)$이라 할 때, $\lim\limits_{n\to\infty}\dfrac{b_n}{a_n}$의 값을 구하시오.

수열 $\{a_n\}$에 대하여 곡선 $y=x^2-(3n+2)x+a_n$은 x축과 만나고 곡선 $y=x^2-3nx+a_n$은 x축과 만나지 않는다. $\lim\limits_{n\to\infty}\dfrac{a_n}{n^2}$의 값을 구하시오.

풀이

단계 1 a_n의 값의 범위 구하기

이차방정식 $x^2-(3n+2)x+a_n=0$의 판별식을 D_1이라 하면

$D_1=\{-(3n+2)\}^2-4a_n\geq0$에서 $a_n\leq\dfrac{(3n+2)^2}{4}$

또 이차방정식 $x^2-3nx+a_n=0$의 판별식을 D_2라 하면

$D_2=(-3n)^2-4a_n<0$에서 $a_n>\dfrac{9n^2}{4}$

$\therefore \dfrac{9n^2}{4}<a_n\leq\dfrac{(3n+2)^2}{4}$

단계 2 $\dfrac{a_n}{n^2}$의 값의 범위 구하기

각 변을 n^2으로 나누면 $\dfrac{9n^2}{4n^2}<\dfrac{a_n}{n^2}\leq\dfrac{(3n+2)^2}{4n^2}$

단계 3 $\lim\limits_{n\to\infty}\dfrac{a_n}{n^2}$의 값 구하기

$\lim\limits_{n\to\infty}\dfrac{9n^2}{4n^2}=\dfrac{9}{4}$, $\lim\limits_{n\to\infty}\dfrac{(3n+2)^2}{4n^2}=\dfrac{9}{4}$이므로 수열의 극한의

대소 관계에 따라 $\lim\limits_{n\to\infty}\dfrac{a_n}{n^2}=\dfrac{9}{4}$

답 $\dfrac{9}{4}$

126 따라하기

수열 $\{a_n\}$에 대하여 x에 대한 이차방정식

$x^2-(n+1)x+a_n=0$은 실근을 갖고, x에 대한 이차방정식 $x^2-nx+a_n=0$은 허근을 갖는다. 이때

$\lim\limits_{n\to\infty}\dfrac{a_n}{n^2+2n}$의 값을 구하시오.

풀이

답

오른쪽 그림과 같이 자연수 n에 대하여 직선 $x=n$이 두 곡선 $y=2^x$, $y=3^x$과 만나는 점을 각각 A_n, B_n이라 하자. 삼각형 $A_nB_nA_{n-1}$의 넓이를 a_n이라 할 때, $\lim\limits_{n\to\infty}\dfrac{a_{n+1}}{a_n}$의 값을 구하시오.

(단, 점 A_0의 좌표는 $(0, 1)$이다.)

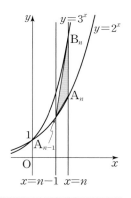

풀이

단계 1 점 A_n, B_n, A_{n-1}의 좌표 구하기

$A_n(n, 2^n)$, $B_n(n, 3^n)$, $A_{n-1}(n-1, 2^{n-1})$

단계 2 a_n, a_{n+1} 구하기

$a_n=\dfrac{1}{2}(3^n-2^n)$이므로 $a_{n+1}=\dfrac{1}{2}(3^{n+1}-2^{n+1})$

단계 3 $\lim\limits_{n\to\infty}\dfrac{a_{n+1}}{a_n}$의 값 구하기

$\lim\limits_{n\to\infty}\dfrac{a_{n+1}}{a_n}=\lim\limits_{n\to\infty}\dfrac{\dfrac{1}{2}(3^{n+1}-2^{n+1})}{\dfrac{1}{2}(3^n-2^n)}=\lim\limits_{n\to\infty}\dfrac{3-2\times\left(\dfrac{2}{3}\right)^n}{1-\left(\dfrac{2}{3}\right)^n}=3$

답 3

127 따라하기

다음 그림과 같이 자연수 n에 대하여 두 곡선 $y=\log_2 x$, $y=\log_5 x-1$과 직선 $y=n$이 만나는 두 점을 각각 A_n, B_n이라 하자. 삼각형 OA_nB_n의 넓이를 a_n이라 할 때,

$\lim\limits_{n\to\infty}\dfrac{a_n}{a_{n+1}}$의 값을 구하시오. (단, O는 원점이다.)

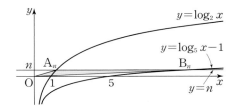

풀이

답

2 급수

1 급수

수열 $\{a_n\}$의 각 항을 덧셈 기호 $+$로 연결한 식 $a_1+a_2+a_3+\cdots+a_n+\cdots$을 급수라

하고, 기호 $\sum$를 사용하여 $\sum\limits_{n=1}^{\infty} a_n$과 같이 나타낸다.

$$\Rightarrow a_1+a_2+a_3+\cdots+a_n+\cdots=\sum_{n=1}^{\infty} a_n$$

예 $1+\dfrac{1}{2}+\dfrac{1}{3}+\cdots+\dfrac{1}{n}+\cdots=\sum\limits_{n=1}^{\infty}\dfrac{1}{n}$

2 부분합

급수 $\sum\limits_{n=1}^{\infty} a_n$에서 첫째항부터 제$n$항까지의 합 S_n을 이 급수의 제n항까지의 **부분합**이라

한다.

$$\Rightarrow S_n=a_1+a_2+a_3+\cdots+a_n=\sum_{k=1}^{n} a_k$$

- $S_1=a_1$
  $S_2=a_1+a_2$
  $S_3=a_1+a_2+a_3$
  $\vdots$
  $S_n=a_1+a_2+a_3+\cdots+a_n$

3 급수의 합

급수 $\sum\limits_{n=1}^{\infty} a_n$의 부분합으로 이루어진 수열 $\{S_n\}$이 일정한 값 S에 수렴할 때, 즉

$\lim\limits_{n\to\infty} S_n=\lim\limits_{n\to\infty}\sum\limits_{k=1}^{n} a_k=S$이면 급수 $\sum\limits_{n=1}^{\infty} a_n$은 S에 수렴한다고 한다.

이때 S를 이 급수의 **합**이라 한다.

$$\Rightarrow a_1+a_2+a_3+\cdots+a_n+\cdots=S \quad \text{또는} \quad \sum_{n=1}^{\infty} a_n=S$$

참고 부분합의 수열 $\{S_n\}$이 발산할 때, 급수 $\sum\limits_{n=1}^{\infty} a_n$은 발산한다고 하며, 발산하는 급수에 대해서

는 그 합을 생각하지 않는다.

- $\lim\limits_{n\to\infty} S_n=\lim\limits_{n\to\infty}\sum\limits_{k=1}^{n} a_k$
  $=\sum\limits_{n=1}^{\infty} a_n$
  $=S$

- 수열 $\{a_n\}$의 수렴, 발산은
  $\lim\limits_{n\to\infty} a_n$을 조사하고,
  급수 $\sum\limits_{n=1}^{\infty} a_n$의 수렴, 발산은
  $\lim\limits_{n\to\infty} S_n$을 조사한다.

→ 정답 및 풀이 **16**쪽

[128~131] 다음 급수의 수렴, 발산을 조사하고, 수렴하면 그 합을 구하시오.

128 $1+2+3+\cdots+n+\cdots$

129 $1+\dfrac{1}{5}+\left(\dfrac{1}{5}\right)^2+\cdots+\left(\dfrac{1}{5}\right)^{n-1}+\cdots$

130 $\dfrac{1}{1\times2}+\dfrac{1}{2\times3}+\dfrac{1}{3\times4}+\cdots+\dfrac{1}{n(n+1)}+\cdots$

131 $\dfrac{1}{\sqrt{2}+1}+\dfrac{1}{\sqrt{3}+\sqrt{2}}+\dfrac{1}{\sqrt{4}+\sqrt{3}}$
$+\cdots+\dfrac{1}{\sqrt{n+1}+\sqrt{n}}+\cdots$

[132~135] 다음 급수의 수렴, 발산을 조사하고, 수렴하면 그 합을 구하시오.

132 $\sum\limits_{n=1}^{\infty}(n+2)$

133 $\sum\limits_{n=1}^{\infty}\dfrac{1}{(3n-1)(3n+2)}$

134 $\sum\limits_{n=1}^{\infty}\left(\dfrac{n+2}{n+1}-\dfrac{n+3}{n+2}\right)$

135 $\sum\limits_{n=1}^{\infty}(\sqrt{2n+1}-\sqrt{2n-1})$

1 급수와 수열의 극한값 사이의 관계

(1) 급수 $\sum\limits_{n=1}^{\infty} a_n$이 수렴하면 $\lim\limits_{n\to\infty} a_n=0$이다.

(2) $\lim\limits_{n\to\infty} a_n\neq0$이면 급수 $\sum\limits_{n=1}^{\infty} a_n$은 발산한다.

→ **(1)과 (2)는 서로 대우인 명제이다.**

참고 일반적으로 (1)의 역은 성립하지 않는다.

즉, $\lim\limits_{n\to\infty} a_n=0$이라고 해서 급수 $\sum\limits_{n=1}^{\infty} a_n$이 반드시 수렴하는 것은 아니다.

(2)를 이용하면 $\lim\limits_{n\to\infty} S_n$을 구하지 않고도 급수의 발산을 판별할 수 있다.

2 급수의 성질

급수 $\sum\limits_{n=1}^{\infty} a_n$, $\sum\limits_{n=1}^{\infty} b_n$이 각각 수렴하면

(1) $\sum\limits_{n=1}^{\infty} ca_n=c\sum\limits_{n=1}^{\infty} a_n$ (단, c는 상수)

(2) $\sum\limits_{n=1}^{\infty} (a_n+b_n)=\sum\limits_{n=1}^{\infty} a_n+\sum\limits_{n=1}^{\infty} b_n$

(3) $\sum\limits_{n=1}^{\infty} (a_n-b_n)=\sum\limits_{n=1}^{\infty} a_n-\sum\limits_{n=1}^{\infty} b_n$

- 급수 $\sum\limits_{n=1}^{\infty} \dfrac{1}{n}$은 $\lim\limits_{n\to\infty} a_n=0$이지만 $\sum\limits_{n=1}^{\infty} \dfrac{1}{n}$은 발산한다.

- $\lim\limits_{n\to\infty} \dfrac{n}{n+1}=1\neq0$이므로 $\sum\limits_{n=1}^{\infty} \dfrac{n}{n+1}$은 발산한다.

- 급수의 성질은 수렴하는 급수에 대해서만 성립한다.

- (1) $\sum\limits_{n=1}^{\infty} a_nb_n\neq\sum\limits_{n=1}^{\infty} a_n\times\sum\limits_{n=1}^{\infty} b_n$

  (2) $\sum\limits_{n=1}^{\infty} \dfrac{a_n}{b_n}\neq\dfrac{\sum\limits_{n=1}^{\infty} a_n}{\sum\limits_{n=1}^{\infty} b_n}$

→ 정답 및 풀이 **16**쪽

136 급수 $\dfrac{1^2}{1^2+1}+\dfrac{2^2}{2^2+3}+\dfrac{3^2}{3^2+5}+\dfrac{4^2}{4^2+7}+\cdots$이 발산함을 보이는 과정이다.

> 주어진 급수의 제n항을 a_n이라 하면
>
> $a_n=\boxed{(가)}$
>
> 이므로 $\lim\limits_{n\to\infty} a_n=\lim\limits_{n\to\infty}\boxed{(가)}=\boxed{(나)}$
>
> 따라서 $\lim\limits_{n\to\infty} a_n\neq0$이므로 주어진 급수는 발산한다.

위의 과정에서 (가), (나)에 알맞은 것을 써넣으시오.

[137~139] 다음 급수가 발산함을 보이시오.

137 $\dfrac{1}{3}+\dfrac{2}{5}+\dfrac{3}{7}+\cdots+\dfrac{n}{2n+1}+\cdots$

138 $\dfrac{3}{4}+\dfrac{8}{9}+\dfrac{15}{16}+\cdots+\left(1-\dfrac{1}{(n+1)^2}\right)+\cdots$

139 $-1+4-9+\cdots+(-1)^n\times n^2+\cdots$

[140~142] 다음 급수가 발산함을 보이시오.

140 $\sum\limits_{n=1}^{\infty} (\sqrt{n^2+2n}-n)$

141 $\sum\limits_{n=1}^{\infty} \dfrac{n^2}{2n+1}$

142 $\sum\limits_{n=1}^{\infty} \log\dfrac{3n^2}{2+n^2}$

[143~145] $\sum\limits_{n=1}^{\infty} a_n=-2$, $\sum\limits_{n=1}^{\infty} b_n=1$일 때, 다음 급수의 합을 구하시오.

143 $\sum\limits_{n=1}^{\infty} (2a_n+b_n)$

144 $\sum\limits_{n=1}^{\infty} (4a_n-3b_n)$

145 $\sum\limits_{n=1}^{\infty} \left(\dfrac{a_n}{3}-\dfrac{b_n}{6}\right)$

1 등비급수

첫째항이 a, 공비가 r인 등비수열 $\{ar^{n-1}\}$의 각 항을 덧셈 기호 $+$로 연결한 급수

$$\sum_{n=1}^{\infty} ar^{n-1}=a+ar+ar^2+\cdots+ar^{n-1}+\cdots$$

을 첫째항이 a, 공비가 r인 **등비급수**라 한다.

2 등비급수의 수렴과 발산

첫째항이 $a \ (a\neq0)$이고 공비가 r인 등비급수

$$\sum_{n=1}^{\infty} ar^{n-1}=a+ar+ar^2+\cdots+ar^{n-1}+\cdots 은$$

(1) $|r|<1$일 때, 수렴하고 그 합은 $\dfrac{a}{1-r}$이다.

(2) $|r|\geq1$일 때, 발산한다.

참고 $a\neq0$일 때

　(1) 등비수열 $\{ar^{n-1}\}$이 수렴하기 위한 조건은 $-1<r\leq1$

　(2) 등비급수 $\displaystyle\sum_{n=1}^{\infty} ar^{n-1}$이 수렴하기 위한 조건은 $-1<r<1$

● 등비급수 $\displaystyle\sum_{n=1}^{\infty} ar^{n-1} \ (a\neq0)$

에서

(1) $|r|<1$일 때,

$\displaystyle\lim_{n\to\infty} r^n=0$이므로

$\displaystyle\lim_{n\to\infty} S_n=\lim_{n\to\infty}\frac{a(1-r^n)}{1-r}$

$\qquad =\dfrac{a}{1-r}$

(2) $|r|\geq1$일 때,

$\displaystyle\lim_{n\to\infty} ar^{n-1}\neq0$이므로

$\displaystyle\sum_{n=1}^{\infty} ar^{n-1}$은 발산한다.

● $a=0$일 때,

$\displaystyle\sum_{n=1}^{\infty} ar^{n-1}=0+0+0+\cdots$

이므로 급수 $\displaystyle\sum_{n=1}^{\infty} ar^{n-1}$은 0에

수렴한다.

→ 정답 및 풀이 **17**쪽

[146~151] 다음 등비급수의 수렴, 발산을 조사하고, 수렴하면 그 합을 구하시오.

146 $1+\dfrac{3}{2}+\dfrac{9}{4}+\dfrac{27}{8}+\cdots$

147 $3-1+\dfrac{1}{3}-\dfrac{1}{9}+\cdots$

148 $1-\sqrt5+5-5\sqrt5+\cdots$

149 $\displaystyle\sum_{n=1}^{\infty}\dfrac{2^{2n+1}}{5^{n-1}}$

150 $\displaystyle\sum_{n=1}^{\infty}\left(-\dfrac{3}{4}\right)^{-n}$

151 $\displaystyle\sum_{n=1}^{\infty}3^{n-1}\left(\dfrac{1}{4}\right)^n$

[152~154] 다음 급수의 합을 구하시오.

152 $\displaystyle\sum_{n=1}^{\infty}\left\{\left(\dfrac{1}{2}\right)^n+\left(\dfrac{1}{5}\right)^n\right\}$

153 $\displaystyle\sum_{n=1}^{\infty}\left(\dfrac{6}{3^n}-\dfrac{1}{4^n}\right)$

154 $\displaystyle\sum_{n=1}^{\infty}\dfrac{2^{n+1}+3^n}{6^n}$

[155~157] 다음 등비급수가 수렴하도록 하는 실수 x의 값의 범위를 구하시오.

155 $1+\dfrac{1}{2}x+\dfrac{1}{4}x^2+\dfrac{1}{8}x^3+\cdots$

156 $1-3x+9x^2-27x^3+\cdots$

157 $1+(2x-1)+(2x-1)^2+(2x-1)^3+\cdots$

1 도형과 등비급수

닮은꼴의 모양이 한없이 반복되는 도형에 대한 문제는 등비급수를 이용하여 다음과 같은 순서로 해결할 수 있다.

❶ a_1, a_2, a_3, …을 차례로 구하여 규칙을 찾는다.

❷ 한없이 반복되는 성질을 이용하여 첫째항 a와 공비 r를 구한다.

❸ 등비급수의 합이 $\dfrac{a}{1-r}$ ($|r|<1$)임을 이용한다.

참고 도형의 길이와 넓이의 합을 구하는 문제를 해결할 때에는 다음 성질이 자주 이용된다.

(1) 닮은 두 도형에서 대응변의 길이의 비는 일정하다.

(2) 두 도형의 닮음비가 $m:n$이면 둘레의 길이의 비는 $m:n$, 넓이의 비는 $m^2:n^2$이다.

2 순환소수와 등비급수

등비급수를 이용하여 순환소수를 분수로 나타낼 수 있다.

예 $0.\dot{4}=0.444\cdots=0.4+0.04+0.004+\cdots$

$$=\frac{4}{10}+\frac{4}{10^2}+\frac{4}{10^3}+\cdots \leftarrow \text{첫째항이 } \frac{4}{10}\text{, 공비가 } \frac{1}{10}\text{인 등비급수}$$

$$=\frac{\frac{4}{10}}{1-\frac{1}{10}}=\frac{4}{9}$$

- 처음 주어진 도형에서 일정한 규칙에 따라 새로운 도형을 만들어 나갈 때, 만들어지는 도형의 둘레의 길이 또는 넓이는 차례로 등비수열을 이룬다.

- 순환소수 : 무한소수 중에서 소수점 아래의 어떤 자리부터 일정한 숫자의 배열이 끝없이 되풀이되는 소수

→ 정답 및 풀이 **18**쪽

[158~159] 오른쪽 그림과 같이 빗변의 길이가 $\sqrt{2}$인 직각이등변삼각형 OPQ에서 $\overline{OP}$, $\overline{OQ}$의 중점을 각각 P_1, Q_1이라 하고 다시 삼각형 OP_1Q_1에서 $\overline{OP_1}$, $\overline{OQ_1}$의 중점을 각각 P_2, Q_2라 하자. 이와 같은 과정을 한없이 반복할 때, 다음 물음에 답하시오.

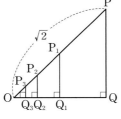

158 $\overline{P_1Q_1}$, $\overline{P_2Q_2}$, $\overline{P_3Q_3}$의 길이를 각각 구하시오.

159 $\overline{P_1Q_1}+\overline{P_2Q_2}+\overline{P_3Q_3}+\cdots$ 의 합을 구하시오.

[160~163] 등비급수를 이용하여 다음 순환소수를 분수로 나타내시오.

160 $0.\dot{5}\dot{7}$

161 $0.4\dot{0}\dot{5}$

162 $0.1\dot{2}$

163 $1.\dot{2}\dot{3}$

도전! 유형 연습하기

유형 01 급수의 합

급수 $\sum\limits_{n=1}^{\infty} a_n$의 첫째항부터 제$n$항까지의 부분합 S_n에 대하여 수열 $\{S_n\}$이 수렴할 때, 급수 $\sum\limits_{n=1}^{\infty} a_n$의 합은 수열 $\{S_n\}$의 극한값이다. ➡ $\sum\limits_{n=1}^{\infty} a_n = \lim\limits_{n\to\infty} \sum\limits_{k=1}^{n} a_k = \lim\limits_{n\to\infty} S_n$

대표 문제
164

수열 $\{a_n\}$에 대하여 $\sum\limits_{k=1}^{n} a_k = \dfrac{8n}{2n-1}$일 때, 급수 $\sum\limits_{n=1}^{\infty} a_n$의 합을 구하시오.

165

수열 $\{a_n\}$에 대하여 $\sum\limits_{n=1}^{\infty} a_n = 9$이다. 수열 $\{a_n\}$의 첫째항부터 제n항까지의 합을 S_n이라 할 때, $\lim\limits_{n\to\infty}(S_n-3)$의 값을 구하시오.

166

수열 $\{a_n\}$에 대하여 $\sum\limits_{k=1}^{n} a_k = \sqrt{4n^2+n}-2n$일 때, 급수 $\sum\limits_{n=1}^{\infty} a_n$의 합을 구하시오.

167

수열 $\{a_n\}$의 첫째항부터 제n항까지의 합 S_n이 $S_n = \dfrac{kn^2+3n-4}{5n^2-2}$일 때, $\sum\limits_{n=1}^{\infty} a_n = 2$이다. 상수 k의 값은?

① 6 　　　　② 7 　　　　③ 8
④ 9 　　　　⑤ 10

낯선 유형 02 부분분수를 이용하는 급수의 합

급수 $\sum\limits_{n=1}^{\infty} a_n$에서 a_n이 $\dfrac{1}{AB}$ $(A\neq B)$ 꼴로 주어진 경우 급수의 합은 다음과 같은 순서로 구한다.

❶ 급수의 제n항을 구한다.
❷ $\dfrac{1}{AB} = \dfrac{1}{B-A}\left(\dfrac{1}{A}-\dfrac{1}{B}\right)$임을 이용하여 부분합 S_n을 구한다.
❸ 부분합의 극한값 $\lim\limits_{n\to\infty} S_n$을 구한다.

대표 문제
168 #분수_꼴의_급수 #부분분수로_변형 #소거되는_항을_찾기

다음 급수의 합을 구하시오.

$$1 + \frac{1}{1+2} + \frac{1}{1+2+3} + \frac{1}{1+2+3+4} + \cdots$$

먼저 급수의 제n항을 구해 봐.

169

급수 $\dfrac{1}{2^2-1} + \dfrac{1}{4^2-1} + \dfrac{1}{6^2-1} + \dfrac{1}{8^2-1} + \cdots$의 합을 구하시오.

170

$a_1=1$이고 공차가 양수인 등차수열 $\{a_n\}$에 대하여 $\sum\limits_{n=1}^{\infty} \dfrac{1}{a_n a_{n+1}} = 6$일 때, a_{13}의 값은?

① 1 　　　　② 2 　　　　③ 3
④ 4 　　　　⑤ 5

171

수열 $\{a_n\}$에 대하여 다항식 $a_nx^2+a_nx+3$을 $x-n$으로 나눈 나머지가 8일 때, 급수 $\sum\limits_{n=1}^{\infty}a_n$의 합을 구하시오.

유형 03 로그를 포함한 급수의 합

급수 $\sum\limits_{n=1}^{\infty}\log a_n$의 합은 로그의 성질을 이용하여 구한다.

$$\Rightarrow \lim_{n\to\infty}\sum_{k=1}^{n}\log a_k=\lim_{n\to\infty}(\log a_1+\log a_2+\cdots+\log a_n)$$
$$=\lim_{n\to\infty}\log(a_1\times a_2\times\cdots\times a_n)$$

대표 문제
172

급수 $\sum\limits_{n=2}^{\infty}\log_2\dfrac{n^2}{n^2-1}$의 합을 구하시오.

∑를 풀어
전개해 봐.

173

수열 $\{a_n\}$의 일반항이 $a_n=\log\dfrac{n+2}{n+1}-\log\dfrac{n+1}{n}$일 때,

급수 $\sum\limits_{n=1}^{\infty}a_n$의 합은?

① $-\log 2$ ② -1 ③ $2\log 2$

④ 1 ⑤ $3\log 2$

유형 04 항의 부호가 교대로 바뀌는 급수

$+$, $-$의 부호가 교대로 나타나는 급수에 대하여 홀수 번째 항까지의 부분합을 S_{2n-1}, 짝수 번째 항까지의 부분합을 S_{2n}이라 하면

(1) $\lim\limits_{n\to\infty}S_{2n-1}=\lim\limits_{n\to\infty}S_{2n}=\alpha$ (α는 실수) $\Rightarrow$ $\lim\limits_{n\to\infty}S_n=\alpha$

(2) $\lim\limits_{n\to\infty}S_{2n-1}\ne\lim\limits_{n\to\infty}S_{2n}$ $\Rightarrow$ $\lim\limits_{n\to\infty}S_n$은 발산

대표 문제
174

급수 $\dfrac{1}{2}-\dfrac{1}{2}+\dfrac{1}{3}-\dfrac{1}{3}+\dfrac{1}{4}-\dfrac{1}{4}+\cdots$의 수렴, 발산을 조사하고, 수렴하면 그 합을 구하시오.

175

보기에서 수렴하는 급수인 것만을 있는 대로 고른 것은?

┌ 보기 ┐

ㄱ. $1-\dfrac{1}{2}+\dfrac{1}{2}-\dfrac{1}{3}+\dfrac{1}{3}-\dfrac{1}{4}+\dfrac{1}{4}-\cdots$

ㄴ. $2-\dfrac{3}{2}+\dfrac{3}{2}-\dfrac{4}{3}+\dfrac{4}{3}-\cdots-\dfrac{n+2}{n+1}+\dfrac{n+2}{n+1}-\cdots$

ㄷ. $\left(1-\dfrac{1}{3}\right)+\left(\dfrac{1}{3}-\dfrac{1}{5}\right)+\left(\dfrac{1}{5}-\dfrac{1}{7}\right)+\cdots$

① ㄱ   ② ㄴ   ③ ㄱ, ㄴ

④ ㄱ, ㄷ   ⑤ ㄴ, ㄷ

낯선 유형 05 급수와 수열의 극한값 사이의 관계

급수 $\sum\limits_{n=1}^{\infty}a_n$이 수렴하면 $\lim\limits_{n\to\infty}a_n=0$

대표 문제
176 #급수가_수렴 #$\lim\limits_{n\to\infty}a_n=0$

수열 $\{a_n\}$에 대하여 $\sum\limits_{n=1}^{\infty}a_n=4$이고 첫째항부터 제$n$항까지의 합을 S_n이라 할 때, $\lim\limits_{n\to\infty}\dfrac{2S_n+a_n-3}{S_{n-1}-a_n+2}$의 값을 구하시오.

→ 수렴한다.

177

수열 $\{a_n\}$에 대하여 급수

$(a_1-3)+\left(\dfrac{a_2}{2}-3\right)+\left(\dfrac{a_3}{3}-3\right)+\cdots$이 수렴할 때,

$\displaystyle\lim_{n\to\infty}\dfrac{a_n^2-3n^2}{na_n+n^2-2n}$의 값을 구하시오.

178

수열 $\{a_n\}$에 대하여 $\displaystyle\sum_{n=1}^{\infty}\dfrac{4a_n+1}{a_n-3}=2$일 때, $\displaystyle\lim_{n\to\infty}a_n$의 값

을 구하시오.

주어진 급수가
수렴함을 이용한다.

유형 06 일반항과 급수의 수렴, 발산

급수 $\displaystyle\sum_{n=1}^{\infty}a_n$에서

(1) $\displaystyle\lim_{n\to\infty}a_n\ne0$ ➡ $\displaystyle\sum_{n=1}^{\infty}a_n$은 발산

(2) $\displaystyle\lim_{n\to\infty}a_n=0$ ➡ $\displaystyle\sum_{n=1}^{\infty}a_n$의 부분합 S_n을 구한 다음 $\displaystyle\lim_{n\to\infty}S_n$
의 수렴, 발산을 조사한다.

대표 문제
179

보기에서 수렴하는 급수인 것만을 있는 대로 고른 것은?

┌ 보기 ┐
ㄱ. $\displaystyle\sum_{n=1}^{\infty}\dfrac{n}{5n-3}$ 　　　ㄴ. $\displaystyle\sum_{n=1}^{\infty}\dfrac{1}{\sqrt{n+1}+\sqrt{n}}$

ㄷ. $3+\dfrac{5}{1^2+2^2}+\dfrac{7}{1^2+2^2+3^2}+\dfrac{9}{1^2+2^2+3^2+4^2}+\cdots$

① ㄱ 　　　　② ㄷ 　　　　③ ㄱ, ㄴ
④ ㄱ, ㄷ 　　　⑤ ㄴ, ㄷ

180

수열 $\{a_n\}$에 대하여 보기에서 급수 $\displaystyle\sum_{n=1}^{\infty}a_n$이 발산하는 것

만을 있는 대로 고른 것은?

┌ 보기 ┐
ㄱ. $a_n=\dfrac{2}{4n^2-1}$ 　　　ㄴ. $a_n=\dfrac{\sqrt{5n}}{\sqrt{4n-1}}$

ㄷ. $a_n=n\sqrt{1+\dfrac{3}{n}}-n$

① ㄱ 　　　　② ㄴ 　　　　③ ㄱ, ㄴ
④ ㄴ, ㄷ 　　　⑤ ㄱ, ㄴ, ㄷ

유형 07 급수의 성질

$\displaystyle\sum_{n=1}^{\infty}a_n=\alpha$, $\displaystyle\sum_{n=1}^{\infty}b_n=\beta$ (α, β는 실수)일 때,

(1) $\displaystyle\sum_{n=1}^{\infty}ca_n=c\sum_{n=1}^{\infty}a_n=c\alpha$ (단, c는 상수)

(2) $\displaystyle\sum_{n=1}^{\infty}(a_n+b_n)=\sum_{n=1}^{\infty}a_n+\sum_{n=1}^{\infty}b_n=\alpha+\beta$

(3) $\displaystyle\sum_{n=1}^{\infty}(a_n-b_n)=\sum_{n=1}^{\infty}a_n-\sum_{n=1}^{\infty}b_n=\alpha-\beta$

대표 문제
181

두 급수 $\displaystyle\sum_{n=1}^{\infty}a_n$, $\displaystyle\sum_{n=1}^{\infty}b_n$에 대하여 $\displaystyle\sum_{n=1}^{\infty}a_n=10$,

$\displaystyle\sum_{n=1}^{\infty}(a_n-3b_n)=4$일 때, 급수 $\displaystyle\sum_{n=1}^{\infty}b_n$의 합을 구하시오.

182

두 급수 $\displaystyle\sum_{n=1}^{\infty}a_n$, $\displaystyle\sum_{n=1}^{\infty}b_n$이 모두 수렴하고

$\displaystyle\sum_{n=1}^{\infty}(3a_n+2b_n)=15$, $\displaystyle\sum_{n=1}^{\infty}(2a_n+b_n)=9$일 때, 급수

$\displaystyle\sum_{n=1}^{\infty}(4a_n-5b_n)$의 합은?

① -6 　　　　② -5 　　　　③ -4
④ -3 　　　　⑤ -2

183

두 급수 $\sum\limits_{n=1}^{\infty} a_n$, $\sum\limits_{n=1}^{\infty} b_n$이 모두 수렴할 때, 보기에서 수렴하는 급수인 것만을 있는 대로 고른 것은?

┌─ 보기 ─┐

ㄱ. $\sum\limits_{n=1}^{\infty} \dfrac{a_n+b_n}{3}$

ㄴ. $\sum\limits_{n=1}^{\infty} (a_n-a_{n+1})$

ㄷ. $\sum\limits_{n=1}^{\infty} \dfrac{1}{a_n}$ (단, $a_n \neq 0$)

① ㄱ   ② ㄴ   ③ ㄱ, ㄴ

④ ㄱ, ㄷ   ⑤ ㄴ, ㄷ

유형 08 **급수의 성질에 대한 참·거짓** ○△✕

수렴하는 급수의 성질을 이용하여 주어진 명제가 참인 경우는 증명을 하고, 거짓인 경우는 반례를 찾는다.

대표 문제
184

두 수열 $\{a_n\}$, $\{b_n\}$에 대하여 보기에서 옳은 것만을 있는 대로 고른 것은?

┌─ 보기 ─┐

ㄱ. $\sum\limits_{n=1}^{\infty} a_n b_n$이 수렴하면 $\lim\limits_{n\to\infty} a_n=0$ 또는 $\lim\limits_{n\to\infty} b_n=0$이다.

ㄴ. $\sum\limits_{n=1}^{\infty} a_n$이 수렴하고, $\lim\limits_{n\to\infty} b_n=a$ (a는 상수)이면 $\lim\limits_{n\to\infty} a_n b_n=0$이다.

ㄷ. $\sum\limits_{n=1}^{\infty} (a_n+b_n)$과 $\sum\limits_{n=1}^{\infty} (a_n-b_n)$이 모두 수렴하면 $\sum\limits_{n=1}^{\infty} a_n$과 $\sum\limits_{n=1}^{\infty} b_n$도 모두 수렴한다.

① ㄱ   ② ㄴ   ③ ㄷ

④ ㄱ, ㄴ   ⑤ ㄴ, ㄷ

185

두 수열 $\{a_n\}$, $\{b_n\}$에 대하여 보기에서 옳은 것만을 있는 대로 고른 것은?

┌─ 보기 ─┐

ㄱ. $\sum\limits_{n=1}^{\infty} a_n$, $\sum\limits_{n=1}^{\infty} b_n$이 모두 수렴하면 $\lim\limits_{n\to\infty} (a_n+b_n)=0$이다.

ㄴ. $\sum\limits_{n=1}^{\infty} (2a_n+b_n)$과 $\sum\limits_{n=1}^{\infty} (a_n-2b_n)$이 모두 수렴하면 $\sum\limits_{n=1}^{\infty} a_n$과 $\sum\limits_{n=1}^{\infty} b_n$은 모두 수렴한다.

ㄷ. $\sum\limits_{n=1}^{\infty} a_n$과 $\sum\limits_{n=1}^{\infty} b_n$이 모두 발산하면 $\sum\limits_{n=1}^{\infty} (a_n+b_n)$은 발산한다.

① ㄱ   ② ㄴ   ③ ㄱ, ㄴ

④ ㄱ, ㄷ   ⑤ ㄴ, ㄷ

낯선 유형 09 **등비급수의 합** ○△✕

주어진 급수를 $\sum\limits_{n=1}^{\infty} ar^{n-1}$ 꼴로 나타낸 다음

$-1<r<1$이면 $\sum\limits_{n=1}^{\infty} ar^{n-1}=\dfrac{a}{1-r}$임을 이용한다.

대표 문제
186 #급수의_성질 #등비급수 #첫째항과_공비

급수 $\sum\limits_{n=1}^{\infty} \dfrac{2^{n+1}+(-1)^n}{3^n}$의 합을 구하시오.

187

급수 $\sum\limits_{n=1}^{\infty} \dfrac{1}{2^n} \sin\dfrac{n\pi}{2}$의 합을 구하시오.

188

급수 $\sum_{n=1}^{\infty}\left(\dfrac{3^{n-1}+2^{2n}}{5^n}\right)$의 합을 $\dfrac{b}{a}$라 할 때, $a+b$의 값은?

(단, a, b는 서로소인 자연수이다.)

① 10   ② 11   ③ 12

④ 13   ⑤ 14

189

자연수 n에 대하여 x^n을 $4x-3$으로 나누었을 때의 나머지를 a_n이라 할 때, 급수 $\sum_{n=1}^{\infty} a_n$의 합을 구하시오.

190

수열 $\{a_n\}$에서 n이 홀수일 때 $a_n=3$이고, n이 짝수일 때 $a_n=5$이다. 급수 $\dfrac{a_1}{4}+\dfrac{a_2}{4^2}+\dfrac{a_3}{4^3}+\dfrac{a_4}{4^4}+\cdots$의 합을 구하시오.

급수의 각 항을 구하여 규칙성이 있는 항을 찾아봐.

유형 10   **합이 주어진 등비급수**

등비급수 $\sum_{n=1}^{\infty} ar^{n-1}$의 합이 α (α는 실수)이면 $\dfrac{a}{1-r}=\alpha$임을 이용하여 a 또는 r의 값을 구한다.

대표 문제
191

첫째항이 4인 등비수열 $\{a_n\}$에 대하여 $\sum_{n=1}^{\infty} a_n=10$일 때, 등비급수 $\sum_{n=1}^{\infty} a_n{}^2$의 합을 구하시오.

먼저 등비수열 $\{a_n\}$의 공비를 구해 봐.

192

등비급수 $1-\dfrac{1}{3}x+\dfrac{1}{9}x^2-\dfrac{1}{27}x^3+\cdots$의 합이 $\dfrac{2}{3}$일 때, x의 값을 구하시오.

193

첫째항이 4보다 큰 등비수열 $\{a_n\}$에 대하여 $a_2=\dfrac{8}{3}$, $\sum_{n=1}^{\infty} a_n=12$일 때, 급수 $\sum_{n=1}^{\infty} a_{2n-1}$의 합은?

① 9   ② $\dfrac{28}{3}$ ③ $\dfrac{29}{3}$

④ 10   ⑤ $\dfrac{31}{3}$

194

등비급수 $1+\cos x+\cos^2 x+\cos^3 x+\cdots$의 합이 $4+2\sqrt{3}$일 때, x의 값을 구하시오. (단, $0<x<\pi$이다.)

195

등비수열 $\{a_n\}$이 $\displaystyle\sum_{n=1}^{\infty} a_n=4$, $\displaystyle\sum_{n=1}^{\infty} a_n^2=\frac{48}{5}$, $\displaystyle\sum_{n=1}^{\infty} a_n^3=\frac{q}{p}$를 만족시킬 때, $p+q$의 값은?

(단, p, q는 서로소인 자연수이다.)

① 197　　　　② 198　　　　③ 199
④ 200　　　　⑤ 201

유형 11　등비급수의 수렴 조건

(1) 등비급수 $\displaystyle\sum_{n=1}^{\infty} r^n$이 수렴 ➡ $-1<r<1$

(2) 등비급수 $\displaystyle\sum_{n=1}^{\infty} ar^{n-1}$이 수렴 ➡ $a=0$ 또는 $-1<r<1$

대표 문제

196

급수 $\displaystyle\sum_{n=1}^{\infty}\left(\frac{2x+1}{5}\right)^{n-1}$이 수렴하도록 하는 정수 x의 개수는?

① 4　　　　② 5　　　　③ 6
④ 7　　　　⑤ 8

197

다음 급수가 수렴하도록 하는 정수 x의 개수는?

$$(x+3)+(x+3)\left(\frac{x-1}{2}\right)+(x+3)\left(\frac{x-1}{2}\right)^2+\cdots$$

① 3　　　　② 4　　　　③ 5
④ 6　　　　⑤ 7

198

두 등비급수 $\displaystyle\sum_{n=1}^{\infty}(x+a)^n$과 $\displaystyle\sum_{n=1}^{\infty}\left(\frac{ax}{12}\right)^n$이 모두 수렴하도록 하는 실수 x의 값이 존재하기 위한 양수 a의 값의 범위는?

① $0<a<4$　　② $1<a<4$　　③ $2<a<8$
④ $3<a<4$　　⑤ $4<a<8$

199

등비급수 $\displaystyle\sum_{n=1}^{\infty} r^n$이 수렴할 때, 보기에서 항상 수렴하는 급수인 것만을 있는 대로 고른 것은?

┌─ 보기 ─────────────────────┐

ㄱ. $\displaystyle\sum_{n=1}^{\infty} r^{2n}$　　　　ㄴ. $\displaystyle\sum_{n=1}^{\infty}\frac{r^n+(-r)^n}{2}$

ㄷ. $\displaystyle\sum_{n=1}^{\infty}\left(\frac{r}{2}+1\right)^n$　　ㄹ. $\displaystyle\sum_{n=1}^{\infty}\left(\frac{r-1}{2}\right)^n$

ㅁ. $\displaystyle\sum_{n=1}^{\infty}\left(\frac{r}{2}-1\right)^n$

└──────────────────────────┘

① ㄱ, ㄴ　　　② ㄷ, ㄹ　　　③ ㄱ, ㄴ, ㄹ
④ ㄱ, ㄷ, ㄹ　　⑤ ㄴ, ㄹ, ㅁ

◯△✕

유형 12 S_n과 a_n 사이의 관계를 이용하는 급수

수열 $\{a_n\}$의 첫째항부터 제n항까지의 합 S_n이 주어진 경우 $a_1=S_1$, $a_n=S_n-S_{n-1}$ $(n\geq2)$임을 이용하여 일반항 a_n을 구한다.

대표 문제
200

수열 $\{a_n\}$의 첫째항부터 제n항까지의 합을 S_n이라 할 때, $S_n=\dfrac{n(3n+1)}{2}$이다. 급수 $\displaystyle\sum_{n=1}^{\infty}\dfrac{12}{a_na_{n+1}}$의 합은?

① $\dfrac{1}{4}$ ② $\dfrac{1}{3}$ ③ $\dfrac{1}{2}$

④ 1 ⑤ 2

201

첫째항이 8인 등차수열 $\{a_n\}$의 첫째항부터 제n항까지의 합을 S_n이라 하자. 급수 $\displaystyle\sum_{n=1}^{\infty}\dfrac{a_{n+1}}{S_nS_{n+1}}$의 합은?

① $\dfrac{1}{8}$ ② $\dfrac{1}{4}$ ③ $\dfrac{3}{8}$

④ $\dfrac{1}{2}$ ⑤ $\dfrac{5}{8}$

202

수열 $\{a_n\}$이 $\displaystyle\sum_{k=1}^{n}a_k=10\left\{1-\left(\dfrac{3}{5}\right)^n\right\}$을 만족시킬 때, 급수 $a_1+a_3+a_5+a_7+\cdots$의 합을 구하시오.

203

수열 $\{a_n\}$의 첫째항부터 제n항까지의 합을 S_n이라 할 때, $\log_4(S_n+1)=n$이다. 급수 $\displaystyle\sum_{n=1}^{\infty}\dfrac{5}{a_na_{n+1}}$의 합을 구하시오.

◯△✕

낯선 유형 13 등비급수의 도형에의 활용 – 좌표

움직이는 점이 한없이 가까워지는 점의 좌표
➡ 점의 x좌표와 y좌표에 대한 규칙을 찾아서 각각 등비급수의 합을 이용하여 구한다.

대표 문제
204 #x좌표 #y좌표 #따로_생각

오른쪽 그림과 같이 점 P_n이 원점 O를 출발하여 x축 또는 y축과 평행하게 P_1, P_2, P_3, P_4, $\cdots$로 움직인다. $\overline{OP_1}=1$, $\overline{P_1P_2}=\dfrac{3}{5}$, $\overline{P_2P_3}=\left(\dfrac{3}{5}\right)^2$, $\cdots$을 만족시킬 때, 점 P_n이 한없이 가까워지는 점의 좌표를 구하시오.

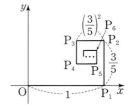

205

오른쪽 그림과 같이 좌표평면 위에서 원점 O를 출발한 점 P가 x축 또는 y축과 평행하게 P_1, P_2, P_3, P_4, $\cdots$로 움직인다. $\overline{OP_1}=1$, $\overline{P_1P_2}=\dfrac{3}{4}$, $\overline{P_2P_3}=\left(\dfrac{3}{4}\right)^2$, $\cdots$을 만족시킬 때, 점 P_n이 한없이 가까워지는 점의 좌표를 구하시오.

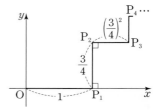

206

오른쪽 그림에서 자연수 n에 대하여 점 P_n은 $\overline{OP_1}=1$, $\overline{P_1P_2}=\dfrac{2}{5}\overline{OP_1}$, $\overline{P_2P_3}=\dfrac{2}{5}\overline{P_1P_2}$, $\cdots$ $\angle OP_1P_2=\angle P_1P_2P_3=\cdots=60°$를 만족시킨다. 점 P_n이 한없이 가까워지는 점의 y좌표를 구하시오. (단, O는 원점이다.)

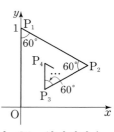

날선 유형 14 등비급수의 도형에의 활용 – 길이

닮은꼴 도형이 한없이 반복하여 그려질 때, 도형의 길이 또는 둘레의 길이

➡ 일정한 규칙을 찾아 첫째항과 공비를 구해 등비급수의 합을 이용하여 구한다.

대표 문제
207 #첫째항_제2항_제3항을_구해 #규칙_찾기

다음 그림과 같이 한 변의 길이가 10인 정사각형 ABCD가 있다. 선분 CD를 4 : 1로 내분하는 점을 P, 선분 BC의 연장선과 선분 AP의 연장선이 만나는 점을 E라 하고, $\overline{CP}=\overline{CC_1}$, $\overline{C_1P_1}=\overline{C_1C_2}$, ⋯가 되도록 P, P_1, P_2, ⋯에서 선분 BE에 내린 수선의 발을 C, C_1, C_2, ⋯라 하자. 이와 같은 과정을 한없이 반복할 때,
$\overline{AB}+\overline{CP}+\overline{C_1P_1}+\overline{C_2P_2}+$ ⋯의 합을 구하시오.

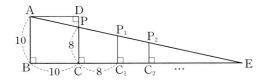

208

오른쪽 그림에서
∠XOY=30°, $\overline{OP}=8$이다. 점 P에서 $\overrightarrow{OX}$에 내린 수선의 발을 P_1, P_1에서 $\overrightarrow{OY}$에 내린 수선의 발을 P_2, P_2에서 $\overrightarrow{OX}$에 내린 수선의 발을 P_3이라 하자. 이와 같은 과정을 한없이 반복할 때, $\overline{PP_1}+\overline{P_1P_2}+\overline{P_2P_3}+$ ⋯의 합은 $\alpha+\beta\sqrt{3}$이다. 유리수 α, β에 대하여 $\alpha+\beta$의 값은?

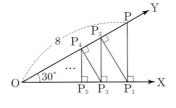

① 8 ② 12 ③ 17
④ 20 ⑤ 24

209

다음 그림과 같이 길이가 1인 선분을 그린 다음 선분의 한쪽 끝에 길이가 처음 그린 선분의 길이의 $\frac{1}{3}$인 선분 두 개를 그린다. 또 새로 그린 두 개의 선분 각각의 한쪽 끝에 길이가 새로 그린 선분의 길이의 $\frac{1}{3}$인 선분 두 개를 그린다. 이와 같은 과정을 한없이 반복하여 얻은 모든 선분의 길이의 합을 구하시오.

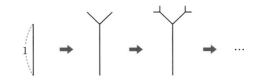

210

오른쪽 그림과 같이 길이가 4인 선분 A_1A_2를 1 : 2로 내분하는 점을 A_3, 선분 A_2A_3을 1 : 2로 내분하는 점을 A_4라 하자. 이와 같은 과정을 계속하여 점 A_n을 잡고, 선분 A_nA_{n+1}을 지름으로 하는 반원의 호의 길이를 l_n이라 할 때, 급수 $\sum\limits_{n=1}^{\infty} l_n$의 합을 구하시오.

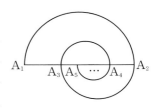

211

오른쪽 그림과 같이 한 변의 길이가 6인 정사각형 ABCD의 각 변을 2 : 1로 내분하는 점을 차례로 연결하여 정사각형 $A_1B_1C_1D_1$을 만든다. 또, 정사각형 $A_1B_1C_1D_1$의 각 변을 2 : 1로 내분하는 점을 차례로 연결하여 정사각형 $A_2B_2C_2D_2$를 만든다. 이와 같은 과정을 한없이 반복할 때, 정사각형 $A_1B_1C_1D_1$, $A_2B_2C_2D_2$, $A_3B_3C_3D_3$, ⋯의 둘레의 길이의 합을 구하시오.

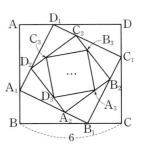

낱선 유형 15 등비급수의 도형에의 활용 – 넓이

닮은꼴 도형이 한없이 반복하여 그려질 때, 도형의 넓이
➡ 서로 닮음인 도형에서 닮음비를 이용해 공비를 찾은 다음 등비급수의 합을 이용하여 구한다.

대표 문제

212 #닮음비_이용 #공비_찾기

오른쪽 그림과 같이 한 변의 길이가 3인 정사각형을 A_1이라 하고, A_1의 각 변의 중점을 연결하여 만든 정사각형을 A_2, A_2의 각 변의 중점을 연결하여 만든 정사각형을 A_3이라 하자. 이와 같은 과정을 한없이 반복할 때, 정사각형 A_1, A_2, A_3, $\cdots$의 넓이의 합을 구하시오.

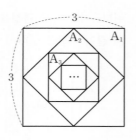

213

오른쪽 그림과 같이 한 변의 길이가 1인 정삼각형의 각 변의 중점을 연결하여 두 번째 정삼각형을 만든다. 또, 이 정삼각형의 각 변의 중점을 연결하여 세 번째 정삼각형을 만든다. 이와 같은 과정을 한없이 반복할 때, 색칠한 부분의 넓이의 합을 구하시오.

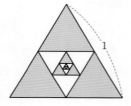

214

오른쪽 그림과 같이 한 변의 길이가 8인 정사각형 $A_1OB_1C_1$의 내부에 부채꼴 OA_1B_1을 그린 다음 이 부채꼴에 내접하는 정사각형 $A_2OB_2C_2$를 그린다. 이와 같은 과정을 한없이 반복하여 정사각형과 부채꼴을 그릴 때, 색칠한 부분의 넓이의 합을 구하시오.

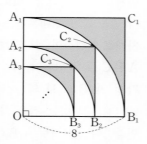

215

오른쪽 그림과 같이 $\angle C_1 = 90°$인 직각삼각형 AB_1C_1에서 $\angle B_1 = 60°$, $\overline{B_1C_1} = 12$이다. 점 B_1을 중심으로 하고 $\overline{B_1C_1}$을 반지름으로 하는 원을 그려 $\overline{AB_1}$과 만나는 점을 C_2, 부채꼴 $B_1C_1C_2$의 넓이를 S_1이라 하자. 점 C_2를 지나면서 $\overline{AB_1}$에 수직인 직선이 $\overline{AC_1}$과 만나는 점을 B_2, 점 B_2를 중심으로 하고 $\overline{B_2C_2}$를 반지름으로 하는 원을 그려 $\overline{AC_1}$과 만나는 점을 C_3, 부채꼴 $B_2C_2C_3$의 넓이를 S_2라 하자. 이와 같은 과정을 한없이 반복할 때, $S_1 + S_2 + S_3 + \cdots$의 합을 구하시오.

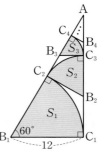

216

오른쪽 그림과 같이 $\angle B = 90°$, $\overline{AB} = \overline{BC} = 2$인 직각이등변삼각형 ABC에 내접하는 정사각형 $A_1C_1BB_1$을 그리고, 직각이등변삼각형 A_1B_1C에 내접하는 정사각형 $A_2C_2B_1B_2$를 그린다. 이와 같은 과정을 한없이 반복할 때, 모든 정사각형의 넓이의 합을 구하시오.

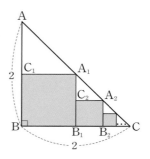

217

오른쪽 그림과 같이 반지름의 길이가 3인 원 C_1의 중심을 지나고 C_1에 내접하는 원을 C_2, 원 C_2의 중심을 지나고 C_2에 내접하는 원을 C_3이라 하자. 이와 같은 과정을 한없이 반복하여 원 C_n을 그릴 때, 원 C_n의 넓이 S_n에 대하여 $\sum\limits_{n=1}^{\infty} S_n$의 합을 구하시오.

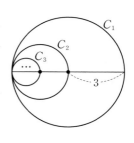

유형 16 등비급수의 실생활에의 활용

어떤 과정이 한없이 반복될 때
➡ 값이 변하는 일정한 규칙을 찾은 다음 등비급수의 합을 이용한다.

대표 문제
218

낙하한 거리의 $\dfrac{3}{5}$만큼 다시 수직으로 튀어 오르는 공을 지상 30 m의 높이에서 수직으로 지면에 떨어뜨렸다. 이 공이 상하 운동을 한없이 계속한다고 할 때, 공이 움직인 거리의 합을 구하시오. (단, 공의 크기는 생각하지 않는다.)

219

어느 스마트워치의 배터리는 방전된 후 재충전할 때마다 사용할 수 있는 시간이 $\dfrac{1}{200}$만큼 줄어든다. 완전히 충전된 새 스마트워치의 배터리를 처음 방전될 때까지 사용할 수 있는 시간이 50시간이고, 배터리가 방전된 후 재충전하여 사용하는 과정을 한없이 반복할 때, 이 스마트워치의 배터리를 사용할 수 있는 시간의 합을 구하시오.

220

음료수 병을 생산하는 어느 공장에서 생산한 병의 80 %를 수거하여 그중 75 %를 재활용하고, 재활용된 병의 80 %를 수거하여 그중 75 %를 다시 재활용한다고 한다. 처음 생산한 10000개의 병에 대하여 이와 같은 과정을 한없이 반복할 때, 재활용되는 모든 병의 개수는?

① 15000   ② 18000   ③ 20000
④ 22000   ⑤ 25000

유형 17 순환소수와 등비급수

주어진 순환소수를 분수로 나타내고, 등비급수의 합을 구한다.

대표 문제
221

등비급수 $\displaystyle\sum_{n=1}^{\infty} (0.0\dot{2}\dot{x})^n$이 수렴하기 위한 x의 값의 범위를 구하시오.

순환소수를 분수로 나타내 봐.

222

등비수열 $\{a_n\}$의 공비가 $0.\dot{6}$이고 $\displaystyle\sum_{n=1}^{\infty} a_n = 0.1\dot{0}\dot{2}$일 때, a_1의 값은?

① $0.0\dot{3}\dot{4}$ ② $0.0\dot{3}\dot{8}$ ③ $0.0\dot{4}\dot{2}$
④ $0.0\dot{4}\dot{4}$ ⑤ $0.0\dot{4}\dot{6}$

223

$\dfrac{8}{33}$을 소수로 나타낼 때, 소수점 아래 n째 자리의 숫자를 a_n이라 하자. 수열 $\{a_n\}$에 대하여 급수 $\displaystyle\sum_{n=1}^{\infty} \dfrac{a_n}{11^n}$의 합을 구하시오.

224

수열 $\{a_n\}$이

$$\frac{1^2}{2^2-1^2},\ \frac{1^2+2^2}{3^2-2^2},\ \frac{1^2+2^2+3^2}{4^2-3^2},\ \frac{1^2+2^2+3^2+4^2}{5^2-4^2},\ \cdots$$

일 때, 급수 $\displaystyle\sum_{n=1}^{\infty}\frac{1}{a_n}$의 합을 구하시오.

225 교과서 심화

직선 $x-2y+4=0$ 위의 점 중에서 x좌표와 y좌표가 모두 자연수인 점의 좌표를 각각 $(a_1, b_1),\ (a_2, b_2),\ \cdots,$ $(a_n, b_n),\ \cdots$이라 할 때, 급수 $\displaystyle\sum_{n=1}^{\infty}\frac{1}{a_nb_n}$의 합을 구하시오. (단, $a_1<a_2<\cdots<a_n<\cdots$이다.)

226 교육청 기출

모든 항이 양수인 수열 $\{a_n\}$에 대하여 급수 $\displaystyle\sum_{n=1}^{\infty}(a_n-n^2)$이 수렴할 때, $\displaystyle\lim_{n\to\infty}\frac{a_n-n}{a_n+n^2}$의 값은?

① $-\dfrac{1}{2}$ ② $-\dfrac{1}{4}$ ③ 0

④ $\dfrac{1}{4}$ ⑤ $\dfrac{1}{2}$

227 교육청 기출

수열 $\{a_n\}$에 대하여 $\displaystyle\sum_{n=1}^{\infty}\frac{2^na_n-2^{n+1}}{2^n+1}=1$일 때, $\displaystyle\lim_{n\to\infty}a_n$의 값은?

① 1 ② 2 ③ 3

④ 4 ⑤ 5

228

보기에서 옳은 것만을 있는 대로 고른 것은?

┌─ 보기 ──────────────────────────┐

ㄱ. 급수 $\dfrac{1}{1\times 2}+\dfrac{1}{2\times 3}+\dfrac{1}{3\times 4}+\cdots$ 은 발산한다.

ㄴ. 급수 $\log 1+\log\dfrac{2}{3}+\log\dfrac{3}{5}+\cdots$ 은 발산한다.

ㄷ. 급수 $\displaystyle\sum_{n=1}^{\infty}\frac{3n^2-1}{2n^2+1}$은 $\dfrac{3}{5}$에 수렴한다.

ㄹ. 급수 $\displaystyle\sum_{n=1}^{\infty}(\sqrt{n+2}-\sqrt{n+1})$은 발산한다.

└──────────────────────────────┘

① ㄱ, ㄴ   ② ㄱ, ㄷ   ③ ㄴ, ㄷ

④ ㄴ, ㄹ   ⑤ ㄷ, ㄹ

229

두 수열 $\{a_n\}$, $\{b_n\}$에 대하여 보기에서 옳은 것만을 있는 대로 고른 것은?

┌─ 보기 ──────────────────────────┐

ㄱ. $\displaystyle\sum_{n=1}^{\infty}a_n$과 $\displaystyle\sum_{n=1}^{\infty}b_n$이 모두 수렴하면 $\displaystyle\lim_{n\to\infty}a_nb_n=0$이다.

ㄴ. $\displaystyle\sum_{n=1}^{\infty}a_n$과 $\displaystyle\sum_{n=1}^{\infty}b_n$이 모두 발산하면 $\displaystyle\lim_{n\to\infty}(a_n+b_n)\neq 0$이다.

ㄷ. $\displaystyle\sum_{n=1}^{\infty}a_n$, $\displaystyle\sum_{n=1}^{\infty}(a_n+b_n)$이 모두 수렴하면 $\displaystyle\sum_{n=1}^{\infty}b_n$도 수렴한다.

ㄹ. $\displaystyle\sum_{n=1}^{\infty}a_nb_n$이 수렴하고 $\displaystyle\lim_{n\to\infty}a_n\neq 0$이면 $\displaystyle\lim_{n\to\infty}b_n=0$이다.

└──────────────────────────────┘

① ㄱ, ㄴ   ② ㄱ, ㄷ   ③ ㄴ, ㄷ

④ ㄴ, ㄹ   ⑤ ㄷ, ㄹ

230 교육청 기출

수열 $\{a_n\}$이 모든 자연수 n에 대하여 $a_1=3$, $a_{n+1}=\dfrac{2}{3}a_n$을 만족시킬 때, $\displaystyle\sum_{n=1}^{\infty}a_{2n-1}=\dfrac{q}{p}$이다. $p+q$의 값을 구하시오.(단, p와 q는 서로소인 자연수이다.)

231

공비가 같은 두 등비수열 $\{a_n\}$, $\{b_n\}$에 대하여 $a_1 - b_1 = 1$
이고 $\sum\limits_{n=1}^{\infty} a_n = 9$, $\sum\limits_{n=1}^{\infty} b_n = 6$일 때, 급수 $\sum\limits_{n=1}^{\infty} a_n b_n$의 합을 구하
시오.

232

등비급수 $\sum\limits_{n=1}^{\infty} \left(\dfrac{x}{8}\right)^n (x-2)^n$이 수렴하도록 하는 모든 정
수 x의 값의 합은?

① 1   ② 2   ③ 3
④ 4   ⑤ 5

233

수열 $\{a_n\}$의 첫째항부터 제n항까지의 합 S_n이 $S_n = n^2$일
때, 급수 $\sum\limits_{n=1}^{\infty} \dfrac{2}{a_n a_{n+1}}$의 합을 구하시오.

234

직선 $x = k$ ($k = 1, 2, 3, \cdots$)가 두 곡선 $y = 3^{2-x}$과
$y = -2^{-x}$에 의하여 잘린 선분의 길이를 l_k라 하자.
$\lim\limits_{n \to \infty} \sum\limits_{k=1}^{n} l_k = \dfrac{q}{p}$일 때, $p+q$의 값을 구하시오.

(단, p와 q는 서로소인 자연수이다.)

235 📖교과서 심화

자연수 n에 대하여 두 함수 $y = \dfrac{|x|}{n}$와 $y = |\sin \pi x|$의
그래프의 교점의 개수를 a_n이라 할 때, 급수 $\sum\limits_{n=1}^{\infty} \dfrac{4}{a_n a_{n+1}}$
의 합을 구하시오.

236

길이가 1인 선분 $A_1 A_2$를 $3 : 1$로 외분하는 점을 A_3, 선
분 $A_2 A_3$을 $3 : 1$로 외분하는 점을 A_4, 선분 $A_3 A_4$를 $3 : 1$
로 외분하는 점을 A_5라 하자. 이와 같은 과정을 한없이
반복하여 A_6, A_7, $\cdots$을 정할 때, 급수 $\sum\limits_{n=1}^{\infty} \overline{A_n A_{n+1}}$의 합
을 구하시오.

237 📖교과서 심화

오른쪽 그림과 같이
$P_1(1, 0)$일 때, 점 P_1에
서 직선 $y = x$에 내린 수
선의 발을 P_2, 점 P_2에서
y축에 내린 수선의 발을
P_3, 점 P_3에서 직선

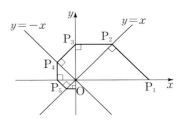

$y = -x$에 내린 수선의 발을 P_4라 하자. 이와 같은 과정
을 한없이 반복하여 삼각형 $OP_1 P_2$, 삼각형 $OP_2 P_3$, 삼각
형 $OP_3 P_4$, $\cdots$를 만들 때, 삼각형 $OP_n P_{n+1}$의 넓이를 S_n
이라 하자. 급수 $\sum\limits_{n=1}^{\infty} S_n$의 합을 구하시오.

(단, O는 원점이다.)

지수함수와 로그함수의 미분

개념 01 지수함수와 로그함수의 극한 C 유형 01, 02

📙 note

1 지수함수의 극한

지수함수 $y=a^x$ $(a>0,\ a\neq1)$에 대하여

(1) $a>1$일 때, $\lim\limits_{x\to\infty}a^x=\infty$, $\lim\limits_{x\to-\infty}a^x=0$

(2) $0<a<1$일 때, $\lim\limits_{x\to\infty}a^x=0$, $\lim\limits_{x\to-\infty}a^x=\infty$

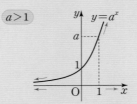 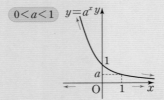

2 로그함수의 극한

로그함수 $y=\log_a x$ $(a>0,\ a\neq1)$에 대하여

(1) $a>1$일 때, $\lim\limits_{x\to0+}\log_a x=-\infty$, $\lim\limits_{x\to\infty}\log_a x=\infty$

(2) $0<a<1$일 때, $\lim\limits_{x\to0+}\log_a x=\infty$, $\lim\limits_{x\to\infty}\log_a x=-\infty$

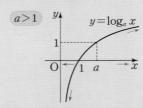 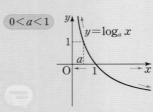

참고 로그함수 $y=\log_a x$는 $x>0$에서 정의되므로 $\lim\limits_{x\to0-}\log_a x$, $\lim\limits_{x\to-\infty}\log_a x$는 생각할 수 없다.

- 지수함수 $y=a^x$은 실수 전체의 집합에서 연속이므로 임의의 실수 r에 대하여 $\lim\limits_{x\to r}a^x=a^r$이다.

- 로그함수 $y=\log_a x$는 양의 실수 전체의 집합에서 연속이므로 임의의 양의 실수 r에 대하여 $\lim\limits_{x\to r}\log_a x=\log_a r$ 이다.

- 함수 $f(x)$에 대하여 $f(x)>0$이고 a가 1이 아닌 양수일 때
  (1) 실수 r에 대하여 $\lim\limits_{x\to r}f(x)$의 값이 존재하고 $\lim\limits_{x\to r}f(x)>0$이면 $\lim\limits_{x\to r}\{\log_a f(x)\}$ $=\log_a\{\lim\limits_{x\to r}f(x)\}$
  (2) $\lim\limits_{x\to\infty}f(x)$의 값이 존재하고 $\lim\limits_{x\to\infty}f(x)>0$이면 $\lim\limits_{x\to\infty}\{\log_a f(x)\}$ $=\log_a\{\lim\limits_{x\to\infty}f(x)\}$

→ 정답 및 풀이 **32**쪽

[240~245] 다음 극한을 조사하시오.

240 $\lim\limits_{x\to\infty}3^x$

241 $\lim\limits_{x\to-\infty}\left(\dfrac{1}{5}\right)^x$

242 $\lim\limits_{x\to\infty}\left(\dfrac{1}{2}\right)^x$

243 $\lim\limits_{x\to-\infty}\dfrac{3^{2x}}{4^x}$

244 $\lim\limits_{x\to2}\left(\dfrac{5}{2}\right)^x$

245 $\lim\limits_{x\to-1}6^x$

[246~247] 다음 극한을 조사하시오.

246 $\lim\limits_{x\to\infty}(3^x-5^x)$

247 $\lim\limits_{x\to-\infty}\dfrac{5^x+5^{-x}}{5^x-5^{-x}}$

[248~253] 다음 극한을 조사하시오.

248 $\lim\limits_{x\to0+}\log_3 x$

249 $\lim\limits_{x\to\infty}\log_4 x$

250 $\lim\limits_{x\to0+}\log_{\frac{1}{2}}x$

251 $\lim\limits_{x\to\infty}\log_{\frac{1}{3}}x$

252 $\lim\limits_{x\to3}\log_2 x$

253 $\lim\limits_{x\to5}\log_{\frac{1}{5}}x$

[254~255] 다음 극한을 조사하시오.

254 $\lim\limits_{x\to\infty}\log_4(x^2+1)$

255 $\lim\limits_{x\to\infty}\{\log_3(3x+1)-\log_3 x\}$

1 무리수 e

x의 값이 0에 한없이 가까워질 때, $(1+x)^{\frac{1}{x}}$의 값은 일정한 값에 가까워지며 그 극한값을 e와 같이 나타낸다. 즉

$$\lim_{x \to 0}(1+x)^{\frac{1}{x}}=e$$

이때 e는 무리수이고, 그 값은 $e=2.71828182845\cdots$이다.

참고 $\lim\limits_{x \to 0}(1+x)^{\frac{1}{x}}=e$에서 $\dfrac{1}{x}=t$로 놓으면 $x \to 0+$일 때 $t \to \infty$이므로

$$\lim_{t \to \infty}\left(1+\frac{1}{t}\right)^{t}=e, \ 즉 \ \lim_{x \to \infty}\left(1+\frac{1}{x}\right)^{x}=e$$

2 자연로그

(1) 무리수 e는 1이 아닌 양의 실수이므로 모든 실수 x에서 e^x을 생각할 수 있다.

(2) 무리수 e를 밑으로 하는 로그 $\log_e x$를 x의 **자연로그**라 하고, 간단히 $\ln x$로 나타낸다.

참고 자연로그의 성질

$x>0$, $y>0$일 때,

(1) $\ln 1=0$, $\ln e=1$ (2) $\ln x^n=n \ln x$ (단, n은 실수)

(3) $\ln xy=\ln x+\ln y$ (4) $\ln \dfrac{x}{y}=\ln x-\ln y$

3 e의 정의를 이용한 지수함수와 로그함수의 극한

$a>0$, $a \neq 1$일 때

(1) $\lim\limits_{x \to 0}\dfrac{\ln (1+x)}{x}=1$ (2) $\lim\limits_{x \to 0}\dfrac{e^x-1}{x}=1$

(3) $\lim\limits_{x \to 0}\dfrac{\log_a (1+x)}{x}=\dfrac{1}{\ln a}$ (4) $\lim\limits_{x \to 0}\dfrac{a^x-1}{x}=\ln a$

참고 (1) $\lim\limits_{x \to 0}\dfrac{\ln (1+x)}{x}=\lim\limits_{x \to 0}\dfrac{1}{x}\ln (1+x)=\ln \lim\limits_{x \to 0}(1+x)^{\frac{1}{x}}=\ln e=1$

(2) $e^x-1=t$로 놓으면 $e^x=1+t$이므로 $x=\ln (1+t)$

$$\therefore \lim_{x \to 0}\frac{e^x-1}{x}=\lim_{t \to 0}\frac{t}{\ln (1+t)}=\lim_{t \to 0}\frac{1}{\ln (1+t)^{\frac{1}{t}}}=\frac{1}{\ln e}=1$$

note

• 0이 아닌 상수 a에 대하여
$$\lim_{x \to 0}(1+ax)^{\frac{1}{ax}}=e$$

• 무리수 e를 밑으로 하는 지수함수를 $y=e^x$으로 나타낸다.

• 지수함수 $y=e^x$과 로그함수 $y=\ln x$는 서로 역함수의 관계에 있다. 즉
$$y=e^x \Longleftrightarrow x=\ln y$$

• 0이 아닌 상수 a에 대하여
(1) $\lim\limits_{x \to 0}\dfrac{\ln (1+ax)}{ax}=1$
(2) $\lim\limits_{x \to 0}\dfrac{\ln (1+ax)}{x}=a$
(3) $\lim\limits_{x \to 0}\dfrac{e^{ax}-1}{ax}=1$
(4) $\lim\limits_{x \to 0}\dfrac{e^{ax}-1}{x}=a$

→ 정답 및 풀이 **32**쪽

[256~259] 다음 극한값을 구하시오.

256 $\lim\limits_{x \to 0}(1+3x)^{\frac{1}{3x}}$ **257** $\lim\limits_{x \to 0}(1+4x)^{\frac{1}{x}}$

258 $\lim\limits_{x \to \infty}\left(1+\dfrac{5}{x}\right)^{x}$ **259** $\lim\limits_{x \to 0}\left(1+\dfrac{x}{2}\right)^{\frac{3}{x}}$

[260~263] 다음 값을 구하시오.

260 $\ln e^3$ **261** $\ln \sqrt{e}$

262 $\ln \dfrac{1}{e^2}$ **263** $\dfrac{1}{\log_3 e}$

[264~267] 다음 극한값을 구하시오.

264 $\lim\limits_{x \to 0}\dfrac{\ln (1+3x)}{x}$

265 $\lim\limits_{x \to 0}\dfrac{e^{2x}-1}{3x}$

266 $\lim\limits_{x \to 0}\dfrac{\log_3 (1-5x)}{x}$

267 $\lim\limits_{x \to 0}\dfrac{2^x-1}{2x}$

1 지수함수의 도함수

(1) $y=e^x$이면 $y'=e^x$

(2) $y=a^x$이면 $y'=a^x\ln a$ (단, $a>0$, $a\neq1$)

참고 (1) $y=e^x$일 때, $y'=\lim\limits_{h\to0}\dfrac{e^{x+h}-e^x}{h}=\lim\limits_{h\to0}\dfrac{e^x(e^h-1)}{h}=e^x\times1=e^x$

(2) $y=a^x$일 때, $y'=\lim\limits_{h\to0}\dfrac{a^{x+h}-a^x}{h}=\lim\limits_{h\to0}\dfrac{a^x(a^h-1)}{h}=a^x\ln a$

2 로그함수의 도함수

(1) $y=\ln x$이면 $y'=\dfrac{1}{x}$

(2) $y=\log_a x$이면 $y'=\dfrac{1}{x\ln a}$ (단, $a>0$, $a\neq1$)

참고 (1) $y=\ln x$일 때,

$$y'=\lim_{h\to0}\frac{\ln(x+h)-\ln x}{h}=\lim_{h\to0}\frac{1}{h}\ln\frac{x+h}{x}$$

$$=\lim_{h\to0}\ln\left(1+\frac{h}{x}\right)^{\frac{1}{h}}=\lim_{h\to0}\ln\left(1+\frac{h}{x}\right)^{\frac{x}{h}\times\frac{1}{x}}=\ln e^{\frac{1}{x}}=\frac{1}{x}$$

(2) $y=\log_a x$일 때,

$\log_a x=\dfrac{\ln x}{\ln a}$이므로 $y'=\left(\dfrac{\ln x}{\ln a}\right)'=\dfrac{1}{\ln a}(\ln x)'=\dfrac{1}{\ln a}\times\dfrac{1}{x}=\dfrac{1}{x\ln a}$

note

● 미분가능한 함수 $y=f(x)$의 도함수는

$$f'(x)=\lim_{h\to0}\frac{f(x+h)-f(x)}{h}$$

● $a>0$, $a\neq1$, $b>0$, $b\neq1$, $N>0$일 때,

$$\log_a N=\frac{\log_b N}{\log_b a}$$

➜ 정답 및 풀이 **33**쪽

[268~271] 다음 함수를 미분하시오.

268 $y=4e^x$

269 $y=e^{x+3}$

270 $y=3e^{x-2}$

271 $y=x^2e^{-x}$

[272~275] 다음 함수를 미분하시오.

272 $y=5^x$

273 $y=3\times2^x$

274 $y=4^x+6^{x+1}$

275 $y=3^x(x+1)$

[276~279] 다음 함수를 미분하시오.

276 $y=\ln 5x$

277 $y=\ln ex$

278 $y=\ln x^2$

279 $y=x\ln x$

[280~283] 다음 함수를 미분하시오.

280 $y=5\log x+x$

281 $y=\log_2 3x$

282 $y=x\log x$

283 $y=x^2\log_4 x$

도전! 유형 연습하기

유형 01 지수함수의 극한

지수함수 $y=a^x$ $(a>0,\ a\neq1)$에 대하여
(1) $a>1$이면 $\displaystyle\lim_{x\to\infty}a^x=\infty$, $\displaystyle\lim_{x\to-\infty}a^x=0$
(2) $0<a<1$이면 $\displaystyle\lim_{x\to\infty}a^x=0$, $\displaystyle\lim_{x\to-\infty}a^x=\infty$

대표 문제

284

$\displaystyle\lim_{x\to\infty}\dfrac{2^{3x}-3^x}{2^{3x-2}+5\times3^x}$의 값은?

① 1　　　　② 2　　　　③ 3

④ 4　　　　⑤ 5

285

$\displaystyle\lim_{x\to\infty}(5^x+4^x)^{\frac{1}{x}}$의 값은?

① 3　　　　② 4　　　　③ 5

④ 6　　　　⑤ 7

286

$\displaystyle\lim_{x\to\infty}\dfrac{a\times5^x}{5^{x+2}-3^x}=2$일 때, 상수 a의 값은?

① 50　　　　② 52　　　　③ 54

④ 56　　　　⑤ 58

287

극한값이 존재하는 것만을 보기에서 있는 대로 고른 것은?

┌ 보기 ┐
ㄱ. $\displaystyle\lim_{x\to-\infty}\dfrac{2^x+3}{(\sqrt5)^x+1}$　　　ㄴ. $\displaystyle\lim_{x\to\infty}\dfrac{3^x}{3^x-3^{-x}}$

ㄷ. $\displaystyle\lim_{x\to-\infty}\dfrac{1}{1-4^{\frac{1}{x}}}$

① ㄱ　　　　② ㄴ　　　　③ ㄱ, ㄴ

④ ㄱ, ㄷ　　　　⑤ ㄴ, ㄷ

288

$\displaystyle\lim_{x\to0+}\dfrac{3}{1+5^{\frac{1}{x}}}=a$, $\displaystyle\lim_{x\to\infty}\dfrac{3}{1+\left(\dfrac{1}{5}\right)^x}=b$일 때, 상수 a, b에 대하여 $a+b$의 값을 구하시오.

유형 02 로그함수의 극한

로그함수 $y=\log_a x$ $(a>0,\ a\neq1)$에 대하여
(1) $a>1$이면 $\displaystyle\lim_{x\to0+}\log_a x=-\infty$, $\displaystyle\lim_{x\to\infty}\log_a x=\infty$
(2) $0<a<1$이면 $\displaystyle\lim_{x\to0+}\log_a x=\infty$, $\displaystyle\lim_{x\to\infty}\log_a x=-\infty$

대표 문제

289

$\displaystyle\lim_{x\to\infty}(\log_3\sqrt{9x^2+4x}-\log_3 x)$의 값을 구하시오.

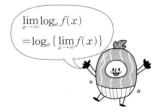

$\displaystyle\lim_{x\to\infty}\log_a f(x)$
$=\log_a\{\displaystyle\lim_{x\to\infty}f(x)\}$

290

$\lim\limits_{x\to\infty}\{\log_3(6x+5)-\log_3(2x^2+1)+\log_3(3x-1)\}$의 값은?

① 1   ② 2   ③ 3

④ 4   ⑤ 5

291

$\lim\limits_{x\to1}(\log_2|x^3-8|-\log_2|x^2+x-6|)$의 값은?

① $\log_2 7-2$ ② $\log_2 7-1$ ③ $\log_2 7$

④ $\log_2 7+1$ ⑤ $\log_2 7+2$

292

$\lim\limits_{x\to\infty}\{\log_3(ax+2)-\log_3(x-3)\}=4$일 때, 상수 a의 값을 구하시오.

293

$\lim\limits_{x\to\infty}\dfrac{1}{x}\log_3(4^x+9^x)$의 값을 구하시오.

낯선 유형 03 $\lim\limits_{x\to0}(1+x)^{\frac{1}{x}}$, $\lim\limits_{x\to\infty}\left(1+\dfrac{1}{x}\right)^x$ 꼴의 극한

(1) $\lim\limits_{x\to0}(1+x)^{\frac{1}{x}}=e$

(2) $\lim\limits_{x\to0}(1+ax)^{\frac{b}{x}}=\lim\limits_{x\to0}\{(1+ax)^{\frac{1}{ax}}\}^{ab}=e^{ab}$

(3) $\lim\limits_{x\to\infty}\left(1+\dfrac{1}{x}\right)^x=e$

(4) $\lim\limits_{x\to\infty}\left(1+\dfrac{1}{ax}\right)^{bx}=\lim\limits_{x\to\infty}\left\{\left(1+\dfrac{1}{ax}\right)^{ax}\right\}^{\frac{b}{a}}=e^{\frac{b}{a}}$

(단, a, b는 0이 아닌 상수)

대표 문제
294 #무리수_e #e의_정의를_이용하여_극한

$\lim\limits_{x\to0}(1+3x)^{\frac{5}{x}}$의 값은?

↳ $\lim\limits_{\bigstar\to0}(1+\bigstar)^{\frac{1}{\bigstar}}=e$에서 ★이 같도록 식을 변형한다.

① $e^{\frac{3}{5}}$ ② e ③ $e^{\frac{6}{5}}$

④ e^{15} ⑤ e^{30}

295

$\lim\limits_{x\to\infty}\left(\dfrac{x+a}{x-a}\right)^x=e^{16}$일 때, 상수 a의 값은?

① 6   ② 8   ③ 10

④ 12   ⑤ 14

296

보기에서 극한값이 옳은 것만을 있는 대로 고른 것은?

┌ 보기 ┐
ㄱ. $\lim\limits_{x\to1}x^{\frac{2}{x-1}}=e^2$ ㄴ. $\lim\limits_{x\to0}(1-x)^{\frac{1}{x}}=\dfrac{1}{e}$

ㄷ. $\lim\limits_{x\to-\infty}\left(1-\dfrac{1}{x}\right)^{-x}=\dfrac{1}{e}$ ㄹ. $\lim\limits_{x\to-\infty}\left(1-\dfrac{1}{3x}\right)^{2x}=e^6$
└────────────────────────┘

① ㄱ, ㄴ   ② ㄱ, ㄷ   ③ ㄴ, ㄷ

④ ㄴ, ㄹ   ⑤ ㄷ, ㄹ

→ 정답 및 풀이 **34**쪽

297

$$\lim_{n \to \infty} \left\{ \frac{1}{3}\left(1+\frac{1}{n}\right)\left(1+\frac{1}{n+1}\right)\left(1+\frac{1}{n+2}\right)\cdots\left(1+\frac{1}{3n}\right)\right\}^{n}$$

의 값을 구하시오.

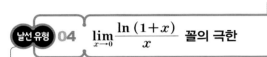

낯선 유형 04 $\lim\limits_{x \to 0} \dfrac{\ln(1+x)}{x}$ 꼴의 극한

(1) $\lim\limits_{x \to 0} \dfrac{\ln(1+x)}{x} = 1$

(2) $\lim\limits_{x \to \infty} x \ln\left(1+\dfrac{1}{x}\right) = \lim\limits_{x \to \infty} \dfrac{\ln\left(1+\dfrac{1}{x}\right)}{\dfrac{1}{x}} = 1$

대표 문제
298 #무리수_e #자연로그 #지수·로그함수의_극한

$\lim\limits_{x \to 0} \dfrac{\ln(5x+1)}{5x^2+10x}$ 의 값은? ▶ $\lim\limits_{\star \to 0} \dfrac{\ln(1+\star)}{\star}=1$에서 ★이 같도록 식을 변형한다.

① -1 ② 0 ③ $\dfrac{1}{2}$

④ 1 ⑤ 2

299

$\lim\limits_{x \to 0} \dfrac{\ln(1+ax)}{x} = 6$일 때, 상수 a의 값은?

① $\dfrac{1}{3}$ ② $\dfrac{1}{2}$ ③ 2

④ 3 ⑤ 6

300

$\lim\limits_{x \to 4} \dfrac{\ln\sqrt{x-3}}{x-4}$ 의 값은?

① $\dfrac{1}{4}$ ② $\dfrac{1}{3}$ ③ $\dfrac{1}{2}$

④ $\dfrac{3}{4}$ ⑤ 1

$x-4=t$로 놓고, 주어진 식을 $\lim\limits_{\star \to 0} \dfrac{\ln(1+\star)}{\star}$ 꼴로 변형한다.

301

$\lim\limits_{x \to \infty} x\{\ln(x+5)-\ln x\}$ 의 값을 구하시오.

유형 05 $\lim\limits_{x \to 0} \dfrac{\log_a(1+x)}{x}$ 꼴의 극한

$a>0$, $a \neq 1$일 때

(1) $\lim\limits_{x \to 0} \dfrac{\log_a(1+x)}{x} = \dfrac{1}{\ln a}$

(2) $\lim\limits_{x \to 0} \dfrac{\log_a(1+bx)}{x} = \lim\limits_{x \to 0} \dfrac{\log_a(1+bx)}{bx} \times b = \dfrac{b}{\ln a}$

(단, b는 0이 아닌 상수)

대표 문제
302

$\lim\limits_{x \to 0} \dfrac{\log_2(7+x)-\log_2 7}{x}$ 의 값은?

① $\dfrac{1}{2}$ ② 1 ③ 7

④ $\dfrac{1}{7\ln 2}$ ⑤ $\ln 7$

303

$\lim\limits_{x \to 0} \dfrac{\log_5 (1-5x)}{10x}$ 의 값은?

① $-\dfrac{1}{2\ln 5}$　　② $-\dfrac{1}{\ln 5}$　　③ $-\dfrac{\ln 5}{2}$

④ $-\ln 5$　　⑤ $-2\ln 5$

304

$\lim\limits_{x \to 3} \dfrac{\log_2 (x-2)}{x-3}=k$일 때, 실수 k에 대하여 2^k의 값을 구하시오.

날선유형 06 $\lim\limits_{x \to 0} \dfrac{e^x-1}{x}$ **꼴의 극한**　◯△✕

(1) $\lim\limits_{x \to 0} \dfrac{e^x-1}{x}=1$

(2) $\lim\limits_{x \to 0} \dfrac{e^{ax}-1}{x}=\lim\limits_{x \to 0} \dfrac{e^{ax}-1}{ax}\times a=a$

(단, a는 0이 아닌 상수)

대표 문제
305 #무리수_e #지수·로그함수의_극한

$\lim\limits_{x \to 0} \dfrac{e^{2x}-e^{-5x}}{x}$ 의 값은? ➡ $\lim\limits_{\star \to 0} \dfrac{e^\star-1}{\star}=1$에서 ★이 같도록 식을 변형한다.

① -5　　② -3　　③ 3

④ 5　　⑤ 7

306

$\lim\limits_{x \to -1} \dfrac{e^{x+1}-x^2}{x+1}$ 의 값을 구하시오.

307

$\lim\limits_{x \to 0} \dfrac{e^x-1}{\ln (1+10x)}$ 의 값은?

① $\dfrac{1}{10}$　　② $\dfrac{1}{5}$　　③ $\dfrac{1}{2}$

④ $\ln 2$　　⑤ $\ln 5$

308

함수 $f(x)$에 대하여 $\lim\limits_{x \to 0} xf(x)=6$일 때, $\lim\limits_{x \to 0} f(x)(e^{4x}-1)$의 값은?

① 4　　② 6　　③ 12

④ 18　　⑤ 24

◻△✕

유형 07 $\lim\limits_{x \to 0} \dfrac{a^x-1}{x}$ 꼴의 극한

$a > 0$, $a \neq 1$일 때

(1) $\lim\limits_{x \to 0} \dfrac{a^x-1}{x} = \ln a$

(2) $\lim\limits_{x \to 0} \dfrac{a^{bx}-1}{x} = \lim\limits_{x \to 0} \dfrac{a^{bx}-1}{bx} \times b = b \ln a$

(단, b는 0이 아닌 상수)

대표 문제
309

$\lim\limits_{x \to 0} \dfrac{8^x - 4^x}{x}$의 값을 구하시오.

🔋
310

$\lim\limits_{x \to 2} \dfrac{5^{x-2}-1}{x^2+x-6}$의 값은?

① $\dfrac{1}{5} \ln 2$ ② $\dfrac{1}{4} \ln 3$ ③ $\ln 4$

④ $\dfrac{1}{5} \ln 5$ ⑤ $\dfrac{1}{4} \ln 6$

🔋
311

$\lim\limits_{x \to 0} \dfrac{(a+16)^x - a^x}{x} = \ln 9$일 때, 양수 a의 값을 구하시오.

🔋
312

$\lim\limits_{x \to 0} \dfrac{3^x - 1}{\log_3 (1+x)}$의 값은?

① 1 ② $\ln 3$ ③ $2 \ln 3$

④ $(\ln 3)^2$ ⑤ 3

◻△✕

유형 08 지수·로그함수의 극한 – 미정계수의 결정

$\lim\limits_{x \to a} \dfrac{f(x)}{g(x)} = \alpha$ (α는 실수)에서 $x \to a$일 때

(1) (분모) $\to$ 0이면 (분자) $\to$ 0

(2) $\alpha \neq 0$이고, (분자) $\to$ 0이면 (분모) $\to$ 0

대표 문제
313

$\lim\limits_{x \to 3} \dfrac{ax+b}{e^{x-3}-1} = 5$를 만족시키는 상수 a, b에 대하여 $a+b$의 값은?

① -10 ② -8 ③ -6

④ -4 ⑤ -2

> $x \to 3$일 때,
> (분모) $\to$ 0이고
> 극한값이 존재하면
> (분자) $\to$ 0이어야 해!

🔋
314

$\lim\limits_{x \to -1} \dfrac{a \ln(x+2) + b}{x^2 - 3x - 4} = 2$를 만족시키는 상수 a, b에 대하여 $a-b$의 값은?

① -12 ② -11 ③ -10

④ -9 ⑤ -8

🔋
315

$\lim\limits_{x \to 0} \dfrac{\ln(1+ax)}{e^{bx+c}-1} = 3$을 만족시키는 상수 a, b, c에 대하여 $\dfrac{a}{b}+c$의 값을 구하시오. (단, $a \neq 0$이다.)

316

$\lim\limits_{x \to 0} \dfrac{8^x - 2^x - 4^x + a}{x^2} = b(\ln 2)^2$을 만족시키는 상수 a, b

에 대하여 ab의 값을 구하시오.

날선 유형 **09** **지수 · 로그함수의 극한의 도형에의 활용**

> 구하는 선분의 길이, 도형의 넓이 등을 지수함수 또는 로그함수로 나타낸 다음 극한의 성질을 이용하여 극한값을 구한다.

대표 문제
317 #지수·로그함수의_극한 #도형에의_활용

다음 그림과 같이 한 변의 길이가 1인 정사각형을 n^2 $(n \geq 2)$개의 크기가 같은 정사각형으로 나누고 그중 한 개의 정사각형을 버린 도형을 T_n이라 하자. 도형 T_n의 넓이를 S_n이라 할 때, $\lim\limits_{n \to \infty}(2S_2 S_3 S_4 \cdots S_n)^{2n}$의 값은?

└▶ S_n을 n에 대한 식으로 나타낸다.

① $\sqrt{e}$ ② 2 ③ e

④ $2e$ ⑤ e^2

318

오른쪽 그림과 같이 지수함수 $y = a^x$ $(a>1)$ 위의 두 점 $A(0, 1)$, $P(t, a^t)$에 대하여 점 P에서 x축에 내린 수선과 직선 $y=1$의 교점을 Q라 하자. $\lim\limits_{t \to 0} \dfrac{\overline{PQ}}{\overline{AQ}} = 2$일 때, 상수 a의 값을 구하시오.

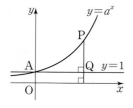

319

오른쪽 그림과 같이 두 곡선 $y = \ln(x+1)$, $y = e^{-x}-1$이 직선 $x=t$ $(t>0)$와 만나는 점을 각각 P, Q라 하자. 점 P에서 y축에 내린 수선의 발을 H라 할 때, $\lim\limits_{t \to 0+} \dfrac{\overline{PQ}}{\overline{PH}}$의 값을 구하시오.

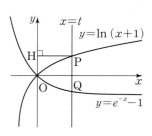

320

오른쪽 그림과 같이 곡선 $y = 3^x - 1$ 위의 점 P와 세 점 $O(0, 0)$, $A(1, 0)$, $B(0, 1)$에 대하여 두 삼각형 OAP와 OBP의 넓이를 각각 S_A, S_B라 하자. 점 P가 이 곡선을 따라 점 O에 한없이 가까워질 때, $\dfrac{S_A}{S_B}$의 극한값을 구하시오.

(단, 점 P는 제1사분면 위의 점이다.)

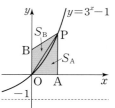

날선 유형 **10** **지수 · 로그함수의 연속 – 미정계수의 결정**

> $x \neq a$인 모든 실수 x에서 연속인 함수 $g(x)$에 대하여
> 함수 $f(x) = \begin{cases} g(x) & (x \neq a) \\ k & (x=a) \end{cases}$ 가 모든 실수 x에서 연속이면
> ➡ $\lim\limits_{x \to a} g(x) = k$ (단, k는 상수)

대표 문제
321 #지수·로그함수 #연속성 #미정계수

함수 $f(x) = \begin{cases} \dfrac{\ln(10x+a)}{x} & (x>0) \\ b & (x \leq 0) \end{cases}$ 가 $x=0$에서 연

속일 때, 상수 a, b에 대하여 $a+b$의 값을 구하시오.
└▶ $\lim\limits_{x \to 0+} f(x) = \lim\limits_{x \to 0-} f(x) = f(0)$

322

함수 $f(x)=\begin{cases} \dfrac{xe^x}{e^{2x}-1} & (x\neq 0) \\ a & (x=0) \end{cases}$ 가 $x=0$에서 연속이 되

도록 하는 상수 a의 값을 구하시오.

유형 **11** 지수함수의 도함수

(1) $y=e^x$이면 $y'=e^x$
(2) $y=a^x\,(a>0,\ a\neq 1)$이면 $y'=a^x\ln a$

대표 문제
323

함수 $f(x)=(5x^2-4)e^x$에 대하여 $f'(0)$의 값은?

① -5 ② -4 ③ -3

④ -2 ⑤ -1

324

함수 $f(x)=2^{5x-1}$에 대하여 $f'\left(\dfrac{1}{5}\right)=k\ln 2$일 때, 상수

k의 값은?

① 4 ② 5 ③ 6

④ 7 ⑤ 8

325

함수 $f(x)=x^3e^{-x}$에 대하여 $f'(1)$의 값은?

① $\dfrac{2}{e}$ ② $\sqrt{e}$ ③ e

④ $2e$ ⑤ e^2

326

함수 $f(x)=e^{x+\ln 6}$에 대하여 $f(\ln 3)-f'(0)$의 값은?

① 10 ② 11 ③ 12

④ 13 ⑤ 14

327

곡선 $f(x)=a^{2x}\,(a>0,\ a\neq 1)$ 위의 점 $(1,\ f(1))$에서의 미분계수가 e일 때, 실수 a의 값은?

① 1 ② $\sqrt{e}$ ③ e

④ $2\sqrt{e}$ ⑤ $2e$

미분계수의 의미를 생각해 봐!

유형 12 로그함수의 도함수

(1) $y=\ln x$이면 $y'=\dfrac{1}{x}$

(2) $y=\log_a x \ (a>0, a\neq1)$이면 $y'=\dfrac{1}{x\ln a}$

대표 문제
328

함수 $f(x)=x\ln x+x^4$에 대하여 $3f'(1)$의 값은?

① 3 ② 6 ③ 9

④ 12 ⑤ 15

329

함수 $f(x)=\ln 2x$에 대하여 x의 값이 1에서 e까지 변할 때의 평균변화율과 $x=k$에서의 미분계수가 같을 때, 실수 k의 값은? (단, $1<k<e$이다.)

① $\sqrt{e}-2$ ② $e-1$ ③ $\dfrac{1}{\sqrt{e}}$

④ $2e-1$ ⑤ $\dfrac{e}{2}+1$

330

함수 $f(x)=x^2\log_2 5x$의 도함수가 $f'(x)=x\log_2 ax^2$일 때, 상수 a의 값을 구하시오.

331

두 함수 $f(x)=2-\ln x$, $g(x)=e^{x-3}$에 대하여

$\displaystyle\lim_{h\to0}\dfrac{1}{h}\{f(1+h)g(1+h)-f(1)g(1)\}$의 값을 구하시오.

낯선 유형 13 지수·로그함수의 도함수 – 미분가능성

함수 $F(x)=\begin{cases} f(x) & (x\geq a) \\ g(x) & (x<a) \end{cases}$ 가 다음 조건을 모두 만족

시키면 $x=a$에서 미분가능하다.

(1) 함수 $F(x)$가 $x=a$에서 연속이다.

➡ $\displaystyle\lim_{x\to a+}f(x)=\lim_{x\to a-}g(x)=F(a)$

(2) $F'(x)$가 존재한다.

➡ $\displaystyle\lim_{x\to a+}f'(x)=\lim_{x\to a-}g'(x)$

대표 문제
332 #지수·로그함수 #도함수 #미분가능성

함수 $f(x)=\begin{cases} 2^x & (x\geq2) \\ ax^2+b & (x<2) \end{cases}$ 가 $\underline{x=2에서\ 미분가능할}$

$\qquad\qquad\qquad\qquad\qquad {\scriptstyle \longrightarrow\ x=2에서\ 연속이다.}$

때, 상수 a, b에 대하여 $\dfrac{b}{e^a}$의 값을 구하시오.

333

함수 $f(x)=\begin{cases} \ln ax & (x<1) \\ be^{x-1}+2 & (x\geq1) \end{cases}$ 가 모든 양수 x에 대하

여 미분가능할 때, 상수 a, b에 대하여 ab의 값은?

(단, $a>0$이다.)

① e ② $2e$ ③ $3e$

④ e^2 ⑤ e^3

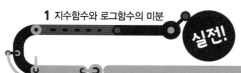

334

수열 $\{a_n\}$의 일반항 a_n에 대하여 $\left(1+\dfrac{1}{n}\right)^{a_n}=e^{\frac{1}{3}}$이 성립할 때, $\displaystyle\lim_{n\to\infty}\dfrac{9a_n}{n}$의 값을 구하시오.

335

$a=\displaystyle\lim_{x\to\infty}\left(1+\dfrac{3}{x}\right)^x$, $b=\displaystyle\lim_{x\to0}\dfrac{e^{5x}-1}{x}$일 때, $b\ln a$의 값은?

① 10   ② 15   ③ 20

④ 25   ⑤ 30

336

세 극한값 A, B, C 사이의 대소 관계로 옳은 것은?

$$A=\lim_{x\to0}(1+3x)^{\frac{1}{x}}$$
$$B=\lim_{x\to0^-}\frac{3}{1+3^{\frac{1}{x}}}$$
$$C=\lim_{x\to0}\frac{4^x-1}{x}$$

① $A<C<B$ ② $B<A<C$

③ $B<C<A$ ④ $C<A<B$

⑤ $C<B<A$

337 📖 교과서 심화

함수 $f(x)$가 $x>-1$인 모든 실수 x에 대하여 부등식

$\ln(1+x)\leq f(x)\leq\dfrac{1}{6}(e^{6x}-1)$을 만족시킬 때,

$\displaystyle\lim_{x\to0}\dfrac{f(8x)}{x}$의 값은?

① e ② $2e$ ③ 8

④ $4e$ ⑤ 16

338

$\displaystyle\lim_{x\to0}\dfrac{9x}{e^x+e^{2x}+e^{3x}+\cdots+e^{9x}-9}$의 값을 구하시오.

339 👆 교육청 기출

좌표평면 위의 한 점 $\mathrm{P}(t,0)$을 지나는 직선 $x=t$와 두 곡선 $y=\ln x$, $y=-\ln x$가 만나는 점을 각각 A, B라 하자. 삼각형 AQB의 넓이가 1이 되도록 하는 x축 위의 점을 Q라 할 때, 선분 PQ의 길이를 $f(t)$라 하자. $\displaystyle\lim_{t\to1^+}(t-1)f(t)$의 값은?

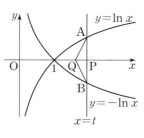

(단, 점 Q의 x좌표는 t보다 작다.)

① $\dfrac{1}{2}$ ② 1   ③ $\dfrac{3}{2}$

④ 2   ⑤ $\dfrac{5}{2}$

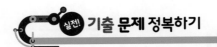
340 교육청 기출

$t<1$인 실수 t에 대하여 곡선 $y=\ln x$와 직선 $x+y=t$가 만나는 점을 P라 하자. 점 P에서 x축에 내린 수선의 발을 H, 직선 PH와 곡선 $y=e^x$이 만나는 점을 Q라 할 때, 삼각형 OHQ

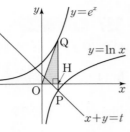

의 넓이를 $S(t)$라 하자. $\displaystyle\lim_{t\to0+}\frac{2S(t)-1}{t}$의 값은?

① 1   ② $e-1$ ③ 2

④ e ⑤ 3

341 수능 기출

이차항의 계수가 1인 이차함수 $f(x)$와 함수

$$g(x)=\begin{cases}\dfrac{1}{\ln(x+1)} & (x\neq0)\\ 8 & (x=0)\end{cases}$$

에 대하여 함수 $f(x)g(x)$가 구간 $(-1, \infty)$에서 연속일 때, $f(3)$의 값은?

① 6   ② 9   ③ 12

④ 15   ⑤ 18

342

함수 $f(x)$가 모든 실수 x에서 연속이고 $(x-2)f(x)=e^{3x-6}-1$을 만족시킬 때, $f(2)$의 값은?

① 1   ② 2   ③ 3

④ 4   ⑤ 5

343

함수 $f(x)=e^{3x}\ln x$에 대하여

$\displaystyle\lim_{x\to1}\frac{x^3-1}{f(x)-f(1)}=\frac{b}{e^a}$일 때, ab의 값을 구하시오.

(단, a, b는 유리수이다.)

344

함수 $f(x)=e^{2x}(\ln x+kx)$에 대하여 $f'(1)=10e^2$일 때, 상수 k의 값은?

① 0   ② 1   ③ 2

④ 3   ⑤ 4

345 교과서 심화

미분가능한 함수 $f(x)$에 대하여 $\displaystyle\lim_{x\to1}\frac{e^{x+1}f(x)-3}{x-1}=5e$

일 때, $f(1)+f'(1)$의 값을 구하시오.

···· 서술형 **문제 따라하기** ❶

함수 $f(x)=2x \ln x$에 대하여

$\displaystyle\lim_{h \to 0} \frac{f(e+3h)-f(e-2h)}{h}$의 값을 구하시오.

풀이

> **단계 1** 미분계수를 이용하여 간단히 나타내기
>
> $\displaystyle\lim_{h \to 0} \frac{f(e+3h)-f(e-2h)}{h}$
>
> $=\displaystyle\lim_{h \to 0} \frac{f(e+3h)-f(e)-\{f(e-2h)-f(e)\}}{h}$
>
> $=\displaystyle\lim_{h \to 0} \left\{ \frac{f(e+3h)-f(e)}{h} - \frac{f(e-2h)-f(e)}{h} \right\}$
>
> $=\displaystyle\lim_{h \to 0} \left\{ \frac{f(e+3h)-f(e)}{3h} \times 3 + \frac{f(e-2h)-f(e)}{-2h} \times 2 \right\}$
>
> $=3f'(e)+2f'(e)=5f'(e)$
>
> **단계 2** $f'(x)$ 구하기
>
> $f(x)=2x \ln x$에서
>
> $f'(x)=2 \times \ln x + 2x \times \dfrac{1}{x} = 2 \ln x + 2$
>
> **단계 3** $\displaystyle\lim_{h \to 0} \frac{f(e+3h)-f(e-2h)}{h}$의 값 구하기
>
> $f'(e)=2 \ln e + 2 = 4$이므로
>
> $5f'(e)=5 \times 4 = 20$

답 20

❘↳ 따라하기❘ **346**

함수 $f(x)=xe^{2x}$에 대하여 $\displaystyle\lim_{h \to 0} \frac{f(5+h)-f(5-2h)}{h}$의 값을 구하시오.

풀이

답

함수 $f(x)=\begin{cases} ax^2+3 & (x \leq 1) \\ 2 \ln bx & (x>1) \end{cases}$가 $x=1$에서 미분가능하

도록 하는 상수 a, b에 대하여 ab의 값을 구하시오.

풀이

> **단계 1** $f(x)$가 $x=1$에서 연속임을 이용하여 a와 b에 대한 관계식 구하기
>
> $f(x)$가 $x=1$에서 미분가능하려면 $x=1$에서 연속이어야 하므로
>
> $\displaystyle\lim_{x \to 1-} (ax^2+3) = \lim_{x \to 1+} 2 \ln bx = f(1)$
>
> $\therefore a+3 = 2 \ln b \qquad \cdots$ ㉠
>
> **단계 2** $f'(1)$이 존재함을 이용하여 등식 구하기
>
> $f'(1)$이 존재해야 하므로
>
> $f'(x)=\begin{cases} 2ax & (x<1) \\ \dfrac{2}{x} & (x>1) \end{cases}$에서 $\displaystyle\lim_{x \to 1-} 2ax = \lim_{x \to 1+} \frac{2}{x}$
>
> **단계 3** ab의 값 구하기
>
> $2a=2 \qquad \therefore a=1$
>
> $a=1$을 ㉠에 대입하면 $b=e^2$
>
> $\therefore ab = 1 \times e^2 = e^2$

답 e^2

❘↳ 따라하기❘ **347**

함수 $f(x)=\begin{cases} 3+a \ln x & (0<x \leq 1) \\ x^2-bx & (x>1) \end{cases}$가 $x=1$에서 미분

가능할 때, 상수 a, b에 대하여 $a-b$의 값을 구하시오.

풀이

답

2 삼각함수의 미분

개념 01 삼각함수   C 유형 01

오른쪽 그림과 같이 동경 OP가 나타내는 한 각의 크기를 θ라 하자. 중심이 원점 O이고 반지름의 길이가 r인 원과 동경 OP의 교점을 P(x, y)라 하면

$$\csc \theta = \frac{r}{y} \ (y \neq 0), \ \sec \theta = \frac{r}{x} \ (x \neq 0), \ \cot \theta = \frac{x}{y} \ (y \neq 0)$$

이 함수를 차례로 θ의 코시컨트함수, 시컨트함수, 코탄젠트함수라 한다. → θ의 삼각함수라 한다.

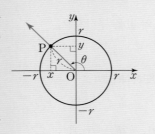

참고 $\csc \theta = \dfrac{1}{\sin \theta}$, $\sec \theta = \dfrac{1}{\cos \theta}$, $\cot \theta = \dfrac{1}{\tan \theta}$

📖 note

- csc, sec, cot는 각각 cosecant, secant, cotangent의 약자이다.

- $\sin \theta = \dfrac{y}{r}$
$\cos \theta = \dfrac{x}{r}$
$\tan \theta = \dfrac{y}{x} \ (x \neq 0)$

➔ 정답 및 풀이 42쪽

[348~350] 원점 O와 점 P$(3, -4)$를 지나는 동경 OP가 나타내는 각의 크기를 θ라 할 때, 다음 값을 구하시오.

348 $\csc \theta$

349 $\sec \theta$

350 $\cot \theta$

[351~353] 각 θ의 크기가 다음과 같을 때, $\csc \theta$, $\sec \theta$, $\cot \theta$의 값을 구하시오.

351 $\theta = \dfrac{\pi}{4}$

352 $\theta = \dfrac{2}{3}\pi$

353 $\theta = -135°$

개념 02 삼각함수 사이의 관계   C 유형 01

삼각함수 사이에는 다음과 같은 관계가 성립한다.

(1) $\tan^2 \theta + 1 = \sec^2 \theta$ (2) $1 + \cot^2 \theta = \csc^2 \theta$

참고 (1) $\sin^2 \theta + \cos^2 \theta = 1$의 양변을 $\cos^2 \theta \ (\cos \theta \neq 0)$로 나누면

$\dfrac{\sin^2 \theta}{\cos^2 \theta} + 1 = \dfrac{1}{\cos^2 \theta}$이므로 $\tan^2 \theta + 1 = \sec^2 \theta$

(2) $\sin^2 \theta + \cos^2 \theta = 1$의 양변을 $\sin^2 \theta \ (\sin \theta \neq 0)$로 나누면

$1 + \dfrac{\cos^2 \theta}{\sin^2 \theta} = \dfrac{1}{\sin^2 \theta}$이므로 $1 + \cot^2 \theta = \csc^2 \theta$

📖 note

- $\tan \theta = \dfrac{\sin \theta}{\cos \theta}$

- csc θ와 sin θ, sec θ와 cos θ, cot θ와 tan θ는 부호가 각각 같다.

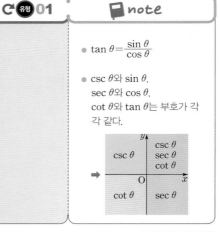

➔ 정답 및 풀이 42쪽

354 크기가 θ인 각이 제2사분면의 각이고 $\sec \theta = -3$일 때, $\tan \theta$의 값을 구하시오.

355 크기가 θ인 각이 제3사분면의 각이고 $\cot \theta = \sqrt{5}$일 때, $\csc \theta$의 값을 구하시오.

356 크기가 θ인 각이 제3사분면의 각이고 $\tan \theta = 2$일 때, $\sec \theta$, $\csc \theta$의 값을 구하시오.

357 크기가 θ인 각이 제2사분면의 각이고 $\cos \theta = -\dfrac{1}{2}$일 때, $\tan \theta$, $\cot \theta$의 값을 구하시오.

삼각함수의 **덧셈정리**는 다음과 같다.

(1) $\sin(\alpha+\beta)=\sin\alpha\cos\beta+\cos\alpha\sin\beta$, $\sin(\alpha-\beta)=\sin\alpha\cos\beta-\cos\alpha\sin\beta$

(2) $\cos(\alpha+\beta)=\cos\alpha\cos\beta-\sin\alpha\sin\beta$, $\cos(\alpha-\beta)=\cos\alpha\cos\beta+\sin\alpha\sin\beta$

(3) $\tan(\alpha+\beta)=\dfrac{\tan\alpha+\tan\beta}{1-\tan\alpha\tan\beta}$, $\tan(\alpha-\beta)=\dfrac{\tan\alpha-\tan\beta}{1+\tan\alpha\tan\beta}$

● 주어진 각을 특수각의 합이나 차로 나타내고 삼각함수의 덧셈정리를 이용하면 특수각이 아닌 각의 삼각함수의 값을 구할 수 있다.

→ 정답 및 풀이 **42**쪽

[358~360] 다음 삼각함수의 값을 구하시오.

358 $\sin 75°$

359 $\cos 105°$

360 $\tan 15°$

[361~363] 다음 식의 값을 구하시오.

361 $\sin 40°\cos 20°+\cos 40°\sin 20°$

362 $\cos 110°\cos 50°+\sin 110°\sin 50°$

363 $\dfrac{\tan 55°-\tan 10°}{1+\tan 55°\tan 10°}$

개념 **04** 삼각함수의 덧셈정리의 활용   C 유형 **06~10**   📔 *note*

1 배각의 공식

삼각함수의 덧셈정리 중 $\sin(\alpha+\beta)$, $\cos(\alpha+\beta)$, $\tan(\alpha+\beta)$에 β 대신 α를 대입하면 다음과 같은 배각의 공식을 얻을 수 있다.

(1) $\sin 2\alpha=2\sin\alpha\cos\alpha$

(2) $\cos 2\alpha=\cos^2\alpha-\sin^2\alpha=2\cos^2\alpha-1=1-2\sin^2\alpha$

      $\sin^2\alpha=1-\cos^2\alpha$

(3) $\tan 2\alpha=\dfrac{2\tan\alpha}{1-\tan^2\alpha}$

2 삼각함수의 합성 📖 교과서 심화

(1) $a\sin\theta+b\cos\theta=\sqrt{a^2+b^2}\sin(\theta+\alpha)$ $\left(\text{단, }\sin\alpha=\dfrac{b}{\sqrt{a^2+b^2}},\ \cos\alpha=\dfrac{a}{\sqrt{a^2+b^2}}\right)$

(2) $a\sin\theta+b\cos\theta=\sqrt{a^2+b^2}\cos(\theta-\beta)$ $\left(\text{단, }\cos\beta=\dfrac{b}{\sqrt{a^2+b^2}},\ \sin\beta=\dfrac{a}{\sqrt{a^2+b^2}}\right)$

●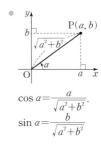

$\cos\alpha=\dfrac{a}{\sqrt{a^2+b^2}}$,

$\sin\alpha=\dfrac{b}{\sqrt{a^2+b^2}}$

→ 정답 및 풀이 **43**쪽

[364~366] $\sin\alpha=\dfrac{3}{5}$일 때, 다음 삼각함수의 값을 구하시오.

$\left(\text{단, }0<\alpha<\dfrac{\pi}{2}\text{이다.}\right)$

364 $\sin 2\alpha$

365 $\cos 2\alpha$

366 $\tan 2\alpha$

[367~369] 다음 식을 $r\sin(\theta+\alpha)$ 꼴로 변형하시오.

$(\text{단, }r>0,\ 0\le\alpha<2\pi\text{이다.})$

367 $\sin\theta+\sqrt{3}\cos\theta$

368 $\sin\theta+\cos\theta$

369 $\sqrt{3}\sin\theta-\cos\theta$

note

1 삼각함수의 극한

(1) 실수 a에 대하여 $\lim\limits_{x \to a} \sin x = \sin a$, $\lim\limits_{x \to a} \cos x = \cos a$

(2) $a \neq n\pi + \dfrac{\pi}{2}$ (n은 정수)인 실수 a에 대하여 $\lim\limits_{x \to a} \tan x = \tan a$

- $y = \tan x$는 $x \neq n\pi + \dfrac{\pi}{2}$ (n은 정수)인 모든 실수에 서 연속이다.

2 함수 $\dfrac{\sin x}{x}$, $\dfrac{\tan x}{x}$의 극한

x의 단위가 라디안일 때

(1) $\lim\limits_{x \to 0} \dfrac{\sin x}{x} = 1$ (2) $\lim\limits_{x \to 0} \dfrac{\tan x}{x} = 1$

참고 $\lim\limits_{x \to \infty} \sin x$, $\lim\limits_{x \to \infty} \cos x$, $\lim\limits_{x \to \infty} \tan x$의 값은 존재하지 않는다.

- $\lim\limits_{x \to \frac{\pi}{2}^-} \tan x = \infty$
  $\lim\limits_{x \to \frac{\pi}{2}^+} \tan x = -\infty$

➔ 정답 및 풀이 **43**쪽

[370~375] 다음 극한값을 구하시오.

370 $\lim\limits_{x \to \frac{\pi}{3}} \sin x$

371 $\lim\limits_{x \to \frac{\pi}{6}} \cos 2x$

372 $\lim\limits_{x \to \frac{\pi}{4}} \sin x \tan x$

373 $\lim\limits_{x \to 0} \dfrac{\sin^2 x}{1 - \cos x}$

374 $\lim\limits_{x \to \frac{\pi}{2}} \dfrac{\sin 2x}{\cos x}$

375 $\lim\limits_{x \to 0} \dfrac{\sin x}{\tan x}$

[376~379] 다음 극한값을 구하시오.

376 $\lim\limits_{x \to 0} \dfrac{\sin 3x}{x}$

377 $\lim\limits_{x \to 0} \dfrac{\tan 5x}{2x}$

378 $\lim\limits_{x \to 0} \dfrac{\sin 2x}{\sin x}$

379 $\lim\limits_{x \to 0} \dfrac{\sin x + \tan 3x}{x}$

note

(1) $y = \sin x$이면 $y' = \cos x$

(2) $y = \cos x$이면 $y' = -\sin x$

- $y = \sin x$, $y = \cos x$는 모든 실수 x에서 미분가능하다.

➔ 정답 및 풀이 **44**쪽

[380~381] 다음 함수를 미분하시오.

380 $y = 2 \sin x + 3$

381 $y = \sin x - \sqrt{5} \cos x$

[382~383] 다음 함수를 미분하시오.

382 $y = \cos^2 x$

383 $y = \sin x \cos x$

유형 01 삼각함수 사이의 관계

(1) $\csc \theta = \dfrac{1}{\sin \theta}$, $\sec \theta = \dfrac{1}{\cos \theta}$, $\cot \theta = \dfrac{1}{\tan \theta}$

(2) $\tan^2 \theta + 1 = \sec^2 \theta$, $1 + \cot^2 \theta = \csc^2 \theta$

대표 문제
384

$\dfrac{1}{1 + \cos \theta} + \dfrac{1}{1 - \cos \theta}$ 을 간단히 하면?

① $2 \sin \theta$ ② $2 \cos \theta$ ③ $2 \sin^2 \theta$

④ $2 \sec^2 \theta$ ⑤ $2 \csc^2 \theta$

$\sin^2 \theta + \cos^2 \theta = 1$
임을 이용해!!

385

$\dfrac{\sin \theta}{\sec \theta + \tan \theta} + \dfrac{\sin \theta}{\sec \theta - \tan \theta}$ 를 간단히 하시오.

386

$\sin \theta + \cos \theta = \dfrac{1}{2}$일 때, $\sec \theta + \csc \theta$의 값은?

① $-\dfrac{4}{3}$ ② $-\dfrac{3}{4}$ ③ $-\dfrac{5}{8}$

④ $-\dfrac{1}{2}$ ⑤ $-\dfrac{3}{8}$

유형 02 삼각함수의 덧셈정리

(1) $\sin (\alpha + \beta) = \sin \alpha \cos \beta + \cos \alpha \sin \beta$
   $\sin (\alpha - \beta) = \sin \alpha \cos \beta - \cos \alpha \sin \beta$

(2) $\cos (\alpha + \beta) = \cos \alpha \cos \beta - \sin \alpha \sin \beta$
   $\cos (\alpha - \beta) = \cos \alpha \cos \beta + \sin \alpha \sin \beta$

(3) $\tan (\alpha + \beta) = \dfrac{\tan \alpha + \tan \beta}{1 - \tan \alpha \tan \beta}$
   $\tan (\alpha - \beta) = \dfrac{\tan \alpha - \tan \beta}{1 + \tan \alpha \tan \beta}$

대표 문제
387

$\sin 65° \cos 35° - \cos 65° \sin 35°$의 값은?

① 0 ② $\dfrac{1}{2}$ ③ $\dfrac{\sqrt{2}}{2}$

④ $\dfrac{\sqrt{3}}{2}$ ⑤ 1

388

$\cos \alpha = \dfrac{4}{5}$, $\cos \beta = \dfrac{1}{3}$일 때, $\cos (\alpha + \beta)$의 값을 구하시오.

$\left(단, 0 < \alpha < \dfrac{\pi}{2}, 0 < \beta < \dfrac{\pi}{2}$이다. $\right)$

389

$\tan \alpha = 2$, $\tan (\alpha - \beta) = \dfrac{3}{4}$일 때, $\tan \beta$의 값은?

① $\dfrac{1}{2}$ ② $\dfrac{3}{4}$ ③ 1

④ $\dfrac{5}{4}$ ⑤ $\dfrac{3}{2}$

390

$\sin\alpha+\cos\beta=\dfrac{\sqrt{2}}{2}$, $\cos\alpha+\sin\beta=\dfrac{1}{2}$일 때, $\sin(\alpha+\beta)$의 값을 구하시오.

유형 03 삼각함수의 덧셈정리의 활용 – 방정식

이차방정식의 두 근이 삼각함수로 주어진 경우
➡ 이차방정식의 근과 계수의 관계를 이용하여 삼각함수에 대한 식을 세운 다음 덧셈정리를 활용하여 문제를 해결한다.

대표 문제
391

이차방정식 $x^2-5x+3=0$의 두 근이 $\tan\alpha$, $\tan\beta$일 때, $\tan(\alpha+\beta)$의 값은?

① $-\dfrac{5}{6}$ ② -1 ③ $-\dfrac{5}{4}$

④ $-\dfrac{5}{3}$ ⑤ $-\dfrac{5}{2}$

이차방정식 $ax^2+bx+c=0$에서 두 근이 α, β이면 $\alpha+\beta=-\dfrac{b}{a}$, $\alpha\beta=\dfrac{c}{a}$

392

이차방정식 $x^2+ax-2a+1=0$의 두 근이 $\tan\alpha$, $\tan\beta$일 때, $\csc^2(\alpha+\beta)$의 값은? (단, a는 0이 아닌 실수이다.)

① 1 ② 2 ③ 3
④ 4 ⑤ 5

날선 유형 04 삼각함수의 덧셈정리의 활용 – 두 직선이 이루는 각의 크기

(1) 직선 $y=ax+b$가 x축의 양의 방향과 이루는 각의 크기를 θ라 하면
➡ $\tan\theta=a$
(2) 두 직선 l, m이 x축의 양의 방향과 이루는 각의 크기가 각각 α, β일 때, 두 직선 l, m이 이루는 예각의 크기를 θ라 하면
➡ $\tan\theta=|\tan(\alpha-\beta)|=\left|\dfrac{\tan\alpha-\tan\beta}{1+\tan\alpha\tan\beta}\right|$

대표 문제
393 #두_직선이_이루는_각 #$\tan\theta$

두 직선 $y=2x-1$, $y=\dfrac{1}{3}x+1$이 이루는 예각의 크기를 θ라 할 때, $\tan\theta$의 값은?

① $\dfrac{2}{3}$ ② $\dfrac{5}{6}$ ③ 1

④ $\dfrac{7}{6}$ ⑤ $\dfrac{4}{3}$

394

두 직선 $mx-y+2=0$, $3x+y-3=0$이 이루는 예각의 크기가 $\dfrac{\pi}{4}$가 되도록 하는 모든 상수 m의 값의 합을 구하시오.

유형 05 삼각함수의 덧셈정리의 활용 – 도형

주어진 도형에서 삼각함수의 값을 구할 수 있는 적당한 각을 문자로 나타낸 다음 삼각함수의 덧셈정리를 이용한다.

대표 문제
395

오른쪽 그림과 같이 $\overline{BC}=2$, $\angle C=90°$인 직각삼각형 ABC에서 $\overline{AC}$ 위의 점 D에 대하여 $\overline{AD}=2$, $\overline{CD}=1$이다. $\angle ABD=\theta$라 할 때, $\tan\theta$의 값을 구하시오.

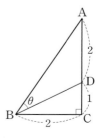

396

오른쪽 그림과 같이 정사각형 ABCD에서 $\overline{AD}$를 $2:1$로 내분하는 점을 P, $\overline{DC}$를 $2:1$로 내분하는 점을 Q라 하자. $\angle BPQ=\theta$라 할 때, $\tan\theta$의 값은?

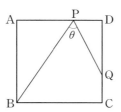

① $\dfrac{5}{4}$　　② $\dfrac{3}{2}$　　③ $\dfrac{7}{4}$

④ 2　　⑤ $\dfrac{9}{4}$

397

예각삼각형 ABC에서 $\sin A=\dfrac{\sqrt{6}}{3}$, $\cos B=\dfrac{2}{3}$일 때, $\sin C$의 값을 구하시오.

398

오른쪽 그림과 같이 등대로부터 8 m 떨어진 지점에 눈높이가 1.6 m인 사람이 등대의 꼭대기를 올려본각의 크기는 θ이고, 등대의 밑부분을 내려본 각의 크기는 $\theta-\dfrac{\pi}{4}$이다. 이때 등대의 높이를 구하시오.

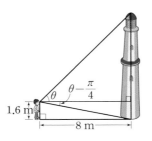

유형 06 삼각함수의 합성　📖교과서 심화

(1) $a\sin\theta+b\cos\theta=\sqrt{a^2+b^2}\sin(\theta+\alpha)$

$\left(\text{단, }\sin\alpha=\dfrac{b}{\sqrt{a^2+b^2}},\ \cos\alpha=\dfrac{a}{\sqrt{a^2+b^2}}\right)$

(2) $a\sin\theta+b\cos\theta=\sqrt{a^2+b^2}\cos(\theta-\beta)$

$\left(\text{단, }\cos\beta=\dfrac{b}{\sqrt{a^2+b^2}},\ \sin\beta=\dfrac{a}{\sqrt{a^2+b^2}}\right)$

대표 문제
399

$2\sin\left(\theta+\dfrac{\pi}{6}\right)-2\cos\theta=r\sin(\theta+\alpha)$일 때, 양수 r와 각 α에 대하여 $r\cos\alpha$의 값은? $\left(\text{단, }\dfrac{3}{2}\pi<\alpha<2\pi\text{이다.}\right)$

① 1　　② $\sqrt{2}$　　③ $\sqrt{3}$

④ 2　　⑤ $2\sqrt{3}$

400

함수 $y=4\sin 3x+2\cos\left(3x+\dfrac{\pi}{6}\right)$의 주기를 $a\pi$, 최댓값을 b, 최솟값을 c라 할 때, abc의 값을 구하시오.

401

함수 $y=\sin x-\cos x$의 그래프는 $y=a\sin x$의 그래프를 x축의 방향으로 b만큼 평행이동한 것이다. 상수 a, b에 대하여 ab의 값은? (단, $a>0$, $-2\pi<b<0$이다.)

① $-2\sqrt{2}\pi$　　② $-\dfrac{7\sqrt{2}}{4}\pi$　　③ $-\dfrac{3\sqrt{2}}{2}\pi$

④ $-\sqrt{2}\pi$　　⑤ $-\pi$

유형 07 배각의 공식

(1) $\sin 2\alpha = 2\sin\alpha\cos\alpha$

(2) $\cos 2\alpha = \cos^2\alpha - \sin^2\alpha = 2\cos^2\alpha - 1 = 1 - 2\sin^2\alpha$

(3) $\tan 2\alpha = \dfrac{2\tan\alpha}{1-\tan^2\alpha}$

대표 문제

402

$\sin\theta = \dfrac{4}{5}$일 때, $\sin 2\theta + \cos 2\theta$의 값을 구하시오.

$\left(\text{단, } \dfrac{\pi}{2} < \theta < \pi\text{이다.}\right)$

$\dfrac{\pi}{2} < \theta < \pi$에서 $\cos\theta < 0$임을 기억해!

403

$\sin\theta + \cos\theta = \dfrac{1}{3}$일 때, $\sin 2\theta$의 값은?

① -1　　② $-\dfrac{8}{9}$　　③ $-\dfrac{4}{9}$

④ $-\dfrac{2}{9}$　　⑤ 1

404

$3\cos\theta + \sin\theta = 0$일 때, $\tan 2\theta$의 값은?

① $\dfrac{1}{3}$　　② $\dfrac{1}{2}$　　③ $\dfrac{3}{4}$

④ 1　　⑤ $\dfrac{4}{3}$

405

$\sec\theta = -\sqrt{5}$일 때, $\csc 2\theta$의 값은?

$\left(\text{단, } \dfrac{\pi}{2} < \theta < \dfrac{3}{4}\pi\text{이다.}\right)$

① $-2\sqrt{5}$　　② $-\sqrt{5}$　　③ $-\dfrac{\sqrt{5}}{2}$

④ $-\dfrac{5}{3}$　　⑤ $-\dfrac{5}{4}$

유형 08 반각의 공식 교육과정 외

(1) $\sin^2\dfrac{\alpha}{2} = \dfrac{1-\cos\alpha}{2}$

(2) $\cos^2\dfrac{\alpha}{2} = \dfrac{1+\cos\alpha}{2}$

(3) $\tan^2\dfrac{\alpha}{2} = \dfrac{1-\cos\alpha}{1+\cos\alpha}$

참고 배각의 공식으로부터 반각의 공식을 얻을 수 있다.

(1) $\cos\alpha = \cos\left(2\times\dfrac{\alpha}{2}\right) = 1 - 2\sin^2\dfrac{\alpha}{2}$

$\therefore \sin^2\dfrac{\alpha}{2} = \dfrac{1-\cos\alpha}{2}$

(2) $\cos\alpha = \cos\left(2\times\dfrac{\alpha}{2}\right) = 2\cos^2\dfrac{\alpha}{2} - 1$

$\therefore \cos^2\dfrac{\alpha}{2} = \dfrac{1+\cos\alpha}{2}$

(3) $\tan^2\dfrac{\alpha}{2} = \dfrac{\sin^2\dfrac{\alpha}{2}}{\cos^2\dfrac{\alpha}{2}} = \dfrac{1-\cos\alpha}{1+\cos\alpha}$

대표 문제

406

$\cos\theta = -\dfrac{3}{4}$일 때, $\cos\dfrac{\theta}{2}$의 값을 구하시오.

$\left(\text{단, } \dfrac{\pi}{2} < \theta < \pi\text{이다.}\right)$

407

$\sin\theta = -\dfrac{3}{5}$일 때, $\sin\dfrac{\theta}{2}\tan\dfrac{\theta}{2}$의 값을 구하시오.

$\left(\text{단, } \pi < \theta < \dfrac{3}{2}\pi\text{이다.}\right)$

→ 정답 및 풀이 **47**쪽

408

$\tan \theta = \dfrac{\sqrt{5}}{2}$일 때, $\sin \dfrac{\theta}{2}$의 값은? $\left(\text{단, } 0 < \theta < \dfrac{\pi}{2}\text{이다.}\right)$

① $\dfrac{1}{6}$ ② $\dfrac{1}{3}$ ③ $\dfrac{1}{2}$

④ $\dfrac{\sqrt{6}}{6}$ ⑤ $\dfrac{\sqrt{3}}{3}$

409

$16 \cos \dfrac{\theta}{2} = 3(1 - \cos \theta)$일 때, $\cos \dfrac{\theta}{2}$의 값은?

① $\dfrac{1}{3}$ ② $\dfrac{\sqrt{2}}{3}$ ③ $\dfrac{1}{2}$

④ $\dfrac{\sqrt{3}}{2}$ ⑤ $\dfrac{2\sqrt{2}}{3}$

410

$\cos 2\theta = \dfrac{1}{4}$일 때, 등비급수

$1 + \sin^2 \theta + \sin^4 \theta + \sin^6 \theta + \cdots$의 합을 구하시오.

411

$\cos^2 \dfrac{\theta}{2} = \dfrac{1}{3}$일 때, $\cos 2\theta$의 값을 구하시오.

유형 09   **배각 · 반각의 공식의 활용 – 방정식, 함수**

주어진 조건을 이용하여 필요한 삼각함수의 값을 구하고, 삼각함수 사이의 관계나 배각, 반각의 공식을 이용한다.

대표 문제
412

이차방정식 $x^2 - x - a = 0$의 두 근이 $\sin \theta$, $\cos 2\theta$일 때, 상수 a의 값은? (단, $a \neq 0$이다.)

① $-\dfrac{1}{8}$ ② $-\dfrac{1}{4}$ ③ $-\dfrac{3}{8}$

④ $-\dfrac{1}{2}$ ⑤ $-\dfrac{5}{8}$

413

함수 $f(x) = \cos 2x - 2 \sin x + 1$의 최댓값은?

① $\dfrac{1}{2}$ ② 1 ③ $\dfrac{3}{2}$

④ 2 ⑤ $\dfrac{5}{2}$

414

방정식 $\sin^2 x + \cos 2x = \dfrac{3}{4}$을 만족시키는 서로 다른 실근의 합을 구하시오. (단, $0 \leq x \leq \pi$이다.)

415

함수 $y=\sin^2 x+2\sin x\cos x+5\cos^2 x$의 최댓값을 M, 최솟값을 m이라 할 때, Mm의 값을 구하시오.

유형 10 **배각 · 반각의 공식의 활용 – 도형**

주어진 도형에서 삼각함수의 값을 구할 수 있는 적당한 각을 문자로 나타낸 다음 배각, 반각의 공식을 이용한다.

대표 문제
416

오른쪽 그림과 같이 $\angle C=90°$인 직각 삼각형 ABC에서 $\overline{AC}:\overline{BC}=3:2$이다. $\angle ABD=\angle BAD$가 되도록 변 AC 위에 점 D를 잡을 때, $\cos(\angle BDC)$의 값을 구하시오.

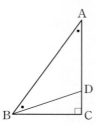

417

다음 그림과 같이 높이가 각각 40 m, 50 m인 두 건물 A, B가 지면에 수직으로 서 있고 두 건물이 지면과 닿는 부분인 C, D와 지점 P가 일직선 위에 있다. 지점 P와 C 사이의 거리가 30 m이고, 지점 P에서 건물 A의 꼭대기를 올려본각의 크기는 지점 P에서 건물 B의 꼭대기를 올려본각의 크기의 2배이다. 이때 C와 D 사이의 거리를 구하시오. (단, 건물의 두께는 무시한다.)

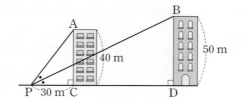

유형 11 **삼각함수의 극한**

삼각함수 사이의 관계나 배각, 반각의 공식을 이용하여 주어진 식을 간단히 한 다음 극한값을 구한다.

대표 문제
418

$\displaystyle\lim_{x\to\frac{\pi}{4}}\frac{\sin x-\cos x}{1-\tan x}$의 값은?

① $-\dfrac{\sqrt{2}}{2}$ ② $-\dfrac{1}{2}$ ③ 0

④ $\dfrac{1}{2}$ ⑤ $\dfrac{\sqrt{2}}{2}$

$\tan x=\dfrac{\sin x}{\cos x}$임을 이용해!!

419

$\displaystyle\lim_{x\to\pi}\frac{\tan^2 x}{1+\cos x}$의 값은?

① -2 ② -1 ③ 0

④ 1 ⑤ 2

420

$\displaystyle\lim_{x\to 0}\frac{\csc x-\cot x}{\sin x}$의 값은?

① $\dfrac{1}{2}$ ② $\dfrac{\sqrt{2}}{2}$ ③ $\dfrac{\sqrt{3}}{2}$

④ 1 ⑤ $\sqrt{2}$

→ 정답 및 풀이 48쪽

유형 12 $\displaystyle\lim_{x\to 0}\frac{\sin x}{x}$ 꼴의 극한

x의 단위가 라디안일 때

(1) $\displaystyle\lim_{x\to 0}\frac{\sin x}{x}=1$

(2) $\displaystyle\lim_{x\to 0}\frac{\sin ax}{bx}=\lim_{x\to 0}\frac{\sin ax}{ax}\times\frac{a}{b}=\frac{a}{b}$

(단, a, b는 0이 아닌 상수)

대표 문제

421

$\displaystyle\lim_{x\to 0}\frac{\sin(\sin 2x)}{\sin x}$ 의 값을 구하시오.

422

$\displaystyle\lim_{x\to 0}\frac{\sin x+\sin 3x+\sin 5x}{4x}$ 의 값은?

① $\dfrac{5}{4}$ ② $\dfrac{3}{2}$ ③ $\dfrac{7}{4}$

④ 2 ⑤ $\dfrac{9}{4}$

423

$\displaystyle\lim_{x\to 0}\frac{3\sin 2x-\sin x}{2x}$ 의 값은?

① $\dfrac{1}{2}$ ② 1 ③ $\dfrac{3}{2}$

④ 2 ⑤ $\dfrac{5}{2}$

424

함수 $f(x)=x^2+x$에 대하여 $\displaystyle\lim_{x\to 0}\frac{f(\sin x)}{\sin f(x)}$의 값을 구하시오.

425

함수 $f(x)=\cos x$에 대하여 $\displaystyle\lim_{x\to 0}\frac{1-f(2x)}{1-f(x)}$의 값은?

① 1 ② 2 ③ 4

④ 8 ⑤ 16

426

자연수 n에 대하여

$$f(n)=\lim_{x\to 0}\frac{x}{\sin 2x+\sin 4x+\sin 6x+\cdots+\sin 2nx}$$

일 때, $\displaystyle\sum_{k=1}^{10} f(k)$의 값을 구하시오.

유형 13 $\lim\limits_{x \to 0} \dfrac{\tan x}{x}$ 꼴의 극한

x의 단위가 라디안일 때

(1) $\lim\limits_{x \to 0} \dfrac{\tan x}{x} = 1$

(2) $\lim\limits_{x \to 0} \dfrac{\tan ax}{bx} = \lim\limits_{x \to 0} \dfrac{\tan ax}{ax} \times \dfrac{a}{b} = \dfrac{a}{b}$

(단, a, b는 0이 아닌 상수)

대표 문제
427

$\lim\limits_{x \to 0} \dfrac{\tan(3x^3 - x^2 + 2x)}{2x^3 + 4x^2 - x}$의 값은?

① -2 ② $-\dfrac{3}{2}$ ③ 0

④ 1 ⑤ $\dfrac{3}{2}$

428

$\lim\limits_{x \to 0} \dfrac{x + \tan 2x}{\sin 4x}$의 값을 구하시오.

유형 14 $\lim\limits_{x \to 0} \dfrac{1 - \cos x}{x}$ 꼴의 극한

$\lim\limits_{x \to 0} \dfrac{1 - \cos x}{x}$ 꼴로 주어진 극한값은 분자, 분모에 각각
$1 + \cos x$를 곱하여 $1 - \cos^2 x = \sin^2 x$임을 이용한다.

대표 문제
429

$\lim\limits_{x \to 0} \dfrac{1 - \cos x}{x^2}$의 값을 구하시오.

430

$\lim\limits_{x \to 0} \dfrac{x \tan 4x}{1 - \cos x}$의 값은?

① 1 ② 2 ③ 4

④ 6 ⑤ 8

431

$\lim\limits_{x \to 0} \dfrac{2\sin x - \sin 2x}{x \sin^2 x}$의 값을 구하시오.

유형 15 치환을 이용한 삼각함수의 극한

(1) $x \to a$ $(a \neq 0)$이면 $x - a = t$로 치환한 후 $t \to 0$일 때의 극한값을 구한다.

(2) $x \to \infty$이면 $\dfrac{1}{x} = t$로 치환한 후 $t \to 0$일 때의 극한값을 구한다.

참고 (1) $\lim\limits_{x \to a} \dfrac{\sin(x - a)}{x - a} = \lim\limits_{t \to 0} \dfrac{\sin t}{t} = 1$

(2) $\lim\limits_{x \to a} \dfrac{\tan(x - a)}{x - a} = \lim\limits_{t \to 0} \dfrac{\tan t}{t} = 1$

(3) $\lim\limits_{x \to \infty} x \sin \dfrac{1}{x} = \lim\limits_{t \to 0} \dfrac{\sin t}{t} = 1$

(4) $\lim\limits_{x \to \infty} x \tan \dfrac{1}{x} = \lim\limits_{t \to 0} \dfrac{\tan t}{t} = 1$

대표 문제
432

$\lim\limits_{x \to \frac{\pi}{2}} \dfrac{\cos x}{x - \dfrac{\pi}{2}}$의 값은?

① -2 ② -1 ③ 0

④ 1 ⑤ 2

$x - \dfrac{\pi}{2} = t$로 치환한 후
$t \to 0$일 때의 극한값을 구해!!

→ 정답 및 풀이 **50**쪽

433

$\lim\limits_{x \to \infty} \tan \left(\sin \dfrac{1}{x} \right) \csc \dfrac{1}{x}$ 의 값은?

① -2　　　　② -1　　　　③ 0

④ 1　　　　⑤ 2

434

$\lim\limits_{x \to 1} \dfrac{\sin \pi x}{x^2 - 1}$ 의 값을 구하시오.

435

$\lim\limits_{x \to \pi} \dfrac{\cot x + \csc x}{\pi - x}$ 의 값은?

① -1　　　　② $-\dfrac{1}{2}$　　　　③ 0

④ $\dfrac{1}{2}$　　　　⑤ 1

유형 16 **삼각함수의 극한을 이용한 미정계수 구하기**

$\lim\limits_{x \to a} \dfrac{f(x)}{g(x)} = \alpha$ (α는 실수)에서

(1) $x \to a$일 때 (분모) $\to 0$이면 (분자) $\to 0$

(2) $x \to a$일 때 (분자) $\to 0$이면 (분모) $\to 0$ (단, $\alpha \neq 0$)

대표 문제

436

$\lim\limits_{x \to 0} \dfrac{\ln (x+a)}{\sin bx} = \dfrac{1}{4}$일 때, 상수 a, b에 대하여 $a+b$의 값을 구하시오.

437

$\lim\limits_{x \to 0} \dfrac{\tan 3x}{\sqrt{ax+b} - 1} = 2$일 때, 상수 a, b에 대하여 ab의 값은?

① 1　　　　② $\dfrac{3}{2}$　　　　③ 2

④ $\dfrac{5}{2}$　　　　⑤ 3

438

$\lim\limits_{x \to a} \dfrac{e^x - 1}{2 \sin(x-a)} = b$를 만족시키는 상수 a, b의 값을 구하시오.

날선 유형 17 도형에서 삼각함수의 극한의 활용

선분의 길이를 θ에 대한 삼각함수로 나타낸 후 극한값을
구한다.

대표 문제
439 #선분의_길이 #sin θ_cos θ_tan θ로_나타내기

오른쪽 그림과 같이 $\overline{BC}=1$이고
$\angle B=90°$인 직각삼각형 ABC의
꼭짓점 B에서 빗변 AC에 내린
수선의 발을 H라 하자.

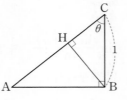

$\angle BCH=\theta$라 할 때, $\displaystyle\lim_{\theta\to0+}\dfrac{\overline{AH}}{\theta^2}$
의 값을 구하시오. ⟶ $\overline{AH}$를 θ에 대한 식으로 나타낸다.

440

오른쪽 그림과 같이 반지름의 길
이가 4인 사분원 OBC 위의 한 점
A에서 선분 OB에 내린 수선의
발을 H라 하자. $\angle AOB=\theta$라 할
때, $\displaystyle\lim_{\theta\to0+}\dfrac{\overline{BH}}{\theta^2}$의 값을 구하시오.

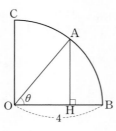

441

오른쪽 그림과 같이 반지름
의 길이가 1인 반원 위의 한
점 P에서 지름 AB에 내린
수선의 발을 H라 하자.

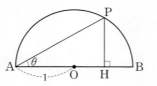

$\angle PAH=\theta$라 할 때, $\displaystyle\lim_{\theta\to0+}\dfrac{\overline{BH}}{\theta\times\overline{PH}}$의 값을 구하시오.

$\left(\text{단, }0<\theta<\dfrac{\pi}{4}\text{이다.}\right)$

442

오른쪽 그림과 같이 삼각형
ABC에서 $\angle B=4\theta$, $\angle C=3\theta$
일 때, $\displaystyle\lim_{\theta\to0+}\dfrac{\overline{AB}}{\overline{AC}}$의 값을 구하
시오.

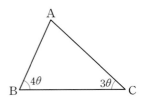

유형 18 삼각함수의 도함수

(1) $y=\sin x$이면 $y'=\cos x$
(2) $y=\cos x$이면 $y'=-\sin x$

대표 문제
443

함수 $f(x)=e^x\sin x$에 대하여 $f'(0)$의 값은?

① 0   ② 1   ③ 2

④ e ⑤ $2e$

444

함수 $f(x)=x\cos x$에 대하여

$\displaystyle\lim_{h\to0}\dfrac{f\left(\dfrac{\pi}{2}+2h\right)-f\left(\dfrac{\pi}{2}-h\right)}{h}$의 값은?

① -3π ② -2π ③ $-\dfrac{3}{2}\pi$

④ $-\pi$ ⑤ $-\dfrac{\pi}{2}$

445

함수 $f(x)=\sin^2 x$에 대하여 $f'(a)=\dfrac{1}{2}$을 만족시키는 모든 a의 값의 합을 구하시오. (단, $0<a<\pi$이다.)

446

함수 $f(x)=\lim\limits_{h \to 0}\dfrac{e^x \cos(x+h)-e^x \cos x}{h}$에 대하여 $f'(\pi)$의 값을 구하시오.

빈출 유형 19 삼각함수의 연속과 미분가능성 ◯△☓

(1) $x\ne a$인 모든 실수 x에서 연속인 함수 $g(x)$에 대하여

함수 $f(x)=\begin{cases} g(x) & (x\ne a) \\ k & (x=a) \end{cases}$가

모든 실수 x에서 연속이면

$\Rightarrow \lim\limits_{x \to a}g(x)=k$ (단, k는 상수)

(2) 함수 $F(x)=\begin{cases} f(x) & (x\ge a) \\ g(x) & (x<a) \end{cases}$가 $x=a$에서 미분가능하면

① 함수 $F(x)$가 $x=a$에서 연속이다.

$\Rightarrow \lim\limits_{x \to a-}g(x)=f(a)$

② 함수 $F(x)$의 $x=a$에서의 미분계수 $F'(a)$가 존재한다.

$\Rightarrow \lim\limits_{x \to a+}f'(a)=\lim\limits_{x \to a-}g'(x)$

대표 문제
447 #미분가능하면_연속 #미정계수_결정

함수 $f(x)=\begin{cases} \dfrac{\sin a(x-1)}{x^2-1} & (x\ne 1) \\ 3 & (x=1) \end{cases}$이 $x=1$에서 연속

이 되도록 하는 상수 a의 값을 구하시오.

448

함수 $f(x)=\begin{cases} \dfrac{1-a\cos x}{bx\tan x} & (x\ne 0) \\ 2 & (x=0) \end{cases}$가 구간 $\left(-\dfrac{\pi}{2}, \dfrac{\pi}{2}\right)$

에서 연속일 때, 상수 a, b에 대하여 $a-b$의 값은?

① $\dfrac{1}{4}$ ② $\dfrac{1}{2}$ ③ $\dfrac{3}{4}$

④ 1 ⑤ $\dfrac{5}{4}$

449

함수 $f(x)=\begin{cases} 3x+b & (x\ge 0) \\ 1-\sin ax & (x<0) \end{cases}$가 $x=0$에서 미분가

능하도록 하는 상수 a, b에 대하여 $a+b$의 값을 구하시오.

$f(x)$가 $x=0$에서 미분가능하면 $f(x)$는 $x=0$에서 연속이야!

450

함수 $f(x)=\begin{cases} e^x \sin x+ax & (x\ge 0) \\ \cos x-b & (x<0) \end{cases}$가 $x=0$에서 미분

가능하도록 하는 상수 a, b에 대하여 ab의 값을 구하시오.

실전! 기출 문제 정복하기

451 교육청 기출

$\sin\theta=\dfrac{\sqrt{3}}{3}$일 때, $2\sin\left(\theta-\dfrac{\pi}{6}\right)+\cos\theta$의 값은?

$$\left(\text{단, } 0<\theta<\dfrac{\pi}{2}\text{이다.}\right)$$

① $\dfrac{1}{2}$ ② $\dfrac{\sqrt{3}}{3}$ ③ 1

④ $\sqrt{3}$ ⑤ 2

452

$\sec^{2}\theta=\dfrac{5}{4}$일 때, $\cos\left(\theta+\dfrac{\pi}{4}\right)$의 값을 구하시오.

$$\left(\text{단, } 0<\theta<\dfrac{\pi}{2}\text{이다.}\right)$$

453 평가원 기출

좌표평면에서 두 직선 $x-y-1=0$, $ax-y+1=0$이 이루는 예각의 크기를 θ라 하자. $\tan\theta=\dfrac{1}{6}$일 때, 상수 a의 값은? (단, $a>1$이다.)

① $\dfrac{11}{10}$ ② $\dfrac{6}{5}$ ③ $\dfrac{13}{10}$

④ $\dfrac{7}{5}$ ⑤ $\dfrac{3}{2}$

454 수능 기출

오른쪽 그림과 같이 $\overline{AB}=5$, $\overline{AC}=2\sqrt{5}$인 삼각형 ABC의 꼭짓점 A에서 선분 BC에 내린 수선의 발을 D라 하자. 선분 AD를 $3:1$로 내분하는 점 E에 대하여 $\overline{EC}=\sqrt{5}$이다.

$\angle ABD=\alpha$, $\angle DCE=\beta$라 할 때, $\cos(\alpha-\beta)$의 값은?

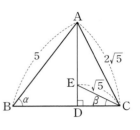

① $\dfrac{\sqrt{5}}{5}$ ② $\dfrac{\sqrt{5}}{4}$ ③ $\dfrac{3\sqrt{5}}{10}$

④ $\dfrac{7\sqrt{5}}{20}$ ⑤ $\dfrac{2\sqrt{5}}{5}$

455 교육청 기출

오른쪽 그림과 같이 점 O를 중심으로 하고 반지름의 길이가 각각 1, $\sqrt{2}$인 두 원 C_1, C_2가 있다. 원 C_1 위의 두 점 P, Q와 원 C_2 위의 점 R에 대하여 $\angle QOP=\alpha$, $\angle ROQ=\beta$라 하자. $\overline{OQ}\perp\overline{QR}$이고 $\sin\alpha=\dfrac{4}{5}$일 때,

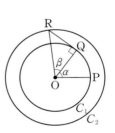

$\cos(\alpha+\beta)$의 값은? $\left(\text{단, } 0<\alpha<\dfrac{\pi}{2}, 0<\beta<\dfrac{\pi}{2}\text{이다.}\right)$

① $-\dfrac{\sqrt{6}}{10}$ ② $-\dfrac{\sqrt{5}}{10}$ ③ $-\dfrac{1}{5}$

④ $-\dfrac{\sqrt{3}}{10}$ ⑤ $-\dfrac{\sqrt{2}}{10}$

456  교육청 기출

오른쪽 그림과 같이 $\overline{AB} < \overline{AC}$인
삼각형 ABC에서 $\angle ABC = \alpha$,
$\angle ACB = \beta$라 하자. 또 $\overline{AB} = \overline{AD}$
가 되도록 변 AC 위에 점 D를 잡
고 $\angle DBC = \theta$라 하자.
$\cos\alpha = \dfrac{\sqrt{10}}{10}$, $\cos\beta = \dfrac{\sqrt{5}}{5}$일 때, $\sin 2\theta$의 값은?

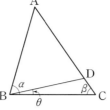

① $\dfrac{\sqrt{2}}{10}$ ② $\dfrac{\sqrt{3}}{10}$ ③ $\dfrac{1}{5}$

④ $\dfrac{\sqrt{5}}{10}$ ⑤ $\dfrac{\sqrt{6}}{10}$

457

$\cot\theta = \sqrt{5}$일 때, $\cos 2\theta$의 값은?

① $\dfrac{\sqrt{2}}{3}$ ② $\dfrac{\sqrt{3}}{3}$ ③ $\dfrac{2}{3}$

④ $\dfrac{\sqrt{5}}{3}$ ⑤ $\dfrac{\sqrt{6}}{3}$

458

방정식 $3\cos 2x + 7\cos x = 0$을 만족시키는 x에 대하여
$\tan^2 x$의 값을 구하시오.

459

오른쪽 그림과 같이 직선
$y = mx$가 x축의 양의 방향
과 이루는 각의 크기를 직
선 $y = \dfrac{1}{5}x$가 이등분할 때,
상수 m의 값을 구하시오.

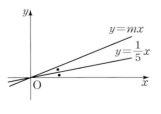

460 교과서 심화

오른쪽 그림과 같이 선분
AB가 지름이고 중심이 O인
원 위를 움직이는 점 P에 대
하여 $\angle PAO = \alpha$,
$\angle POB = \beta$라 하자.
$\sin\alpha + \cos\beta$가 최대가 되
도록 하는 α, β에 대하여 $\sin\alpha\cos\beta$의 값은?

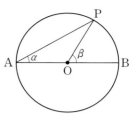

$\left(\text{단, } 0 < \alpha < \dfrac{\pi}{2}\text{이다.}\right)$

① $\dfrac{3}{16}$ ② $\dfrac{7}{32}$ ③ $\dfrac{1}{4}$

④ $\dfrac{9}{32}$ ⑤ $\dfrac{5}{16}$

461

함수 $f(x) = 1 - \dfrac{1}{1 + 3\sin x}$일 때, $\displaystyle\lim_{x \to 0} \dfrac{f(4x)}{x}$의 값을
구하시오.

462

$\displaystyle\lim_{x \to 0} \dfrac{e^{2x^2} - 1}{\tan 2x \sin x}$의 값은?

① $\dfrac{1}{4}$ ② $\dfrac{1}{2}$ ③ 1

④ 2 ⑤ 4

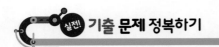

463

함수 $f(x)$에 대하여 $\lim\limits_{x \to 0} \dfrac{1-\cos\frac{x}{2}}{f(x)}=1$일 때, $\lim\limits_{x \to 0} \dfrac{x^2}{f(x)}$

의 값은?

① 1　　　　② 2　　　　③ 4

④ 8　　　　⑤ 16

464 교과서 심화

$\lim\limits_{x \to \pi} \dfrac{\sqrt{2+\cos x}-1}{(x-\pi)^2}$의 값을 구하시오.

465 수능 기출

오른쪽 그림과 같이 반지름의 길이가 1이고 중심각의 크기가 $\dfrac{\pi}{2}$인 부채꼴 OAB가 있다. 호 AB 위의 점 P에서 선분 OA에 내린 수선의 발을 H, 선분 PH와 선분 AB의 교점을 Q라 하자. $\angle POH=\theta$일 때, 삼각형 AQH의 넓이를 $S(\theta)$라 하자. $\lim\limits_{\theta \to 0+} \dfrac{S(\theta)}{\theta^4}$의 값은?

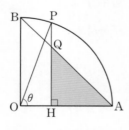

$\left(\text{단, } 0<\theta<\dfrac{\pi}{2}\text{이다.}\right)$

① $\dfrac{1}{8}$　　　② $\dfrac{1}{4}$　　　③ $\dfrac{3}{8}$

④ $\dfrac{1}{2}$　　　⑤ $\dfrac{5}{8}$

466

오른쪽 그림과 같이 원에 내접하고 한 변의 길이가 $4\sqrt{3}$인 정삼각형 ABC가 있다. 점 B를 포함하지 않는 호 AC 위의 점 P에 대하여 $\angle PBC=\theta$라 하고, 선분 PC를 한 변으로 하는 정삼각형 PCD에 내접하는 원의 둘레의 길이를 $l(\theta)$라 하자. $\lim\limits_{\theta \to 0+} \dfrac{l(\theta)}{\theta}$의 값을 구하시오.

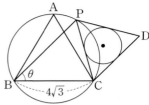

467 교육청 기출

함수 $f(x)=\sin x+a\cos x$에 대하여

$\lim\limits_{x \to \frac{\pi}{2}} \dfrac{f(x)-1}{x-\dfrac{\pi}{2}}=3$일 때, $f\left(\dfrac{\pi}{4}\right)$의 값은?

(단, a는 상수이다.)

① $-2\sqrt{2}$　　② $-\sqrt{2}$　　③ 0

④ $\sqrt{2}$　　　⑤ $2\sqrt{2}$

468

함수 $f(x)=\cos^2 x+\sin x$의 도함수 $f'(x)$에 대하여 방정식 $f'(x)=0$의 모든 실근의 합은? (단, $0 \le x \le \pi$이다.)

① $\dfrac{\pi}{4}$　　　② $\dfrac{\pi}{3}$　　　③ $\dfrac{\pi}{2}$

④ π　　　⑤ $\dfrac{3}{2}\pi$

$\displaystyle\lim_{x\to\pi}\frac{1+\cos x}{(x-\pi)\sin x}$의 값을 구하시오.

풀이

단계 1 $x-\pi=t$로 놓고 주어진 식을 t에 대한 식으로 나타내기

$x-\pi=t$로 놓으면 $x=t+\pi$이고, $x\to\pi$일 때 $t\to0$이므로

$$\lim_{x\to\pi}\frac{1+\cos x}{(x-\pi)\sin x}=\lim_{t\to0}\frac{1+\cos(t+\pi)}{t\sin(t+\pi)}$$
$$=\lim_{t\to0}\frac{1-\cos t}{-t\sin t}$$

단계 2 $(1-\cos t)(1+\cos t)=\sin^2 t$임을 이용하여 식 정리하기

$$\lim_{t\to0}\frac{1-\cos t}{-t\sin t}=\lim_{t\to0}\frac{(1-\cos t)(1+\cos t)}{-t\sin t\,(1+\cos t)}$$
$$=\lim_{t\to0}\frac{\sin^2 t}{-t\sin t\,(1+\cos t)}$$
$$=\lim_{t\to0}\left(-\frac{\sin t}{t}\right)\times\frac{1}{1+\cos t}$$

단계 3 $\displaystyle\lim_{x\to\pi}\frac{1+\cos x}{(x-\pi)\sin x}$의 값 구하기

$\displaystyle\lim_{t\to0}\frac{\sin t}{t}=1$, $\displaystyle\lim_{t\to0}\frac{1}{1+\cos t}=\frac{1}{2}$이므로

$$\lim_{x\to\pi}\frac{1+\cos x}{(x-\pi)\sin x}=\lim_{t\to0}\left(-\frac{\sin t}{t}\right)\times\frac{1}{1+\cos t}$$
$$=-1\times\frac{1}{2}=-\frac{1}{2}$$

답 $-\dfrac{1}{2}$

469 따라하기

$\displaystyle\lim_{x\to\frac{\pi}{2}}\frac{\left(x-\dfrac{\pi}{2}\right)\cos x}{1-\sin x}$의 값을 구하시오.

풀이

답

함수 $f(x)=\begin{cases}\dfrac{e^x-\sin 3x+a}{x} & (x\neq 0)\\ b & (x=0)\end{cases}$가 $x=0$에서 연

속일 때, 상수 a, b에 대하여 $a+b$의 값을 구하시오.

풀이

단계 1 $x=0$에서 연속임을 이용하여 식 세우기

함수 $f(x)$가 $x=0$에서 연속이므로

$$\lim_{x\to0}f(x)=f(0)$$
$$\therefore\ \lim_{x\to0}\frac{e^x-\sin 3x+a}{x}=b \quad\cdots\ \text{㉠}$$

단계 2 (분모)$\to0$이고 극한값이 존재하면 (분자)$\to0$임을 이용하여 상수 a, b의 값 구하기

$x\to0$일 때 (분모)$\to0$이고 극한값이 존재하므로

(분자)$\to0$이다.

즉, $\displaystyle\lim_{x\to0}(e^x-\sin 3x+a)=0$에서 $1+a=0$

$\therefore\ a=-1$

$a=-1$을 ㉠의 좌변에 대입하면

$$\lim_{x\to0}\frac{e^x-\sin 3x-1}{x}=\lim_{x\to0}\left(\frac{e^x-1}{x}-\frac{\sin 3x}{x}\right)$$
$$=\lim_{x\to0}\frac{e^x-1}{x}-3\lim_{x\to0}\frac{\sin 3x}{3x}$$
$$=1-3\times1=-2$$

$\therefore\ b=-2$

단계 3 $a+b$의 값 구하기

$$a+b=-1+(-2)=-3$$

답 -3

470 따라하기

함수 $f(x)=\begin{cases}\dfrac{\ln(x+a)}{\tan bx} & (x>0)\\ 3 & (x\le 0)\end{cases}$이 $x=0$에서 연속일

때, 상수 a, b에 대하여 ab의 값을 구하시오.

풀이

답

3 여러 가지 미분법

개념 01 함수의 몫의 미분법 C 유형 01~03

1 함수의 몫의 미분법

두 함수 $f(x)$, $g(x)$ $(g(x) \neq 0)$가 미분가능할 때

(1) $y = \dfrac{1}{g(x)}$이면 $y' = -\dfrac{g'(x)}{\{g(x)\}^2}$

(2) $y = \dfrac{f(x)}{g(x)}$이면 $y' = \dfrac{f'(x)g(x) - f(x)g'(x)}{\{g(x)\}^2}$

2 함수 $y = x^n$ (n은 정수)의 도함수

n이 정수일 때, $y = x^n$이면 $y' = nx^{n-1}$

3 삼각함수의 도함수

$(\sin x)' = \cos x$, $(\cos x)' = -\sin x$와 함수의 몫의 미분법을 이용하여 여러 가지 삼각함수의 도함수를 구할 수 있다.

(1) $y = \tan x$이면 $y' = \sec^2 x$ (2) $y = \sec x$이면 $y' = \sec x \tan x$

(3) $y = \csc x$이면 $y' = -\csc x \cot x$ (4) $y = \cot x$이면 $y' = -\csc^2 x$

note

- $(\tan x)'$
  $= \left(\dfrac{\sin x}{\cos x}\right)'$
  $= \dfrac{(\sin x)'\cos x - \sin x(\cos x)'}{(\cos x)^2}$
  $= \dfrac{\cos^2 x + \sin^2 x}{\cos^2 x}$
  $= \dfrac{1}{\cos^2 x} = \sec^2 x$

→ 정답 및 풀이 **57**쪽

[471~473] 다음 함수를 미분하시오.

471 $y = \dfrac{1}{x-3}$

472 $y = \dfrac{2x}{x+1}$

473 $y = \dfrac{x}{e^x}$

[474~476] 다음 함수를 미분하시오.

474 $y = x^{-2}$

475 $y = \dfrac{2}{x^3}$

476 $y = \dfrac{1}{x} - \dfrac{1}{x^4} + x$

[477~482] 다음 함수를 미분하시오.

477 $y = \tan x + \cot x$

478 $y = \cos x + \sec x$

479 $y = x \csc x$

480 $y = \sin x \tan x$

481 $y = \dfrac{\sec x}{x}$

482 $y = \dfrac{x}{\cot x}$

1 합성함수의 미분법

두 함수 $y=f(u)$, $u=g(x)$가 미분가능할 때, 합성함수 $y=f(g(x))$의 도함수는

$$\frac{dy}{dx}=\frac{dy}{du}\times\frac{du}{dx} \quad \text{또는} \quad y'=f'(g(x))g'(x)$$

참고 함수 $f(x)$가 미분가능할 때

(1) $y=f(ax+b)$이면 $y'=af'(ax+b)$ (단, a, b는 상수)

(2) $y=\{f(x)\}^n$이면 $y'=n\{f(x)\}^{n-1}f'(x)$ (단, n은 정수)

2 로그함수의 도함수

$a>0$, $a\neq1$이고, 함수 $f(x)$가 미분가능하며 $f(x)\neq0$일 때 $\quad\longrightarrow y=\dfrac{\ln|x|}{\ln a}$임을 이용한다.

(1) $y=\ln|x|$이면 $y'=\dfrac{1}{x}$ (2) $y=\log_a|x|$이면 $y'=\dfrac{1}{x\ln a}$

(3) $y=\ln|f(x)|$이면 $y'=\dfrac{f'(x)}{f(x)}$ (4) $y=\log_a|f(x)|$이면 $y'=\dfrac{f'(x)}{f(x)\ln a}$

$\qquad\qquad\qquad\qquad\qquad\longrightarrow y=\dfrac{\ln|f(x)|}{\ln a}$임을 이용한다.

3 함수 $y=x^n$ ($x>0$, n은 실수)의 도함수

n이 실수일 때, $y=x^n$이면 $y'=nx^{n-1}$

참고 $y=x^n$의 양변에 절댓값을 취하면 $|y|=|x^n|$, $|y|=|x|^n$

양변에 자연로그를 취하면 $\ln|y|=\ln|x|^n=n\ln|x|$

양변을 x에 대하여 미분하면 $\dfrac{y'}{y}=\dfrac{n}{x}$이므로 $y'=\dfrac{n}{x}\times y=\dfrac{n}{x}\times x^n=nx^{n-1}$

• 두 함수 $y=f(u)$, $u=g(x)$가 미분가능할 때, 합성함수 $y=f(g(x))$도 미분가능하다.

• $x\leq0$인 경우에도 함수 $y=x^n$ (n은 실수)의 도함수가 존재하면 $y'=nx^{n-1}$이 성립함이 알려져 있다.

➜ 정답 및 풀이 **57**쪽

[483~485] 다음 함수를 미분하시오.

483 $y=(2x+1)^5$

484 $y=e^{3x-1}$

485 $y=\sin(x^2+3x)$

[486~489] 다음 함수를 미분하시오.

486 $y=\ln|x^2+x-2|$

487 $y=\ln|e^x-1|$

488 $y=\log_2|3x-1|$

489 $y=x\ln|x|$

[490~493] 다음 함수를 미분하시오.

490 $y=\sqrt[3]{x}$

491 $y=x^{\sqrt{2}}$

492 $y=\dfrac{1}{\sqrt{x}}$

493 $y=\sqrt{x^2+4x+5}$

1 음함수의 미분법

(1) x의 함수 y가 $f(x, y)=0$ 꼴로 주어지면 y를 x의 **음함수**라 한다. 즉, $f(x, y)=0$은 y를 x의 음함수로 표현한 식이다.

> **예** $x^2+y^2-1=0$, $xy-2=0$은 모두 음함수 표현이다.

(2) **음함수의 미분법**

음함수 표현 $f(x, y)=0$으로 주어질 때에는 y를 x의 함수로 보고 각 항을 x에 대하여 미분하여 $\dfrac{dy}{dx}$를 구한다.

2 역함수의 미분법

미분가능한 함수 $f(x)$의 역함수 $f^{-1}(x)$가 존재하고 미분가능할 때, $y=f^{-1}(x)$의 도함수는

$$\frac{dy}{dx}=\frac{1}{\dfrac{dx}{dy}} \quad 또는 \quad (f^{-1})'(x)=\frac{1}{f'(y)} \left(단, \frac{dx}{dy}\neq0, f'(y)\neq0\right)$$

> **주의** $(f^{-1})'(x)=\dfrac{1}{f'(x)}$이 아님에 주의해야 한다.

> **참고** 미분가능한 함수 $f(x)$의 역함수 $y=g(x)$가 존재하고 미분가능할 때
> 역함수의 성질에 의하여 $(f \circ g)(x)=f(g(x))=x$
> 양변을 x에 대하여 미분하면 $f'(g(x))g'(x)=1$
> $$\therefore g'(x)=\frac{1}{f'(g(x))}=\frac{1}{f'(y)} \ (단, f'(y)\neq0)$$

note
- 음함수 표현 $f(x, y)=0$을 만족시키는 점 (x, y)를 좌표평면 위에 나타내면 곡선이 된다.
- 음함수의 미분법은 $f(x, y)=0$을 $y=g(x)$ 꼴로 고치기 어려운 함수를 미분할 때 편리하다.

- 함수가 일대일대응일 때, 역함수가 존재한다.
- 역함수의 미분법을 이용하면 역함수를 직접 구하지 않고도 역함수의 도함수를 구할 수 있다.

➜ 정답 및 풀이 **58**쪽

[494~496] 다음 음함수 표현에서 $\dfrac{dy}{dx}$를 구하시오.

494 $x^2+y^2=1$

495 $3x^2-y^2=4xy$

496 $x^2y^3=5$

[497~499] 역함수의 미분법을 이용하여 다음 함수에서 $\dfrac{dy}{dx}$를 구하시오.

497 $x=y^5 \ (x\neq0)$

498 $y=\sqrt[3]{x+2} \ (x\neq-2)$

499 $y=\sqrt[4]{3x} \ (x>0)$

500 다음은 함수 $f(x)=x^3+4$의 역함수를 $g(x)$라 할 때, $g'(5)$의 값을 구하는 과정이다.

$g(5)=k$라 하면 $f(k)=$ ⑦ 이므로

$k^3+4=$ ⑦ $\qquad \therefore k=$ ㉯

따라서 $g(5)=$ ㉯ 이고 $f'(x)=3x^2$이므로

$$g'(5)=\frac{1}{f'(g(5))}=\frac{1}{f'(\boxed{㉯})}=\boxed{㉰}$$

위의 과정에서 ⑦, ㉯, ㉰에 알맞은 것을 써넣으시오.

📓 note

(1) x와 y 사이의 함수 관계가 변수 t의 함수 $\begin{cases} x=f(t) \\ y=g(t) \end{cases}$로 나타내어질 때, 변수 t를 매개변수라 한다. 이때 이 함수를 매개변수로 나타낸 함수라 한다.

(2) **매개변수로 나타낸 함수의 미분법**

두 함수 $x=f(t)$, $y=g(t)$가 t에 대하여 미분가능하고 $f'(t) \neq 0$이면

$$\frac{dy}{dx}=\frac{\dfrac{dy}{dt}}{\dfrac{dx}{dt}}=\frac{g'(t)}{f'(t)}$$

● 매개변수로 나타낸 함수의 미분은 함수를 $y=f(x)$ 꼴로 만들어 양변을 미분한 결과와 같다.

➜ 정답 및 풀이 **59**쪽

[501~504] 매개변수 t로 나타낸 다음 함수에서 $\dfrac{dy}{dx}$를 구하시오.

501 $\begin{cases} x=2t-1 \\ y=t^2+3 \end{cases}$

502 $\begin{cases} x=2t^3+5 \\ y=1-4t^2 \end{cases}$ (단, $t>0$이다.)

503 $\begin{cases} x=t^2-t+1 \\ y=t^3+3 \end{cases}$ (단, $t>1$이다.)

504 $\begin{cases} x=2t-\cos t \\ y=\sin t \end{cases}$

📓 note

함수 $f(x)$의 도함수 $f'(x)$가 미분가능할 때, $f'(x)$의 도함수는

$$\lim_{h \to 0}\frac{f'(x+h)-f'(x)}{h}$$

와 같이 구할 수 있다.

이를 함수 $f(x)$의 **이계도함수**라 하고, 기호로 y'', $f''(x)$, $\dfrac{d^2y}{dx^2}$, $\dfrac{d^2}{dx^2}f(x)$와 같이 나타낸다.

● f''을 'f double prime'이라 읽는다.

예 함수 $y=x^3+4x$의 도함수는 $y'=3x^2+4$이고, 이계도함수는 $y''=(3x^2+4)'=6x$

➜ 정답 및 풀이 **59**쪽

[505~510] 다음 함수의 이계도함수를 구하시오.

505 $y=x^3+4x^2$

506 $y=\cos x$

507 $y=\dfrac{1}{x+1}$

508 $y=\sqrt{x}$

509 $y=e^{2x+1}$

510 $y=\ln|x|$

유형 01 함수의 몫의 미분법

두 함수 $f(x)$, $g(x)$ $(g(x) \neq 0)$가 미분가능할 때
(1) $y = \dfrac{1}{g(x)}$이면 $y' = -\dfrac{g'(x)}{\{g(x)\}^2}$
(2) $y = \dfrac{f(x)}{g(x)}$이면 $y' = \dfrac{f'(x)g(x) - f(x)g'(x)}{\{g(x)\}^2}$

대표 문제
511

함수 $f(x) = \dfrac{x-3}{x^2+1}$에 대하여 $f'(1)$의 값은?

① $\dfrac{1}{2}$ 　　② $\dfrac{3}{4}$ 　　③ 1

④ $\dfrac{5}{4}$ 　　⑤ $\dfrac{3}{2}$

512

함수 $f(x) = \dfrac{ax+b}{x^2+x+1}$에 대하여 $f'(0) = -1$, $f'(1) = 1$일 때, $f(-1)$의 값을 구하시오.

(단, a, b는 상수이다.)

513

함수 $f(x) = \dfrac{1+\cos x}{\sin x}$에 대하여 $f'\left(\dfrac{\pi}{3}\right)$의 값은?

① $-\dfrac{5}{2}$ 　　② -2 　　③ $-\dfrac{3}{2}$

④ -1 　　⑤ $-\dfrac{1}{2}$

514

미분가능한 함수 $f(x)$에 대하여 $f(1) = f'(1) = 2$이고 $g(x) = \dfrac{1}{xf(x)-x}$일 때, $g'(1)$의 값을 구하시오.

515

함수 $f(x) = \dfrac{3x}{e^x+1}$에 대하여 $\displaystyle\lim_{h \to 0} \dfrac{f(4h)-f(-2h)}{h}$의 값을 구하시오.

유형 02 $y = x^n$ (n은 정수)의 도함수

n이 정수일 때, $y = x^n$이면 $y' = nx^{n-1}$

대표 문제
516

함수 $f(x) = \dfrac{3x^6+x^2-1}{x^3}$에 대하여 $\displaystyle\lim_{x \to 1} \dfrac{f(x)-3}{x-1}$의 값은?

① 3 　　② 5 　　③ 7
④ 9 　　⑤ 11

→ 정답 및 풀이 **59**쪽

517

함수 $f(x)=\dfrac{2x^4-x^2+k}{x^2}$에 대하여 $f'(1)=-6$일 때, 상수 k의 값은?

① -5 ② -3 ③ 1

④ 3 ⑤ 5

518

함수 $f(x)=\dfrac{1}{x}+\dfrac{1}{x^2}+\dfrac{1}{x^3}+\cdots+\dfrac{1}{x^{10}}$에 대하여 $f'(1)$의 값을 구하시오.

유형 **03** 여러 가지 삼각함수의 도함수

(1) $y=\sin x$이면 $y'=\cos x$
(2) $y=\cos x$이면 $y'=-\sin x$
(3) $y=\tan x$이면 $y'=\sec^2 x$
(4) $y=\sec x$이면 $y'=\sec x \tan x$
(5) $y=\csc x$이면 $y'=-\csc x \cot x$
(6) $y=\cot x$이면 $y'=-\csc^2 x$

대표 문제
519

함수 $f(x)=\dfrac{\tan x}{1+\sec x}$에 대하여 $f'\left(\dfrac{\pi}{3}\right)$의 값을 구하시오.

520

함수 $f(x)=\sec x+\cot x$에 대하여

$\displaystyle\lim_{h\to 0}\dfrac{f\left(\dfrac{\pi}{4}+h\right)-f\left(\dfrac{\pi}{4}-h\right)}{h}$의 값은?

① $2\sqrt{2}-4$ ② $2\sqrt{2}-3$ ③ $2\sqrt{2}-2$

④ $2\sqrt{2}-1$ ⑤ $2\sqrt{2}$

521

함수 $f(x)=\displaystyle\lim_{h\to 0}\dfrac{\sin^2(x+h)-\sin^2 x}{h}$에 대하여 $f\left(\dfrac{\pi}{6}\right)$의 값은?

① $\dfrac{1}{2}$ ② $\dfrac{\sqrt{3}}{2}$ ③ 1

④ $\dfrac{3}{2}$ ⑤ 2

522

함수 $f(x)=\csc x(2+\cos x)$의 그래프 위의 점 $\left(\dfrac{\pi}{6}, f\left(\dfrac{\pi}{6}\right)\right)$에서의 접선의 기울기를 구하시오.

$f'\left(\dfrac{\pi}{6}\right)$는 $y=f(x)$의 그래프 위의 점 $\left(\dfrac{\pi}{6}, f\left(\dfrac{\pi}{6}\right)\right)$에서의 접선의 기울기와 같아!

유형 04 합성함수의 미분법

두 함수 $y=f(u)$, $u=g(x)$가 미분가능할 때, 합성함수 $y=f(g(x))$의 도함수는

➡ $\dfrac{dy}{dx}=\dfrac{dy}{du}\times\dfrac{du}{dx}$ 또는 $y'=f'(g(x))g'(x)$

대표 문제
523

함수 $f(x)=\left(\dfrac{ax+2}{x-1}\right)^3$에 대하여 $f'(0)=12$일 때, 상수 a의 값은?

① -5 ② -4 ③ -3

④ -2 ⑤ -1

524

두 함수 $f(x)=\dfrac{x-3}{x^2+1}$, $g(x)=x^2+5x+2$에 대하여 함수 $h(x)$가 $h(x)=(g\circ f)(x)$일 때, $h'(1)$의 값을 구하시오.

525

두 함수 $f(x)=x^2+1$, $g(x)=\cos 2x$에 대하여 함수 $h(x)$가 $h(x)=(f\circ g)(x)$일 때, $h'\left(\dfrac{\pi}{3}\right)$의 값을 구하시오.

526

함수 $f(x)=2^{\sin x}$에 대하여 $f'(\pi)$의 값은?

① $-2\ln 2$ ② $-\ln 2$ ③ $\dfrac{\ln 2}{2}$

④ $\ln 2$ ⑤ $2\ln 2$

527

함수 $f(x)=(x+1)e^{x^2}$에 대하여
$\displaystyle\lim_{h\to 0}\dfrac{f(h)-f(h-1)-1}{3h}$의 값은?

① $-\dfrac{e}{3}$ ② $\dfrac{1-e}{3}$ ③ $\dfrac{1}{3}$

④ $\dfrac{e}{3}$ ⑤ $\dfrac{1+e}{3}$

유형 05 합성함수의 미분법의 활용(1)

합성함수 $h(x)=(f\circ g)(x)=f(g(x))$에 대하여 $x=a$에서의 함숫값 또는 미분계수가 주어지면

➡ $h'(a)=f'(g(a))g'(a)$임을 이용한다.

대표 문제
528

미분가능한 두 함수 $f(x)$, $g(x)$가
$\displaystyle\lim_{x\to 0}\dfrac{f(x)-1}{x}=2$, $\displaystyle\lim_{x\to 1}\dfrac{g(x)-3}{x-1}=-1$을 만족시킬 때, 함수 $y=(g\circ f)(x)$의 $x=0$에서의 미분계수를 구하시오.

→ 정답 및 풀이 **61**쪽

529

미분가능한 두 함수 $f(x)$, $g(x)$가 $f'(2)=5$, $g(2)=2$, $g'(2)=-1$을 만족시킬 때, 함수 $y=(f\circ g)(x)$의 $x=2$에서의 미분계수는?

① -5 ② -3 ③ 1

④ 3 ⑤ 5

530

미분가능한 두 함수 $f(x)$, $g(x)$가 $f(1)=3$, $f'(1)=-2$, $g(1)=1$, $g'(1)=4$를 만족시킬 때, $\lim\limits_{x\to 1}\dfrac{f(g(x))-3}{x-1}$의 값을 구하시오.

유형 06 합성함수의 미분법의 활용(2)

미분가능한 함수 $f(x)$에 대하여 함수 $y=f(ax+b)$의 도함수는

➡ $y'=f'(ax+b)(ax+b)'=af'(ax+b)$

(단, a, b는 상수)

대표 문제
531

미분가능한 함수 $f(x)$가 모든 실수 x에 대하여 $f(2x+3)=x^3+2x-3$을 만족시킬 때, $2f'(5)$의 값은?

① 3 ② 4 ③ 5

④ 6 ⑤ 7

532

미분가능한 함수 $f(x)$가 모든 실수 x에 대하여 $f(3+x)=f(1-3x)$, $f'(2)=3$을 만족시킬 때, $f'(-2)$의 값을 구하시오.

유형 07 합성함수의 미분법의 활용(3)

다항식 $f(x)$가 $(ax+b)^n$으로 나누어떨어지면

➡ $f\left(-\dfrac{b}{a}\right)=0$, $f'\left(-\dfrac{b}{a}\right)=0$ (단, n은 자연수)

대표 문제
533

다항식 $f(x)=x^{10}+ax+b$가 $(x-1)^2$으로 나누어떨어질 때, $f(-1)$의 값은? (단, a, b는 상수이다.)

① 18 ② 19 ③ 20

④ 21 ⑤ 22

534

다항식 $f(x)=8x^5+ax^2+b$가 $(2x+1)^2$으로 나누어떨어질 때, 상수 a, b에 대하여 $a+b$의 값을 구하시오.

유형 08 로그함수의 도함수

$a>0$, $a\neq 1$이고 함수 $f(x)$가 미분가능하며 $f(x)\neq 0$일 때

(1) $y=\ln|x|$이면 $y'=\dfrac{1}{x}$

(2) $y=\log_a|x|$이면 $y'=\dfrac{1}{x\ln a}$

(3) $y=\ln|f(x)|$이면 $y'=\dfrac{f'(x)}{f(x)}$

(4) $y=\log_a|f(x)|$이면 $y'=\dfrac{f'(x)}{f(x)\ln a}$

대표 문제
535

함수 $f(x)=\ln|x^3-ax+1|$에 대하여 $f'(0)=1$일 때, 상수 a의 값을 구하시오.

536

함수 $f(x)=\log_3|xe^x|$에 대하여 $f'(1)$의 값은?

① $\dfrac{1}{e\ln 3}$ ② $\dfrac{1}{2\ln 3}$ ③ $\dfrac{1}{\ln 3}$

④ $\dfrac{2}{\ln 3}$ ⑤ $\dfrac{e}{\ln 3}$

537

$0<x<\dfrac{\pi}{2}$에서 정의된 함수 $f(x)=\ln(\sec^2 x)$에 대하여 $f'\left(\dfrac{\pi}{3}\right)$의 값은?

① 3 ② $2\sqrt{3}$ ③ $\dfrac{5\sqrt{3}}{2}$

④ $3\sqrt{3}$ ⑤ 9

538

함수 $f(x)=\ln\sqrt{\dfrac{1-\sin x}{1+\sin x}}$에 대하여 $x=\dfrac{\pi}{4}$에서의 미분계수를 구하시오.

낯선 유형 09 로그함수의 도함수의 활용

(1) $y=\dfrac{f(x)}{g(x)}$ 꼴인 함수의 도함수

❶ 양변의 절댓값에 자연로그를 취하여 구한다.
➡ $\ln|y|=\ln|f(x)|-\ln|g(x)|$

❷ 양변을 x에 대하여 미분한다.
➡ $\dfrac{y'}{y}=\dfrac{f'(x)}{f(x)}-\dfrac{g'(x)}{g(x)}$

(2) $y=\{f(x)\}^{g(x)}$ $(f(x)>0)$ 꼴인 함수의 도함수

❶ 양변에 자연로그를 취하여 구한다.
➡ $\ln y=g(x)\ln f(x)$

❷ 양변을 x에 대하여 미분한다.
➡ $\dfrac{y'}{y}=g'(x)\ln f(x)+g(x)\times\dfrac{f'(x)}{f(x)}$

대표 문제
539 #$y=\dfrac{f(x)}{g(x)}$_꼴의_도함수 #양변의_절댓값에_자연로그_취하기

함수 $f(x)=\dfrac{x^2(x-1)}{(x+1)^3}$에 대하여 $f'(1)$의 값을 구하시오.

➡ 양변의 절댓값에 자연로그를 취한다.

540

함수 $f(x)=\dfrac{(x+1)(x+2)^3}{(x+3)^2}$에 대하여 $f(x)g(x)-f'(x)=0$일 때, $g(1)$의 값을 구하시오.

→ 정답 및 풀이 **63**쪽

541

함수 $f(x)=\dfrac{x^3(x+2)^4}{(x-1)^2(x-2)}$ 에 대하여 $\displaystyle\lim_{x\to 3}\dfrac{f'(x)}{f(x)}$ 의 값은?

① $-\dfrac{1}{5}$ 　　② $-\dfrac{3}{10}$ 　　③ $-\dfrac{2}{5}$

④ $-\dfrac{1}{2}$ 　　⑤ $-\dfrac{3}{5}$

542

함수 $f(x)=x^x$에 대하여 $f'(1)+f'(2)$의 값을 구하시오.

（단, $x>0$이다.）

$y=\{f(x)\}^{g(x)}$
$(f(x)>0)$ 꼴인 함수의 도함수는 주어진 식의 양변에 자연로그를 취해~

543

함수 $f(x)=x^{\ln x}$에 대하여 $x=e^2$에서의 미분계수는?

① e^2 　　② $2e^2$ 　　③ $4e^2$

④ $6e^2$ 　　⑤ $8e^2$

544

함수 $f(x)=x^{\sin x}$에 대하여 $\displaystyle\lim_{x\to\pi}\dfrac{f(x)-1}{x-\pi}$ 의 값을 구하시오. （단, $x>0$이다.）

유형 **10**　$y=x^n$ (n은 실수)의 도함수

n이 실수일 때, $y=x^n$ $(x>0)$이면 $y'=nx^{n-1}$

대표 문제
545

함수 $f(x)=\sqrt{x^3+ax+1}$ 에 대하여 $f'(0)=-2$일 때, $f(3)$의 값을 구하시오. （단, a는 상수이다.）

546

함수 $f(x)=\dfrac{1}{\sqrt[3]{2-\tan x}}$ 에 대하여 $\displaystyle\lim_{x\to\frac{\pi}{4}}\dfrac{f(x)-1}{4x-\pi}$ 의 값을 구하시오.

547

함수 $f(x)=\ln(x+\sqrt{x^2-3})$에 대하여 $2f'(a)=1$을 만족시키는 양수 a의 값을 구하시오.

550

곡선 $x^2+axy+by^2=4$ 위의 점 $(1, -1)$에서의 접선의 기울기가 $\dfrac{3}{5}$일 때, 상수 a, b에 대하여 $a+b$의 값은?

① -2　　　　② -1　　　　③ 0
④ 1　　　　⑤ 2

유형 **11**　음함수의 미분법

음함수 $f(x, y)=0$으로 주어졌을 때에는 y를 x의 함수로 보고 각 항을 x에 대하여 미분하여 $\dfrac{dy}{dx}$를 구한다.

참고 $\dfrac{d}{dx}x^n=nx^{n-1}$, $\dfrac{d}{dx}y^n=ny^{n-1}\times\dfrac{dy}{dx}$

（단, n은 실수）

대표 문제
548

음함수 표현 $x^2-\cos x-xy=1$에서 $x=\pi$, $y=\pi$일 때, $\dfrac{dy}{dx}$의 값은?

① -2　　　　② -1　　　　③ 1
④ 2　　　　⑤ 3

549

곡선 $\sqrt{x}+\sqrt{2y}=3$ 위의 점 $(1, 2)$에서의 $\dfrac{dy}{dx}$의 값을 구하시오.

유형 **12**　역함수의 미분법

y를 x에 대하여 직접 미분하기 어려운 경우에는 x를 y에 대하여 미분한 후 역함수의 미분법을 이용한다.

➡ $\dfrac{dy}{dx}=\dfrac{1}{\dfrac{dx}{dy}}$ （단, $\dfrac{dx}{dy}\neq0$）

대표 문제
551

함수 $x=y\sqrt{2+y}$ $(y>0)$에 대하여 $y=2$일 때의 $\dfrac{dy}{dx}$의 값은?

① $\dfrac{1}{5}$　　　　② $\dfrac{2}{5}$　　　　③ $\dfrac{3}{5}$
④ $\dfrac{4}{5}$　　　　⑤ 1

552

함수 $x=\ln(\sec y)$ $\left(0<y<\dfrac{\pi}{2}\right)$에 대하여 $y=\dfrac{\pi}{4}$일 때의 $\dfrac{dy}{dx}$의 값을 구하시오.

553

곡선 $x = \dfrac{2y}{y^3+1}$ 위의 $y=1$인 점에서의 접선의 기울기를 구하시오.

556

함수 $f(x) = e^{2x} + \ln(x+1)$의 역함수를 $g(x)$라 할 때, $g'(1)$의 값을 구하시오.

낯선 유형 **13** **역함수의 미분법의 활용** ◻△✕

함수 $f(x)$의 역함수가 $g(x)$이고 $g(b)=a$이면

➡ $g'(b) = \dfrac{1}{f'(a)}$ (단, $f'(a) \neq 0$)

대표 문제
554 #역함수의_성질 #$f(a)=b \Longleftrightarrow f^{-1}(b)=a$ #$(f^{-1})'(b)=\dfrac{1}{f'(a)}$

함수 $f(x) = x^2 - 2x - 3$의 역함수를 $g(x)$라 할 때, $g'(5)$의 값은? (단, $x>1$이다.) ⎯→ $f(a)=b$이면 $g(b)=a$

① $\dfrac{1}{6}$ ② $\dfrac{1}{4}$ ③ $\dfrac{1}{3}$

④ $\dfrac{5}{12}$ ⑤ $\dfrac{1}{2}$

557

미분가능한 함수 $f(x)$의 역함수를 $g(x)$라 하고 $g(x)$가 $\displaystyle\lim_{x \to 0} \dfrac{g(x)-1}{x} = 4$를 만족시킬 때, $f'(1)$의 값은?

① $\dfrac{1}{4}$ ② $\dfrac{1}{2}$ ③ 1

④ 2 ⑤ 4

유형 **14** **매개변수로 나타낸 함수의 미분법** ◻△✕

두 함수 $x=f(t)$, $y=g(t)$가 t에 대하여 미분가능하고 $f'(t) \neq 0$이면

➡ $\dfrac{dy}{dx} = \dfrac{\dfrac{dy}{dt}}{\dfrac{dx}{dt}} = \dfrac{g'(t)}{f'(t)}$

대표 문제
558

매개변수 t로 나타낸 함수 $x = \dfrac{1}{1+t}$, $y = \dfrac{t}{1-t}$에 대하여 $t=2$일 때, $\dfrac{dy}{dx}$의 값을 구하시오. (단, $t>1$이다.)

555

함수 $f(x) = \dfrac{x-3}{2x+1}$의 역함수를 $g(x)$라 할 때, $\dfrac{1}{g'(4)}$의 값을 구하시오.

559

매개변수 t로 나타낸 함수 $x=\dfrac{1}{3}t^3-t$, $y=\dfrac{1}{2}t^4+t^2-4t$

에 대하여 $\lim\limits_{t\to 1}\dfrac{dy}{dx}$의 값은? (단, $t^2\neq 1$이다.)

① $\dfrac{1}{4}$ ② $\dfrac{1}{2}$ ③ 1

④ 2 ⑤ 4

유형 15   이계도함수   ◻△✕

함수 $f(x)$의 도함수 $f'(x)$가 미분가능할 때, $f'(x)$의 도함수

➡ $f''(x)=\lim\limits_{\Delta x\to 0}\dfrac{f'(x+\Delta x)-f'(x)}{\Delta x}$

대표 문제

560

함수 $f(x)=xe^{ax-b}$에 대하여 $f'(0)=e$, $f''(0)=-6e$일 때, $f(1)$의 값을 구하시오.

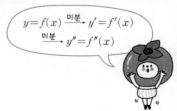

$y=f(x)$ $\xrightarrow{\text{미분}}$ $y'=f'(x)$
$\xrightarrow{\text{미분}}$ $y''=f''(x)$

561

함수 $f(x)=\ln(\sin x)$에 대하여 $f''\left(\dfrac{\pi}{3}\right)$의 값을 구하시오.

562

함수 $f(x)=2x^2\ln x$에 대하여 $\lim\limits_{x\to 1}\dfrac{f'(x)\{f'(x)-2\}}{x-1}$

의 값은?

① 8 ② 10 ③ 12

④ 14 ⑤ 16

563

함수 $y=e^{2x}\cos x$에 대하여 등식 $y''+ky=4y'$이 x의 값에 관계없이 항상 성립할 때, 상수 k의 값을 구하시오.

564

실수 전체의 집합에서 이계도함수를 갖는 함수 $f(x)$에 대하여 $f(0)=1$, $f'(0)=2$이고 $\lim\limits_{x\to 0}\dfrac{f'(f(x))-1}{x}=6$일 때, $f''(1)$의 값을 구하시오.

실전! 기출 문제 정복하기

→ 정답 및 풀이 **67**쪽

565

함수 $f(x)=\dfrac{3x}{x^2+4}$에 대하여 부등식 $f'(x)\geq 0$을 만족시키는 정수 x의 개수는?

① 1   ② 2   ③ 3

④ 4   ⑤ 5

566

미분가능한 함수 $f(x)$가 $\displaystyle\lim_{x\to 1}\dfrac{f(x)+1}{x-1}=4$를 만족시킬 때, 함수 $y=\dfrac{1}{xf(x)}$의 $x=1$에서의 미분계수를 구하시오.

567 수능 기출

실수 전체의 집합에서 미분가능한 함수 $f(x)$에 대하여 함수 $g(x)$를 $g(x)=\dfrac{f(x)}{e^{x-2}}$라 하자. $\displaystyle\lim_{x\to 2}\dfrac{f(x)-3}{x-2}=5$일 때, $g'(2)$의 값은?

① 1   ② 2   ③ 3

④ 4   ⑤ 5

568 교육청 기출

오른쪽 그림과 같이 $\overline{BC}=1$, $\angle ABC=\dfrac{\pi}{3}$, $\angle ACB=2\theta$인 삼각형 ABC에 내접하는 원의 반지름의 길이를 $r(\theta)$라 하자. $h(\theta)=\dfrac{r(\theta)}{\tan\theta}$일 때, $h'\left(\dfrac{\pi}{6}\right)$의 값은?

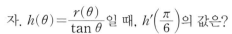

$\left($단, $0<\theta<\dfrac{\pi}{3}$이다.$\right)$

① $-\sqrt{3}$ ② $-\dfrac{\sqrt{3}}{3}$ ③ $\dfrac{\sqrt{3}}{6}$

④ $\dfrac{\sqrt{3}}{3}$ ⑤ $\sqrt{3}$

569

미분가능한 함수 $f(x)$가 $f(\cos x)=\sin 2x+\tan x\left(0<x<\dfrac{\pi}{2}\right)$를 만족시킬 때, $f'\left(\dfrac{1}{2}\right)$의 값을 구하시오.

570

함수 $f(x)=(x+1)^2\sqrt{x+1}$과 실수 전체의 집합에서 미분가능한 함수 $g(x)$에 대하여 함수 $h(x)$를 $h(x)=(g\circ f)(x)$라 하자. $h'(0)=20$일 때, $g'(1)$의 값을 구하시오.

571

$\displaystyle\lim_{x \to 0} \frac{2}{x} \ln \frac{e^x + e^{2x} + e^{3x} + \cdots + e^{10x}}{10}$ 의 값을 구하시오.

572

함수 $f(x) = \ln |x^2 + 2x|$ 에 대하여 $\displaystyle\sum_{n=1}^{\infty} \frac{f'(n)}{n+1}$ 의 값을 구하시오.

573 평가원 기출

곡선 $e^x - e^y = y$ 위의 점 (a, b) 에서의 접선의 기울기가 1일 때, $a+b$의 값은?

① $1 + \ln(e+1)$ ② $2 + \ln(e^2+2)$
③ $3 + \ln(e^3+3)$ ④ $4 + \ln(e^4+4)$
⑤ $5 + \ln(e^5+5)$

574 수능 기출

실수 전체의 집합에서 미분가능한 두 함수 $f(x)$, $g(x)$가 있다. $f(x)$가 $g(x)$의 역함수이고 $f(1) = 2$, $f'(1) = 3$이다. 함수 $h(x) = xg(x)$라 할 때, $h'(2)$의 값은?

① 1 ② $\dfrac{4}{3}$ ③ $\dfrac{5}{3}$

④ 2 ⑤ $\dfrac{7}{3}$

575

매개변수 t로 나타낸 곡선 $x = t^2 + at$, $y = \sqrt[3]{t} - 2$에서 $t = 1$에 대응하는 점에서의 접선의 기울기가 $\dfrac{1}{12}$일 때, 상수 a의 값은?

① -2 ② -1 ③ 1
④ 2 ⑤ 4

576 교과서 심화

함수 $f(x) = x(1 + 2\ln x)$에 대하여 $\displaystyle\lim_{x \to 1} \frac{f'(x) - a}{x - 1} = b$일 때, $a+b$의 값은? (단, a, b는 상수이다.)

① 1 ② 2 ③ 3
④ 4 ⑤ 5

서술형 **문제 따라하기** **1**

함수 $f(x)=\begin{cases} ae^x+b & (-1<x<0) \\ \cos(\tan x) & (0\le x<1) \end{cases}$ 가 $x=0$에서

미분가능할 때, 상수 a, b의 값을 구하시오.

풀이

단계 1 $x=0$에서 연속임을 이용하기

$f(x)$가 $x=0$에서 미분가능하려면 $x=0$에서 연속이어야 하므로

$\lim\limits_{x\to 0-}(ae^x+b)=\lim\limits_{x\to 0+}\cos(\tan x)=f(0)$

$\therefore a+b=1$ $\cdots$ ㉠

단계 2 $x=0$에서 미분계수가 존재함을 이용하기

$f'(0)$의 값이 존재해야 하므로

$f'(x)=\begin{cases} ae^x & (-1<x<0) \\ -\sin(\tan x)\times\sec^2 x & (0<x<1) \end{cases}$

에서 $\lim\limits_{x\to 0-}ae^x=\lim\limits_{x\to 0+}\{-\sin(\tan x)\times\sec^2 x\}$

$\therefore a=0$

단계 3 상수 a, b의 값 구하기

$a=0$을 ㉠에 대입하면 $b=1$

답 $a=0$, $b=1$

577 따라하기

함수 $f(x)=\begin{cases} \dfrac{ax+b}{x^2+1} & (x<2) \\ \ln|x^2-3| & (x\ge 2) \end{cases}$ 이 $x=2$에서 미분가능

할 때, 상수 a, b에 대하여 $a+b$의 값을 구하시오.

풀이

답

서술형 **문제 따라하기** **2**

함수 $f(x)=e^{3x}+\sqrt{x^2+1}$ 의 역함수를 $g(x)$라 할 때,

$\lim\limits_{h\to 0}\dfrac{g(2+6h)}{h}$의 값을 구하시오.

풀이

단계 1 주어진 식 변형하기

$f(0)=2$이므로 $g(2)=0$

$\therefore \lim\limits_{h\to 0}\dfrac{g(2+6h)}{h}=\lim\limits_{h\to 0}\dfrac{g(2+6h)-g(2)}{h}$

$=6\lim\limits_{h\to 0}\dfrac{g(2+6h)-g(2)}{6h}$

$=6g'(2)$

단계 2 역함수의 미분법을 이용하여 $g'(2)$의 값 구하기

$f'(x)=3e^{3x}+\dfrac{2x}{2\sqrt{x^2+1}}=3e^{3x}+\dfrac{x}{\sqrt{x^2+1}}$

이므로 $f'(0)=3$

$\therefore g'(2)=\dfrac{1}{f'(0)}=\dfrac{1}{3}$

단계 3 $\lim\limits_{h\to 0}\dfrac{g(2+6h)}{h}$의 값 구하기

$6g'(2)=6\times\dfrac{1}{3}=2$

답 2

578 따라하기

함수 $f(x)=2x^2+\ln x$의 역함수를 $g(x)$라 할 때,

$\lim\limits_{h\to 0}\dfrac{g(2+5h)-1}{h}$의 값을 구하시오.

풀이

답

4 도함수의 활용 (1)

📙 note

1 접선의 기울기

함수 $f(x)$가 $x=a$에서 미분가능할 때, 곡선 $y=f(x)$ 위의 점 $P(a, f(a))$에서의 접선의 기울기는 $x=a$에서의 미분계수 $f'(a)$와 같다.

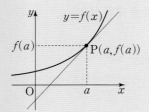

2 접선의 방정식

(1) **곡선 $y=f(x)$ 위의 점 $(a, f(a))$에서의 접선의 방정식**

❶ 접선의 기울기 $f'(a)$를 구한다.

❷ 접선의 방정식 $y-f(a)=f'(a)(x-a)$를 구한다.

(2) **곡선 $y=f(x)$에 접하고 기울기 m인 접선의 방정식**

❶ 접점의 좌표를 $(t, f(t))$로 놓는다.

❷ $f'(t)=m$을 이용하여 t의 값을 구한다.

❸ 접선의 방정식 $y-f(t)=m(x-t)$를 구한다.

(3) **곡선 $y=f(x)$ 밖의 한 점 (x_1, y_1)에서 곡선에 그은 접선의 방정식**

❶ 접점의 좌표를 $(t, f(t))$로 놓는다.

❷ 접선의 방정식 $y-f(t)=f'(t)(x-t)$에 $x=x_1$, $y=y_1$을 대입하여 t의 값을 구한다.

❸ 접선의 방정식 $y-f(t)=f'(t)(x-t)$를 구한다.

● 점 (x_1, y_1)을 지나고 기울기가 m인 직선의 방정식은
$y-y_1=m(x-x_1)$

➡ 정답 및 풀이 **70**쪽

[579~580] 다음 곡선 위의 주어진 점에서의 접선의 기울기를 구하시오.

579 $y=\dfrac{1}{x+2}$ $\left(0, \dfrac{1}{2}\right)$

580 $y=e^{x+3}$ $(-1, e^2)$

[581~583] 다음 곡선 위의 주어진 점에서의 접선의 방정식을 구하시오.

581 $y=x\sqrt{x}$ $(1, 1)$

582 $y=\sin x$ $(\pi, 0)$

583 $y=\ln(x-1)$ $(2, 0)$

[584~585] 곡선 $y=\sqrt{x-1}$에 대하여 다음 물음에 답하시오.

584 접선의 기울기가 $\dfrac{1}{2}$일 때의 접점의 좌표를 구하시오.

585 곡선 $y=\sqrt{x-1}$에 접하고 기울기가 $\dfrac{1}{2}$인 접선의 방정식을 구하시오.

[586~587] 곡선 $y=2e^x$에 대하여 다음 물음에 답하시오.

586 점 $(0, 0)$에서 곡선에 그은 접선의 접점의 좌표를 구하시오.

587 점 $(0, 0)$에서 곡선에 그은 접선의 방정식을 구하시오.

1 함수의 증가와 감소

함수 $f(x)$가 어떤 구간에 속하는 임의의 두 수 x_1, x_2에 대하여

(1) $x_1 < x_2$일 때, $f(x_1) < f(x_2)$이면 함수 $f(x)$는 이 구간에서 증가한다고 한다.

(2) $x_1 < x_2$일 때, $f(x_1) > f(x_2)$이면 함수 $f(x)$는 이 구간에서 감소한다고 한다.

2 함수의 증가와 감소의 판정

함수 $f(x)$가 어떤 구간에서 미분가능하고, 이 구간에 속하는 모든 x에 대하여

(1) $f'(x) > 0$이면 $f(x)$는 이 구간에서 증가한다.

(2) $f'(x) < 0$이면 $f(x)$는 이 구간에서 감소한다.

참고 함수 $f(x)$가 어떤 구간에서 미분가능하고, 이 구간에서

(1) $f(x)$가 증가하면 이 구간에 속하는 모든 x에 대하여 $f'(x) \geq 0$이다.

(2) $f(x)$가 감소하면 이 구간에 속하는 모든 x에 대하여 $f'(x) \leq 0$이다.

● 일반적으로 (1)의 역은 성립하지 않는다.
$f(x) = x^3$은 구간 $(-\infty, \infty)$에서 증가하지만 $f'(x) = 3x^2$이므로 $f'(0) = 0$이다.

➜ 정답 및 풀이 **70**쪽

588 다음은 $x > 0$에서 함수 $f(x) = x - \ln x$의 증가와 감소를 조사하는 과정이다.

$f(x) = x - \ln x$에서

$f'(x) = 1 - \dfrac{1}{x}$

$\qquad = \dfrac{x-1}{x}$

$f'(x) = 0$에서 $x = 1$

함수 $f(x)$의 증가와 감소를 표로 나타내면 다음과 같다.

x	0	⋯	(가)	⋯
$f'(x)$		$-$	0	(나)
$f(x)$		↘		↗

따라서 $x > 0$에서 함수 $f(x)$는 구간 $(0, 1]$에서 (다) 하고, 구간 $[1, \infty)$에서 (라) 한다.

위의 과정에서 (가), (나), (다), (라)에 알맞은 것을 써넣으시오.

[589~594] 다음 함수의 증가와 감소를 조사하시오.

589 $f(x) = x + \dfrac{1}{x} \ (x < 0)$

590 $f(x) = \sqrt{x^2 + 1}$

591 $f(x) = e^x - x$

592 $f(x) = xe^x$

593 $f(x) = x + 2\cos x \ (0 < x < \pi)$

594 $f(x) = \sin x + \cos x \ (0 < x < \pi)$

1 함수의 극대와 극소

함수 $f(x)$에서 $x=a$를 포함하는 어떤 열린구간에 속하는 모든 x에 대하여

(1) $f(x) \leq f(a)$이면 함수 $f(x)$는 $x=a$에서 **극대**라 하고, $f(a)$를 **극댓값**이라 한다.

(2) $f(x) \geq f(a)$이면 함수 $f(x)$는 $x=a$에서 **극소**라 하고, $f(a)$를 **극솟값**이라 한다.

이때 극댓값과 극솟값을 통틀어 **극값**이라 한다.

2 도함수를 이용한 함수의 극대와 극소의 판정

미분가능한 함수 $f(x)$에 대하여 $f'(a)=0$이고 $x=a$의 좌우에서 $f'(x)$의 부호가

(1) 양에서 음으로 바뀌면 $f(x)$는 $x=a$에서 극대이다.

(2) 음에서 양으로 바뀌면 $f(x)$는 $x=a$에서 극소이다.

참고 미분가능한 함수 $f(x)$가 $x=a$에서 극값을 가지면 $f'(a)=0$이다.

그러나 일반적으로 역은 성립하지 않는다.

예 $f(x)=x^3$은 $f'(0)=0$이지만 $x=0$에서 극값을 갖지 않는다.

3 이계도함수를 이용한 함수의 극대와 극소의 판정

이계도함수를 갖는 함수 $f(x)$에 대하여 $f'(a)=0$일 때

(1) $f''(a)<0$이면 $f(x)$는 $x=a$에서 **극대**이다.

(2) $f''(a)>0$이면 $f(x)$는 $x=a$에서 **극소**이다.

note

● 극댓값이 극솟값보다 작은 경우도 있다.

● 함수 $f(x)$에 대하여 $f'(a)$가 존재하지 않더라도 $x=a$에서 극값을 가질 수 있다.

예 함수 $y=|x|$는 $x=0$에서 극소이지만 미분가능하지 않다.

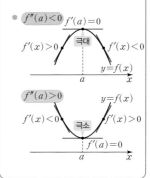

→ 정답 및 풀이 **71**쪽

595 다음은 도함수를 이용하여 함수 $f(x)=x^2 e^x$의 극값을 구하는 과정이다.

> $f(x)=x^2 e^x$에서 $f'(x)=x(x+2)e^x$
>
> $f'(x)=0$에서 $x=-2$ 또는 $x=0$
>
> 함수 $f(x)$의 증가와 감소를 표로 나타내면
>
> | x | $\cdots$ | -2 | $\cdots$ | 0 | $\cdots$ |
> |-----|----------|------|----------|-----|----------|
> | $f'(x)$ | $+$ | 0 | $-$ | 0 | $+$ |
> | $f(x)$ | ↗ | (가) | ↘ | (나) | ↗ |
>
> 따라서 함수 $f(x)$는 $x=$ (다) 에서 극대이고 극댓값은 (가) , $x=$ (라) 에서 극소이고 극솟값은 (나) 이다.

위의 과정에서 (가)~(라)에 알맞은 것을 써넣으시오.

[596~597] 도함수를 이용하여 다음 함수의 극값을 구하시오.

596 $f(x)=\dfrac{x}{x^2+1}$

597 $f(x)=x-2\sin x$ (단, $0<x<2\pi$이다.)

598 다음은 이계도함수를 이용하여 함수 $f(x)=x^2 e^x$의 극값을 구하는 과정이다.

> $f(x)=x^2 e^x$에서
>
> $f'(x)=x(x+2)e^x$, $f''(x)=(x^2+4x+2)e^x$
>
> $f'(x)=0$에서 $x=-2$ 또는 $x=0$
>
> 이때 $f''(-2)<0$, $f''(0)>0$이므로 함수 $f(x)$
>
> 는 $x=$ (가) 에서 극대이고 극댓값은 (나) ,
>
> $x=$ (다) 에서 극소이고 극솟값은 (라) 이다.

위의 과정에서 (가)~(라)에 알맞은 것을 써넣으시오.

[599~600] 이계도함수를 이용하여 다음 함수의 극값을 구하시오.

599 $f(x)=x+\dfrac{4}{x}$

600 $f(x)=x^2 \ln x$

날선 유형 **01** 접점의 좌표가 주어진 접선의 방정식

곡선 $y=f(x)$ 위의 점 $(a, f(a))$에서의 접선의 방정식은 다음과 같은 순서로 구한다.
❶ 접선의 기울기 $f'(a)$를 구한다.
❷ 접선의 방정식 $y-f(a)=f'(a)(x-a)$를 구한다.

대표 문제
601 #접점의_좌표가_주어질_때 #접선의_기울기 #접선의_방정식

곡선 $y=\dfrac{x-1}{2x+1}$ 위의 점 $(-1, 2)$에서의 접선의 방정식이 $y=ax+b$일 때, 상수 a, b에 대하여 $a+b$의 값은?

① 6   ② 7   ③ 8
④ 9   ⑤ 10

602

곡선 $y=2\sqrt{x+4}-3$ 위의 점 $(0, 1)$에서의 접선의 방정식을 구하시오.

603

곡선 $y=2x+x\ln x$ 위의 x좌표가 e인 점에서의 접선이 점 (a, e)를 지날 때, a의 값은?

① $-e$ ② $-\dfrac{e}{2}$ ③ $\dfrac{e}{2}$
④ e ⑤ $\dfrac{3}{2}e$

604

곡선 $y=\sin x+a\cos x$ 위의 점 (π, b)에서의 접선의 방정식이 $y=-x+3\pi$일 때, 상수 a, b에 대하여 $a-b$의 값은?

① -4π ② -2π ③ 0
④ 2π ⑤ 4π

유형 **02** 접선과 수직인 직선의 방정식

곡선 $y=f(x)$ 위의 점 $(a, f(a))$를 지나고 이 점에서의 접선과 수직인 직선의 방정식은
➡ $y-f(a)=-\dfrac{1}{f'(a)}(x-a)$ (단, $f'(a)\neq 0$)

대표 문제
605

곡선 $y=xe^{x-2}$ 위의 점 $(2, 2)$를 지나고 이 점에서의 접선과 수직인 직선의 방정식이 $ax+by=8$일 때, 상수 a, b의 값을 구하시오.

606

곡선 $y=\sqrt{2x^2-1}$ 위의 점 $(1, a)$를 지나고 이 점에서의 접선과 수직인 직선이 점 $(b, 3)$을 지날 때, $a+b$의 값은?

① -4 ② -2 ③ 0
④ 2   ⑤ 4

◯ △ ✕

낱선 유형 03 기울기가 주어진 접선의 방정식

곡선 $y=f(x)$에 접하고 기울기가 m인 접선의 방정식은
다음과 같은 순서로 구한다.
❶ 접점의 좌표를 $(t, f(t))$로 놓는다.
❷ $f'(t)=m$임을 이용하여 t의 값을 구한다.
❸ 접선의 방정식 $y-f(t)=m(x-t)$를 구한다.

대표 문제
607 #기울기가_주어질_때 #접점의_좌표를_$(t, f(t))$ #$f'(t)=$기울기

곡선 $y=2x+e^x$에 접하고 직선 $y=3x$에 평행한 직선이
점 $(3, a)$를 지날 때, a의 값은?

① 6 ② 7 ③ 8

④ 9 ⑤ 10

🔋
608

곡선 $y=\ln(x^2+1)$에 접하고 직선 $x-y+4=0$에 수직
인 직선의 y절편은?

① $-1-\ln 2$ ② $-1+\ln 2$ ③ $1-\ln 2$

④ $\ln 2$ ⑤ $1+\ln 2$

🔋
609

두 직선 $y=-3x+a$, $y=-3x+b$가 곡선
$y=-3x+\sin x$ $(0 \le x \le 2\pi)$에 접할 때, 상수 a, b에 대
하여 $a-b$의 값을 구하시오. (단, $a>b$이다.)

◯ △ ✕

낱선 유형 04 곡선 밖의 한 점에서 그은 접선의 방정식

곡선 $y=f(x)$ 밖의 한 점 (x_1, y_1)에서 곡선에 그은 접선
의 방정식은 다음과 같은 순서로 구한다.
❶ 접점의 좌표를 $(t, f(t))$로 놓는다.
❷ 접선의 방정식 $y-f(t)=f'(t)(x-t)$에 $x=x_1$,
$y=y_1$을 대입하여 t의 값을 구한다.
❸ 접선의 방정식 $y-f(t)=f'(t)(x-t)$를 구한다.

대표 문제
610 #접점의_좌표를_$(t, f(t))$ #접선의_방정식에 #주어진_점_대입

점 $(1, 0)$에서 곡선 $y=e^{x-1}$에 그은 접선의 방정식이
$y=ax+b$일 때, 상수 a, b에 대하여 $a-b$의 값은?

① e ② $2e$ ③ $3e$

④ $4e$ ⑤ $5e$

🔋
611

오른쪽 그림과 같이 곡선
$y=2\ln x$가 x축과 만나는 점을
A, 원점 O에서 곡선 $y=2\ln x$에
그은 접선의 접점을 B라 할 때,
삼각형 OAB의 넓이를 구하시오.

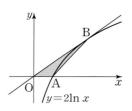

🔋
612

점 $(1, 0)$에서 곡선 $y=xe^x$에 그은 두 접선의 기울기를
각각 m, n이라 할 때, mn의 값을 구하시오.

→ 정답 및 풀이 **73**쪽

유형 05 곡선 밖의 한 점에서 곡선에 그은 접선의 개수

곡선 $y=f(x)$ 밖의 한 점 $(x_1,\ y_1)$에서 곡선에 그은 접선의 개수는 다음과 같은 순서로 구한다.
❶ 접점의 좌표를 $(t,\ f(t))$로 놓는다.
❷ 접선의 방정식 $y-f(t)=f'(t)(x-t)$에 $x=x_1$, $y=y_1$을 대입하여 t에 대한 방정식을 세운다.
❸ 실근 t의 개수를 이용하여 접선의 개수를 구한다.

대표 문제
613

점 $(-1,\ 1)$에서 곡선 $y=\dfrac{x+1}{x}$에 그을 수 있는 접선의 개수를 구하시오.

614

점 $(a,\ 0)$에서 곡선 $y=xe^{x-1}$에 서로 다른 두 개의 접선을 그을 수 있을 때, a의 값의 범위를 구하시오.

615

원점에서 곡선 $y=(x+a)e^{-x}$에 오직 하나의 접선을 그을 수 있을 때, 상수 a의 값은? (단, $a\neq0$이다.)

① 1   ② 2   ③ 3
④ 4   ⑤ 5

유형 06 접선과 좌표축으로 둘러싸인 도형의 넓이

접선과 좌표축으로 둘러싸인 도형의 넓이는 먼저 접선의 방정식을 구하고, x절편과 y절편을 구한다.

대표 문제
616

곡선 $y=e^x+3e^{-x}$ 위의 점 $(0,\ 4)$에서의 접선과 x축 및 y축으로 둘러싸인 삼각형의 넓이는?

① 2   ② 4   ③ 6
④ 8   ⑤ 10

617

곡선 $y=ex+\ln x$에 접하고 기울기가 $2e$인 직선이 x축, y축과 만나는 점을 각각 P, Q라 할 때, 삼각형 OPQ의 넓이를 구하시오. (단, O는 원점이다.)

유형 07 두 곡선의 공통인 접선

두 곡선 $y=f(x)$, $y=g(x)$가 $x=a$인 점에서 공통인 접선을 가질 때
(1) $f(a)=g(a)$ (2) $f'(a)=g'(a)$

대표 문제
618

두 곡선 $y=\dfrac{ax+b}{x}$, $y=e^x$이 $x=2$인 점에서 공통인 접선을 가질 때, 상수 a, b에 대하여 $a+b$의 값은?

① $-2e^2$ ② $-e^2$ ③ 0
④ e^2 ⑤ $2e^2$

619

두 곡선 $y=ax^2$, $y=\ln x$가 한 점에서 공통인 접선을 가질 때, 상수 a의 값을 구하시오.

620

두 함수 $f(x)=a-\sin x$, $g(x)=\cos^2 x$의 그래프가 교점에서 공통인 접선을 갖도록 하는 모든 실수 a의 값의 합은? (단, $0<x<\pi$이다.)

① $\dfrac{5}{4}$ ② $\dfrac{3}{2}$ ③ $\dfrac{7}{4}$

④ 2 ⑤ $\dfrac{9}{4}$

유형 08 매개변수로 나타낸 함수의 미분법을 이용한 접선의 방정식

매개변수로 나타낸 곡선 $x=f(t)$, $y=g(t)$ 위의 점 (a, b)에서의 접선의 방정식은 다음과 같은 순서로 구한다.

❶ 접선의 기울기 $\dfrac{g'(t)}{f'(t)}$를 구한다.

❷ $f(t_1)=a$, $g(t_1)=b$를 만족시키는 t_1의 값을 구한다.

❸ 접선의 방정식 $y-b=\dfrac{g'(t_1)}{f'(t_1)}(x-a)$를 구한다.

대표 문제
621

매개변수 t로 나타낸 곡선 $x=e^t+e^{-t}$, $y=e^t-e^{-t}$에 대하여 $t=\ln 2$에 대응하는 점에서의 접선이 점 $(1, a)$를 지날 때, a의 값을 구하시오.

622

매개변수 t로 나타낸 곡선 $x=t^2-3$, $y=t^3+1$에 대하여 $t=2$에 대응하는 점에서의 접선의 방정식이 $y=ax+b$일 때, 상수 a, b에 대하여 $a+b$의 값을 구하시오.

623

매개변수 t로 나타낸 곡선 $x=4\sin t$, $y=1+2\cos t$에 대하여 $t=\dfrac{\pi}{3}$에 대응하는 점에서의 접선의 y절편을 구하시오. $\left(\text{단, } 0<t<\dfrac{\pi}{2}\text{이다.}\right)$

유형 09 음함수의 미분법을 이용한 접선의 방정식

곡선 $f(x, y)=0$ 위의 점 (a, b)에서의 접선의 방정식은 다음과 같은 순서로 구한다.

❶ $\dfrac{dy}{dx}$를 구한 후 $x=a$, $y=b$를 대입하여 접선의 기울기 m을 구한다.

❷ 접선의 방정식 $y-b=m(x-a)$를 구한다.

대표 문제
624

곡선 $x^2+xy+y^2=1$ 위의 점 $(1, -1)$에서의 접선의 방정식을 구하시오.

625

곡선 $x-xy+e^y=0$ 위의 점 $(-1, 0)$에서의 접선이 점 $(2, a)$를 지날 때, a의 값을 구하시오.

유형 10 역함수의 그래프의 접선의 방정식

미분가능한 함수 $f(x)$의 역함수를 $g(x)$라 할 때, 곡선 $y=g(x)$ 위의 $x=a$인 점에서의 접선의 방정식은

$$\Rightarrow y=g'(a)(x-a)+g(a)$$
$$=\frac{1}{f'(g(a))}(x-a)+g(a)$$

대표 문제

626

함수 $f(x)=x^3+2x$의 역함수를 $g(x)$라 할 때, 곡선 $y=g(x)$ 위의 $x=3$인 점에서의 접선의 방정식을 구하시오.

627

함수 $f(x)=\ln(2x+3)$의 역함수 $g(x)$에 대하여 곡선 $y=g(x)$ 위의 $x=0$인 점에서의 접선의 방정식은?

① $y=\dfrac{1}{2}x-1$ ② $y=\dfrac{1}{2}x$ ③ $y=x-1$

④ $y=2x-1$ ⑤ $y=2x$

유형 11 함수의 증가와 감소

함수 $f(x)$가 어떤 열린구간에서 미분가능하고, 이 구간에 속하는 모든 x에 대하여

(1) $f'(x)>0$ ➡ $f(x)$는 이 구간에서 증가한다.
(2) $f'(x)<0$ ➡ $f(x)$는 이 구간에서 감소한다.

대표 문제

628

다음 중 함수 $f(x)=\dfrac{x-1}{x^2+3}$이 증가하는 구간은?

① $(-\infty, -1]$ ② $[-3, -1]$ ③ $[-3, 1]$

④ $[-1, 3]$ ⑤ $[1, \infty)$

629

함수 $f(x)=e^{x+1}-x$가 구간 $(-\infty, a]$에서 감소하고 구간 $[a, \infty)$에서 증가할 때, 상수 a의 값을 구하시오.

630

$x>0$에서 정의된 함수 $f(x)=x^2-x-6\ln x$가 구간 $(0, a]$에서 감소하고 구간 $[a, \infty)$에서 증가할 때, 상수 a의 값은?

① 1 ② $\dfrac{3}{2}$ ③ 2

④ $\dfrac{5}{2}$ ⑤ 3

631

함수 $f(x)=x+\sqrt{20-x^2}$이 증가하는 구간에 속하는 모든 정수 x의 값의 합은? (단, $x>0$이다.)

① 3 ② 4 ③ 5

④ 6 ⑤ 7

유형 12 함수가 증가 또는 감소하기 위한 조건

함수 $f(x)$가 어떤 열린구간에서 미분가능할 때
(1) $f(x)$가 이 구간에서 증가하면 ➡ $f'(x) \geq 0$
(2) $f(x)$가 이 구간에서 감소하면 ➡ $f'(x) \leq 0$

대표 문제
632

함수 $f(x) = (x^2 - ax + 3)e^x$이 구간 $(-\infty, \infty)$에서 증가하도록 하는 정수 a의 개수는?

① 3   ② 4   ③ 5
④ 6   ⑤ 7

633

함수 $f(x) = ax + \sin 2x$가 모든 실수 x에서 감소하도록 하는 실수 a의 값의 범위를 구하시오.

634

함수 $f(x) = ax - \ln x$가 구간 $[2, 3]$에서 감소할 때, 실수 a의 최댓값은?

① $\dfrac{1}{6}$ ② $\dfrac{1}{3}$ ③ $\dfrac{1}{2}$

④ $\dfrac{2}{3}$ ⑤ $\dfrac{5}{6}$

635

함수 $f(x) = (ax^2 - 1)e^{-x}$이 구간 $[-1, 1]$에서 증가할 때, 양수 a의 값의 범위를 구하시오.

유형 13 함수의 극대와 극소

(1) 미분가능한 함수 $f(x)$에 대하여 $f'(a) = 0$일 때, $x = a$의 좌우에서 $f'(x)$의 부호가
   ① 양에서 음으로 바뀌면 ➡ $f(x)$는 $x = a$에서 극대
   ② 음에서 양으로 바뀌면 ➡ $f(x)$는 $x = a$에서 극소
(2) 이계도함수를 갖는 함수 $f(x)$에 대하여 $f'(a) = 0$일 때
   ① $f''(a) < 0$이면 ➡ $f(x)$는 $x = a$에서 극대
   ② $f''(a) > 0$이면 ➡ $f(x)$는 $x = a$에서 극소

대표 문제
636

함수 $f(x) = \dfrac{3x}{x^2 + 4}$가 $x = \alpha$에서 극대이고, $x = \beta$에서 극소일 때, $\alpha - \beta$의 값은?

① -4 ② -2 ③ 1
④ 2 ⑤ 4

$f'(a) = 0$일 때 $x = a$의 좌우에서 $f'(x)$의 부호를 조사해.

637

함수 $f(x) = x + \sqrt{3 - 2x}$의 극댓값을 구하시오.

638

함수 $f(x)=\dfrac{1-x}{e^x}$의 극솟값을 구하시오.

639

함수 $f(x)=2x^2-\ln x$의 극솟값은?

① $-\ln 2$ ② $\dfrac{1}{2}-\ln 2$ ③ $1-\ln 2$

④ $\dfrac{1}{2}+\ln 2$ ⑤ $1+\ln 2$

640

함수 $f(x)=\sqrt{x}+1-\ln x$에 대하여 보기에서 옳은 것만을 있는 대로 고른 것은?

┌ 보기 ┐
ㄱ. $f(1)>f(2)$
ㄴ. 극솟값은 $5-2\ln 2$이다.
ㄷ. 구간 $[4, \infty)$에서 증가한다.
└────────┘

① ㄷ   ② ㄱ, ㄴ   ③ ㄱ, ㄷ

④ ㄴ, ㄷ   ⑤ ㄱ, ㄴ, ㄷ

641

함수 $f(x)=x(\ln x)^2$의 극댓값과 극솟값의 합을 구하시오.

642

함수 $f(x)=2\sin x+\cos 2x\ (0<x<\pi)$가 $x=a$에서 극솟값 b를 가질 때, ab의 값은?

① $\dfrac{\pi}{2}$ ② π ③ $\dfrac{3}{2}\pi$

④ 2π ⑤ $\dfrac{5}{2}\pi$

643

함수 $f(x)=e^x\cos x\ (0<x<2\pi)$의 극댓값과 극솟값의 곱을 구하시오.

→ 정답 및 풀이 **80**쪽

유형 14 함수의 극대, 극소를 이용한 미정계수의 결정

미분가능한 함수 $f(x)$가 $x=a$에서 극값 b를 가지면
➡ $f'(a)=0$, $f(a)=b$

대표 문제

644

함수 $f(x)=\dfrac{x^2+ax+b}{x-1}$가 $x=-1$에서 극댓값 -4를 가질 때, 상수 a, b에 대하여 ab의 값은?

① -4 ② -6 ③ -8

④ -10 ⑤ -12

645

함수 $f(x)=ax^2+bx+\ln x$가 $x=1$에서 극솟값 -2를 가질 때, 이 함수의 극댓값을 구하시오.

(단, a, b는 상수이다.)

646

함수 $f(x)=a\sin x+b\cos x$가 $x=\dfrac{\pi}{6}$에서 극솟값 -2를 가질 때, 상수 a, b에 대하여 ab의 값을 구하시오.

유형 15 함수가 극값을 가질 조건

미분가능한 함수 $f(x)$에 대하여 $f'(x)=\dfrac{h(x)}{g(x)}$ $(g(x)>0)$
이고 $h(x)$가 이차식일 때 $h(x)=0$의 판별식을 D라 하면
(1) 함수 $f(x)$가 극값을 가지면
 ➡ $h(x)=0$이 서로 다른 두 실근을 갖는다. 즉, $D>0$
(2) 함수 $f(x)$가 극값을 갖지 않으면
 ➡ $h(x)=0$이 중근 또는 허근을 갖는다. 즉, $D\le0$

대표 문제

647

함수 $f(x)=6\ln x+\dfrac{a}{x}-x$가 극댓값과 극솟값을 모두 가질 때, 정수 a의 최댓값은?

① 6 ② 7 ③ 8

④ 9 ⑤ 10

648

함수 $f(x)=(x^2+ax+5)e^x$이 극값을 갖지 않도록 하는 정수 a의 개수는?

① 1 ② 3 ③ 5

④ 7 ⑤ 9

649

함수 $f(x)=ax-2\sin x$가 극값을 갖지 않도록 하는 실수 a의 값의 범위를 구하시오.

➡ 정답 및 풀이 **81**쪽

650

곡선 $y=e^x$ 위의 점 $(1, e)$에서의 접선이 곡선 $y=\sqrt{2x-k}$에 접할 때, 실수 k의 값은?

① $\dfrac{1}{e^4}$ ② $\dfrac{1}{1+e^2}$ ③ $\dfrac{1}{e^2}$

④ $\dfrac{1}{1+e}$ ⑤ $\dfrac{1}{e}$

651

$0<x<\dfrac{\pi}{2}$에서 정의된 함수 $f(x)=\ln(\tan x)$의 그래프와 x축이 만나는 점을 P라 하자. 곡선 $y=f(x)$ 위의 점 P에서의 접선의 방정식을 구하시오.

652 수능 기출

$a>3$인 상수 a에 대하여 두 곡선 $y=a^{x-1}$과 $y=3^x$이 점 P에서 만난다. 점 P의 x좌표를 k라 하자. 점 P에서 곡선 $y=3^x$에 접하는 직선이 x축과 만나는 점을 A, 점 P에서 곡선 $y=a^{x-1}$에 접하는 직선이 x축과 만나는 점을 B라 하자. 점 H$(k, 0)$에 대하여 $\overline{\mathrm{AH}}=2\overline{\mathrm{BH}}$일 때, a의 값은?

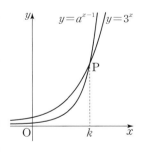

① 6   ② 7   ③ 8

④ 9   ⑤ 10

653

오른쪽 그림과 같이 원점 O에서 곡선 $y=e^x$에 그은 접선의 접점을 A, 점 A를 지나고 접선에 수직인 직선이 x축과 만나는 점을 B라 할 때, 삼각형 OAB의 넓이는?

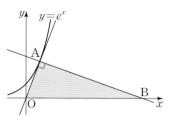

① $\dfrac{e(e-1)}{2}$ ② $\dfrac{e(e+1)}{2}$ ③ $\dfrac{e^2}{2}$

④ $\dfrac{e(e^2-1)}{2}$ ⑤ $\dfrac{e(e^2+1)}{2}$

654

함수 $f(x)=e^{ax} \,(a>0)$과 그 역함수의 그래프가 서로 접할 때, 상수 a의 값을 구하시오.

655

곡선 $e^y \ln x=y^2+1$ 위의 점 $(e, 0)$에서의 접선의 방정식을 $y=ax+b$라 할 때, ab의 값을 구하시오.

(단, a, b는 상수이다.)

656 〔교육청 기출〕

함수 $f(x) = \dfrac{1}{2}x^2 - 3x - \dfrac{k}{x}$ 가 열린구간 $(0, \infty)$에서 증가할 때, 실수 k의 최솟값은?

① 3　　　　② $\dfrac{7}{2}$　　　　③ 4

④ $\dfrac{9}{2}$　　　　⑤ 5

657

$0 < x < 2\pi$에서 함수 $f(x) = \dfrac{\sin x}{e^{2x}}$가 $x = a$에서 극솟값을 가질 때, $\sin a$의 값을 구하시오.

658 〔평가원 기출〕

함수 $f(x) = (x^2 - 8)e^{-x+1}$은 극솟값 a와 극댓값 b를 갖는다. 두 수 a, b의 곱 ab의 값은?

① -34　　　　② -32　　　　③ -30

④ -28　　　　⑤ -26

659 〔교육청 기출〕

양의 실수 t에 대하여 곡선 $y = \ln x$ 위의 두 점 $P(t, \ln t)$, $Q(2t, \ln 2t)$에서의 접선이 x축과 만나는 점을 각각 $R(r(t), 0)$, $S(s(t), 0)$이라 하자. 함수 $f(t)$를 $f(t) = r(t) - s(t)$라 할 때, 함수 $f(t)$의 극솟값은?

① $-\dfrac{1}{2}$　　　　② $-\dfrac{1}{3}$　　　　③ $-\dfrac{1}{4}$

④ $-\dfrac{1}{5}$　　　　⑤ $-\dfrac{1}{6}$

660 〔교과서 심화〕

함수 $f_n(x) = \dfrac{\ln x}{(n+1)x^n}$ $(n = 1, 2, 3, \cdots)$가 극값을 갖는 x의 값을 a_n이라 할 때, $\displaystyle\lim_{n \to \infty} \{f_1(a_1) + f_2(a_2) + \cdots + f_n(a_n)\}$의 값을 구하시오.

661 〔교육청 기출〕

모든 실수 x에 대하여 $f(x+2) = f(x)$이고, $0 \le x < 2$일 때 $f(x) = \dfrac{(x-a)^2}{x+1}$인 함수 $f(x)$가 $x = 0$에서 극댓값을 갖는다. 구간 $[0, 2)$에서 극솟값을 갖도록 하는 모든 정수 a의 값의 곱은?

① -3　　　　② -2　　　　③ -1

④ 1　　　　⑤ 2

서술형 문제 따라하기 1

점 $(a, 0)$에서 곡선 $y=\dfrac{1}{x^2+1}$에 그을 수 있는 접선이 한 개뿐일 때, a의 값을 모두 구하시오.

풀이

단계 1 접점의 x좌표가 t일 때 접선의 방정식 구하기

$f(x)=\dfrac{1}{x^2+1}$로 놓으면 $f'(x)=-\dfrac{2x}{(x^2+1)^2}$

접점의 좌표를 $\left(t, \dfrac{1}{t^2+1}\right)$이라 하면 접선의 기울기는

$f'(t)=-\dfrac{2t}{(t^2+1)^2}$이므로

접선의 방정식은 $y-\dfrac{1}{t^2+1}=-\dfrac{2t}{(t^2+1)^2}(x-t)$

$\therefore y=-\dfrac{2t}{(t^2+1)^2}x+\dfrac{2t^2}{(t^2+1)^2}+\dfrac{1}{t^2+1}$

단계 2 t에 대한 방정식 세우기

이 접선이 점 $(a, 0)$을 지나므로

$-\dfrac{2at}{(t^2+1)^2}+\dfrac{2t^2}{(t^2+1)^2}+\dfrac{1}{t^2+1}=0,\ \dfrac{3t^2-2at+1}{(t^2+1)^2}=0$

$\therefore 3t^2-2at+1=0$ ··· ㉠

단계 3 a의 값 구하기

접선이 한 개뿐이므로 이차방정식 ㉠이 중근을 가져야 한다.

이차방정식 ㉠의 판별식을 D라 하면

$\dfrac{D}{4}=a^2-3=0$ $\therefore a=\pm\sqrt{3}$

🔖 $-\sqrt{3}, \sqrt{3}$

662 ↳**따라하기**

점 $(-1, 1)$에서 곡선 $y=\dfrac{3}{x+a}$에 그을 수 있는 접선이 한 개뿐일 때, 실수 a의 값을 구하시오.

풀이

🔖

서술형 문제 따라하기 2

함수 $f(x)=ax+\ln(x^2+x+1)$이 극댓값과 극솟값을 모두 갖도록 하는 실수 a의 값의 범위를 구하시오.

풀이

단계 1 $f'(x)$ 구하기

$f(x)=ax+\ln(x^2+x+1)$에서

$f'(x)=a+\dfrac{2x+1}{x^2+x+1}=\dfrac{ax^2+(a+2)x+a+1}{x^2+x+1}$

단계 2 $f'(x)=0$이 서로 다른 두 실근을 가질 조건을 이용하여 식 세우기

$x^2+x+1>0$이므로

$f'(x)=0$에서 $ax^2+(a+2)x+a+1=0$ ··· ㉠

(i) $a=0$일 때, 방정식 ㉠은 한 개의 실근을 가지므로 함수 $f(x)$는 극댓값과 극솟값을 모두 가질 수 없다.

$\therefore a\neq0$

(ii) $a\neq0$일 때, 이차방정식 ㉠이 서로 다른 두 실근을 가져야 하므로 판별식을 D라 하면

$D=(a+2)^2-4a(a+1)>0,\ 3a^2-4<0$

$\therefore -\dfrac{2\sqrt{3}}{3}<a<\dfrac{2\sqrt{3}}{3}$

단계 3 a의 값의 범위 구하기

(i), (ii)에서 실수 a의 값의 범위는

$-\dfrac{2\sqrt{3}}{3}<a<0$ 또는 $0<a<\dfrac{2\sqrt{3}}{3}$

🔖 $-\dfrac{2\sqrt{3}}{3}<a<0$ 또는 $0<a<\dfrac{2\sqrt{3}}{3}$

663 ↳**따라하기**

함수 $f(x)=ax-\ln(x^2+4)$가 극댓값과 극솟값을 모두 갖도록 하는 실수 a의 값의 범위를 구하시오.

풀이

🔖

5 도함수의 활용 (2)

개념 01 곡선의 오목과 볼록 C 유형 01~04

📝 note

1 곡선의 오목과 볼록

어떤 구간에서 곡선 $y=f(x)$ 위의 임의의 서로 다른 두 점 P, Q에 대하여

(1) 두 점 P, Q를 잇는 곡선 부분이 선분 PQ보다 항상 아래쪽에 있으면 곡선 $y=f(x)$ 는 이 구간에서 아래로 볼록 (또는 위로 오목)하다고 한다.

(2) 두 점 P, Q를 잇는 곡선 부분이 선분 PQ보다 항상 위쪽에 있으면 곡선 $y=f(x)$는 이 구간에서 위로 볼록 (또는 아래로 오목)하다고 한다.

2 곡선의 오목과 볼록의 판정

함수 $f(x)$가 어떤 구간에서

(1) $f''(x)>0$이면 곡선 $y=f(x)$는 이 구간에서 아래로 볼록하다.

(2) $f''(x)<0$이면 곡선 $y=f(x)$는 이 구간에서 위로 볼록하다.

3 변곡점

곡선 $y=f(x)$ 위의 점 $(a, f(a))$에 대하여 $x=a$의 좌우에서 곡선의 모양이 위로 볼록 에서 아래로 볼록으로 바뀌거나 아래로 볼록에서 위로 볼록으로 바뀔 때, 이 점을 곡선 $y=f(x)$의 변곡점이라 한다.

4 변곡점의 판정

함수 $y=f(x)$에 대하여 $f''(a)=0$이고, $x=a$의 좌우에서 $f''(x)$의 부호가 바뀌면 점 $(a, f(a))$는 곡선 $y=f(x)$의 변곡점이다.

참고 함수 $f(x)$가 이계도함수를 가질 때, 변곡점 $(a, f(a))$의 좌우에서 $f''(x)$의 부호가 바뀌므로 $f''(a)$가 존재하면 $f''(a)=0$이다.

주의 $f''(a)=0$이라고 해서 점 $(a, f(a))$가 항상 변곡점인 것은 아니다.

예 함수 $f(x)=x^4$에서 $f''(0)=0$이지만 $x=0$의 좌우에서 $f''(x)$의 부호가 바뀌지 않으므 로 점 $(0, 0)$은 곡선 $y=f(x)$의 변곡점이 아니다.

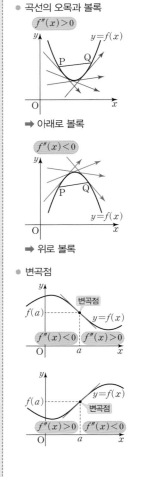

● 곡선의 오목과 볼록

➡ 아래로 볼록

➡ 위로 볼록

● 변곡점

➡ 정답 및 풀이 85쪽

[664~667] 다음 곡선의 오목과 볼록을 조사하시오.

664 $y=x^3-6x^2$

665 $y=e^{2x}$

666 $y=x^2+2\ln x$

667 $y=\sin x-\cos x\ (0<x<\pi)$

[668~671] 다음 곡선의 변곡점의 좌표를 구하시오.

668 $y=x^3-3x^2+2$

669 $y=e^x-e^{-x}$

670 $y=(\ln x)^2$

671 $y=x-\cos x\ (0<x<\pi)$

개념 02 함수의 그래프

C⁺ 유형 05~11

함수 $y=f(x)$의 그래프의 개형은 다음을 조사하여 그린다.

❶ 함수의 정의역과 치역
❷ 곡선의 대칭성과 주기
❸ 곡선과 좌표축의 교점
❹ 함수의 증가와 감소, 극대와 극소
❺ 곡선의 오목과 볼록, 변곡점
❻ $\lim\limits_{x\to\infty}f(x)$, $\lim\limits_{x\to-\infty}f(x)$, 점근선

note

● $y=f(x)$의 그래프에서 $f(-x)=f(x)$이면 y축에 대하여 대칭이고, $f(-x)=-f(x)$이면 원점에 대하여 대칭이다.

→ 정답 및 풀이 **86**쪽

672 다음은 함수 $f(x)=\ln(x^2+1)$의 그래프의 개형을 그리는 과정이다.

> ❶ $x^2+1>0$이므로 함수 $f(x)$의 정의역은 실수 전체의 집합이다.
>
> ❷ $f(-x)=f(x)$이므로 함수 $f(x)$의 그래프는 (가) 에 대하여 대칭이다.
>
> ❸ $f(0)=0$이므로 점 $(0,0)$을 지난다.
>
> ❹. ❺ $f'(x)=\dfrac{2x}{x^2+1}$이므로 $f'(x)=0$에서 $x=0$
>
> $f''(x)=\dfrac{-2(x^2-1)}{(x^2+1)^2}$이므로 $f''(x)=0$에서
>
> $x=-1$ 또는 $x=1$
>
> 함수 $f(x)$의 증가와 감소, 곡선 $y=f(x)$의 오목과 볼록을 표로 나타내면 다음과 같다.
>
> | x | $\cdots$ | -1 | $\cdots$ | 0 | $\cdots$ | 1 | $\cdots$ |
> |---|---|---|---|---|---|---|---|
> | $f'(x)$ | $-$ | $-$ | $-$ | 0 | $+$ | $+$ | $+$ |
> | $f''(x)$ | $-$ | 0 | $+$ | $+$ | $+$ | 0 | $-$ |
> | $f(x)$ | $\searrow$ | (나) | $\searrow$ | 0 | $\nearrow$ | (다) | $\nearrow$ |
>
> ❻ $\lim\limits_{x\to\infty}f(x)=\infty$, $\lim\limits_{x\to-\infty}f(x)=\infty$
>
> 따라서 함수 $y=f(x)$의 그래프의 개형은 그림과 같다.
>
>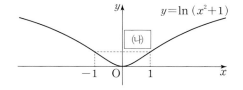
> $y=\ln(x^2+1)$

위의 과정에서 (가), (나), (다)에 알맞은 것을 써넣으시오.

[673~676] 다음 함수의 그래프의 개형을 그리시오.

673 $f(x)=\dfrac{2x}{x^2+1}$

674 $f(x)=xe^x$

675 $f(x)=\dfrac{\ln x}{x}$

676 $f(x)=x+\sin x\ (0\le x\le 2\pi)$

5. 도함수의 활용 (2)

1 방정식에의 활용

(1) 방정식 $f(x)=0$의 서로 다른 실근의 개수는 함수 $y=f(x)$의 그래프와 x축과의 교점의 개수와 같다.

(2) 방정식 $f(x)=g(x)$의 서로 다른 실근의 개수는 두 함수 $y=f(x)$, $y=g(x)$의 그래프의 교점의 개수와 같다.

2 부등식에의 활용

(1) 어떤 구간에서 부등식 $f(x) \geq 0$이 성립함을 보이려면

➡ 그 구간에서 $(f(x)$의 최솟값$) \geq 0$임을 보인다.

(2) 어떤 구간에서 부등식 $f(x) \leq 0$이 성립함을 보이려면

➡ 그 구간에서 $(f(x)$의 최댓값$) \leq 0$임을 보인다.

(3) 어떤 구간에서 부등식 $f(x) \geq g(x)$가 성립함을 보이려면

➡ $h(x)=f(x)-g(x)$로 놓고 그 구간에서 $h(x) \geq 0$임을 보인다.

● 방정식의 실근
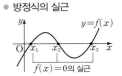
$f(x)=0$의 실근

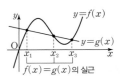
$f(x)=g(x)$의 실근

● 어떤 구간에서 $f(x)$의 최솟값이 a이면 그 구간에서 $f(x) \geq a$이다.

➡ 정답 및 풀이 **87**쪽

[677~679] 방정식 $x-2-\ln x=0$에 대하여 다음 물음에 답하시오.

677 $f(x)=x-2-\ln x$라 할 때, $f'(x)=0$인 x의 값을 구하시오.

678 함수 $f(x)=x-2-\ln x$의 그래프의 개형을 그리시오.

679 방정식 $x-2-\ln x=0$의 서로 다른 실근의 개수를 구하시오.

[680~681] 다음 방정식의 서로 다른 실근의 개수를 구하시오.

680 $x-\cos x=0$

681 $e^x+e^{-x}-1=0$

682 다음은 모든 실수 x에 대하여 $e^x \geq x+1$이 성립함을 보이는 과정이다.

> $f(x)=e^x-x-1$로 놓으면 $f'(x)=$ ⃞(가)
>
> $f'(x)=0$에서 $x=$ ⃞(나)
>
> 함수 $f(x)$의 증가와 감소를 표로 나타내면 다음과 같다.
>
> | x | $\cdots$ | (나) | $\cdots$ |
> |---|---|---|---|
> | $f'(x)$ | $-$ | 0 | $+$ |
> | $f(x)$ | $\searrow$ | (다) | $\nearrow$ |
>
> 함수 $f(x)$는 $x=$ ⃞(나) 에서 최솟값 ⃞(다) 을 가지므로 $f(x)=e^x-x-1 \geq 0$
>
> 따라서 모든 실수 x에 대하여 $e^x \geq x+1$이 성립한다.

위의 과정에서 (가), (나), (다)에 알맞은 것을 써넣으시오.

[683~684] $x>0$일 때, 다음 부등식이 성립함을 보이시오.

683 $x+1>\ln x$

684 $x\ln x \geq x-1$

1 수직선 위를 움직이는 점의 속도와 가속도

수직선 위를 움직이는 점 P의 시각 t에서의 위치 x가 $x=f(t)$일 때, 시각 t에서의 점 P의 속도 $v(t)$와 가속도 $a(t)$는 다음과 같다.

(1) $v(t)=\dfrac{dx}{dt}=f'(t)$ (2) $a(t)=\dfrac{dv}{dt}=f''(t)$

2 좌표평면 위를 움직이는 점의 속도와 가속도

좌표평면 위를 움직이는 점 P의 시각 t에서의 위치 $(x,\,y)$가 $x=f(t),\,y=g(t)$일 때, 시각 t에서의 점 P의 속도와 가속도는 다음과 같다.

(1) 속도 : $\left(\dfrac{dx}{dt},\,\dfrac{dy}{dt}\right)=(f'(t),\,g'(t))$

(2) 가속도 : $\left(\dfrac{d^2x}{dt^2},\,\dfrac{d^2y}{dt^2}\right)=(f''(t),\,g''(t))$

참고   (1) 속력 : $\sqrt{\left(\dfrac{dx}{dt}\right)^2+\left(\dfrac{dy}{dt}\right)^2}=\sqrt{\{f'(t)\}^2+\{g'(t)\}^2}$

       (2) 가속도의 크기 : $\sqrt{\left(\dfrac{d^2x}{dt^2}\right)^2+\left(\dfrac{d^2y}{dt^2}\right)^2}=\sqrt{\{f''(t)\}^2+\{g''(t)\}^2}$

● 위치 $\xrightarrow{\text{미분}}$ 속도
    속도 $\xrightarrow{\text{미분}}$ 가속도

● $v>0$이면 점 P는 양의 방향으로 움직이고, $v<0$이면 점 P는 음의 방향으로 움직인다. $v=0$이면 점 P는 움직이는 방향을 바꾸거나 정지한다.

● 속도의 크기를 속력이라 한다.

➜ 정답 및 풀이 **88**쪽

[685~686] 수직선 위를 움직이는 점 P의 시각 t에서의 위치 x가 다음과 같을 때, [ ] 안의 시각 t에서의 점 P의 속도와 가속도를 구하시오.

685 $x=e^{t-1}+3t$ $[t=1]$

686 $x=t^2+\sin t$ $[t=\pi]$

[687~688] 좌표평면 위를 움직이는 점 P의 시각 t에서의 위치 $(x,\,y)$가 $x=4t,\,y=t^2+1$일 때, 다음을 구하시오.

687 시각 t에서의 점 P의 속도와 속력

688 시각 t에서의 점 P의 가속도와 가속도의 크기

[689~690] 좌표평면 위를 움직이는 점 P의 시각 t에서의 위치 $(x,\,y)$가 $x=3\cos 2t,\,y=3\sin 2t$일 때, 다음을 구하시오.

689 시각 t에서의 점 P의 속도와 속력

690 시각 t에서의 점 P의 가속도와 가속도의 크기

[691~692] 좌표평면 위를 움직이는 점 P의 시각 t에서의 위치 $(x,\,y)$가 $x=t+\cos t,\,y=-\sin t$일 때, 다음을 구하시오.

691 $t=\dfrac{\pi}{6}$에서의 점 P의 속도와 속력

692 $t=\dfrac{\pi}{6}$에서의 점 P의 가속도와 가속도의 크기

도함수의 활용(2)
5

유형 01 곡선의 오목과 볼록

함수 $f(x)$가 어떤 구간에서
(1) $f''(x)>0$이면 곡선 $y=f(x)$는 이 구간에서 아래로 볼록하다.
(2) $f''(x)<0$이면 곡선 $y=f(x)$는 이 구간에서 위로 볼록하다.

대표 문제
693

곡선 $y=x^4-4x^3+2$가 위로 볼록한 구간은?

① $(-1, 0)$ ② $(-1, 1)$ ③ $(0, 2)$
④ $(1, 3)$ ⑤ $(2, 4)$

694

곡선 $y=x+2\cos x$가 아래로 볼록한 구간은?
(단, $0<x<2\pi$이다.)

① $\left(0, \dfrac{\pi}{2}\right)$ ② $(0, \pi)$ ③ $\left(\dfrac{\pi}{2}, \dfrac{3}{2}\pi\right)$

④ $(\pi, 2\pi)$ ⑤ $\left(\dfrac{3}{2}\pi, 2\pi\right)$

695

곡선 $y=x\ln x-\dfrac{3}{x}$이 위로 볼록한 구간에 속하는 정수 x의 개수를 구하시오.

696

임의의 서로 다른 두 실수 a, b에 대하여

$$f\left(\frac{a+b}{2}\right)>\frac{f(a)+f(b)}{2}$$

를 만족시키는 것만을 보기에서 있는 대로 고르시오.

┌ 보기 ┐
ㄱ. $f(x)=e^x$ ㄴ. $f(x)=-\sqrt{x}$
ㄷ. $f(x)=\ln x$ ㄹ. $0\leq x\leq\pi$에서 $f(x)=\sin x$

낯선 유형 02 변곡점

함수 $f(x)$에 대하여 $f''(a)=0$이고, $x=a$의 좌우에서 $f''(x)$의 부호가 바뀌면
➡ 점 $(a, f(a))$는 곡선 $y=f(x)$의 변곡점이다.

대표 문제
697 #$f''(a)=0$ #$x=a$의_좌우에서_부호_바뀌면 #변곡점

곡선 $y=e^x(x^2-x)$의 모든 변곡점의 x좌표의 합은?

① -5 ② -4 ③ -3
④ -2 ⑤ -1

> $f''(a)=0$이라 해서 점 $(a, f(a))$가 항상 변곡점인 것은 아니야.

698

$0<x<2\pi$에서 곡선 $y=\cos 2x$의 변곡점의 개수는?

① 1 ② 2 ③ 3
④ 4 ⑤ 5

699

곡선 $y=x^2+\ln x^2$의 두 변곡점 사이의 거리는?

① $\sqrt{2}$ ② 2 ③ $2\sqrt{2}$

④ 4 ⑤ $4\sqrt{2}$

유형 03 변곡점을 이용한 미정계수의 결정

함수 $f(x)$에 대하여 점 (a, b)가 곡선 $y=f(x)$의 변곡점이면
➡ $f''(a)=0$, $f(a)=b$

대표 문제
700

곡선 $y=x^3+ax^2+bx+c$는 $x=2$에서의 접선의 기울기가 -3이고 변곡점의 좌표가 $(2, 2)$일 때, 상수 a, b, c에 대하여 $a+b+c$의 값은?

① 1 ② 2 ③ 3

④ 4 ⑤ 5

701

함수 $f(x)=ax^2+bx+\ln x$가 $x=\dfrac{1}{2}$에서 극대이고 곡선 $y=f(x)$의 변곡점의 x좌표가 1일 때, $a-b$의 값은?
(단, a, b는 상수이다.)

① -3 ② -1 ③ 1

④ 3 ⑤ 5

702

함수 $f(x)=\sin x+a\cos x+bx$가 $x=\dfrac{\pi}{6}$에서 극값을 갖고 곡선 $y=f(x)$의 변곡점의 x좌표가 $\dfrac{\pi}{3}$일 때, 상수 a, b에 대하여 ab의 값은?

① -3 ② $-\sqrt{3}$ ③ $\sqrt{3}$

④ 3 ⑤ $3\sqrt{3}$

유형 04 변곡점을 가질 조건

곡선 $y=f(x)$가 변곡점 $(a, f(a))$를 가지면
➡ $f''(x)=0$이 실근 a를 갖고 $x=a$의 좌우에서 $f''(x)$의 부호가 바뀐다.

대표 문제
703

곡선 $y=(ax^2-1)e^x$이 변곡점을 갖지 않도록 하는 실수 a의 최솟값은?

① -1 ② $-\dfrac{3}{4}$ ③ $-\dfrac{1}{2}$

④ $-\dfrac{1}{4}$ ⑤ 0

704

$0<x<2\pi$에서 곡선 $y=ax^2+4\sin x$가 두 개의 변곡점을 갖도록 하는 실수 a의 값의 범위를 구하시오.

유형 05 도함수를 이용한 그래프의 해석

(1) 함수 $f(x)$의 도함수 $f'(x)$의 부호
→ $y=f'(x)$의 그래프와 x축의 위치 관계를 조사한다.

(2) 함수 $f'(x)$의 도함수 $f''(x)$의 부호
→ $y=f'(x)$의 그래프 위의 점에서 그은 접선의 기울기를 조사한다.

대표 문제 705

미분가능한 함수 $f(x)$의 도함수 $y=f'(x)$의 그래프가 오른쪽 그림과 같을 때, 다음 중 함수 $y=f(x)$의 그래프의 모양이 위로 볼록한 구간은?

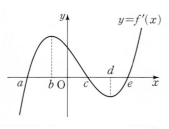

① (a, b) ② (a, c) ③ (b, d)
④ (c, e) ⑤ (d, e)

706

미분가능한 함수 $f(x)$의 도함수 $y=f'(x)$의 그래프가 오른쪽 그림과 같을 때, 함수 $y=f(x)$의 그래프에서 극대인 점의 개수를 p, 변곡점의 개수를 q라 하자. $p+q$의 값을 구하시오. (단, $\alpha \leq x \leq \beta$이다.)

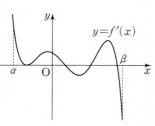

707

삼차함수 $y=f(x)$의 그래프가 오른쪽 그림과 같을 때, 여섯 개의 점 A, B, C, D, E, F 중에서 $f'(x) \times f''(x) < 0$을 만족시키는 점을 모두 고르시오.
(단, B는 극대인 점, C는 변곡점, E는 극소인 점이다.)

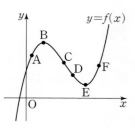

유형 06 함수의 그래프

함수 $y=f(x)$의 그래프는 다음을 조사하여 그린다.
❶ 정의역과 치역　　❷ 대칭성과 주기
❸ 좌표축과의 교점　❹ 증가와 감소, 극대와 극소
❺ 오목과 볼록, 변곡점
❻ $\lim\limits_{x \to \infty} f(x)$, $\lim\limits_{x \to -\infty} f(x)$, 점근선

대표 문제 708

함수 $f(x)=\dfrac{4x}{x^2+1}$에 대하여 보기에서 옳은 것만을 있는 대로 고른 것은?

┌─ 보기 ────────────────
ㄱ. $f'(0)=4$
ㄴ. 극댓값 2, 극솟값 -2를 갖는다.
ㄷ. $y=f(x)$의 그래프의 변곡점은 3개이다.
└──────────────────────

① ㄱ　　② ㄴ　　③ ㄱ, ㄴ
④ ㄴ, ㄷ　　⑤ ㄱ, ㄴ, ㄷ

709

함수 $f(x)=e^{-2x^2}$에 대하여 보기에서 옳은 것만을 있는 대로 고른 것은?

┌─ 보기 ────────────────
ㄱ. $y=f(x)$의 그래프는 y축에 대하여 대칭이다.
ㄴ. 구간 $[1, \infty)$에서 감소한다.
ㄷ. $y=f(x)$의 그래프의 변곡점은 2개이다.
ㄹ. $y=f(x)$의 그래프는 구간 $\left(-\dfrac{1}{2}, \dfrac{1}{2}\right)$에서 아래로 볼록하다.
└──────────────────────

① ㄱ, ㄴ　　② ㄴ, ㄷ　　③ ㄷ, ㄹ
④ ㄱ, ㄴ, ㄷ　　⑤ ㄴ, ㄷ, ㄹ

유형 07 | **함수의 최대·최소**

닫힌구간 $[a, b]$에서 연속인 함수 $f(x)$의 극댓값, 극솟값, $f(a)$, $f(b)$의 값 중 가장 큰 값이 최댓값이고, 가장 작은 값이 최솟값이다.

대표 문제
710

$-3 \le x \le 3$에서 함수 $f(x) = \dfrac{3x}{x^2+x+4}$의 최댓값을 M, 최솟값을 m이라 할 때, $M-m$의 값은?

① $\dfrac{13}{10}$ ② $\dfrac{7}{5}$ ③ $\dfrac{3}{2}$

④ $\dfrac{8}{5}$ ⑤ $\dfrac{17}{10}$

극값, $f(-3)$, $f(3)$의 값을 모두 구해야 해.

711

구간 $[-1, 2]$에서 함수 $f(x) = x\sqrt{6-x^2}$의 최댓값과 최솟값의 합을 구하시오.

712

함수 $f(x) = \dfrac{e^x}{x}\ (x>0)$이 $x=a$에서 최솟값 m을 가질 때, am의 값을 구하시오.

713

함수 $f(x) = \dfrac{\ln x}{x^2}$의 최댓값을 구하시오.

714

구간 $[0, 2\pi]$에서 함수 $f(x) = x\sin x + \cos x$가 $x=a$에서 최댓값 M을 가질 때, $a+M$의 값을 구하시오.

715

구간 $[1, e^2]$에서 함수 $f(x) = 2x - x\ln x$는 $x=\alpha$에서 최댓값을 갖고, $x=\beta$에서 최솟값을 갖는다. $\alpha\beta$의 값은?

① e ② $e\sqrt{e}$ ③ e^2

④ $e^2\sqrt{e}$ ⑤ e^3

유형 08 치환을 이용한 함수의 최대·최소

함수 $f(x)$의 식에 공통부분이 있을 때에는 다음과 같은 순서로 최대·최소를 구한다.

❶ 공통부분을 t로 치환하여 함수 $f(x)$를 t에 대한 함수 $g(t)$로 나타낸다.
❷ t의 값의 범위를 구한다.
❸ $g(t)$의 최댓값, 최솟값을 구한다.

대표 문제
716

$-\dfrac{\pi}{2} \le x \le \dfrac{\pi}{2}$에서 함수 $f(x) = \sin^3 x - 2\cos^2 x$의 최댓값과 최솟값의 합은?

① -2 　　② -1 　　③ 0
④ 1 　　⑤ 2

t로 치환하면 t의 값의 범위를 구해야 해.

717

함수 $f(x) = 8^x - 4^x - 2^{x+3}$의 최솟값은?

① -16 　　② -14 　　③ -12
④ -10 　　⑤ -8

낯선 유형 09 함수의 최대·최소를 이용한 미정계수의 결정

함수 $f(x)$의 최댓값 또는 최솟값이 주어지면
➡ 최댓값 또는 최솟값을 미정계수를 이용한 식으로 나타낸 후 주어진 값과 비교하여 미정계수를 구한다.

대표 문제
718 #최댓값과_최솟값_이용 #식_세우기 #미정계수_비교

구간 $[-2, 1]$에서 함수 $f(x) = axe^x$의 최댓값과 최솟값의 곱이 -4일 때, 양수 a의 값을 구하시오.

극값과 $f(-2)$, $f(1)$의 값을 구하여 비교한다.

719

구간 $[0, \pi]$에서 함수 $f(x) = ax - 2a\sin x$의 최댓값이 π일 때, 최솟값을 구하시오. (단, $a > 0$이다.)

유형 10 함수의 최대·최소의 활용 – 길이

길이에 대한 최대·최소 문제는 구하는 값을 한 문자에 대한 함수로 나타낸 후 도함수를 이용하여 최댓값 또는 최솟값을 구한다.

대표 문제
720

오른쪽 그림과 같이 곡선 $y = e^x + 1$과 직선 $y = x$가 직선 $x = t$와 만나는 점을 각각 P, Q라 할 때, 선분 PQ의 길이의 최솟값은?

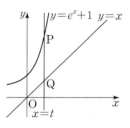

① 1 　　② $\sqrt{2}$ 　　③ $\dfrac{e}{2}$
④ 2 　　⑤ e

721

곡선 $y = \dfrac{2}{\sqrt{x^2 + 1}}$ 위의 점 P에 대하여 선분 OP의 길이를 l이라 할 때, l^2의 최솟값을 구하시오.

(단, 점 P는 제1사분면 위의 점이고, O는 원점이다.)

유형 11 함수의 최대·최소의 활용 – 넓이, 부피

넓이 또는 부피에 대한 최대·최소 문제는 구하는 값을 한 문자에 대한 함수로 나타낸 후 도함수를 이용하여 최댓값 또는 최솟값을 구한다.

대표 문제
722

오른쪽 그림과 같이 두 곡선 $y=\ln x$, $y=\ln \dfrac{1}{x}$ 위의 두 점 A, B를 꼭짓점으로 하고 변 CD가 y축 위에 있는 직사각형 ABCD의 넓이의 최댓값을 구하시오.

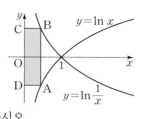

(단, 점 A는 제4사분면 위의 점이다.)

723

오른쪽 그림과 같이 지름 AB의 길이가 4인 반원에 내접하는 등변사다리꼴 ABCD의 넓이의 최댓값은?

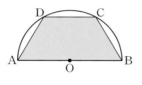

(단, O는 반원의 중심이다.)

① $\sqrt{3}$　　② $2\sqrt{3}$　　③ $3\sqrt{3}$
④ $4\sqrt{3}$　　⑤ $5\sqrt{3}$

724

반지름의 길이가 1인 구에 내접하는 원기둥의 부피가 최대가 되도록 하는 원기둥의 밑면의 반지름의 길이를 구하시오.

낯선 유형 12 방정식 $f(x)=k$의 실근의 개수

방정식 $f(x)=k$의 서로 다른 실근의 개수는 함수 $y=f(x)$의 그래프와 직선 $y=k$의 교점의 개수와 같다.

대표 문제
725 #방정식의_실근의_개수 #두_그래프의_교점의_개수

방정식 $e^x+e^{-x}=k$가 서로 다른 두 실근을 갖도록 하는 자연수 k의 최솟값은?
└→ 곡선 $y=e^x+e^{-x}$과 직선 $y=k$의 교점이 2개이다.

① 1　　② 2　　③ 3
④ 4　　⑤ 5

726

방정식 $\ln x+\dfrac{1}{x}+3=k$가 오직 한 실근만을 갖도록 하는 실수 k의 값을 구하시오.

727

방정식 $\dfrac{1}{x^2-2x+3}=k$가 서로 다른 두 실근을 가질 때, 실수 k의 값의 범위를 구하시오.

728

방정식 $x^2 - ke^x = 0$이 서로 다른 세 실근을 갖도록 하는 실수 k의 값의 범위를 구하시오. $\left(\text{단, } \lim\limits_{x \to \infty} \dfrac{x^2}{e^x} = 0\text{이다.}\right)$

유형 **13** 방정식 $f(x) = g(x)$의 실근의 개수

방정식 $f(x) = g(x)$의 서로 다른 실근의 개수는 두 함수 $y = f(x)$, $y = g(x)$의 그래프의 교점의 개수와 같다.

대표 문제
729

$-\pi \le x \le \pi$에서 방정식 $\sin x = kx$가 서로 다른 세 실근을 갖도록 하는 실수 k의 값의 범위를 구하시오.

730

방정식 $\dfrac{e^x - 2}{x} = a$가 서로 다른 두 실근을 가질 때, 실수 a의 값의 범위를 구하시오.

731

방정식 $e^{2x} = ax$가 실근을 갖지 않도록 하는 실수 a의 값의 범위를 구하시오.

732

x에 대한 방정식 $\ln x = x + a$에 대하여 보기에서 옳은 것만을 있는 대로 고른 것은?

┌ 보기 ┐
ㄱ. $a = -2$일 때, 서로 다른 두 실근을 갖는다.
ㄴ. $a = 0$일 때, 실근을 갖지 않는다.
ㄷ. $a = 1$일 때, 오직 한 개의 실근을 갖는다.
└─────┘

① ㄱ   ② ㄴ   ③ ㄱ, ㄴ
④ ㄴ, ㄷ   ⑤ ㄱ, ㄴ, ㄷ

낯선 유형 **14** 부등식에의 활용

어떤 구간에서
(1) 부등식 $f(x) > 0$이 성립하려면
　➡ 그 구간에서 ($f(x)$의 최솟값) > 0
(2) 부등식 $f(x) < 0$이 성립하려면
　➡ 그 구간에서 ($f(x)$의 최댓값) < 0

대표 문제
733 #부등식_성립 #최솟값_또는_최댓값_범위_생각하기

$x > 0$인 모든 실수 x에 대하여 부등식 $e^x - e \ln x + a > 0$이 성립할 때, 실수 a의 값의 범위를 구하시오.

$f(x)$의 최솟값이 0보다 크면 모든 $f(x)$의 값은 0보다 커.

734

$x>0$인 모든 실수 x에 대하여 부등식 $x^2\ln x \geq k$가 성립할 때, 실수 k의 최댓값을 구하시오.

735

$x>0$인 모든 실수 x에 대하여 부등식 $\cos x > k-x^2$이 성립할 때, 실수 k의 값의 범위는?

① $k\leq 1$ ② $k\leq\sqrt{2}$ ③ $k\leq 2$
④ $k>1$ ⑤ $k>2$

736

$x>0$인 모든 실수 x에 대하여 부등식 $k\sqrt{x}\geq\ln x$가 성립할 때, 양수 k의 최솟값은?

① $\dfrac{1}{4e}$ ② $\dfrac{1}{2e}$ ③ $\dfrac{1}{e}$
④ $\dfrac{2}{e}$ ⑤ $\dfrac{4}{e}$

737

모든 실수 x에 대하여 부등식

$$\alpha\leq\frac{x-1}{x^2-2x+5}\leq\beta$$

가 성립할 때, 상수 α, β에 대하여 $\beta-\alpha$의 최솟값은?

① $\dfrac{1}{3}$ ② $\dfrac{1}{2}$ ③ $\dfrac{2}{3}$
④ $\dfrac{5}{6}$ ⑤ 1

유형 **15** **수직선 위에서 점의 속도와 가속도**

수직선 위를 움직이는 점 P의 시각 t에서의 위치 x가 $x=f(t)$일 때, 시각 t에서의 점 P의 속도 $v(t)$와 가속도 $a(t)$는

(1) $v(t)=\dfrac{dx}{dt}=f'(t)$ (2) $a(t)=\dfrac{dv}{dt}=f''(t)$

대표 문제
738

수직선 위를 움직이는 점 P의 시각 t에서의 위치가 $x=kt-3\sin t$이다. $t=\dfrac{\pi}{3}$에서의 점 P의 속도가 1일 때, 상수 k의 값은?

① $\dfrac{1}{2}$ ② 1 ③ $\dfrac{3}{2}$
④ 2 ⑤ $\dfrac{5}{2}$

739

수직선 위를 움직이는 점 P의 시각 t에서의 위치가 $x=\sin 2t+k\cos t$일 때, $t=\dfrac{\pi}{2}$에서의 점 P의 속도가 2이다. $t=\pi$에서의 점 P의 가속도를 구하시오.

(단, k는 상수이다.)

740

수직선 위를 움직이는 점 P의 시각 t에서의 위치가
$x=\ln(t^2+k)$이다. $t=5$에서의 점 P의 가속도가 0일
때, 양수 k의 값을 구하시오.

◯△✕

유형 16 **좌표평면 위에서 점의 속도와 가속도**

좌표평면 위를 움직이는 점 P의 시각 t에서의 위치 (x, y)
가 $x=f(t)$, $y=g(t)$일 때, 시각 t에서의 점 P의

(1) 속도 : $\left(\dfrac{dx}{dt}, \dfrac{dy}{dt}\right)=(f'(t), g'(t))$

(2) 속력 : $\sqrt{\left(\dfrac{dx}{dt}\right)^2+\left(\dfrac{dy}{dt}\right)^2}=\sqrt{\{f'(t)\}^2+\{g'(t)\}^2}$

(3) 가속도 : $\left(\dfrac{d^2x}{dt^2}, \dfrac{d^2y}{dt^2}\right)=(f''(t), g''(t))$

(4) 가속도의 크기 : $\sqrt{\left(\dfrac{d^2x}{dt^2}\right)^2+\left(\dfrac{d^2y}{dt^2}\right)^2}$
$=\sqrt{\{f''(t)\}^2+\{g''(t)\}^2}$

대표 문제
741

지면으로부터 $60°$의 각을 이루는 방향으로 던져 올린 야
구공의 t초 후의 수평과 수직 위치는 각각

$$x=10t, \quad y=-5t^2+10\sqrt{3}t$$

이다. 야구공이 지면에 떨어질 때의 속력을 구하시오.

742

좌표평면 위를 움직이는 점 P의 시각 t에서의 위치
(x, y)가 $x=t-\sin t$, $y=1-\cos t$일 때, 점 P의 속력
의 최댓값을 구하시오. (단, $0\le t\le 2\pi$이다.)

743

좌표평면 위를 움직이는 점 P의 시각 t에서의 위치
(x, y)가 $x=2t+3$, $y=\dfrac{1}{2}t^2-\ln t$일 때, 점 P의 속력이
최소가 되는 순간의 가속도의 크기를 구하시오.

744

오른쪽 그림과 같은 좌표평면에서 두
점 A, B는 동시에 원점을 출발하여 각
각 x축, y축의 양의 방향으로 움직인다.
점 A는 매초 3의 속력으로 움직이고 점
B는 매초 9의 속력으로 움직일 때, 선
분 AB를 $1:2$로 내분하는 점 P의 속력
을 구하시오.

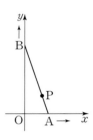

745

오른쪽 그림과 같이 원점 O를 지나고 x
축의 양의 방향과 이루는 각의 크기가
$\dfrac{\pi}{3}$인 직선 l이 있다. 좌표평면 위를 움
직이는 점 P의 시각 t에서의 위치
(x, y)가 $x=2t$, $y=4t^2-2\sqrt{3}t$일 때,
점 P가 원점에서 출발한 후 처음으로 직선 l과 만날 때의
속도를 구하시오.

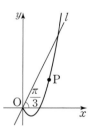

실전! 기출 문제 정복하기

➡ 정답 및 풀이 **98**쪽

746

곡선 $y=(ax^2+1)e^x$이 구간 $(-\infty, \infty)$에서 아래로 볼록할 때, 실수 a의 최댓값은?

① $\dfrac{1}{4}$ ② $\dfrac{1}{2}$ ③ $\dfrac{3}{4}$

④ 1 ⑤ $\dfrac{5}{4}$

747

함수 $f(x)=x^4+4x^2+k\cos x$의 그래프가 변곡점을 갖지 않도록 하는 자연수 k의 최댓값을 구하시오.

748 교과서 심화

2 이상의 자연수 n에 대하여 곡선 $y=x^n e^x$의 변곡점의 개수를 $g(n)$이라 하고 곡선 $y=x^n e^x$의 변곡점의 x좌표의 값의 합을 $h(n)$이라 할 때, 두 함수 $g(n)$, $h(n)$이 다음 조건을 만족시키는 자연수 n의 값의 합을 구하시오.

> (가) $g(n)=3$
> (나) $-20 \le h(n) \le -10$

749

사차함수 $y=f(x)$의 그래프가 오른쪽 그림과 같을 때, 방정식 $f'(x) \times f''(x)=0$의 서로 다른 실근의 개수를 구하시오.

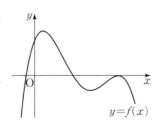

750 교육청 기출

다항함수 $y=f(x)$의 도함수 $y=f'(x)$의 그래프가 오른쪽 그림과 같을 때, 보기에서 옳은 것만을 있는 대로 고른 것은?

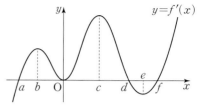

> 보기
> ㄱ. 구간 $[a, f]$에서 $f(x)$의 변곡점은 4개이다.
> ㄴ. 구간 $[a, e]$에서 $f(x)$가 극대가 되는 x의 개수는 1개이다.
> ㄷ. 구간 $[a, e]$에서 $f(x)$의 최댓값은 $f(c)$이다.

① ㄱ   ② ㄷ   ③ ㄱ, ㄴ

④ ㄴ, ㄷ   ⑤ ㄱ, ㄴ, ㄷ

751

오른쪽 그림과 같이 곡선 $y=e^{x^2}$ 위의 점 $P(t, e^{t^2})$에서의 접선이 x축과 만나는 점을 Q라 하고 점 P에서 x축에 내린 수선의 발을 H라 할 때, 삼각형 PQH의 넓이의 최솟값은? (단, $t>0$이다.)

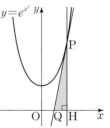

① $\dfrac{\sqrt{2e}}{8}$ ② $\dfrac{\sqrt{e}}{4}$ ③ $\dfrac{\sqrt{2e}}{4}$

④ $\dfrac{\sqrt{e}}{2}$ ⑤ $\dfrac{\sqrt{2e}}{2}$

도함수의 활용(2) **5**

752

x에 대한 방정식 $x\ln x - ax = -3$이 서로 다른 두 실근을 갖기 위한 실수 a의 값의 범위를 구하시오.

(단, $\lim\limits_{x\to 0+} x\ln x = 0$이다.)

753 교육청 기출

함수 $f(x) = 2\ln(5-x) + \dfrac{1}{4}x^2$에 대하여 보기에서 옳은 것만을 있는 대로 고른 것은?

┌ 보기 ┐

ㄱ. 함수 $f(x)$는 $x=4$에서 극댓값을 갖는다.

ㄴ. 곡선 $y=f(x)$의 변곡점의 개수는 2이다.

ㄷ. 방정식 $f(x) = \dfrac{1}{4}$의 실근의 개수는 1이다.

① ㄱ   ② ㄴ   ③ ㄱ, ㄷ

④ ㄴ, ㄷ   ⑤ ㄱ, ㄴ, ㄷ

754 수능 기출

정의역이 $\{x \mid 0 \le x \le \pi\}$인 함수 $f(x) = 2x\cos x$에 대하여 보기에서 옳은 것만을 있는 대로 고른 것은?

┌ 보기 ┐

ㄱ. $f'(a) = 0$이면 $\tan a = \dfrac{1}{a}$이다.

ㄴ. 함수 $f(x)$가 $x=a$에서 극댓값을 가지는 a가 구간 $\left(\dfrac{\pi}{4}, \dfrac{\pi}{3}\right)$에 있다.

ㄷ. 구간 $\left[0, \dfrac{\pi}{2}\right]$에서 방정식 $f(x) = 1$의 서로 다른 실근의 개수는 2이다.

① ㄱ   ② ㄷ   ③ ㄱ, ㄴ

④ ㄴ, ㄷ   ⑤ ㄱ, ㄴ, ㄷ

755 수능 기출

좌표평면 위를 움직이는 점 P의 시각 t $(t>0)$에서의 위치 (x, y)가 $x = t - \dfrac{2}{t}$, $y = 2t + \dfrac{1}{t}$이다. 시각 $t=1$에서의 점 P의 속력은?

① $2\sqrt{2}$ ② 3 ③ $\sqrt{10}$

④ $\sqrt{11}$ ⑤ $2\sqrt{3}$

756

좌표평면 위를 움직이는 점 P의 시각 t $(t>0)$에서의 위치 (x, y)가 $x = 3\ln(t+2)$, $y = \dfrac{a}{t+2}$이다. 시각 $t=1$에서의 점 P의 속력이 $\sqrt{5}$일 때, 양수 a의 값은?

① 18 ② 20 ③ 22

④ 24 ⑤ 26

757

좌표평면 위를 움직이는 점 P의 시각 t에서의 위치 (x, y)가 $x = e^t \sin 2t$, $y = e^t \cos 2t$이다. 점 P의 속력이 $\sqrt{5}e$일 때, 점 P의 가속도의 크기는?

① $\sqrt{5}e$ ② $\sqrt{10}e$ ③ $\sqrt{15}e$

④ $2\sqrt{5}e$ ⑤ $5e$

(1) $\displaystyle\int e^x\,dx = e^x + C$ ➡ $(e^x)' = e^x$

(2) $\displaystyle\int a^x\,dx = \dfrac{a^x}{\ln a} + C$ (단, $a>0$, $a\neq1$)   ➡ $(a^x)' = a^x \ln a$

- $\displaystyle\int a^x\,dx = \dfrac{a^x}{\ln a} + C$
  에서 $a=e$일 때,
  $\displaystyle\int e^x\,dx = \dfrac{e^x}{\ln e} + C$
  $\qquad\qquad = e^x + C$

➜ 정답 및 풀이 **103**쪽

[770~772] 다음 부정적분을 구하시오.

770 $\displaystyle\int 2e^{x+1}\,dx$

771 $\displaystyle\int 3^{x+5}\,dx$

772 $\displaystyle\int 2^{2x}\,dx$

[773~775] 다음 부정적분을 구하시오.

773 $\displaystyle\int (e^{-x} - 2^{x-3})\,dx$

774 $\displaystyle\int (5^x - 1)^2\,dx$

775 $\displaystyle\int \dfrac{4^x - 1}{2^x + 1}\,dx$

(1) $\displaystyle\int \sin x\,dx = -\cos x + C$ ➡ $(-\cos x)' = \sin x$

(2) $\displaystyle\int \cos x\,dx = \sin x + C$ ➡ $(\sin x)' = \cos x$

(3) $\displaystyle\int \sec^2 x\,dx = \tan x + C$ ➡ $(\tan x)' = \sec^2 x$

(4) $\displaystyle\int \csc^2 x\,dx = -\cot x + C$ ➡ $(-\cot x)' = \csc^2 x$

(5) $\displaystyle\int \sec x \tan x\,dx = \sec x + C$ ➡ $(\sec x)' = \sec x \tan x$

(6) $\displaystyle\int \csc x \cot x\,dx = -\csc x + C$ ➡ $(-\csc x)' = \csc x \cot x$

참고 삼각함수의 부정적분을 구할 때에는 삼각함수 사이의 관계를 이용하여 주어진 삼각함수를
적분하기 쉬운 형태로 변형한 다음 적분한다.

- 삼각함수 사이의 관계
  $\tan x = \dfrac{\sin x}{\cos x}$
  $\cot x = \dfrac{1}{\tan x} = \dfrac{\cos x}{\sin x}$
  $\sec x = \dfrac{1}{\cos x}$
  $\csc x = \dfrac{1}{\sin x}$
  $\sin^2 x + \cos^2 x = 1$
  $1 + \tan^2 x = \sec^2 x$
  $1 + \cot^2 x = \csc^2 x$

➜ 정답 및 풀이 **104**쪽

[776~779] 다음 부정적분을 구하시오.

776 $\displaystyle\int (2\sin x - 3\cos x)\,dx$

777 $\displaystyle\int (\sec^2 x + 5\csc^2 x)\,dx$

778 $\displaystyle\int \left(5\sin x + \dfrac{\tan x}{\cos x}\right)\,dx$

779 $\displaystyle\int (\sin x - \cot x)\csc x\,dx$

[780~783] 다음 부정적분을 구하시오.

780 $\displaystyle\int \tan^2 x\,dx$

781 $\displaystyle\int (\cot^2 x - 2)\,dx$

782 $\displaystyle\int \cos x \tan x\,dx$

783 $\displaystyle\int \dfrac{\cos^2 x}{1 + \sin x}\,dx$

(1) 미분가능한 함수 $g(t)$에 대하여 $x=g(t)$로 놓으면

$$\int f(x)\,dx=\int f(g(t))g'(t)\,dt$$

이와 같이 한 변수를 다른 변수의 미분가능한 함수로 치환하여 적분하는 방법을 **치환적분법**이라 한다.

예 $\int (3x-2)^4\,dx$에서 $3x-2=t$로 놓으면 $x=\dfrac{t+2}{3}$, $\dfrac{dx}{dt}=\dfrac{1}{3}$이므로

$$\int (3x-2)^4\,dx=\int t^4\times\frac{1}{3}\,dt=\frac{1}{15}t^5+C=\frac{1}{15}(3x-2)^5+C$$

참고 주어진 부정적분이 $\int f(g(x))g'(x)\,dx$ 꼴인 경우에는 $g(x)=t$로 놓으면 $g'(x)=\dfrac{dt}{dx}$

이므로 $\int f(g(x))g'(x)\,dx=\int f(t)\,dt$가 성립한다.

예 $\int 2xe^{x^2}\,dx$에서 $x^2=t$로 놓으면 $2x=\dfrac{dt}{dx}$이므로

$$\int 2xe^{x^2}\,dx=\int e^t\,dt=e^t+C=e^{x^2}+C$$

(2) 함수 $\dfrac{f'(x)}{f(x)}$의 부정적분

$$\int \frac{f'(x)}{f(x)}\,dx=\ln|f(x)|+C \;\Rightarrow\; \frac{d}{dx}\ln|f(x)|=\frac{f'(x)}{f(x)}$$

- 치환적분법을 이용하여 부정적분을 구한 경우, 그 결과를 처음의 변수로 바꾸어 나타낸다.

- $\displaystyle\int f(x)\,dx=F(x)+C$이면
$$\int f(ax+b)\,dx$$
$$=\frac{1}{a}F(ax+b)+C$$
(단, $a\neq0$)

- $f(x)=t$로 놓으면
$f'(x)=\dfrac{dt}{dx}$이므로
$$\int \frac{f'(x)}{f(x)}\,dx$$
$$=\int \frac{1}{t}\,dt$$
$$=\ln|t|+C$$
$$=\ln|f(x)|+C$$

➡ 정답 및 풀이 **104**쪽

[784~787] 다음 부정적분을 구하시오.

784 $\displaystyle\int (2x-3)^5\,dx$

785 $\displaystyle\int \frac{x}{\sqrt{x+1}}\,dx$

786 $\displaystyle\int e^{-2x+1}\,dx$

787 $\displaystyle\int \sin(4x-1)\,dx$

[788~791] 다음 부정적분을 구하시오.

788 $\displaystyle\int 2x(x^2+1)^4\,dx$

789 $\displaystyle\int x\sqrt{x^2+2}\,dx$

790 $\displaystyle\int \frac{\ln x}{x}\,dx$

791 $\displaystyle\int \sin^2 x\cos x\,dx$

[792~795] 다음 부정적분을 구하시오.

792 $\displaystyle\int \frac{x}{x^2+4}\,dx$

793 $\displaystyle\int \frac{e^x-e^{-x}}{e^x+e^{-x}}\,dx$

794 $\displaystyle\int \tan x\,dx$

795 $\displaystyle\int \frac{1}{x\ln x}\,dx$

05 $\dfrac{f'(x)}{f(x)}$ **꼴이 아닌 유리함수의 부정적분** **08, 09**

note

(1) (분자의 차수) ≥ (분모의 차수)인 경우

분자를 분모로 나누어 몫과 나머지의 꼴로 나타낸 후 부정적분을 구한다.

(2) (분자의 차수) < (분모의 차수)이고 분모가 인수분해되는 경우

부분분수로 변형한 후 부정적분을 구한다. ➡ $\dfrac{1}{AB}=\dfrac{1}{B-A}\left(\dfrac{1}{A}-\dfrac{1}{B}\right)$ (단, $A \neq B$)

예 (1) $\displaystyle\int \dfrac{1}{x(x+1)}\,dx = \int\left(\dfrac{1}{x}-\dfrac{1}{x+1}\right)dx = \ln|x| - \ln|x+1| + C = \ln\left|\dfrac{x}{x+1}\right| + C$

(2) $\displaystyle\int \dfrac{x-4}{(x+2)(x-1)}\,dx = \int\left(\dfrac{2}{x+2}+\dfrac{-1}{x-1}\right)dx$

$= 2\ln|x+2| - \ln|x-1| + C = \ln\dfrac{(x+2)^2}{|x-1|} + C$

- 일차식으로 나누면 나머지가 상수이므로 $\displaystyle\int \dfrac{1}{x}\,dx = \ln|x| + C$임을 이용할 수 있다.

- (1) $\dfrac{1}{(x+a)(x+b)}$ $=\dfrac{1}{b-a}\left(\dfrac{1}{x+a}-\dfrac{1}{x+b}\right)$

(2) $\dfrac{px+q}{(x+a)(x+b)}$ $=\dfrac{A}{x+a}+\dfrac{B}{x+b}$

x에 대한 항등식임을 이용하여 A, B의 값을 구한다.

➡ 정답 및 풀이 **106**쪽

[796~798] 다음 부정적분을 구하시오.

796 $\displaystyle\int \dfrac{x+2}{x-3}\,dx$

797 $\displaystyle\int \dfrac{x^2+1}{x-1}\,dx$

798 $\displaystyle\int \dfrac{x^2+3x+4}{x+2}\,dx$

[799~801] 다음 부정적분을 구하시오.

799 $\displaystyle\int \dfrac{1}{x^2+2x}\,dx$

800 $\displaystyle\int \dfrac{x+3}{x^2-1}\,dx$

801 $\displaystyle\int \dfrac{2x}{x^2-3x+2}\,dx$

06 **부분적분법** **10, 11**

note

두 함수 $f(x)$, $g(x)$가 미분가능할 때

$$\int f(x)g'(x)\,dx = f(x)g(x) - \int f'(x)g(x)\,dx$$

이와 같이 적분하는 방법을 **부분적분법**이라 한다.

예 $\displaystyle\int xe^x\,dx$에서 $f(x)=x$, $g'(x)=e^x$으로 놓으면 $f'(x)=1$, $g(x)=e^x$이므로

$\displaystyle\int xe^x\,dx = xe^x - \int 1 \times e^x\,dx = xe^x - \int e^x\,dx = xe^x - e^x + C$

참고 부분적분법을 이용할 때, 미분한 결과가 간단한 함수를 $f(x)$, 적분하기 쉬운 함수를 $g'(x)$로 택하면 편리하다.

- 두 함수의 곱의 꼴로 되어 있으나 앞에서 배운 치환적분법을 이용하여 적분할 수 없는 경우에는 부분적분법을 이용한다.

- 로그함수, 다항함수, 삼각함수, 지수함수의 순으로 미분하여 간단해지는 함수를 $f(x)$로, 나머지 함수를 $g'(x)$로 놓는다.

➡ 정답 및 풀이 **106**쪽

[802~804] 다음 부정적분을 구하시오.

802 $\displaystyle\int xe^{-x}\,dx$

803 $\displaystyle\int (x-1)\cos x\,dx$

804 $\displaystyle\int \ln x\,dx$

[805~807] 다음 부정적분을 구하시오.

805 $\displaystyle\int (x+2)e^x\,dx$

806 $\displaystyle\int x\sin x\,dx$

807 $\displaystyle\int x\ln x\,dx$

유형 01 함수 $y=x^n$ (n은 실수)의 부정적분

(1) $n \neq -1 \Rightarrow \int x^n dx = \dfrac{1}{n+1} x^{n+1} + C$

(2) $n = -1 \Rightarrow \int x^{-1} dx = \int \dfrac{1}{x} dx = \ln|x| + C$

대표 문제

808

함수 $f(x) = \int \dfrac{3x+1}{x^2} dx$에 대하여 $f(e) = -\dfrac{1}{e}$일 때, $f(1)$의 값을 구하시오.

809

함수 $f(x) = \int \dfrac{(2x-1)(x-3)}{x^2} dx$에 대하여 $f(e) - f(-e)$의 값은?

① $-7e$ ② $7e$ ③ 0

④ $4e - \dfrac{6}{e}$ ⑤ $\dfrac{6}{e} - 4e$

810

함수 $f(x) = \dfrac{x\sqrt{x}-1}{x^3}$의 한 부정적분을 $F(x)$라 하자. $F(1) = -2$일 때, 함수 $F(x)$를 구하시오.

811

미분가능한 함수 $f(x)$의 한 부정적분 $F(x)$에 대하여 $F(x) = xf(x) - x^3 - \sqrt{x}$이고 $f(1) = 1$일 때, $f(4)$의 값을 구하시오.

유형 02 지수함수의 부정적분

(1) $\int e^x dx = e^x + C$

(2) $\int a^x dx = \dfrac{a^x}{\ln a} + C$ (단, $a > 0$, $a \neq 1$)

대표 문제

812

곡선 $y = f(x)$ 위의 임의의 점 (x, y)에서의 접선의 기울기가 $\dfrac{8^x+1}{2^x+1}$이고 $f(1) = -1$일 때, $f(2)$의 값은?

① $\dfrac{1}{\ln 2}$ ② $\dfrac{2}{\ln 2}$ ③ $\dfrac{4}{\ln 2}$

④ $\dfrac{2}{\ln 2} + 1$ ⑤ $\dfrac{4}{\ln 2} + 1$

813

함수 $f(x) = \int \dfrac{e^{3x}+1}{e^x+1} dx$에 대하여 $f(0) = \dfrac{1}{2}$일 때, $f(1)$의 값을 구하시오.

814

미분가능한 함수 $f(x)$에 대하여

$$\lim_{h \to 0} \frac{f(x+h)-f(x)}{h} = (7^x-1)^2$$

일 때, $f(x) = \dfrac{1}{\ln 7}(a \times 7^{2x} + b \times 7^x) + x + C$이다. 상수 a, b에 대하여 ab의 값은? (단, C는 적분상수이다.)

① -2 ② -1 ③ $\dfrac{1}{2}$

④ 1 ⑤ 2

815

다음 두 조건을 모두 만족시키는 두 함수 $f(x)$, $g(x)$를 구하시오.

> (가) $f'(x)+g'(x)=e^x$, $f'(x)-g'(x)=e^{-x}$
> (나) $f(0)=0$, $g(0)=1$

816

모든 실수 x에서 연속인 함수 $f(x)$의 그래프가

점 $\left(2, \dfrac{3}{4}\right)$을 지나고, 도함수 $f'(x)$가

$$f'(x)=\begin{cases} \dfrac{2}{x^3} & (x>1) \\ 5^x & (x<1) \end{cases}$$

이다. $f(0)=\dfrac{a}{\ln 5}$일 때, 상수 a의 값을 구하시오.

◻◻△✕

유형 03 삼각함수의 부정적분 (1)

> (1) $\displaystyle\int \sin x\, dx=-\cos x+C$
>
> (2) $\displaystyle\int \cos x\, dx=\sin x+C$
>
> (3) $\displaystyle\int \sec^2 x\, dx=\tan x+C$
>
> (4) $\displaystyle\int \csc^2 x\, dx=-\cot x+C$
>
> (5) $\displaystyle\int \sec x \tan x\, dx=\sec x+C$
>
> (6) $\displaystyle\int \csc x \cot x\, dx=-\csc x+C$

대표 문제
817

함수 $f(x)=\displaystyle\int \dfrac{\sin^2 x+1}{\cos^2 x}\, dx$에 대하여 $f\left(\dfrac{\pi}{3}\right)=2\sqrt{3}$일 때, 함수 $f(x)$를 구하시오.

$1+\tan^2 x=\sec^2 x$를 이용해서 식을 변형할 수 있어!

818

함수 $f(x)$에 대하여 $f'(x)=\dfrac{\sin x}{1+\sin x}$이고

$f\left(\dfrac{\pi}{4}\right)=\dfrac{\pi}{4}$일 때, $f(0)$의 값은?

① $-\sqrt{2}$ 　② $1-\sqrt{2}$ 　③ $2-\sqrt{2}$

④ $1+\sqrt{2}$ 　⑤ $2+\sqrt{2}$

819

$0<x<\dfrac{\pi}{2}$일 때, 함수 $f(x)$에 대하여

$$f'(x)=1+\cos^2 x+\cos^4 x+\cos^6 x+\cdots$$

이고 $f\left(\dfrac{\pi}{4}\right)=-1$일 때, $f\left(\dfrac{\pi}{6}\right)$의 값을 구하시오.

◻◻△✕

유형 04 삼각함수의 부정적분 (2)

> (1) 배각의 공식
>
> ① $\sin 2x=2\sin x \cos x$
>
> ② $\cos 2x=\cos^2 x-\sin^2 x$
> $$=2\cos^2 x-1=1-2\sin^2 x$$
>
> ③ $\tan 2x=\dfrac{2\tan x}{1-\tan^2 x}$
>
> (2) 반각의 공식
>
> ① $\sin^2 \dfrac{x}{2}=\dfrac{1-\cos x}{2}$
>
> ② $\cos^2 \dfrac{x}{2}=\dfrac{1+\cos x}{2}$
>
> ③ $\tan^2 \dfrac{x}{2}=\dfrac{1-\cos x}{1+\cos x}$

대표 문제
820

함수 $f(x)=\displaystyle\int \sin^2 \dfrac{x}{2}\, dx$에 대하여 $f(0)=\dfrac{\pi}{2}$일 때, $f(\pi)$의 값은?

① $\dfrac{\pi}{4}$ 　② $\dfrac{\pi}{2}$ 　③ π

④ $\dfrac{5}{4}\pi$ 　⑤ $\dfrac{3}{2}\pi$

821

곡선 $y=f(x)$ 위의 임의의 점 (x, y)에서의 접선의 기울기가 $\left(\sin\dfrac{x}{2}+\cos\dfrac{x}{2}\right)^2$이고 이 곡선이 원점을 지날 때, $f(\pi)$의 값은?

① $\pi-2$ ② $\pi-1$ ③ π

④ $\pi+1$ ⑤ $\pi+2$

822

미분가능한 함수 $f(x)$에 대하여
$$\lim_{h\to 0}\frac{f(x+3h)-f(x)}{h}=6\cos^2\frac{x}{2}$$
이고 $f\left(\dfrac{\pi}{2}\right)=1$일 때, $f(0)$의 값을 구하시오.

유형 05 치환적분법 (1)

미분가능한 함수 $g(t)$에 대하여 $x=g(t)$로 놓으면
$$\int f(x)\,dx=\int f(g(t))g'(t)\,dt$$

대표 문제
823

함수 $f(x)$에 대하여 $f'(x)=x\sqrt{x-1}$이고 $f(1)=-\dfrac{2}{3}$일 때, $f(2)$의 값을 구하시오.

$x-1=t$로 치환하자!

824

함수 $f(x)=\dfrac{3x}{\sqrt{x-2}}$의 한 부정적분을 $F(x)$라 하자. $F(3)=10$일 때, $F(2)$의 값은?

① -4 ② -2 ③ 0

④ 2 ⑤ 4

825

어떤 함수 $f(x)$의 부정적분을 구해야 하는데 잘못하여 미분하였더니 $e^{3x-1}+\sin x$가 되었다. $f(0)=-1$일 때, 이 함수 $f(x)$의 부정적분을 바르게 구하시오.

826

$0<x<2\pi$에서 정의된 함수 $f(x)$의 도함수가 $f'(x)=\sin x-\sin 2x$이다. $f(x)$의 극댓값이 1일 때, $f(x)$의 극솟값은?

① $-\dfrac{9}{4}$ ② $-\dfrac{7}{4}$ ③ $-\dfrac{5}{4}$

④ $-\dfrac{3}{4}$ ⑤ $-\dfrac{1}{4}$

여러 가지 적분법 1

유형 06 **치환적분법**(2)

$g(x)=t$로 놓으면 $g'(x)=\dfrac{dt}{dx}$이므로

$$\int f(g(x))g'(x)\,dx=\int f(t)\,dt$$

대표 문제
827

함수 $f(x)=\dfrac{x}{\sqrt{9-x^2}}$의 한 부정적분 $F(x)$에 대하여

$F(3)=-2\sqrt{2}$일 때, $F(1)$의 값을 구하시오.

828

등식 $\displaystyle\int(3x^2+1)(x^3+x+2)^4\,dx=a(x^3+x+2)^b+C$가

성립할 때, 상수 a, b에 대하여 $a+b$의 값은?

(단, C는 적분상수이다.)

① 5 ② $\dfrac{26}{5}$ ③ $\dfrac{27}{5}$

④ $\dfrac{28}{5}$ ⑤ 6

829

미분가능한 함수 $f(x)$에 대하여

$$\lim_{h\to 0}\frac{f(x+h)-f(x-h)}{h}=(4x+2)\sqrt{x^2+x+3}$$

이 성립한다. $f(2)=18$일 때, $f(0)$의 값을 구하시오.

830

함수 $f(x)$가 $f'(x)=\dfrac{2\ln x-1}{x}$, $f(1)=-6$을 만족시

킬 때, 방정식 $f(x)=0$의 모든 근의 곱을 구하시오.

831

$x=0$에서 연속인 함수 $f(x)$의 도함수 $f'(x)$가

$$f'(x)=\begin{cases} x^2 e^{x^3} & (x>0) \\ \sin x\cos x & (x<0) \end{cases}$$

이고 $f\left(-\dfrac{\pi}{2}\right)=\dfrac{1}{2}$일 때, $f(1)$의 값은?

① $\dfrac{e+1}{2}$ ② $\dfrac{e-1}{3}$ ③ $\dfrac{2e-3}{4}$

④ $\dfrac{e}{2}-1$ ⑤ $e-2$

832

함수 $f(x)=\displaystyle\int \sin^3 x\,dx$에 대하여 $f(0)=\dfrac{4}{3}$일 때,

$f\left(\dfrac{\pi}{2}\right)$의 값을 구하시오.

833

부정적분 $\displaystyle\int \tan^3 x\,dx$를 구하면? (단, C는 적분상수이다.)

① $\dfrac{1}{\cos^2 x}-\ln|\cos x|+C$

② $\dfrac{1}{\cos^2 x}+\ln|\sin x|+C$

③ $\dfrac{1}{2\cos^2 x}+\ln|\cos x|+C$

④ $\dfrac{1}{\sin^2 x}+\ln|\cos x|+C$

⑤ $\dfrac{1}{2\sin^2 x}-\ln|\sin x|+C$

날선 유형 07 $\int \dfrac{f'(x)}{f(x)}\,dx$ 꼴의 부정적분

$$\int \dfrac{f'(x)}{f(x)}\,dx = \ln|f(x)| + C$$

대표 문제
834 #(분자)=(분모)′ # $\int \dfrac{f'(x)}{f(x)}\,dx$_꼴의_부정적분

함수 $f(x)=\displaystyle\int \dfrac{e^{2x}}{e^{2x}-1}\,dx - \int \dfrac{e^x}{e^x-1}\,dx$에 대하여

$f(0)=\ln 2$일 때, $f(1)$의 값을 구하시오.

→ $\int \dfrac{f'(x)}{f(x)}\,dx$ 꼴이 되도록 정리한다.

835

함수 $f(x)$에 대하여 $f'(x)=\dfrac{x-2}{x^2-4x+2}$이고

$f(2)=0$일 때, $f(1)$의 값은?

① $-\dfrac{\ln 2}{2}$ ② $-\dfrac{\ln 3}{2}$ ③ $-\ln 2$

④ $-\ln\dfrac{3}{2}$ ⑤ $-\ln\dfrac{3}{4}$

836

함수 $f(x)$가 모든 실수 x에 대하여 $f(x)>0$이고
$f'(x)=2f(x)$, $f(0)=e$일 때, 함수 $f(x)$를 구하시오.

유형 08 유리함수의 부정적분 (1)

$\dfrac{f'(x)}{f(x)}$ 꼴이 아닌 유리함수의 부정적분에서
(분자의 차수)≥(분모의 차수)인 경우 분자를 분모로 나
누어 몫과 나머지의 꼴로 나타내어 부정적분한다.

대표 문제
837

미분가능한 함수 $f(x)$에 대하여

$\displaystyle\lim_{h\to 0} \dfrac{f(x+h)-f(x)}{h} = \dfrac{2x^2+3x-5}{x+3}$가 성립하고

$f(-2)=10$이다. $f(1)=a\ln 2+b$일 때, 유리수 a, b에

대하여 $a+b$의 값을 구하시오.

838

함수 $f(x)=\displaystyle\int \dfrac{x^2-4}{x+1}\,dx$에 대하여 $f(0)=1$일 때,

$f(2)$의 값은?

① $3\ln 3-2$ ② $-3\ln 3+1$ ③ $\ln 3+3$
④ $2\ln 3-1$ ⑤ $-2\ln 3+1$

유형 09 유리함수의 부정적분 (2)

분모가 인수분해되는 경우는 다음과 같이 변형한다.

(1) $\dfrac{1}{(x+a)(x+b)} = \dfrac{1}{b-a}\left(\dfrac{1}{x+a} - \dfrac{1}{x+b}\right)$

(단, $a \neq b$)

(2) $\dfrac{px+q}{(x+a)(x+b)} = \dfrac{A}{x+a} + \dfrac{B}{x+b}$

대표 문제
839

함수 $f(x)=\displaystyle\int \dfrac{4}{x^2-2x-3}\,dx$에 대하여 $f(1)=0$일 때,

$f(0)$의 값은?

① $2\ln 2-1$ ② $2\ln 2$ ③ $2\ln 2+1$
④ $\ln 3-1$ ⑤ $\ln 3$

840

함수 $f(x) = \int \dfrac{x-2}{x^2+3x+2}\,dx - \int \dfrac{x-1}{x^2+3x+2}\,dx$에 대하여 $f(0) = \ln 2$일 때, $\displaystyle\sum_{n=1}^{30} f(n)$의 값은?

① $\ln 2$ ② $2\ln 2$ ③ $4\ln 2$

④ $6\ln 2$ ⑤ $8\ln 2$

841

함수 $f(x)$에 대하여 $f'(x) = \dfrac{4x+5}{x^2+x-2}$이고 $f(2) = -\ln 2$일 때, $f(-1)$의 값을 구하시오.

$\dfrac{4x+5}{x^2+x-2} = \dfrac{A}{x+2} + \dfrac{B}{x-1}$
로 놓으면 이 등식은 x에 대한 항등식이야!!

842

곡선 $y = f(x)$ 위의 임의의 점 (x, y)에서의 접선에 수직인 직선의 기울기가 $-e^x - 1$일 때, $f(1) - f(-1)$의 값을 구하시오.

날선 유형 10 **부분적분법**(1)

두 함수 $f(x)$, $g(x)$가 미분가능할 때

$\displaystyle\int f(x)g'(x)\,dx = f(x)g(x) - \int f'(x)g(x)\,dx$

미분하기 쉬운 함수 → / 적분하기 쉬운 함수 →

대표 문제
843 #부분적분법 #두_함수의_곱_꼴

함수 $f(x) = \displaystyle\int (1-x)e^x\,dx$에 대하여 $f(0) = 2$일 때, $f(1)$의 값은?

① 1 ② $e-1$ ③ e

④ $e+1$ ⑤ $e+2$

844

함수 $f(x) = \displaystyle\int (x+a)\cos 2x\,dx$가 $f'(\pi) = 0$, $f(0) = 1$을 만족시킬 때, $f\left(\dfrac{3}{2}\pi\right)$의 값은? (단, a는 상수이다.)

① $-\dfrac{1}{4}$ ② $-\dfrac{1}{2}$ ③ 1

④ $\dfrac{1}{2}$ ⑤ $\dfrac{1}{4}$

845

함수 $f(x) = e^x - 1$의 역함수를 $g(x)$라 하자. $h(x) = \displaystyle\int g(x)\,dx$이고, $h(0) = 1$일 때, $h(e^2-1)$의 값을 구하시오.

846

$-1 \le x \le 1$에서 정의된 함수 $f(x)$에 대하여 $f'(x)=xe^x$이고 $f(x)$의 최솟값이 2일 때, 함수 $f(x)$의 최댓값을 구하시오.

◯△☒

유형 **11** 부분적분법(2)

부분적분법을 한 번 적용하여 부정적분을 구할 수 없는 경우

(1) 부분적분법을 한 번 더 적용하면 부정적분을 구할 수 있다.

(2) 부분적분법을 한 번 더 적용하면 처음 주어진 함수 꼴이 나와서 부정적분을 구할 수 있다.

대표 문제
847

함수 $f(x)$에 대하여 $f'(x)=x^2 \sin x$이고 $f\left(\dfrac{\pi}{2}\right)=\pi$일 때, $f(0)$의 값을 구하시오.

848

함수 $f(x)=(\ln x)^2$의 한 부정적분을 $F(x)$라 하자. $F(e)=e$일 때, $F(1)$의 값은?

① 1   ② $e-1$ ③ 2
④ e ⑤ $e+1$

849

등식 $\displaystyle\int (x^2-2)e^{-x}\,dx = e^{-x}(px^2+qx+r)+C$를 만족시키는 상수 p, q, r에 대하여 $p+q+r$의 값을 구하시오.

(단, C는 적분상수이다.)

850

함수 $f(x)=\displaystyle\int e^x \sin x\,dx$에 대하여 $f(0)=0$일 때, $f(\pi)$의 값은?

① $\dfrac{e^\pi-2}{2}$ ② $\dfrac{e^\pi-1}{2}$ ③ $\dfrac{e^\pi}{2}$
④ $\dfrac{e^\pi+1}{2}$ ⑤ $\dfrac{e^\pi+2}{2}$

851

곡선 $y=f(x)$ 위의 점 $(x,\ y)$에서의 접선의 기울기가 $e^x \cos x$이고 이 곡선이 점 $\left(0,\ \dfrac{1}{2}\right)$을 지난다. 이때 방정식 $f(x)=0$을 만족시키는 모든 x의 값의 합은?

(단, $0 < x < 2\pi$이다.)

① $\dfrac{3}{2}\pi$ ② $\dfrac{7}{4}\pi$ ③ 2π
④ $\dfrac{9}{4}\pi$ ⑤ $\dfrac{5}{2}\pi$

실전! 기출 문제 정복하기

➔ 정답 및 풀이 **116**쪽

852

함수 $f(x)$가 다음 조건을 만족시킬 때, 상수 k의 값은?

> (가) $f'(x)=\begin{cases} k\sin x & (x<0) \\ 2\cos 2x-1 & (x>0) \end{cases}$
>
> (나) $f(\pi)=f(-\pi)=1$
>
> (다) $x=0$에서 연속

① $-\dfrac{\pi}{2}-1$ ② $-\dfrac{\pi}{2}$ ③ $\dfrac{\pi}{2}-1$

④ $\dfrac{\pi}{2}$ ⑤ $\dfrac{\pi}{2}+1$

853

함수 $f(x)$에 대하여 $f'(x)=\sin^5 x$이고 $f\left(\dfrac{\pi}{2}\right)=1$일 때, $f(0)$의 값을 구하시오.

854

곡선 $y=f(x)$ 위의 임의의 점 (x, y)에서의 접선의 기울기가 $3e^x\sqrt{e^x+k}$ 이다. 이 곡선이 점 $(0, 6)$을 지나고 이 점에서의 접선의 기울기가 6일 때, $f(\ln 6)$의 값은?

(단, k는 상수이다.)

① 11 ② 22 ③ 33

④ 44 ⑤ 55

855 교과서 심화

$x>0$에서 정의되고 모든 양수 x에 대하여 $f(x)>0$인 함수 $f(x)$가 $(x^2+3)f'(x)=xf(x)$, $f(1)=2$를 만족시킬 때, $f(2)$의 값은?

① 2 ② $\sqrt{5}$ ③ $\sqrt{6}$

④ $\sqrt{7}$ ⑤ $2\sqrt{2}$

856 교육청 기출

연속함수 $f(x)$가 다음 조건을 만족시킨다.

> (가) $x\neq 0$인 실수 x에 대하여 $\{f(x)\}^2 f'(x)=\dfrac{2x}{x^2+1}$
>
> (나) $f(0)=0$

$\{f(1)\}^3$의 값은?

① $2\ln 2$ ② $3\ln 2$ ③ $1+2\ln 2$

④ $4\ln 2$ ⑤ $1+3\ln 2$

857

$x>1$에서 정의된 함수 $f(x)$가 $f(x)=\displaystyle\int \dfrac{\sin(\ln x)}{x}\,dx$, $f(e^{\frac{\pi}{2}})=1$을 만족시킨다. 방정식 $f(x)=0$의 실근을 작은 수부터 차례로 a_1, a_2, a_3, $\cdots$이라 할 때, $\ln a_1 a_2 a_3$의 값을 구하시오.

858

$0<x<\pi$에서 정의된 함수 $f(x)=\displaystyle\int\dfrac{1}{\sin x}\,dx$에 대하여 $f\!\left(\dfrac{\pi}{2}\right)=0$일 때, $f\!\left(\dfrac{\pi}{3}\right)$의 값은?

① $-\ln 3$ ② $-\ln 3+1$ ③ $\ln 3-1$

④ $-\dfrac{1}{2}\ln 3$ ⑤ $\dfrac{1}{2}\ln 3-1$

859 교과서 심화

함수 $f(x)$의 도함수가 $f'(x)=\dfrac{1}{4x^2-1}$이고 방정식 $f(x)=0$의 한 근이 1일 때, 나머지 한 근을 구하시오.

860

미분가능한 함수 $f(x)$에 대하여 $\{e^{f(x)}\}'=5xe^{f(x)-x}$이 성립하고 $f(0)=1$일 때, $f(-1)$의 값은?

① 2 ② 4 ③ 6

④ $\dfrac{5}{2}e$ ⑤ $5e$

861

양의 실수 전체의 집합에서 정의된 함수 $f(x)$에 대하여 $f'(x)=\dfrac{\ln x}{x^2}$이고 $f(x)$의 극솟값이 1일 때, $f(e)$의 값은?

① $1+\dfrac{1}{e}$ ② $1-\dfrac{2}{e}$ ③ $-1+\dfrac{1}{e}$

④ $2-\dfrac{1}{e}$ ⑤ $2-\dfrac{2}{e}$

862 교육청 기출

$x>0$에서 미분가능한 함수 $f(x)$가 다음 조건을 만족시킨다. $f(\pi)$의 값은?

> (가) $f\!\left(\dfrac{\pi}{2}\right)=1$
>
> (나) $f(x)+xf'(x)=x\cos x$

① $-\dfrac{2}{\pi}$ ② $-\dfrac{1}{\pi}$ ③ 0

④ $\dfrac{1}{\pi}$ ⑤ $\dfrac{2}{\pi}$

863

미분가능한 함수 $f(x)$에 대하여 $\displaystyle\lim_{h\to 0}\dfrac{f(x+2h)-f(x-h)}{h}=3e^{-x}\cos 2x$가 성립하고 $f(0)=0$일 때, $f(-\pi)$의 값은?

① $e^{\frac{\pi}{2}}-1$ ② $\dfrac{e^{\pi}-1}{3}$ ③ $\dfrac{e^{2\pi}-1}{3}$

④ $\dfrac{1-e^{2\pi}}{5}$ ⑤ $\dfrac{1-e^{\pi}}{5}$

서술형 **문제 따라하기** 1

함수 $f(x)$가 다음을 만족시킬 때, $f\left(\dfrac{\pi}{2}\right)$의 값을 구하시오.

$$f''(x)=2\sin x\cos x,\quad \lim_{x\to\pi}\frac{f(x)}{x-\pi}=\frac{3}{2}$$

풀이

단계 1 $f''(x)$, $f'(x)$의 부정적분 구하기

$f'(x)=\displaystyle\int 2\sin x\cos x\,dx=\int \sin 2x\,dx$

$\qquad =-\dfrac{1}{2}\cos 2x+C_1$

$f(x)=\displaystyle\int\left(-\dfrac{1}{2}\cos 2x+C_1\right)dx=-\dfrac{1}{4}\sin 2x+C_1x+C_2$

$\qquad\qquad\qquad$ (단, C_1, C_2는 적분상수)

단계 2 적분상수 C_1, C_2 구하기

$\displaystyle\lim_{x\to\pi}\dfrac{f(x)}{x-\pi}=\dfrac{3}{2}$에서 $f(\pi)=0$, $f'(\pi)=\dfrac{3}{2}$이므로

$C_1\pi+C_2=0$, $-\dfrac{1}{2}+C_1=\dfrac{3}{2}$

$\therefore C_1=2,\ C_2=-2\pi$

단계 3 $f\left(\dfrac{\pi}{2}\right)$의 값 구하기

$f(x)=-\dfrac{1}{4}\sin 2x+2x-2\pi$이므로

$f\left(\dfrac{\pi}{2}\right)=\pi-2\pi=-\pi$

답 $-\pi$

864 ↳따라하기

함수 $f(x)$에 대하여 $f''(x)=3e^{-x}+\dfrac{3}{2\sqrt{x}}$,

$\displaystyle\lim_{x\to 0}\dfrac{f(x)}{x}=-3$이 성립할 때, $f(1)$의 값을 구하시오.

풀이

답

서술형 **문제 따라하기** 2

미분가능한 함수 $f(x)$의 한 부정적분 $F(x)$에 대하여 $F(x)=xf(x)-x^2e^x$, $f(0)=1$을 만족시킬 때, 함수 $f(x)$를 구하시오.

풀이

단계 1 $f'(x)$ 구하기

양변을 미분하면 $f(x)=f(x)+xf'(x)-2xe^x-x^2e^x$

$\therefore f'(x)=2e^x+xe^x$

단계 2 $f'(x)$의 부정적분 구하기

$f(x)=\displaystyle\int f'(x)\,dx=\int(2e^x+xe^x)\,dx=2e^x+\int xe^x\,dx$

$\displaystyle\int xe^x\,dx$에서

$u(x)=x$, $v'(x)=e^x$으로 놓으면

$u'(x)=1$, $v(x)=e^x$이므로

$f(x)=2e^x+xe^x-\displaystyle\int e^x\,dx=2e^x+xe^x-e^x+C$

$\qquad =(x+1)e^x+C$ (단, C는 적분상수)

단계 3 $f(x)$ 구하기

$f(0)=1$에서 $1+C=1$이므로 $C=0$

$\therefore f(x)=(x+1)e^x$

답 $f(x)=(x+1)e^x$

865 ↳따라하기

미분가능한 함수 $f(x)$의 한 부정적분 $F(x)$에 대하여 $F(x)=xf(x)-x^2\sin x$, $F(\pi)=-\pi$를 만족시킬 때, $f\left(\dfrac{\pi}{2}\right)$의 값을 구하시오.

풀이

답

2 정적분

C 유형 01~05

개념 01 정적분의 성질

📕 note

1 정적분

두 실수 a, b를 포함하는 구간에서 연속인 함수 $f(x)$의 한 부정적분을 $F(x)$라 하면 a에서 b까지의 정적분은 다음과 같다.

$$\int_a^b f(x)\,dx = \Big[\,F(x)\,\Big]_a^b = F(b) - F(a)$$

● $F(b) - F(a)$의 값은 어떤 부정적분 $F(x)$에서도 하나로 일정하다.

2 정적분의 성질

두 함수 $f(x)$, $g(x)$가 세 실수 a, b, c를 포함하는 구간에서 연속일 때

(1) $\displaystyle\int_a^b kf(x)\,dx = k\int_a^b f(x)\,dx$ (단, k는 상수)

(2) $\displaystyle\int_a^b \{f(x) \pm g(x)\}\,dx = \int_a^b f(x)\,dx \pm \int_a^b g(x)\,dx$

(3) $\displaystyle\int_a^c f(x)\,dx + \int_c^b f(x)\,dx = \int_a^b f(x)\,dx$

→ a, b, c의 대소에 관계없이 성립한다.

● $\displaystyle\int_a^a f(x)\,dx = 0$,
$\displaystyle\int_a^b f(x)\,dx = -\int_b^a f(x)\,dx$

3 우함수와 기함수의 정적분

함수 $f(x)$가 닫힌구간 $[-a, a]$에서 연속일 때, 이 구간의 모든 x에 대하여

(1) $f(x)$가 우함수, 즉 $f(-x) = f(x)$이면 $\displaystyle\int_{-a}^a f(x)\,dx = 2\int_0^a f(x)\,dx$

(2) $f(x)$가 기함수, 즉 $f(-x) = -f(x)$이면 $\displaystyle\int_{-a}^a f(x)\,dx = 0$

● 우함수의 그래프는 y축에 대하여 대칭이고, 기함수의 그래프는 원점에 대하여 대칭이다.

4 주기함수의 정적분

주기가 p인 연속함수 $f(x)$에 대하여

(1) $\displaystyle\int_a^b f(x)\,dx = \int_{a+p}^{b+p} f(x)\,dx$

(2) $\displaystyle\int_a^{a+p} f(x)\,dx = \int_b^{b+p} f(x)\,dx$

● 주기가 p인 주기함수 $f(x)$는 $f(x+p) = f(x)$를 만족시킨다.

→ 정답 및 풀이 120쪽

[866~869] 다음 정적분의 값을 구하시오.

866 $\displaystyle\int_e^{e^2} \frac{4}{x}\,dx$

867 $\displaystyle\int_0^2 \frac{9^x - 1}{3^x - 1}\,dx$

868 $\displaystyle\int_0^1 (e^x + 1)^2\,dx + \int_1^0 (e^x - 1)^2\,dx$

869 $\displaystyle\int_1^2 (\sqrt{x} - 1)\,dx + \int_2^4 (\sqrt{x} - 1)\,dx$

[870~872] 다음 정적분의 값을 구하시오.

870 $\displaystyle\int_{-\frac{\pi}{3}}^{\frac{\pi}{3}} (2\sin x + 3\cos x)\,dx$

871 $\displaystyle\int_{-1}^1 \frac{e^x + e^{-x}}{2}\,dx$

872 임의의 실수 x에 대하여 연속함수 $f(x)$가 $f(x+3) = f(x)$를 만족시킨다. $\displaystyle\int_0^3 f(x)\,dx = 2$일 때, $\displaystyle\int_1^{10} f(x)\,dx$의 값을 구하시오.

1 치환적분법을 이용한 정적분

닫힌구간 $[a, b]$에서 연속인 함수 $f(x)$에 대하여 미분가능한 함수 $x=g(t)$의 도함수 $g'(t)$가 $a=g(\alpha)$, $b=g(\beta)$일 때 α, β를 포함하는 구간에서 연속이면

$$\int_a^b f(x)\,dx = \int_\alpha^\beta f(g(t))g'(t)\,dt$$

2 삼각함수로 치환하는 적분법

a^2-x^2, a^2+x^2 $(a>0$인 상수) 꼴을 포함하는 함수는 다음과 같이 적분 변수를 삼각함수로 치환하여 정적분한다.

(1) a^2-x^2 꼴인 경우

$x=a\sin\theta\left(-\dfrac{\pi}{2}\le\theta\le\dfrac{\pi}{2}\right)$로 치환한 다음, $\sin^2\theta+\cos^2\theta=1$임을 이용한다.

(2) a^2+x^2 꼴인 경우

$x=a\tan\theta\left(-\dfrac{\pi}{2}<\theta<\dfrac{\pi}{2}\right)$로 치환한 다음, $1+\tan^2\theta=\sec^2\theta$임을 이용한다.

● 정적분이
$$\int_\alpha^\beta f(g(x))g'(x)\,dx$$
꼴인 경우
$g(x)=t$로 놓으면
$$\int_\alpha^\beta f(g(x))g'(x)\,dx$$
$$=\int_{g(\alpha)}^{g(\beta)} f(t)\,dt$$

● 변수 x를 삼각함수로 치환하여 정적분의 값을 구하므로 삼각치환법이라고 한다.

→ 정답 및 풀이 **120**쪽

[873~878] 다음 정적분의 값을 구하시오.

873 $\displaystyle\int_0^1 (2x-1)^6\,dx$

874 $\displaystyle\int_3^4 x\sqrt{4-x}\,dx$

875 $\displaystyle\int_0^{\frac{\pi}{4}} 2\sin^2 x\cos x\,dx$

876 $\displaystyle\int_1^e \frac{\ln x}{x}\,dx$

877 $\displaystyle\int_0^{\ln 2} \frac{e^x}{e^x+1}\,dx$

878 $\displaystyle\int_{-1}^0 \frac{2x+3}{x^2+3x+4}\,dx$

879 다음은 정적분 $\displaystyle\int_1^2 \sqrt{4-x^2}\,dx$의 값을 구하는 과정이다.

$x=2\sin\theta\left(-\dfrac{\pi}{2}\le\theta\le\dfrac{\pi}{2}\right)$로 놓으면

$\dfrac{dx}{d\theta}=\boxed{\text{(가)}}$

$x=1$일 때 $\theta=\boxed{\text{(나)}}$, $x=2$일 때 $\theta=\boxed{\text{(다)}}$이므로

$\displaystyle\int_1^2 \sqrt{4-x^2}\,dx = \int_{\text{(나)}}^{\text{(다)}} \sqrt{4-4\sin^2\theta}\times 2\cos\theta\,d\theta$

$\displaystyle = \int_{\text{(나)}}^{\text{(다)}} 4\cos^2\theta\,d\theta$

$\displaystyle = \int_{\text{(나)}}^{\text{(다)}} 4\times\frac{1+\cos 2\theta}{2}\,d\theta$

$\displaystyle = \left[2\theta+\boxed{\text{(라)}}\right]_{\text{(나)}}^{\text{(다)}} = \boxed{\text{(마)}}$

위의 과정에서 (가)~(마)에 알맞은 것을 써넣으시오.

[880~881] 다음 정적분의 값을 구하시오.

880 $\displaystyle\int_1^{\sqrt{3}} \frac{1}{1+x^2}\,dx$ **881** $\displaystyle\int_0^1 \frac{1}{\sqrt{1-x^2}}\,dx$

부분적분법을 이용한 정적분   C 유형 08, 09

두 함수 $f(x)$, $g(x)$가 미분가능하고, $f'(x)$, $g'(x)$가 닫힌구간 $[a, b]$에서 연속일 때

$$\int_a^b f(x)g'(x)\,dx = \Big[\,f(x)g(x)\,\Big]_a^b - \int_a^b f'(x)g(x)\,dx$$

- 부분적분법을 이용할 때, 미분하기 쉬운 것을 $f(x)$로, 적분하기 쉬운 것을 $g'(x)$로 놓으면 편리하다.

→ 정답 및 풀이 **121**쪽

[882~885] 다음 정적분의 값을 구하시오.

882 $\displaystyle\int_0^1 xe^x\,dx$

883 $\displaystyle\int_{\frac{\pi}{2}}^{\pi} 2x\sin x\,dx$

884 $\displaystyle\int_1^e \ln x\,dx$

885 $\displaystyle\int_0^1 x^2 e^{-x}\,dx$

개념 04   **정적분으로 정의된 함수**   C 유형 10~14   📕 note

1 정적분으로 정의된 함수의 미분

함수 $f(t)$가 실수 a를 포함하는 구간에서 연속이면 이 구간에 속하는 임의의 x에 대하여 다음이 성립한다.

(1) $\dfrac{d}{dx}\displaystyle\int_a^x f(t)\,dt = f(x)$

(2) $\dfrac{d}{dx}\displaystyle\int_x^{x+a} f(t)\,dt = f(x+a) - f(x)$

2 정적분으로 정의된 함수의 극한

(1) $\displaystyle\lim_{x\to 0}\dfrac{1}{x}\int_a^{x+a} f(t)\,dt = f(a)$

(2) $\displaystyle\lim_{x\to a}\dfrac{1}{x-a}\int_a^x f(t)\,dt = f(a)$

- $f(t)$의 한 부정적분을 $F(t)$라 하면
$$\dfrac{d}{dx}\int_a^x f(t)\,dt$$
$$=\dfrac{d}{dx}\Big[F(t)\Big]_a^x$$
$$=\dfrac{d}{dx}\{F(x)-F(a)\}$$
$$=F'(x)=f(x)$$

→ 정답 및 풀이 **122**쪽

[886~888] 임의의 실수 x에 대하여 다음이 성립할 때, $f(x)$를 구하시오.

886 $\displaystyle\int_1^x f(t)\,dt = x - \dfrac{2}{x^2} + \sqrt{x}$ (단, $x>0$이다.)

887 $\displaystyle\int_0^x f(t)\,dt = e^{2x} - \cos x$

888 $\displaystyle\int_1^x f(t)\,dt = x\ln x$ (단, $x>0$이다.)

[889~891] 다음 극한값을 구하시오.

889 $\displaystyle\lim_{x\to 0}\dfrac{1}{x}\int_0^x (2^t+1)^2\,dt$

890 $\displaystyle\lim_{x\to \pi}\dfrac{1}{x-\pi}\int_\pi^x (t-\cos t)\,dt$

891 $\displaystyle\lim_{x\to 0}\dfrac{1}{x}\int_e^{x+e} t\ln t\,dt$

→ 정답 및 풀이 **122**쪽

유형 01 여러 가지 함수의 정적분

두 실수 a, b를 포함하는 구간에서 연속인 함수 $f(x)$의 한 부정적분을 $F(x)$라 하면

$\Rightarrow \int_a^b f(x)\,dx = \Big[\,F(x)\,\Big]_a^b = F(b) - F(a)$

대표 문제
892

정적분 $\displaystyle\int_1^4 \frac{(1-\sqrt{x})^2}{\sqrt{x}}\,dx$의 값을 구하시오.

893

정적분 $\displaystyle\int_2^6 \frac{x-2}{x+2}\,dx$의 값은?

① $2-4\ln 2$　　② $4-4\ln 2$　　③ $4-2\ln 2$

④ $2+2\ln 2$　　⑤ $4+2\ln 2$

894

$\displaystyle\int_0^1 (3^x-1)(9^x+3^x+1)\,dx = \frac{a}{3\ln 3}+b$일 때, 유리수 a, b에 대하여 $a+b$의 값을 구하시오.

895

정적분 $\displaystyle\int_{\frac{\pi}{6}}^{\frac{\pi}{3}} \frac{1}{\sin^2 x \cos^2 x}\,dx$의 값은?

① $\dfrac{\sqrt{3}}{3}$　　② $\dfrac{2\sqrt{3}}{3}$　　③ $\sqrt{3}$

④ $\dfrac{4\sqrt{3}}{3}$　　⑤ $2\sqrt{3}$

896

오른쪽 그림과 같이 곡선 $y=x^4$ 위의 임의의 점 $\mathrm{P}(x, y)$에서의 접선이 x축의 양의 방향과 이루는 각의 크기를 $\theta(x)$라 할 때, 정적분 $\displaystyle\int_{\frac{1}{2}}^1 \cot\theta(x)\,dx$의 값은?

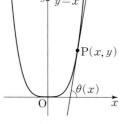

① $\dfrac{1}{8}$　　② $\dfrac{1}{4}$　　③ $\dfrac{3}{8}$

④ $\dfrac{1}{2}$　　⑤ $\dfrac{5}{8}$

유형 02 정적분의 성질

두 함수 $f(x)$, $g(x)$가 세 실수 a, b, c를 포함하는 구간에서 연속일 때

(1) $\displaystyle\int_a^b kf(x)\,dx = k\int_a^b f(x)\,dx$ (단, k는 상수)

(2) $\displaystyle\int_a^b \{f(x)\pm g(x)\}\,dx = \int_a^b f(x)\,dx \pm \int_a^b g(x)\,dx$

(3) $\displaystyle\int_a^c f(x)\,dx + \int_c^b f(x)\,dx = \int_a^b f(x)\,dx$

대표 문제
897

정적분 $\displaystyle\int_1^2 \frac{x+1}{x^2+2x}\,dx + \int_2^1 \frac{x-3}{x^2+2x}\,dx$의 값은?

① $3\ln\dfrac{2}{3}$　　② $2\ln\dfrac{4}{3}$　　③ $2\ln\dfrac{3}{2}$

④ $2\ln 2$　　⑤ $3\ln 3$

898

함수 $f(x)=4\sqrt[3]{x}$에 대하여 정적분

$$\int_{10}^{8} f(x)\,dx + \int_{1}^{6} f(y)\,dy - \int_{10}^{6} f(z)\,dz$$

의 값을 구하시오.

899

$\int_{0}^{\ln 3} \dfrac{e^{2x}}{e^{x}+1}\,dx + \int_{\ln 3}^{0} \dfrac{1}{e^{x}+1}\,dx = a+b\ln 3$일 때, 유리

수 a, b에 대하여 $a+b$의 값을 구하시오.

900

정적분 $\displaystyle\int_{0}^{\pi} (\sin x+1)^2\,dx - \int_{\pi}^{0} (\cos y-1)^2\,dy$의 값은?

① $1+2\pi$　　　② $2+2\pi$　　　③ $2+3\pi$

④ $3+2\pi$　　　⑤ $4+3\pi$

901

함수 $f(x)=\begin{cases} e^{-x}-1 & (x\le 0) \\ \pi\sin\pi x & (x\ge 0) \end{cases}$에 대하여 정적분

$\displaystyle\int_{-1}^{3} f(x)\,dx$의 값을 구하시오.

> 구간에 따라 다르게 정의된
> 함수의 정적분의 값을 구할 때에는
> 구간을 나누어 정적분의 값을
> 구하면 돼!

유형 03 절댓값 기호를 포함한 함수의 정적분

절댓값 기호를 포함한 함수의 정적분의 값은 다음과 같은 순서로 구한다.

❶ 절댓값 기호 안의 식을 0이 되게 하는 x의 값을 경계로 적분 구간을 나눈다.

❷ $\displaystyle\int_{a}^{b} f(x)\,dx = \int_{a}^{c} f(x)\,dx + \int_{c}^{b} f(x)\,dx$임을 이용하여 정적분의 값을 구한다.

대표 문제

902

정적분 $\displaystyle\int_{-1}^{1} |2^x-1|\,dx$의 값은?

① $\dfrac{1}{2\ln 2}$　　　② $\dfrac{1}{2\ln 2}+1$　　　③ $2-\dfrac{1}{\ln 2}$

④ $\dfrac{2}{\ln 2}$　　　⑤ $\dfrac{2}{\ln 2}-1$

903

정적분 $\displaystyle\int_{-1}^{2} e^{|x|}\,dx$의 값을 구하시오.

904

정적분 $\int_0^\pi |\sin x - \cos x|\, dx$의 값은?

① 2   ② $2\sqrt{2}$ ③ $2\sqrt{3}$

④ 4   ⑤ $3\sqrt{2}$

905

두 함수 $f(x) = |x| + k$, $g(x) = \cos x$에 대하여

$\int_0^{\frac{3}{2}\pi} (f \circ g)(x)\, dx = 6$일 때, 상수 k의 값을 구하시오.

낯선유형 04 우함수와 기함수의 정적분 ◯△✕

함수 $f(x)$가 닫힌구간 $[-a, a]$에서 연속일 때
(1) $f(x)$가 우함수, 즉 $f(-x) = f(x)$이면
$$\Rightarrow \int_{-a}^a f(x)\, dx = 2\int_0^a f(x)\, dx$$
(2) $f(x)$가 기함수, 즉 $f(-x) = -f(x)$이면
$$\Rightarrow \int_{-a}^a f(x)\, dx = 0$$

대표 문제
906 #우함수의_정적분 #기함수의_정적분 #성질_이용

정적분 $\int_{-\frac{\pi}{4}}^{\frac{\pi}{4}} (x^2 \sin x - \tan x + \cos 2x)\, dx$의 값은?
→ 먼저 우함수인지 기함수인지 파악한다.

① -2 ② -1 ③ 0

④ 1   ⑤ 2

907

정적분 $\int_{-1}^1 (2^x + 5^x + 2^{-x} - 5^{-x})\, dx$의 값은?

① $\dfrac{1}{2\ln 2}$ ② $5\ln 2$ ③ $\dfrac{12}{5\ln 5}$

④ $\dfrac{3}{\ln 2}$ ⑤ $\dfrac{9}{\ln 5}$

908

연속함수 $f(x)$가 모든 실수 x에서 $f(-x) = -f(x)$를 만족시킨다. 이때 정적분의 값이 항상 0인 것만을 보기에서 있는 대로 고른 것은?

┌─ 보기 ─────────────────────┐

ㄱ. $\int_{-1}^1 f(x) e^{x^2}\, dx$ ㄴ. $\int_{-\pi}^\pi \cos f(x)\, dx$

ㄷ. $\int_{-\frac{\pi}{4}}^{\frac{\pi}{4}} f(x) \sin x\, dx$ ㄹ. $\int_{-2}^2 (e^{f(x)} - e^{-f(x)})\, dx$

└────────────────────────────┘

① ㄱ, ㄷ   ② ㄱ, ㄹ   ③ ㄴ, ㄷ

④ ㄱ, ㄴ, ㄹ   ⑤ ㄴ, ㄷ, ㄹ

유형 05 주기함수의 정적분 ◯△✕

주기가 p인 함수 $f(x)$, 즉 $f(x+p) = f(x)$인 연속함수 $f(x)$에 대하여
(1) $\int_a^b f(x)\, dx = \int_{a+p}^{b+p} f(x)\, dx$
(2) $\int_a^{a+p} f(x)\, dx = \int_b^{b+p} f(x)\, dx$

대표 문제
909

정적분 $\int_0^{10\pi} |\sin 2x|\, dx$의 값은?

① $5\sqrt{2}$ ② 10   ③ $10\sqrt{2}$

④ 20   ⑤ $20\sqrt{2}$

910

정적분 $\int_{-\frac{\pi}{4}}^{\frac{9}{4}\pi} (\cos 4x - 1)\, dx$의 값은?

① $-\dfrac{5}{2}\pi$ ② $-\dfrac{3}{2}\pi$ ③ $-\dfrac{\pi}{2}$

④ $\dfrac{\pi}{2}$ ⑤ $\dfrac{3}{2}\pi$

911

모든 실수 x에 대하여 $f(x+2)=f(x)$를 만족시키고, $-1 \leq x \leq 1$에서 $f(x)=\dfrac{e^x+e^{-x}}{2}$인 함수 $f(x)$에 대하여 $\int_3^{11} f(x)\, dx$의 값을 구하시오.

<table><tr><td>◻◻◻</td></tr></table>

유형 06　**치환적분법을 이용한 정적분**

> 미분가능한 함수 $x=g(t)$의 도함수 $g'(t)$가 $a=g(\alpha)$, $b=g(\beta)$일 때 α, β를 포함하는 구간에서 연속이면
> $$\int_a^b f(x)\, dx = \int_\alpha^\beta f(g(t))g'(t)\, dt$$

대표 문제
912

정적분 $\int_0^1 \dfrac{x}{\sqrt{2x+1}}\, dx$의 값을 구하시오.

913

정적분 $\int_{\sqrt{2}}^{\sqrt{3}} x^3 \sqrt{x^2-2}\, dx$의 값은?

① $\dfrac{3}{5}$ ② $\dfrac{2}{3}$ ③ $\dfrac{11}{15}$

④ $\dfrac{4}{5}$ ⑤ $\dfrac{13}{15}$

914

오른쪽 그림은 $0 \leq x \leq 4$에서 정의된 함수 $y=f(x)$의 그래프이다. 정적분 $\int_0^3 \sqrt{x}\, f(x+1)\, dx$의 값은?

① $2\sqrt{3}$ ② $3\sqrt{3}$
③ $4\sqrt{3}$ ④ $5\sqrt{3}$
⑤ $6\sqrt{3}$

915

함수 $f(x)=2^x$에 대하여 $\int_0^3 \{f(x)+f(6-x)\}\, dx = \dfrac{k}{\ln 2}$이다. 상수 k의 값을 구하시오.

916

정적분 $\int_0^{\ln 3} \dfrac{e^x}{e^x+e^{-x}}\, dx$의 값을 구하시오.

917

실수 k에 대하여 $f(k) = \int_1^k \dfrac{\sqrt{\ln x}}{x}\, dx$일 때, $f(k^9)$과 같은 것은? (단, $k > 1$이다.)

① $3f(k)$ ② $6f(k)$ ③ $9f(k)$

④ $27f(k)$ ⑤ $81f(k)$

918

정적분 $\displaystyle\int_0^\pi \dfrac{\sin x}{1 + 2\cos x}\, dx - \int_\pi^0 \dfrac{2\sin x}{1 + 2\cos x}\, dx$의 값은?

① $\ln 3$ ② $\dfrac{3}{2}\ln 3$ ③ $2\ln 3$

④ $\dfrac{5}{2}\ln 3$ ⑤ $3\ln 3$

919

정적분 $\displaystyle\int_0^{\frac{\pi}{2}} \cos^3 x\, dx$의 값은?

① $\dfrac{1}{3}$ ② $\dfrac{\sqrt{2}}{3}$ ③ $\dfrac{\sqrt{3}}{3}$

④ $\dfrac{2}{3}$ ⑤ $\dfrac{\sqrt{5}}{3}$

$\displaystyle\int_\alpha^\beta f(g(x))g'(x)\, dx$ 꼴은

$g(x) = t$로 놓고 $\displaystyle\int_{g(\alpha)}^{g(\beta)} f(t)\, dt$

꼴로 변형하여 구해.

920

$\displaystyle\int_e^{e^3} \dfrac{a + \ln x}{x}\, dx = \int_0^\pi (1 + \cos x)\sin x\, dx$가 성립할 때, 상수 a의 값은?

① -2 ② -1 ③ 0

④ 1 ⑤ 2

낯선 유형 **07** **삼각함수를 이용한 치환적분법**

(1) $a^2 - x^2$ 꼴을 포함하는 함수 (단, a는 상수)
  ➡ $x = a\sin\theta \left(-\dfrac{\pi}{2} \le \theta \le \dfrac{\pi}{2}\right)$로 치환한 다음
     $\sin^2\theta + \cos^2\theta = 1$임을 이용한다.

(2) $a^2 + x^2$ 꼴을 포함하는 함수 (단, a는 상수)
  ➡ $x = a\tan\theta \left(-\dfrac{\pi}{2} < \theta < \dfrac{\pi}{2}\right)$로 치환한 다음
     $1 + \tan^2\theta = \sec^2\theta$를 이용한다.

대표 문제
921 #삼각함수로_치환 #삼각함수의_관계식_이용

정적분 $\displaystyle\int_{-1}^3 \dfrac{1}{3 + x^2}\, dx$의 값은? ▶ $x = a\tan\theta$로 치환한다.

① $\dfrac{\sqrt{3}}{2}\pi$ ② $\dfrac{\sqrt{3}}{3}\pi$ ③ $\dfrac{\sqrt{3}}{4}\pi$

④ $\dfrac{\sqrt{3}}{6}\pi$ ⑤ $\dfrac{\sqrt{3}}{9}\pi$

922

정적분 $\displaystyle\int_0^{2\sqrt{3}} \dfrac{x - 3}{\sqrt{16 - x^2}}\, dx$의 값을 구하시오.

923

정적분 $\int_0^{\sqrt{2}} \dfrac{1}{(4-x^2)\sqrt{4-x^2}}\, dx$의 값을 구하시오.

924

$\int_0^{\frac{a}{2}} \dfrac{2}{4x^2+a^2}\, dx = \dfrac{\pi}{4}$일 때, 양수 a의 값은?

① $\dfrac{1}{4}$　　　② $\dfrac{1}{3}$　　　③ $\dfrac{1}{2}$

④ 1　　　⑤ 2

925

$\int_{\frac{1}{2}}^{1} \sqrt{2x-x^2}\, dx = a\sqrt{3}+b\pi$일 때, 유리수 a, b에 대하여 $\dfrac{b}{a}$의 값은?

① $\dfrac{2}{3}$　　　② $\dfrac{3}{4}$　　　③ 1

④ $\dfrac{4}{3}$　　　⑤ $\dfrac{3}{2}$

날선 유형 08 **부분적분법을 이용한 정적분 (1)**

두 함수 $f(x)$, $g(x)$가 미분가능하고, $f'(x)$, $g'(x)$가 닫힌구간 $[a, b]$에서 연속일 때

$$\int_a^b f(x)g'(x)\, dx = \Big[\, f(x)g(x)\,\Big]_a^b - \int_a^b f'(x)g(x)\, dx$$

대표 문제
926 #부분적분법 #미분하기_쉬운_것_$u(x)$ #적분하기_쉬운_것_$v'(x)$

함수 $f(x)=x\cos 2x$에 대하여 정적분

$\displaystyle\int_0^1 f(x)\, dx - \int_{\frac{\pi}{2}}^1 f(x)\, dx$의 값을 구하시오.

→ 정적분의 성질을 이용하여 간단히 한다.

927

정적분 $\displaystyle\int_1^e (2x-1)\ln x\, dx$의 값은?

① $\dfrac{1}{4}(e^2-1)$　　② $\dfrac{1}{4}(e^2+1)$　　③ $\dfrac{1}{2}(e^2-1)$

④ $\dfrac{1}{2}e^2$　　⑤ $\dfrac{1}{2}(e^2+1)$

928

정적분 $\displaystyle\int_{-1}^1 |x|e^x\, dx$의 값은?

① $1-\dfrac{1}{e}$　　② $2-\dfrac{1}{e}$　　③ $2-\dfrac{2}{e}$

④ $1+\dfrac{2}{e}$　　⑤ $2+\dfrac{1}{e}$

> 먼저 절댓값 기호 안의 식이 0이 되게 하는 x의 값을 경계로 적분 구간을 나눠!

→ 정답 및 풀이 **127**쪽

유형 09 부분적분법을 이용한 정적분 (2)

부분적분법을 한 번 적용하여 적분을 구하기 어려운 경우

(1) 부분적분법을 한 번 더 적용하여 정적분의 값을 구한다.

(2) 부분적분법을 한 번 더 적용하면 주어진 함수와 같은 꼴이 나와서 정적분의 값을 구할 수 있다.

대표 문제
929

정적분 $\displaystyle\int_0^\pi e^{-x}\sin x\,dx$의 값은?

① $\dfrac{1}{2}(e^{-\pi}-1)$ ② $\dfrac{1}{2}(e^{-\pi}+1)$ ③ $\dfrac{1}{2}(e^\pi+1)$

④ $e^{-\pi}+1$ ⑤ $e^\pi-1$

930

정적분 $\displaystyle\int_0^\pi x^2\cos x\,dx$의 값은?

① -2π ② $-\pi$ ③ 0

④ π ⑤ 2π

931

$\displaystyle\int_0^{\frac{\pi}{2}} e^x(\sin x+\cos x)\,dx=ae^{\frac{\pi}{2}}+b$일 때, 유리수 a, b에 대하여 $a+b$의 값을 구하시오.

낯선 유형 10 정적분을 포함한 등식 – 적분 구간에 상수만 있는 경우

$f(x)=g(x)+\displaystyle\int_a^b f(t)\,dt$ (a, b는 상수) 꼴로 주어졌을 때, $f(x)$는 다음과 같은 순서로 구한다.

❶ $\displaystyle\int_a^b f(t)\,dt=k$ (k는 상수)로 놓는다.

❷ $f(x)=g(x)+k$를 ❶의 식에 대입하여 k의 값을 구한다.

❸ k의 값을 $f(x)=g(x)+k$에 대입하여 $f(x)$를 구한다.

대표 문제
932 #적분_구간에_상수만 #$\int_a^b f(t)\,dt=k$로_놓기

함수 $f(x)$가 $f(x)=e^x+\displaystyle\int_0^1 e^{-t}f(t)\,dt$를 만족시킬 때, $f(1)$의 값을 구하시오.

→ k (k는 상수)로 놓는다.

933

함수 $f(x)$가 $f(x)=\cos x+2\displaystyle\int_0^{\frac{\pi}{2}} f(t)\sin t\,dt$를 만족시킬 때, $f\left(\dfrac{\pi}{3}\right)$의 값은?

① -1 ② $-\dfrac{\sqrt{3}}{2}$ ③ $-\dfrac{1}{2}$

④ $\dfrac{1}{2}$ ⑤ $\dfrac{\sqrt{3}}{2}$

934

$x>0$에서 함수 $f(x)$가 $f(x)=\ln x-\displaystyle\int_1^e f(t)\,dt$를 만족시킬 때, $f(e^2)$의 값은?

① $-\dfrac{2}{e}$ ② $\dfrac{2}{e}$ ③ $1+\dfrac{1}{e}$

④ $2-\dfrac{1}{e}$ ⑤ $-2+\dfrac{3}{e}$

날선 유형 11 정적분을 포함한 등식 –
적분 구간에 변수가 있는 경우

$\displaystyle\int_a^x f(t)\,dt = g(x)$ (a는 상수) 꼴로 주어졌을 때, $f(x)$ 는 다음과 같은 순서로 구한다.

❶ 양변을 x에 대하여 미분한다. 즉, $f(x)=g'(x)$이다.

❷ 양변에 $x=a$를 대입하여 $\displaystyle\int_a^a f(t)\,dt=g(a)=0$임을 이용한다.

대표 문제
935 #적분_구간에_변수 #양변을_미분 #$\int_a^a f(t)\,dt=0$임을_이용

$x>0$에서 미분가능한 함수 $f(x)$가

$$xf(x)=3-x+\int_1^x f(t)\,dt$$

를 만족시킬 때, $f(e)$의 값을 구하시오.

936

함수 $f(x)$가 모든 실수 x에 대하여

$$\int_0^x f(t)\,dt=(x-1)\cos 2x + ax^2 - a$$

를 만족시킬 때, $f(\pi)$의 값은? (단, a는 상수이다.)

① $1-2\pi$ ② $2-2\pi$ ③ $1+\pi$
④ $2+\pi$ ⑤ $1+2\pi$

937

$x>0$에서 미분가능한 함수 $f(x)$가

$$\int_1^x f(t)\,dt=xf(x)-x^2\ln x$$

를 만족시킬 때, $f(e)$의 값은?

① $e-2$ ② $e-1$ ③ e
④ $e+1$ ⑤ $e+2$

유형 12 정적분을 포함한 등식 –
적분 구간과 피적분함수에 변수가 있는 경우

$\displaystyle\int_a^x (x-t)f(t)\,dt = g(x)$ (a는 상수) 꼴로 주어졌을 때, $f(x)$는 다음과 같은 순서로 구한다.

❶ $x\displaystyle\int_a^x f(t)\,dt - \int_a^x tf(t)\,dt = g(x)$로 변형한다.

❷ 양변을 x에 대하여 미분한 후 $f(x)$를 구한다.

대표 문제
938

함수 $f(x)$가 모든 실수 x에 대하여

$$\int_0^x (x-t)f(t)\,dt = \cos 2x + ax + b$$

를 만족시킬 때, $f\left(\dfrac{\pi}{2}\right)+a+b$의 값은?

(단, a, b는 상수이다.)

① 3   ② 4   ③ 5
④ 6   ⑤ 7

939

함수 $f(x)=\dfrac{2x+1}{x^2+x+1}$에 대하여

$$F(x)=\int_0^x (x-t)f(t)\,dt$$

일 때, $F'(k)=\ln 7$을 만족시키는 양수 k의 값은?

① 1   ② 2   ③ 3
④ 4   ⑤ 5

940

모든 실수 x에 대하여 미분가능한 함수 $f(x)$가

$$\int_1^x f(t)\,dt = x-1 + \int_1^x (x-t)f(t)\,dt$$

를 만족시킬 때, $f(2)$의 값을 구하시오.

(단, $f(x)>0$이다.)

유형 13 정적분으로 정의된 함수의 활용

$f(x)=\displaystyle\int_a^x g(t)\,dt$ 꼴의 극대 · 극소 또는 최대 · 최소는 다음과 같은 순서로 구한다.

❶ 양변을 x에 대하여 미분하여 $f'(x)$를 구한다.

❷ $f'(x)=0$을 만족시키는 x의 값을 구한 후 $f(x)$의 극값 또는 최댓값 · 최솟값을 구한다.

대표 문제
941

$x>0$일 때, 함수 $f(x)=\displaystyle\int_0^x (\sqrt{t}-t)\,dt$의 극값을 구하시오.

$f'(a)=0$이고, $x=a$의 좌우에서 $f'(x)$의 부호가 바뀌면 $f(x)$는 $x=a$에서 극값을 갖게 돼!

942

함수 $f(x)=\displaystyle\int_0^x (t+a)e^t\,dt$가 $x=3$에서 최솟값 b를 갖는다. 이때 $a+b$의 값은? (단, a는 상수이다.)

① e^3-3 ② e^3+1 ③ $2e^3-1$

④ $-e^3+1$ ⑤ $-e^3+3$

943

$0<x<2\pi$에서 함수 $f(x)=\displaystyle\int_0^x (1+2\cos t)\sin t\,dt$의 극솟값을 a, 극댓값을 b라 할 때, $2b-a$의 값은?

① $\dfrac{3}{2}$ ② $\dfrac{7}{4}$ ③ 2

④ $\dfrac{9}{4}$ ⑤ $\dfrac{5}{2}$

유형 14 정적분으로 정의된 함수의 극한

함수 $f(x)$의 한 부정적분을 $F(x)$라 할 때

(1) $\displaystyle\lim_{x\to 0}\frac{1}{x}\int_a^{x+a} f(t)\,dt=\lim_{x\to 0}\frac{F(x+a)-F(a)}{x}$
$$=F'(a)=f(a)$$

(2) $\displaystyle\lim_{x\to a}\frac{1}{x-a}\int_a^x f(t)\,dt=\lim_{x\to a}\frac{F(x)-F(a)}{x-a}$
$$=F'(a)=f(a)$$

대표 문제
944

함수 $f(x)=(x+\sin \pi x)^2$에 대하여

$\displaystyle\lim_{h\to 0}\frac{1}{h}\int_2^{2+2h} f(x)\,dx$의 값은?

① 2 ② 4 ③ 6

④ 8 ⑤ 10

945

$\displaystyle\lim_{x\to e}\frac{1}{e-x}\int_e^x e^t \ln t\,dt$의 값은?

① $-e^e$ ② $-e$ ③ 0

④ e ⑤ e^e

946

$\displaystyle\lim_{x\to 1}\frac{1}{x^3-1}\int_1^{x^2} (\sqrt{3^t+1}-t^3)\,dt$의 값을 구하시오.

947

정적분 $\displaystyle\int_1^4\left(\sqrt{x}+\frac{1}{\sqrt{x}}\right)^3 dx+\int_4^1\left(\sqrt{x}-\frac{1}{\sqrt{x}}\right)^3 dx$의 값을 구하시오.

948 교육청 기출

미분가능한 두 함수 $f(x)$, $g(x)$에 대하여 $g(x)$는 $f(x)$의 역함수이다. $f(1)=3$, $g(1)=3$일 때,

$$\int_1^3\left\{\frac{f(x)}{f'(g(x))}+\frac{g(x)}{g'(f(x))}\right\}dx$$

의 값은?

① -8 ② -4 ③ 0
④ 4 ⑤ 8

949

정적분 $\displaystyle\int_0^\pi |\sqrt{3}\cos x-\sin x|\,dx$의 값은?

① 1 ② 2 ③ 3
④ 4 ⑤ 5

950

모든 실수 x에 대하여 $f(-x)=f(x)$를 만족시키는 연속함수 $f(x)$가 다음 조건을 만족시킨다.

> (가) $\displaystyle\int_0^1 f(x)\,dx=3$, $\displaystyle\int_1^2 f(x)\,dx=4$
>
> (나) $\displaystyle\int_1^2 f(x)\sin x\,dx=5$

정적분 $\displaystyle\int_{-2}^1 (\sin x-3)f(x)\,dx$의 값을 구하시오.

951

수열 $\{a_n\}$에 대하여 $a_n=\displaystyle\int_0^{\frac{\pi}{4}}\tan^n x\,dx$로 정의할 때,

$\displaystyle\sum_{k=1}^8 a_k$의 값을 구하시오.

952

연속함수 $f(x)$가

$$f(x)+f(-x)=e^x+e^{-x}$$

을 만족시킬 때, 정적분 $\displaystyle\int_{-1}^1 f(x)\,dx$의 값을 구하시오.

953

정적분 $\displaystyle\int_0^{\frac{\pi}{3}} \tan x \ln(\cos x)\,dx$의 값은?

① $-\dfrac{1}{2}(\ln 2)^2$ ② $\dfrac{1}{2}(\ln 2)^2$ ③ $(\ln 2)^2$

④ $-\dfrac{1}{2}(\ln 3)^2$ ⑤ $\dfrac{1}{2}(\ln 3)^2$

954

두 함수 $f(x)$, $g(x)$가 다음 조건을 모두 만족시킬 때, $\displaystyle\int_1^2 f(x)g(x)\,dx$의 값을 구하시오.

> (개) $f'(x) = 2g(x)$
> (내) $f(1) = 2$, $f(2) = 4$

955 수능 기출

$x > 0$에서 정의된 연속함수 $f(x)$가 모든 양수 x에 대하여

$$2f(x) + \frac{1}{x^2}f\left(\frac{1}{x}\right) = \frac{1}{x} + \frac{1}{x^2}$$

을 만족시킬 때, $\displaystyle\int_{\frac{1}{2}}^2 f(x)\,dx$의 값은?

① $\dfrac{\ln 2}{3} + \dfrac{1}{2}$ ② $\dfrac{2\ln 2}{3} + \dfrac{1}{2}$ ③ $\dfrac{\ln 2}{3} + 1$

④ $\dfrac{2\ln 2}{3} + 1$ ⑤ $\dfrac{2\ln 2}{3} + \dfrac{3}{2}$

956 수능 기출

실수 전체의 집합에서 미분가능한 함수 $f(x)$가 있다. 모든 실수 x에 대하여 $f(2x) = 2f(x)f'(x)$이고

$$f(a) = 0, \quad \int_{2a}^{4a} \frac{f(x)}{x}\,dx = k \quad (a > 0,\ 0 < k < 1)$$

일 때, $\displaystyle\int_a^{2a} \frac{\{f(x)\}^2}{x^2}\,dx$의 값을 k로 나타낸 것은?

① $\dfrac{k^2}{4}$ ② $\dfrac{k^2}{2}$ ③ k^2

④ k ⑤ $2k$

957

함수 $f(a) = \displaystyle\int_0^{\pi} (x - a\sin x)^2\,dx$를 최소로 하는 실수 a의 값은?

① $\dfrac{1}{2}$ ② 1 ③ $\dfrac{3}{2}$

④ 2 ⑤ $\dfrac{5}{2}$

958 교과서 심화

자연수 n에 대하여

$$I_n = \int_0^1 x^n e^x\,dx$$

라 할 때, 보기에서 옳은 것만을 있는 대로 고른 것은?

> ┌ 보기 ┐
> ㄱ. $I_2 = e - 1$
> ㄴ. $8I_3 + 2I_4 = e$
> ㄷ. $I_n = e - nI_{n-1}$ (단, $n = 2, 3, 4, \cdots$)

① ㄴ ② ㄷ ③ ㄱ, ㄴ

④ ㄱ, ㄷ ⑤ ㄱ, ㄴ, ㄷ

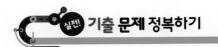

959 평가원 기출

정의역이 $\{x|x>-1\}$인 함수 $f(x)$에 대하여

$f'(x)=\dfrac{1}{(1+x^3)^2}$이고 함수 $g(x)=x^2$일 때,

$$\int_0^1 f(x)g'(x)\,dx=\dfrac{1}{6}$$

이다. $f(1)$의 값은?

① $\dfrac{1}{6}$ ② $\dfrac{2}{9}$ ③ $\dfrac{5}{18}$

④ $\dfrac{1}{3}$ ⑤ $\dfrac{7}{18}$

960 수능 기출

두 함수 $f(x)=ax+b$와 $g(x)=e^x$이

$$f(g(x))=\int_0^x f(t)g(t)\,dt-xe^x+3$$

을 만족시킬 때, $f(2)$의 값은?

① -4 ② -2 ③ 0

④ 2 ⑤ 4

961 교과서 심화

함수 $f(x)=\displaystyle\int_0^x \dfrac{1}{1+t^2}\,dt$에서 $f(a)=2$일 때,

$\displaystyle\int_0^a \dfrac{e^{f(x)}}{1+x^2}\,dx$의 값을 구하시오. (단, a는 상수이다.)

962

$x>0$일 때, 함수 $f(x)=\displaystyle\int_1^x (t-t\ln t)\,dt$는 $x=m$에서

최댓값 M을 갖는다. 이때 $4M-m^2$의 값은?

① $-e^2+1$ ② $-e+3$ ③ -3

④ $e-3$ ⑤ e^2+1

963 교육청 기출

실수 전체의 집합에서 정의된 함수

$$f(x)=\int_0^x \dfrac{2t-1}{t^2-t+1}\,dt$$

의 최솟값은?

① $\ln\dfrac{1}{2}$ ② $\ln\dfrac{2}{3}$ ③ $\ln\dfrac{3}{4}$

④ $\ln\dfrac{4}{5}$ ⑤ $\ln\dfrac{5}{6}$

964

함수 $f(x)=\displaystyle\int_0^x \dfrac{t-1}{\sqrt{t}+1}\,dt$에 대하여

$\displaystyle\lim_{h\to 0}\dfrac{1}{h}\int_{4-h}^{4+2h} f(t)\,dt$의 값을 구하시오.

연속함수 $f(x)$가 $f(2-x)=f(2+x)$, $\int_0^2 f(x)\,dx=5$를 만족시킬 때, 정적분 $\int_0^2 \{f(2x)+f(4-x)\}\,dx$의 값을 구하시오.

풀이

단계 1 $2x=t$로 **치환하기**

$2x=t$로 놓으면 $\dfrac{dt}{dx}=2$

$x=0$일 때 $t=0$, $x=2$일 때 $t=4$이므로

$\int_0^2 f(2x)\,dx = \dfrac{1}{2}\int_0^4 f(t)\,dt = \dfrac{1}{2}\int_0^4 f(x)\,dx$

단계 2 $4-x=s$로 **치환하기**

$4-x=s$로 놓으면 $\dfrac{ds}{dx}=-1$

$x=0$일 때 $s=4$, $x=2$일 때 $s=2$이므로

$\int_0^2 f(4-x)\,dx = -\int_4^2 f(s)\,ds = \int_2^4 f(x)\,dx$

단계 3 $\int_0^2 \{f(2x)+f(4-x)\}\,dx$**의 값 구하기**

함수 $f(x)$의 그래프는 직선 $x=2$에 대하여 대칭이므로

$\int_0^2 f(x)\,dx = \int_2^4 f(x)\,dx = 5$

$\therefore \int_0^2 \{f(2x)+f(4-x)\}\,dx$

$\quad = \dfrac{1}{2}\int_0^4 f(x)\,dx + \int_2^4 f(x)\,dx = \dfrac{1}{2}\times 10 + 5 = 10$

답 10

965 ↳**따라하기**

연속함수 $f(x)$가 다음 조건을 모두 만족시킨다.

(가) $f(x+3)=f(x)$

(나) $\int_0^1 f(2x)\,dx=2$, $\int_{-2}^{-1} f(1-x)\,dx=3$

정적분 $\int_0^{11} f(x)\,dx$의 값을 구하시오.

풀이

답

함수 $f(x)$가 $f(x)=x\cos x+\int_0^{\frac{\pi}{2}} f(t)\,dt$를 만족시킬 때, $f(\pi)$의 값을 구하시오.

풀이

단계 1 $\int_0^{\frac{\pi}{2}} f(t)\,dt=k$로 놓고 $f(x)$의 식 세우기

$\int_0^{\frac{\pi}{2}} f(t)\,dt=k$ (단, k는 상수) … ㉠

로 놓으면 $f(x)=x\cos x+k$ … ㉡

단계 2 $f(x)$를 $\int_0^{\frac{\pi}{2}} f(t)\,dt=k$에 대입하여 k의 값 구하기

㉡을 ㉠에 대입하면 $\int_0^{\frac{\pi}{2}} (t\cos t+k)\,dt=k$

$\int_0^{\frac{\pi}{2}} t\cos t\,dt$에서 $u(t)=t$, $v'(t)=\cos t$로 놓으면

$u'(t)=1$, $v(t)=\sin t$이므로

$k=\Big[\,t\sin t\,\Big]_0^{\frac{\pi}{2}} - \int_0^{\frac{\pi}{2}} \sin t\,dt + \Big[\,kt\,\Big]_0^{\frac{\pi}{2}}$

$\quad = \dfrac{\pi}{2} + \Big[\cos t\Big]_0^{\frac{\pi}{2}} + \dfrac{\pi}{2}k = \dfrac{\pi}{2}-1+\dfrac{\pi}{2}k$

따라서 $\Big(\dfrac{\pi}{2}-1\Big)k = 1-\dfrac{\pi}{2}$이므로 $k=-1$

단계 3 $f(\pi)$**의 값 구하기**

$f(x)=x\cos x-1$이므로

$f(\pi)=-\pi-1$

답 $-\pi-1$

966 ↳**따라하기**

함수 $f(x)$가 $f(x)=e^x-\int_0^1 tf(t)\,dt$를 만족시킬 때, $f(0)$의 값을 구하시오.

풀이

답

3 정적분의 활용

개념 01 정적분과 급수의 합

C▸유형 01, 02

📖 note

● 구분구적법을 이용하여 넓이나 부피 구하기
❶ 주어진 도형을 n개의 작은 도형으로 나눈다.
❷ n개의 작은 도형의 넓이 또는 부피의 합을 S_n이라 하고 S_n을 구한다.
❸ $n \to \infty$일 때, S_n의 극한값을 구한다.

1 구분구적법

어떤 도형의 넓이나 부피를 구할 때, 주어진 도형을 작은 도형으로 잘게 나누어 넓이나 부피의 합의 극한값으로 구하는 방법을 구분구적법이라 한다.

2 정적분과 급수의 합 사이의 관계

함수 $f(x)$가 닫힌구간 $[a, b]$에서 연속일 때

$$\int_a^b f(x)\,dx = \lim_{n \to \infty} \sum_{k=1}^{n} f(x_k)\Delta x$$

$$\left(\text{단, } \Delta x = \frac{b-a}{n},\ x_k = a + k\Delta x\right)$$

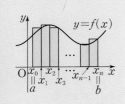

참고 다음과 같이 급수의 합을 정적분으로 나타낼 수 있다.

(1) $\displaystyle\lim_{n \to \infty} \sum_{k=1}^{n} f\left(\frac{k}{n}\right) \times \frac{1}{n} = \int_0^1 f(x)\,dx$ (2) $\displaystyle\lim_{n \to \infty} \sum_{k=1}^{n} f\left(\frac{p}{n}k\right) \times \frac{p}{n} = \int_0^p f(x)\,dx$

(3) $\displaystyle\lim_{n \to \infty} \sum_{k=1}^{n} f\left(a + \frac{p}{n}k\right) \times \frac{p}{n} = \int_a^{a+p} f(x)\,dx = \int_0^p f(a+x)\,dx$

(4) $\displaystyle\lim_{n \to \infty} \sum_{k=1}^{n} f\left(a + \frac{b-a}{n}k\right) \times \frac{b-a}{n} = \int_a^b f(x)\,dx = \int_0^{b-a} f(a+x)\,dx$

➡ 정답 및 풀이 **137**쪽

---

967 다음은 곡선 $y=x^2$과 x축 및 직선 $x=1$로 둘러싸인 도형의 넓이 S를 구하는 과정이다.

> 닫힌구간 $[0, 1]$을 n 등분한 각 소구간의 오른쪽 끝점의 x좌표는 차례로 $\dfrac{1}{n}$, $\dfrac{2}{n}$, $\cdots$,
>
> $\dfrac{n-1}{n}$, 1이므로 오른쪽 그림의 직사각형의 넓이의 합을 S_n이라 하면
>
> $S_n = \dfrac{1}{n} \sum_{k=1}^{n} \left(\boxed{\text{(가)}}\right)^2$
>
> $= \boxed{\text{(나)}} \times \dfrac{n(n+1)(2n+1)}{6}$
>
> $\therefore S = \lim_{n \to \infty} S_n = \boxed{\text{(다)}}$

위의 과정에서 (가), (나), (다)에 알맞은 것을 써넣으시오.

968 다음은 정적분을 이용하여 극한값

$$\lim_{n \to \infty} \frac{1}{n^5}(1^4 + 2^4 + 3^4 + \cdots + n^4)$$을 구하는 과정이다.

> $\displaystyle\lim_{n \to \infty} \frac{1}{n^5}(1^4 + 2^4 + 3^4 + \cdots + n^4)$
>
> $= \displaystyle\lim_{n \to \infty} \frac{1}{n^5} \sum_{k=1}^{n} k^4 = \lim_{n \to \infty} \sum_{k=1}^{n} \left(\frac{k}{n}\right)^4 \times \frac{1}{n}$
>
> 이때 $f(x) = x^4$, $a=0$, $b=1$로 놓으면
>
> $\Delta x = \boxed{\text{(가)}}$, $x_k = \boxed{\text{(나)}}$
>
> 따라서 정적분과 급수의 합 사이의 관계에 의하여
>
> $\displaystyle\lim_{n \to \infty} \sum_{k=1}^{n} \left(\frac{k}{n}\right)^4 \times \frac{1}{n} = \lim_{n \to \infty} \sum_{k=1}^{n} f(x_k)\Delta x$
>
> $= \displaystyle\int_0^1 x^4\,dx = \boxed{\text{(다)}}$

위의 과정에서 (가), (나), (다)에 알맞은 것을 써넣으시오.

969 정적분을 이용하여 극한값

$$\lim_{n \to \infty} \frac{1}{n}\left\{\left(\frac{n+1}{n}\right)^3 + \left(\frac{n+2}{n}\right)^3 + \cdots + \left(\frac{2n}{n}\right)^3\right\}$$을 구하시오.

1 곡선과 좌표축 사이의 넓이

(1) 함수 $y=f(x)$가 닫힌구간 $[a, b]$에서 연속일 때, 곡선 $y=f(x)$와 x축 및 두 직선 $x=a$, $x=b$로 둘러싸인 도형의 넓이 S는

$$S=\int_a^b |f(x)| \, dx$$

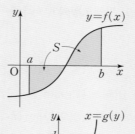

(2) 함수 $x=g(y)$가 닫힌구간 $[c, d]$에서 연속일 때, 곡선 $x=g(y)$와 y축 및 두 직선 $y=c$, $y=d$로 둘러싸인 도형의 넓이 S는

$$S=\int_c^d |g(y)| \, dy$$

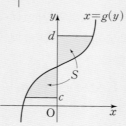

2 두 곡선 사이의 넓이

(1) 두 함수 $y=f(x)$, $y=g(x)$가 닫힌구간 $[a, b]$에서 연속일 때, 두 곡선 $y=f(x)$, $y=g(x)$ 및 두 직선 $x=a$, $x=b$로 둘러싸인 도형의 넓이 S는

$$S=\int_a^b |f(x)-g(x)| \, dx$$

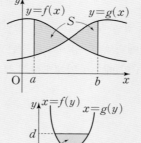

(2) 두 함수 $x=f(y)$, $x=g(y)$가 닫힌구간 $[c, d]$에서 연속일 때, 두 곡선 $x=f(y)$, $x=g(y)$ 및 두 직선 $y=c$, $y=d$로 둘러싸인 도형의 넓이 S는

$$S=\int_c^d |f(y)-g(y)| \, dy$$

● 닫힌구간 $[a, b]$에서 $f(x)$의 값이 양수인 경우와 음수인 경우가 모두 있을 때에는 $f(x)$의 값이 양수인 구간과 음수인 구간으로 나누어 넓이를 구한다.

● 두 곡선 사이의 넓이는

➡ $\int_a^b \{($위쪽 곡선의 식$)$
    $-($아래쪽 곡선의 식$)\} \, dx$

➡ $\int_c^d \{($오른쪽 곡선의 식$)$
    $-($왼쪽 곡선의 식$)\} \, dy$

➡ 정답 및 풀이 **137**쪽

[970~973] 다음을 구하시오.

970 곡선 $y=e^x$과 x축 및 두 직선 $x=0$, $x=2$로 둘러싸인 도형의 넓이

971 $0 \le x \le 2\pi$에서 곡선 $y=\sin x$와 x축으로 둘러싸인 도형의 넓이

972 곡선 $y=\dfrac{1}{x}+2$와 y축 및 두 직선 $y=0$, $y=1$로 둘러싸인 도형의 넓이

973 곡선 $y=\sqrt{x+1}$과 y축 및 두 직선 $y=0$, $y=2$로 둘러싸인 도형의 넓이

[974~977] 다음을 구하시오.

974 곡선 $y=\sqrt{x}$와 직선 $y=x$로 둘러싸인 도형의 넓이

975 $0 \le x \le \pi$에서 두 곡선 $y=\sin x$, $y=\cos x$ 및 두 직선 $x=0$, $x=\pi$로 둘러싸인 도형의 넓이

976 곡선 $y=e^x$과 두 직선 $y=-x+1$, $y=e$로 둘러싸인 도형의 넓이

977 두 곡선 $y=\ln x$, $y=\ln(-x)$ 및 두 직선 $y=0$, $y=2$로 둘러싸인 도형의 넓이

닫힌구간 $[a, b]$의 임의의 점 x에서 x축에 수직인 평면으로
자른 단면의 넓이가 $S(x)$인 입체도형의 부피 V는

$$V = \int_a^b S(x)\, dx$$

(단, $S(x)$는 닫힌구간 $[a, b]$에서 연속이다.)

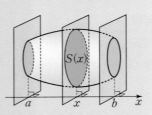

참고 x축 위의 닫힌구간 $[a, b]$를 n 등분하여 양 끝점과 각 등분점의 x좌표를 차례로 $x_0(=a)$,
x_1, x_2, $\cdots$, x_{n-1}, $x_n(=b)$라 하고, x좌표가 $x_k\,(k=0, 1, 2, \cdots, n)$인 점을 지나고 x축에 수직
인 평면으로 자른 단면의 넓이를 $S(x_k)$라 할 때, 밑면의 넓이가 $S(x_k)$이고 높이가 $\varDelta x$인 기
둥의 부피는 $S(x_k)\varDelta x$이므로

$$V = \lim_{n\to\infty} \sum_{k=1}^n S(x_k)\varDelta x = \int_a^b S(x)\, dx \quad \left(\text{단, } \varDelta x = \frac{b-a}{n}, \ x_k = a + k\varDelta x\right)$$

➔ 정답 및 풀이 **138**쪽

978 높이가 5 cm인 입체도형을 밑면으로부터 높이가
x cm인 지점에서 밑면에 평행한 평면으로 자른 단
면의 넓이가 $\sqrt{5-x}$ cm²일 때, 이 입체도형의 부피
를 구하시오.

979 오른쪽 그림과 같이 높이가
10 cm인 그릇이 있다. 그릇
에 담긴 물의 높이가 x cm
일 때 수면은 한 변의 길이
가 $\sqrt{2x+3}$ cm인 정사각형
이다. 이 그릇의 부피를 구하시오.

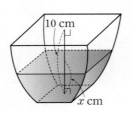

980 오른쪽 그림과 같이 곡
선 $y=\sqrt{x}+1$과 x축,
y축 및 직선 $x=1$로
둘러싸인 도형을 밑면
으로 하는 입체도형이
있다. 이 입체도형을 x축
에 수직인 평면으로 자른 단면이 모두 정사각형일
때, 이 입체도형의 부피를 구하시오.

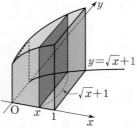

981 $0 \le x \le \pi$에서 곡선 $y=\sqrt{\sin x}$와 x축으로 둘러싸
인 도형을 밑면으로 하는 입체도형이 있다. 이 입
체도형을 x축에 수직인 평면으로 자른 단면이 모
두 정삼각형일 때, 이 입체도형의 부피를 구하시오.

982 다음은 정적분을 이용하여 밑면의 넓이가 S이고,
높이가 h인 사각뿔의 부피 V를 구하는 과정이다.

오른쪽 그림과 같
이 사각뿔의 꼭짓
점 O를 원점, 꼭
짓점에서 밑면에
내린 수선을 x축
으로 정하자.

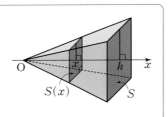

x좌표가 x인 점을 지나고 x축에 수직인 평면으
로 자른 단면의 넓이를 $S(x)$라 하면

$$S(x) : S = \boxed{\text{(가)}} : h^2, \ S(x) = \frac{\boxed{\text{(가)}}}{h^2} S$$

따라서 구하는 부피 V는

$$V = \int_0^h S(x)\, dx = \int_0^h \frac{\boxed{\text{(가)}}}{h^2} S\, dx$$

$$= \frac{S}{h^2} \Big[\boxed{\text{(나)}} \Big]_0^h = \boxed{\text{(다)}}$$

위의 과정에서 (가), (나), (다)에 알맞은 것을 써넣으시오.

1 수직선 위에서 점이 움직인 거리

수직선 위를 움직이는 점 P의 시각 t에서의 속도를 $v(t)$, 시각 $t=a$에서의 점 P의 위치를 x_0이라 할 때

(1) 시각 t에서의 점 P의 위치 $x(t)$는

$$x(t)=x_0+\int_a^t v(t)\,dt$$

(2) 시각 $t=a$에서 $t=b$까지 점 P의 위치의 변화량은

$$\int_a^b v(t)\,dt$$

(3) 시각 $t=a$에서 $t=b$까지 점 P가 움직인 거리 s는

$$s=\int_a^b |v(t)|\,dt$$

2 좌표평면 위에서 점이 움직인 거리

좌표평면 위를 움직이는 점 P의 시각 t에서의 위치 $(x,\,y)$가 $x=f(t)$, $y=g(t)$일 때, 시각 $t=a$에서 $t=b$까지 점 P가 움직인 거리 s는

$$s=\int_a^b \sqrt{\left(\frac{dx}{dt}\right)^2+\left(\frac{dy}{dt}\right)^2}\,dt=\int_a^b \sqrt{\{f'(t)\}^2+\{g'(t)\}^2}\,dt$$

3 곡선의 길이

$x=a$에서 $x=b$까지 곡선 $y=f(x)$의 길이 l은 (움직이는 경로가 겹치지 않는다.)

$$l=\int_a^b \sqrt{1+\{f'(x)\}^2}\,dx$$

- 수직선 또는 좌표평면 위에서 점이 움직인 거리는
$$\int_a^b (\text{속력})\,dt$$

- $a\leq x\leq b$에서 곡선 $y=f(x)$의 길이 l은 시각 t에서의 위치 $(x,\,y)$가 $x=t$, $y=f(t)$인 점 P가 움직인 거리와 같으므로
$$l=\int_a^b \sqrt{\left(\frac{dx}{dt}\right)^2+\left(\frac{dy}{dt}\right)^2}\,dt$$
$$=\int_a^b \sqrt{1+\{f'(t)\}^2}\,dt$$
$$=\int_a^b \sqrt{1+\{f'(x)\}^2}\,dx$$

➔ 정답 및 풀이 **139**쪽

[983~985] 원점을 출발하여 수직선 위를 움직이는 점 P의 시각 t에서의 속도가 $v(t)=\sin \pi t$일 때, 다음을 구하시오.

983 $t=3$에서의 점 P의 위치

984 $t=\dfrac{1}{3}$에서 $t=\dfrac{1}{2}$까지 점 P의 위치의 변화량

985 $t=0$에서 $t=2$까지 점 P가 움직인 거리

[986~988] 좌표평면 위를 움직이는 점 P의 시각 t에서의 위치 $(x,\,y)$가 다음과 같을 때, $t=0$에서 $t=3$까지 점 P가 움직인 거리를 구하시오.

986 $x=\dfrac{1}{3}t^3-t,\ y=t^2$

987 $x=\sin 2t,\ y=\cos 2t$

988 $x=\dfrac{1}{2}t^2-t,\ y=\dfrac{4}{3}t\sqrt{t}$

[989~990] 다음 곡선의 길이를 구하시오.

989 $y=\dfrac{2}{3}(x-1)^{\frac{3}{2}}\ (2\leq x\leq 4)$

990 $y=\dfrac{e^x+e^{-x}}{2}\ (-1\leq x\leq 1)$

도전! 유형 연습하기

유형 01 정적분과 급수의 합 사이의 관계

함수 $f(x)$가 닫힌구간 $[a, b]$에서 연속일 때

$$\lim_{n \to \infty} \sum_{k=1}^{n} f\left(a + \frac{b-a}{n}k\right) \times \frac{b-a}{n}$$

$$= \lim_{n \to \infty} \sum_{k=1}^{n} f(x_k) \varDelta x = \int_a^b f(x)\,dx$$

대표 문제
991

$\lim\limits_{n \to \infty} \dfrac{1}{n}\left(\sin \dfrac{\pi}{n} + \sin \dfrac{2\pi}{n} + \cdots + \sin \dfrac{n\pi}{n}\right)$의 값을 구하시오.

992

$\lim\limits_{n \to \infty}\left(\dfrac{1}{n+1} + \dfrac{1}{n+2} + \dfrac{1}{n+3} + \cdots + \dfrac{1}{2n}\right)$의 값을 구하시오.

993

함수 $f(x) = \dfrac{\ln x}{x}$에 대하여 $\lim\limits_{n \to \infty} \sum\limits_{k=1}^{n} f\left(1 + \dfrac{3k}{n}\right)\dfrac{1}{n}$의 값은?

① $\dfrac{2}{3}(\ln 2)^2$ ② $\dfrac{3}{4}(\ln 2)^2$ ③ $(\ln 2)^2$

④ $\dfrac{4}{3}(\ln 2)^2$ ⑤ $\dfrac{3}{2}(\ln 2)^2$

994

$\lim\limits_{n \to \infty} \dfrac{\pi^2}{n^2}\left(\cos \dfrac{\pi}{2n} + 2\cos \dfrac{2\pi}{2n} + \cdots + n\cos \dfrac{n\pi}{2n}\right)$의 값을 구하시오.

유형 02 정적분과 급수의 합 사이의 관계 활용

여러 가지 도형의 성질을 이용하여 다음과 같은 순서로 구한다.

❶ k번째 도형에 대한 식 $f(k)$를 세운다.

❷ $\lim\limits_{n \to \infty} \sum\limits_{k=1}^{n} f(k)$ 꼴로 나타낸다.

❸ 정적분과 급수의 합 사이의 관계를 이용하여 정적분으로 나타낸다.

대표 문제
995

오른쪽 그림과 같이 반지름의 길이가 3인 사분원 OAB가 있다. 호 AB를 n 등분하는 점을 차례로 P_1, P_2, $\cdots$, P_{n-1}이라 하고, 점 $P_k\,(k=1,\ 2,\ \cdots,\ n-1)$에서 선분 OA에 내린 수선의 발을 Q_k라 할 때, $\lim\limits_{n \to \infty} \dfrac{1}{n} \sum\limits_{k=1}^{n-1} \overline{P_k Q_k}$의 값을 구하시오.

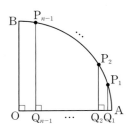

996

오른쪽 그림과 같이 한 변의 길이가 2인 정삼각형 ABC가 있다. 변 AB를 n 등분한 점을 각각 P_1, P_2, $\cdots$, P_{n-1}이라 하고, 변 AC를 n 등분한 점을 각각 Q_1, Q_2, $\cdots$, Q_{n-1}이라 할 때, $\lim\limits_{n \to \infty} \dfrac{4}{n} \sum\limits_{k=1}^{n-1} e^{\overline{P_k Q_k}}$의 값을 구하시오.

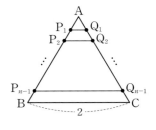

유형 03 곡선과 x축 사이의 넓이

함수 $y=f(x)$가 닫힌구간 $[a, b]$에서 연속일 때, 곡선 $y=f(x)$와 x축 및 두 직선 $x=a$, $x=b$로 둘러싸인 도형의 넓이 S는

➡ $S=\displaystyle\int_a^b |f(x)|\, dx$

대표 문제
997

곡선 $y=e^x-1$과 x축 및 두 직선 $x=-1$, $x=1$로 둘러싸인 도형의 넓이를 구하시오.

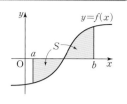

곡선 $y=f(x)$에서 $f(x)\geq0$인 구간과 $f(x)\leq0$인 구간으로 나누어 구해!

998

곡선 $y=\dfrac{2}{x+1}-1$과 x축 및 두 직선 $x=0$, $x=2$로 둘러싸인 도형의 넓이는?

① $\ln\dfrac{3}{2}$　　② $\ln\dfrac{4}{3}$　　③ $\ln\dfrac{9}{4}$

④ $\ln\dfrac{9}{8}$　　⑤ $\ln\dfrac{16}{9}$

999

곡선 $y=\sqrt{x-a}$와 x축 및 직선 $x=6$으로 둘러싸인 도형의 넓이가 $\dfrac{16}{3}$일 때, 양수 a의 값을 구하시오.

(단, $a<6$이다.)

1000

자연수 n에 대하여 $0\leq x\leq\pi$에서 곡선 $y=n\cos x$와 x축 및 두 직선 $x=0$, $x=\pi$로 둘러싸인 도형의 넓이를 a_n이라 할 때, $\displaystyle\sum_{n=1}^{\infty}\frac{1}{(n+1)a_n}$의 값을 구하시오.

1001

오른쪽 그림과 같이 $0\leq x\leq\pi$에서 곡선 $y=x\sin 2x$와 x축으로 둘러싸인 도형의 넓이는?

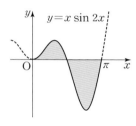

① $\dfrac{\pi}{2}$　　② π

③ $\dfrac{3}{2}\pi$　　④ 2π

⑤ $\dfrac{5}{2}\pi$

유형 04 곡선과 y축 사이의 넓이

함수 $x=g(y)$가 닫힌구간 $[c, d]$에서 연속일 때, 곡선 $x=g(y)$와 y축 및 두 직선 $y=c$, $y=d$로 둘러싸인 도형의 넓이 S는

➡ $S=\displaystyle\int_c^d |g(y)|\, dy$

대표 문제
1002

곡선 $y=\ln(x+2)$와 y축 및 두 직선 $y=-1$, $y=2$로 둘러싸인 도형의 넓이를 구하시오.

1003

곡선 $y(x+1)=1$과 y축 및 직선 $y=e^2$으로 둘러싸인 도형의 넓이는?

① e^2-4 ② e^2-3 ③ e^2-2

④ e^2-1 ⑤ e^2

1004

곡선 $x=3y^2+ay$와 y축 및 직선 $y=2$로 둘러싸인 도형의 넓이가 10일 때, 상수 a의 값은? (단, $a>-6$이다.)

① $\dfrac{1}{4}$ ② $\dfrac{1}{3}$ ③ $\dfrac{1}{2}$

④ 1 ⑤ 2

1005

곡선 $y=\dfrac{1}{x}$과 y축 및 두 직선 $y=1$, $y=k$로 둘러싸인 도형의 넓이를 S_1, 곡선 $y=\dfrac{1}{x}$과 y축 및 두 직선 $y=8$, $y=k$로 둘러싸인 도형의 넓이를 S_2라 하자.

$S_1 : S_2 = 2 : 1$이 성립하도록 하는 모든 양수 k의 값의 합을 구하시오.

낼선 유형 05   두 곡선 사이의 넓이(1)

두 함수 $y=f(x)$, $y=g(x)$가 닫힌구간 $[a, b]$에서 연속일 때, 두 곡선 $y=f(x)$, $y=g(x)$ 및 두 직선 $x=a$, $x=b$로 둘러싸인 도형의 넓이 S는

$$\Rightarrow S=\int_a^b |f(x)-g(x)|\, dx$$

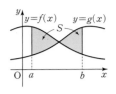

대표 문제

1006 #두_곡선의_위치_관계_파악 #적분_구간_나누기 #두_곡선_사이의_넓이

$0 \le x \le \dfrac{\pi}{2}$에서 두 곡선 $y=\sin x$, $y=\cos 2x$ 및 두 직선

        └→ 두 곡선을 그려서 위치 관계를 파악한다.

$x=0$, $x=\dfrac{\pi}{2}$로 둘러싸인 도형의 넓이를 구하시오.

1007

두 곡선 $y=2^x$, $y=2^{-x}$ 및 직선 $x=1$로 둘러싸인 도형의 넓이는?

① $\dfrac{1}{2\ln 2}$ ② $\dfrac{1}{\ln 2}$ ③ $\dfrac{3}{2\ln 2}$

④ $\dfrac{2}{\ln 2}$ ⑤ $\dfrac{5}{2\ln 2}$

1008

오른쪽 그림과 같이 곡선 $y=\dfrac{2x}{x^2+1}$와 직선 $y=x$로 둘러싸인 도형의 넓이를 구하시오.

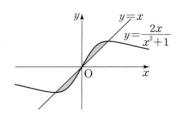

1009

오른쪽 그림과 같이 두 곡선 $y=\log_a x$, $y=\log_b x$ 및 두 직선 $x=p$, $x=q$로 둘러싸인 도형의 넓이를 S_1, 곡선 $y=\log_b x$, x축 및 두 직선 $x=p$, $x=q$로 둘러싸인 도형의 넓이를 S_2라 하자. $\dfrac{S_1}{S_2}$의 값을 구하시오.

(단, $1<a<b$, $1<p<q$이다.)

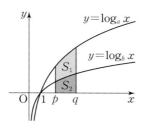

유형 **06** **두 곡선 사이의 넓이**(2)

두 함수 $x=f(y)$, $x=g(y)$가 닫힌구간 $[c, d]$에서 연속일 때, 두 곡선 $x=f(y)$, $x=g(y)$ 및 두 직선 $y=c$, $y=d$로 둘러싸인 도형의 넓이 S는

$\Rightarrow S=\displaystyle\int_c^d |f(y)-g(y)|\, dy$

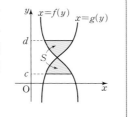

대표 문제

1010

곡선 $y^2=x+1$과 직선 $y=x-1$로 둘러싸인 도형의 넓이를 구하시오.

1011

두 곡선 $y=\sqrt{x}$, $y=\sqrt{2(x-2)}$ 및 직선 $y=1$로 둘러싸인 도형의 넓이를 구하시오.

1012

곡선 $y=|\ln x|$와 직선 $y=1$로 둘러싸인 도형의 넓이를 구하시오.

유형 07 **곡선과 접선 사이의 넓이**

곡선과 접선으로 둘러싸인 도형의 넓이는 다음과 같은 순서로 구한다.
❶ 접선의 방정식을 구한다.
❷ 접점의 좌표를 구하여 그래프를 그린다.
❸ 곡선과 접선의 위치 관계를 파악하여 적분 구간을 나눈다.
❹ 정적분을 이용하여 도형의 넓이를 구한다.

대표 문제

1013

곡선 $y=e^x$과 원점에서 이 곡선에 그은 접선 및 y축으로 둘러싸인 도형의 넓이를 구하시오.

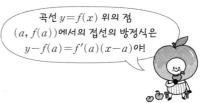

곡선 $y=f(x)$ 위의 점 $(a, f(a))$에서의 접선의 방정식은 $y-f(a)=f'(a)(x-a)$야!

1014

곡선 $y=\ln x$와 이 곡선 위의 점 $(e^2, 2)$에서의 접선 및 x축으로 둘러싸인 도형의 넓이를 구하시오.

1015

곡선 $y=2\sqrt{x-3}$과 원점에서 이 곡선에 그은 접선 및 x축으로 둘러싸인 도형의 넓이를 구하시오.

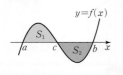
낟선유형 **08** 두 도형의 넓이가 같은 경우

(1) 곡선 $y=f(x)$와 x축으로 둘러싸인 두 도형의 넓이를 각각 S_1, S_2라 할 때, $S_1=S_2$이면
→ $\int_a^b f(x)\,dx=0$

(2) 두 곡선 $y=f(x)$, $y=g(x)$로 둘러싸인 두 도형의 넓이를 각각 S_1, S_2라 할 때, $S_1=S_2$이면
→ $\int_a^b \{f(x)-g(x)\}\,dx=0$

대표 문제
1016 #두_도형의_넓이가_같으면 # $\int_a^b \{f(x)-g(x)\}\,dx=0$

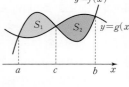

오른쪽 그림과 같이 곡선 $y=\sin\dfrac{\pi}{2}x$와 y축 및 두 직선 $x=1$, $y=k$로 둘러싸인 두 도형의 넓이가 서로 같을 때, 상수 k의 값을 구하시오. (단, $0<k<1$이다.)

1017

오른쪽 그림과 같이 곡선 $y=\sqrt{2x}$와 y축 및 두 직선 $x=a$, $y=1$로 둘러싸인 두 도형의 넓이가 서로 같을 때, 상수 a의 값을 구하시오.

$\left(\text{단, } a>\dfrac{1}{2}\text{이다.}\right)$

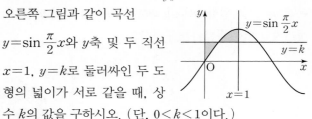

1018

오른쪽 그림과 같이 곡선 $y=e^x$과 y축 및 두 직선 $y=ax+2$, $x=1$로 둘러싸인 두 도형의 넓이가 서로 같을 때, 상수 a의 값을 구하시오.

$(\text{단, } a<e-2\text{이다.})$

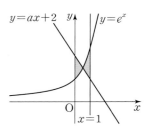

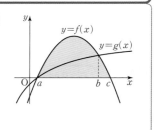
유형 **09** 두 곡선 사이의 넓이를 이등분하는 경우

곡선 $y=f(x)$와 x축으로 둘러싸인 도형의 넓이를 곡선 $y=g(x)$가 이등분하면
$\int_a^b \{f(x)-g(x)\}\,dx$
$=\dfrac{1}{2}\int_a^c f(x)\,dx$

대표 문제
1019

곡선 $y=e^x$과 x축 및 두 직선 $x=0$, $x=\ln 3$으로 둘러싸인 도형의 넓이를 곡선 $y=ke^{2x}$이 이등분할 때, 상수 k의 값은? $\left(\text{단, } 0<k<\dfrac{1}{3}\text{이다.}\right)$

① $\dfrac{1}{8}$ ② $\dfrac{1}{7}$ ③ $\dfrac{1}{6}$

④ $\dfrac{1}{5}$ ⑤ $\dfrac{1}{4}$

1020

곡선 $y=\sqrt{x}$와 x축 및 직선 $x=4$로 둘러싸인 도형의 넓이를 곡선 $y=ax^2$이 이등분할 때, 양수 a의 값을 구하시오.

$\left(\text{단, } a\leq\dfrac{1}{8}\text{이다.}\right)$

1021

곡선 $y = \cos 2x$와 x축, y축 및 직선 $x = \dfrac{\pi}{6}$로 둘러싸인 도형의 넓이를 직선 $y = k$가 이등분할 때, 상수 k의 값을 구하시오. $\left(\text{단, } 0 < k < \dfrac{1}{2}\text{이다.}\right)$

1022

$0 \leq x \leq \dfrac{\pi}{2}$에서 곡선 $y = a \cos x$ 및 x축, y축으로 둘러싸인 도형의 넓이를 곡선 $y = \sin x$가 이등분할 때, 양수 a의 값을 구하시오.

유형 10 함수와 그 역함수의 정적분

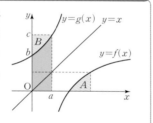

함수 $y = f(x)$의 역함수가 $y = g(x)$이면 두 그래프는 직선 $y = x$에 대하여 대칭이므로

➡ $A = B = ac - \displaystyle\int_0^a g(x)\,dx$

대표 문제

1023

오른쪽 그림은 $0 \leq x \leq 1$에서 정의된 함수 $f(x) = xe^x$의 그래프이다. 함수 $f(x)$의 역함수를 $g(x)$라 할 때, 정적분 $\displaystyle\int_0^e g(x)\,dx$의 값은?

① $e - 2$ ② $e - 1$
③ e ④ $e + 1$
⑤ $e + 2$

1024

함수 $f(x) = \ln x$의 역함수를 $g(x)$라 할 때, 정적분 $\displaystyle\int_e^{e^2} f(x)\,dx + \int_1^2 g(x)\,dx$의 값을 구하시오.

유형 11 함수와 그 역함수의 그래프로 둘러싸인 도형의 넓이

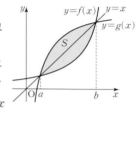

함수 $y = f(x)$의 역함수가 $y = g(x)$이고 두 함수의 그래프의 교점의 x좌표가 $a, b\ (a < b)$일 때, 두 곡선으로 둘러싸인 도형의 넓이 S는

➡ $S = \displaystyle\int_a^b |f(x) - g(x)|\,dx$
$= 2\displaystyle\int_a^b |x - f(x)|\,dx$

대표 문제

1025

함수 $f(x) = \sqrt{4x - 3}$의 역함수를 $g(x)$라 할 때, 두 곡선 $y = f(x)$와 $y = g(x)$로 둘러싸인 도형의 넓이는?

① $\dfrac{1}{2}$ ② $\dfrac{2}{3}$ ③ $\dfrac{3}{4}$
④ $\dfrac{4}{3}$ ⑤ $\dfrac{3}{2}$

함수와 그 역함수의 그래프는 직선 $y = x$에 대하여 대칭이야!

1026

$0 \leq x \leq \pi$에서 정의된 함수 $f(x) = x + \sin x$의 역함수를 $g(x)$라 할 때, 두 곡선 $y = f(x)$와 $y = g(x)$로 둘러싸인 도형의 넓이를 구하시오.

1027

$0 \le x \le 1$에서 함수 $f(x) = \tan \dfrac{\pi}{4} x$의 그래프와 그 역함수 $y = g(x)$의 그래프로 둘러싸인 도형의 넓이를 구하시오.

유형 12 입체도형의 부피 – 단면이 밑면과 평행

높이가 h인 입체도형에서 밑면으로부터의 높이가 x인 지점에서 밑면과 평행한 평면으로 자른 단면의 넓이가 $S(x)$이면 이 입체도형의 부피 V는

➡ $V = \displaystyle\int_0^h S(x)\, dx$

대표 문제

1028

높이가 $\dfrac{\pi}{2}$인 용기가 있다. 밑면으로부터의 높이가 x인 지점에서 밑면과 평행한 평면으로 자른 단면이 반지름의 길이가 $\sqrt{x \sin x}$인 원일 때, 이 용기의 부피는?

① $\dfrac{\pi}{3}$ ② $\dfrac{\pi}{2}$ ③ π

④ 2π ⑤ 3π

1029

어느 수조에 채워진 물의 높이가 x일 때, 수면은 가로의 길이가 2^x이고, 가로의 길이와 세로의 길이의 비가 $1 : 2$인 직사각형이다. 물의 높이가 2일 때, 수조에 담긴 물의 부피가 $\dfrac{k}{\ln 2}$이다. 이때 실수 k의 값을 구하시오.

1030

어떤 입체도형을 밑면으로부터의 높이가 x인 지점에서 밑면과 평행한 평면으로 자른 단면의 넓이는 $\dfrac{2x+1}{x^2+x+1}$이다. 이 입체도형의 높이가 a일 때, 부피는 $\ln 13$이다. 양수 a의 값을 구하시오.

낯선 유형 13 입체도형의 부피 – 단면이 밑면과 수직

닫힌구간 $[a, b]$에서 x좌표가 x인 점을 지나고, x축에 수직인 평면으로 자른 단면의 넓이가 $S(x)$인 입체도형의 부피 V는

➡ $V = \displaystyle\int_a^b S(x)\, dx$

대표 문제

1031 #단면이_밑면과_수직 #단면의_넓이_$S(x)$부터_구하기

오른쪽 그림과 같이 곡선 $y = \cos x \left(0 \le x \le \dfrac{\pi}{2}\right)$와 x축, y축으로 둘러싸인 도형을 밑면으로 하는 입체도형이 있다. 이 입체도형을 x축에 수직인 평면으로 자른 단면이 모두 직각이등변삼각형일 때, 이 입체도형의 부피를 구하시오.

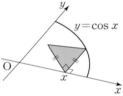

➡ 먼저 단면의 넓이를 구한다.

1032

좌표평면 위의 두 점 $P(x, 0)$, $Q(x, 3x - x^2)$을 이은 선분을 한 변으로 하여 좌표평면에 수직이 되도록 정사각형을 그린다. 점 P가 x축 위를 원점에서 점 $(3, 0)$까지 움직인다고 할 때, 이 정사각형이 만드는 입체도형의 부피를 구하시오. (단, 점 P가 움직일 때 점 Q도 따라 움직인다.)

1033

오른쪽 그림과 같이 반지름의 길이가 a인 원의 지름 AB에 수직으로 자른 단면이 항상 정삼각형인 입체도형의 부피는?

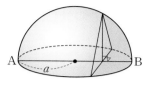

① $\sqrt{2}\,a^3$ ② $\sqrt{3}\,a^3$ ③ $\dfrac{4\sqrt{2}}{3}a^3$

④ $\dfrac{4\sqrt{3}}{3}a^3$ ⑤ $\dfrac{3\sqrt{3}}{2}a^3$

1034

곡선 $y=2\tan x$와 x축 및 직선 $x=\dfrac{\pi}{4}$로 둘러싸인 도형을 밑면으로 하는 입체도형이 있다. 이 입체도형을 x축에 수직인 평면으로 자른 단면이 모두 정사각형일 때, 이 입체도형의 부피를 구하시오.

유형 14 수직선 위에서 점이 움직인 거리

수직선 위를 움직이는 점 P의 시각 t에서의 속도가 $v(t)$, 시각 $t=a$에서의 위치가 x_0일 때

(1) 시각 t에서의 점 P의 위치 x는

➡ $x=x_0+\displaystyle\int_a^t v(t)\,dt$

(2) 시각 $t=a$에서 $t=b$까지 점 P가 움직인 거리 s는

➡ $s=\displaystyle\int_a^b |v(t)|\,dt$

대표 문제

1035

원점을 출발하여 수직선 위를 움직이는 점 P의 시각 t에서의 속도가 $v(t)=\cos\dfrac{\pi}{2}t$일 때, 출발한 후 두 번째로 운동 방향을 바꿀 때까지 점 P가 움직인 거리를 구하시오.

운동 방향이 바뀌는 곳에서의 속도는 0이야.

1036

원점을 출발하여 수직선 위를 움직이는 점 P의 시각 t에서의 속도가 $v(t)=(t-2)e^t$일 때, 시각 $t=0$에서 $t=3$까지 점 P가 움직인 거리는?

① e^2-3 ② e^2-1 ③ e^2+1

④ $2e^2-3$ ⑤ $2e^2-1$

1037

원점을 출발하여 수직선 위를 움직이는 점 P의 시각 t에서의 속도가 $v(t)=\sin t(2\cos t-1)$일 때, 점 P가 원점에서 가장 멀리 떨어져 있을 때의 위치를 구하시오.

(단, $0\le t\le 2\pi$이다.)

빈출 유형 15 좌표평면 위에서 점이 움직인 거리

좌표평면 위를 움직이는 점 P의 시각 t에서의 위치 (x,y)가 $x=f(t)$, $y=g(t)$일 때, 시각 $t=a$에서 $t=b$까지 점 P가 움직인 거리 s는

➡ $s=\displaystyle\int_a^b \sqrt{\left(\dfrac{dx}{dt}\right)^2+\left(\dfrac{dy}{dt}\right)^2}\,dt$

$=\displaystyle\int_a^b \sqrt{\{f'(t)\}^2+\{g'(t)\}^2}\,dt$

대표 문제

1038 #좌표평면_위의_점 #움직인_거리 #$s=\displaystyle\int_a^b\sqrt{\{f'(t)\}^2+\{g'(t)\}^2}\,dt$

좌표평면 위를 움직이는 점 P의 시각 t에서의 위치 (x,y)가 $x=\ln t$, $y=\dfrac{1}{2}\left(t+\dfrac{1}{t}\right)$일 때, 시각 $t=\dfrac{1}{e}$에서 $t=e$까지 점 P가 움직인 거리를 구하시오. (단, $t>0$이다.)

1039

좌표평면 위를 움직이는 점 P의 시각 t에서의 위치 (x, y)가 $x = \sin t + \sqrt{3}\cos t$, $y = \sqrt{3}\sin t - \cos t$이다. 시각 $t = 0$에서 $t = a$까지 점 P가 움직인 거리가 π일 때, 양수 a의 값은?

① $\dfrac{1}{2}$　　　② $\dfrac{\pi}{4}$　　　③ 1

④ $\dfrac{\pi}{2}$　　　⑤ 2

1040

좌표평면 위를 움직이는 점 P의 시각 t에서의 위치 (x, y)가 $x = e^t$, $y = \dfrac{1}{8}e^{2t} - t$일 때, 시각 $t = 0$에서 $t = 1$까지 점 P가 움직인 거리를 구하시오.

1041

좌표평면 위를 움직이는 점 P의 시각 t에서의 위치 (x, y)가 $x = e^{2t}\cos t$, $y = e^{2t}\sin t$일 때, 시각 $t = 0$에서 $t = \pi$까지 점 P가 움직인 거리는?

① $\dfrac{\sqrt{5}}{2}(e^{2\pi} - 1)$　　　② $\dfrac{\sqrt{5}}{2}(e^{2\pi} + 1)$

③ $\sqrt{5}(e^{\pi} - 1)$　　　④ $\sqrt{5}(e^{2\pi} - 1)$

⑤ $\sqrt{5}(e^{2\pi} + 1)$

유형 16 곡선의 길이

$x = a$에서 $x = b$까지 곡선 $y = f(x)$의 길이 l은

→ $l = \displaystyle\int_a^b \sqrt{1 + \{f'(x)\}^2}\, dx$

대표 문제
1042

$1 \le x \le 2$에서 곡선 $y = \dfrac{x^3}{3} + \dfrac{1}{4x}$의 길이를 구하시오.

1043

$x = 1$에서 $x = 4$까지 곡선 $y = \dfrac{1}{4}x^2 - \ln\sqrt{x}$의 길이를 구하시오.

1044

$0 \le x \le a$에서 곡선 $y = \dfrac{4}{3}x\sqrt{x}$의 길이가 $\dfrac{13}{3}$일 때, 상수 a의 값은?

① 1　　　② 2　　　③ 3

④ 4　　　⑤ 5

실전! 기출 문제 정복하기

→ 정답 및 풀이 **148**쪽

1045

$\displaystyle\lim_{n\to\infty}\sum_{k=1}^{n}\dfrac{1}{\sqrt{4n^2-(n+k)^2}}$의 값을 구하시오.

1046 📘 수능 기출

닫힌구간 $[0,\ 1]$에서 정의된 연속함수 $f(x)$가 $f(0)=0$, $f(1)=1$이며, 열린구간 $(0,\ 1)$에서 이계도함수를 갖고 $f'(x)>0$, $f''(x)>0$일 때, $\displaystyle\int_{0}^{1}\{f^{-1}(x)-f(x)\}\,dx$의 값과 같은 것은?

① $\displaystyle\lim_{n\to\infty}\sum_{k=1}^{n}\left\{\dfrac{k}{n}-f\!\left(\dfrac{k}{n}\right)\right\}\dfrac{1}{2n}$

② $\displaystyle\lim_{n\to\infty}\sum_{k=1}^{n}\left\{\dfrac{k}{n}-f\!\left(\dfrac{k}{n}\right)\right\}\dfrac{2}{n}$

③ $\displaystyle\lim_{n\to\infty}\sum_{k=1}^{n}\left\{\dfrac{k}{n}-f\!\left(\dfrac{k}{n}\right)\right\}\dfrac{1}{n}$

④ $\displaystyle\lim_{n\to\infty}\sum_{k=1}^{n}\left\{\dfrac{k}{2n}-f\!\left(\dfrac{k}{n}\right)\right\}\dfrac{1}{n}$

⑤ $\displaystyle\lim_{n\to\infty}\sum_{k=1}^{n}\left\{\dfrac{2k}{n}-f\!\left(\dfrac{k}{n}\right)\right\}\dfrac{1}{n}$

1047

오른쪽 그림과 같이 길이가 4인 선분 AB를 지름으로 하는 반원의 호 AB를 n등분하는 점을 차례로 P_1, P_2, $\cdots$, P_{n-1}이라 하자. 삼각형 ABP_k ($k=1,\ 2,\ \cdots,$ $n-1$)의 넓이를 S_k라 할 때, $\displaystyle\lim_{n\to\infty}\dfrac{1}{n}\sum_{k=1}^{n-1}S_k$의 값을 구하시오.

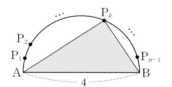

1048

자연수 n에 대하여 구간 $[(n-1)\pi,\ n\pi]$에서 곡선 $y=\left(\dfrac{1}{2}\right)^{n}\sin x$와 x축으로 둘러싸인 부분의 넓이를 S_n이라 할 때, $\displaystyle\sum_{n=1}^{\infty}S_n$의 값을 구하시오.

1049 📖 교과서 심화

오른쪽 그림과 같이 연속함수 $f(x)$의 그래프가 x축과 만나는 세 점의 x좌표는 각각 0, 5, 8이고 곡선 $y=f(x)$와 x축으로 둘러싸인 두 부분 A, B의 넓이가 각각 7, 3일 때, 정적분 $\displaystyle\int_{0}^{2}xf(2x^2)\,dx$의 값은?

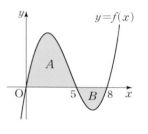

① $\dfrac{1}{2}$ ② 1 ③ $\dfrac{3}{2}$

④ 2 ⑤ $\dfrac{5}{2}$

1050

자연수 n에 대하여 곡선 $y=e^{-x}$과 x축 및 두 직선 $x=n$, $x=n+1$로 둘러싸인 도형의 넓이를 S_n이라 할 때, $\displaystyle\sum_{n=1}^{\infty}S_n$의 값을 구하시오.

1051 수능 기출

양수 a에 대하여 함수 $f(x)=\int_0^x (a-t)e^t\,dt$의 최댓값이 32이다. 곡선 $y=3e^x$과 두 직선 $x=a$, $y=3$으로 둘러싸인 부분의 넓이를 구하시오.

1052 평가원 기출

2 이상의 자연수 n에 대하여 곡선 $y=(\ln x)^n(x\geq 1)$과 x축, y축 및 직선 $y=1$로 둘러싸인 도형의 넓이를 S_n이라 하자. 보기에서 옳은 것만을 있는 대로 고른 것은?

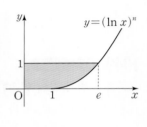

┌ 보기 ┐
ㄱ. $1\leq x\leq e$일 때, $(\ln x)^n\geq(\ln x)^{n+1}$이다.
ㄴ. $S_n<S_{n+1}$
ㄷ. 함수 $f(x)=(\ln x)^n(x\geq 1)$의 역함수를 $g(x)$라 하면 $S_n=\int_0^1 g(x)\,dx$이다.

① ㄱ ② ㄱ, ㄴ ③ ㄱ, ㄷ
④ ㄴ, ㄷ ⑤ ㄱ, ㄴ, ㄷ

1053

오른쪽 그림과 같이 곡선 $y=\dfrac{1}{x}$과 두 직선 $y=3x$, $y=\dfrac{1}{3}x$로 둘러싸인 도형의 넓이를 구하시오. (단, $x>0$, $y>0$이다.)

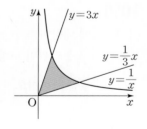

1054

오른쪽 그림과 같이 좌표평면에서 꼭짓점의 좌표가 $O(0,\,0)$, $A(3^n,\,0)$, $B(3^n,\,3^n)$, $C(0,\,3^n)$인 정사각형 OABC와 두 곡선 $y=3^x$, $y=\log_3 x$가 있다. 정사각형 OABC와 그 내부는 두 곡선 $y=3^x$, $y=\log_3 x$에 의하여 세 부분으로 나뉜다. $n=2$일 때, 이 세 부분 중 색칠된 부분의 넓이를 구하시오.
(단, n은 자연수이다.)

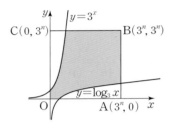

1055

오른쪽 그림과 같이 밑면의 반지름의 길이가 4, 높이가 10인 원기둥이 있다. 이 원기둥의 밑면의 지름을 지나고 밑면과 이루는 각의 크기가 $60°$인 평면으로 자를 때 생기는 두 입체도형 중에서 작은 것의 부피를 구하시오.

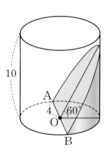

1056 교과서 심화

그림과 같이 반지름의 길이가 12 cm인 반구 모양의 그릇에 물을 가득 채운 후 $30°$만큼 기울여 물을 흘려보낸다. 흘려보내고 남은 물을 밑면의 반지름의 길이가 6 cm인 원기둥 모양의 그릇에 옮겨 부을 때, 물의 높이를 구하시오.
(단, 그릇의 두께는 생각하지 않는다.)

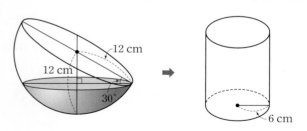

1057

높이가 3인 그릇에 채워진 물의 높이가 x일 때, 수면은 한 변의 길이가 $\sqrt{\dfrac{x+2}{x^2+4x+13}}$인 정사각형이다. 이 그릇에 물을 채우기 시작하여 수면의 넓이가 최대가 될 때의 물의 부피를 구하시오.

1058 📖 교과서 심화

원점을 출발하여 수직선 위를 움직이는 점 P의 시각 t에서의 속도 $v(t)$가 $v(t)=\sin\dfrac{\pi}{2}t$일 때, 보기에서 옳은 것만을 있는 대로 고른 것은?

┌ 보기 ────────────────────
ㄱ. $0<t<6$에서 점 P는 운동 방향을 두 번 바꾸었다.
ㄴ. $0<t<6$에서 점 P는 원점을 한 번 통과하였다.
ㄷ. 점 P가 원점을 출발하여 6초 동안 실제 움직인 거리는 $\dfrac{12}{\pi}$이다.
└──────────────────────────

① ㄱ   ② ㄱ, ㄴ   ③ ㄱ, ㄷ
④ ㄴ, ㄷ   ⑤ ㄱ, ㄴ, ㄷ

1059 ✍️ 수능 기출

좌표평면 위를 움직이는 점 P의 시각 t에서의 위치 (x, y)가

$$\begin{cases} x=4(\cos t+\sin t) \\ y=\cos 2t \end{cases} \quad (0\le t\le 2\pi)$$

이다. 점 P가 $t=0$에서 $t=2\pi$까지 움직인 거리(경과 거리)를 $a\pi$라 할 때, a^2의 값을 구하시오.

1060 ✍️ 수능 기출

$x=0$에서 $x=6$까지 곡선 $y=\dfrac{1}{3}(x^2+2)^{\frac{3}{2}}$의 길이를 구하시오.

1061 📝 평가원 기출

실수 전체의 집합에서 이계도함수를 갖고 $f(0)=0$, $f(1)=\sqrt{3}$을 만족시키는 모든 함수 $f(x)$에 대하여 $\displaystyle\int_0^1 \sqrt{1+\{f'(x)\}^2}\,dx$의 최솟값은?

① $\sqrt{2}$ ② 2 ③ $1+\sqrt{2}$
④ $\sqrt{5}$ ⑤ $1+\sqrt{3}$

1062

$-\dfrac{1}{2}\le x\le\dfrac{1}{2}$에서 곡선 $y=\ln(9-9x^2)$의 길이는?

① $2\ln 3-3$ ② $2\ln 3-1$ ③ $2\ln 3$
④ $2\ln 3+1$ ⑤ $2\ln 3+3$

→ 정답 및 풀이 **151**쪽

서술형 문제 따라하기 1

오른쪽 그림과 같이 두 곡선 $y=e^x$, $y=2xe^x$과 y축으로 둘러싸인 도형의 넓이를 S_1, 두 곡선 $y=e^x$, $y=2xe^x$과 직선 $x=1$로 둘러싸인 도형의 넓이를 S_2라 할 때, S_2-S_1의 값을 구하시오.

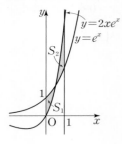

풀이

단계 1 두 곡선의 교점의 x좌표 구하기

$e^x=2xe^x$에서 $e^x(1-2x)=0$, $e^x>0$이므로 $x=\dfrac{1}{2}$

단계 2 S_2-S_1의 값을 정적분으로 나타내기

$S_1=\displaystyle\int_0^{\frac{1}{2}}(e^x-2xe^x)\,dx$, $S_2=\displaystyle\int_{\frac{1}{2}}^1(2xe^x-e^x)\,dx$이므로

$S_2-S_1=\displaystyle\int_{\frac{1}{2}}^1(2xe^x-e^x)\,dx-\int_0^{\frac{1}{2}}(e^x-2xe^x)\,dx$

$=\displaystyle\int_{\frac{1}{2}}^1(2xe^x-e^x)\,dx+\int_0^{\frac{1}{2}}(2xe^x-e^x)\,dx$

$=\displaystyle\int_0^1(2xe^x-e^x)\,dx$

단계 3 S_2-S_1의 값 구하기

$S_2-S_1=\displaystyle\int_0^1(2xe^x-e^x)\,dx=\int_0^1 2xe^x\,dx-\int_0^1 e^x\,dx$

$=\left[2xe^x\right]_0^1-\displaystyle\int_0^1 2e^x\,dx-\int_0^1 e^x\,dx=\left[2xe^x\right]_0^1-3\left[e^x\right]_0^1$

$=2e-3(e-1)=3-e$

답 $3-e$

1063 따라하기

오른쪽 그림과 같이 $0\leq x\leq\dfrac{\pi}{2}$에서 곡선 $y=x\sin x$와 x축 및 직선 $x=k$로 둘러싸인 도형의 넓이를 S_1, 곡선 $y=x\sin x$와 두 직선 $x=k$, $y=\dfrac{\pi}{2}$로 둘러싸인 도형의 넓이를 S_2라 하자. $S_1=S_2$일 때, 상수 k의 값을 구하시오. $\left(단, 0\leq k\leq\dfrac{\pi}{2}$이다.$\right)$

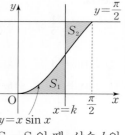

풀이

답

서술형 문제 따라하기 2

좌표평면 위를 움직이는 점 P의 시각 t에서의 위치 (x, y)가 $x=2\cos^3 t$, $y=2\sin^3 t$일 때, 점 P가 $t=0$에서 출발하여 속력이 최대가 될 때까지 움직인 거리를 구하시오. $\left(단, 0\leq t\leq\dfrac{\pi}{2}$이다.$\right)$

풀이

단계 1 시각 t에서의 속도를 $v(t)$라 할 때 $|v(t)|$ 구하기

$\dfrac{dx}{dt}=-6\cos^2 t\sin t$, $\dfrac{dy}{dt}=6\sin^2 t\cos t$이므로

$|v(t)|=\sqrt{(-6\cos^2 t\sin t)^2+(6\sin^2 t\cos t)^2}$

$=\sqrt{36\cos^2 t\sin^2 t(\cos^2 t+\sin^2 t)}$

$=\sqrt{36\cos^2 t\sin^2 t}=|6\cos t\sin t|=|3\sin 2t|$

단계 2 속력이 최대가 될 때의 t의 값 구하기

$0\leq t\leq\dfrac{\pi}{2}$에서 $0\leq|3\sin 2t|\leq 3$

$|3\sin 2t|=3$을 만족시키는 t의 값은 $\sin 2t=1$에서 $t=\dfrac{\pi}{4}$

이므로 속력은 $t=\dfrac{\pi}{4}$일 때 최대가 된다.

단계 3 움직인 거리 구하기

$\displaystyle\int_0^{\frac{\pi}{4}}|3\sin 2t|\,dt=\int_0^{\frac{\pi}{4}}3\sin 2t\,dt=\left[-\dfrac{3}{2}\cos 2t\right]_0^{\frac{\pi}{4}}=\dfrac{3}{2}$

답 $\dfrac{3}{2}$

1064 따라하기

좌표평면 위를 움직이는 점 P의 시각 t에서의 위치 (x, y)가 $x=t-\sin t$, $y=1-\cos t$일 때, 점 P가 $t=0$에서 출발하여 속력이 처음으로 0이 될 때까지 움직인 거리를 구하시오.

풀이

답

날카롭게
선별한
유형문제서

연산으로 개념을 다지는 **유형입문서**

이미지를 통한 친절한 개념 설명
유형별 반복 연산 학습으로 구성
고등학교 수학에 나오는 모든 기본 문제를 수록
수학(상), 수학(하), 수학 I, 수학 II

고등 **수학(상)**

새 교육과정 · 연산으로 개념을 다지는 **유형입문서**

날선
유형
스타트

개념 + 연산유형의
3단계 학습 전략

1단계
한번에 쉽게
개념정리 + 연산유형

2단계
빠르고 간편하게
유형 확인하기

3단계
학교시험은 이렇게
단원종합문제로 마무리하기

필요한 유형으로 꽉 채운 **핵심유형서**

새 교육과정

날선
유형

고등 **수학(상)**

필요한 유형으로 꽉 채운 **핵심유형서**

최신 유형들을 날카롭게 선별
시험에 꼭 나오는 문제는 "날선유형"으로 분류
교과서 심화문제, 교육청 기출문제, 수능 기출문제 수록
수학(상), 수학(하), 수학 I, 수학 II, 미적분, 확률과 통계

The power to push a dream is hope, not reason. It is the heart, not the brain. *Dostoevsky*

꿈을 밀고 가는 힘은 이성이 아니라 희망이며, 두뇌가 아니라 심장이다. 도스토옙스키

필요한 유형으로 꽉 채운 핵심유형서

낯선유형

미적분

정답 및 풀이

동아출판

날선유형

미적분

확인! 정답 및 풀이

I. 수열의 극한

1 수열의 극한

➡ 본책 6쪽~10쪽

001 답 수렴, 1

주어진 수열의 일반항을 a_n이라 하면

$$a_n=1+\frac{1}{2n}$$

오른쪽 그림에서 n의 값이 한없이 커질 때, a_n의 값은 1에 한없이 가까워지므로 수열 $\left\{1+\frac{1}{2n}\right\}$은 수렴하고, 그 극한값은 1이다.

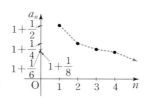

002 답 수렴, -3

주어진 수열의 일반항을 a_n이라 하면

$$a_n=-3$$

오른쪽 그림에서 n의 값이 한없이 커질 때, a_n의 값은 -3이므로 수열 $\{-3\}$은 수렴하고, 그 극한값은 -3이다.

003 답 발산 (양의 무한대로 발산)

주어진 수열의 일반항을 a_n이라 하면

$$a_n=3n-2$$

오른쪽 그림에서 n의 값이 한없이 커질 때, a_n의 값은 한없이 커지므로 수열 $\{3n-2\}$는 양의 무한대로 발산한다.

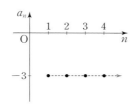

004 답 발산 (진동)

주어진 수열의 일반항을 a_n이라 하면

$$a_n=2n\times(-1)^{n+1}$$

오른쪽 그림에서 n의 값이 한없이 커질 때, a_n의 값은 수렴하지도 않고 양의 무한대나 음의 무한대로 발산하지도 않으므로 수열 $\{2n\times(-1)^{n+1}\}$은 진동한다.

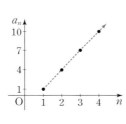

005 답 수렴, 0

주어진 수열의 일반항을 a_n이라 하면

$$a_n=\left(\frac{1}{3}\right)^n$$

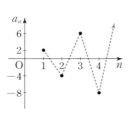

오른쪽 그림에서 n의 값이 한없이 커질 때, a_n의 값은 0에 한없이 가까워지므로 수열 $\left\{\left(\frac{1}{3}\right)^n\right\}$은 수렴하고, 그 극한값은 0이다.

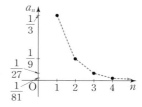

006 답 발산 (양의 무한대로 발산)

주어진 수열의 일반항을 a_n이라 하면

$$a_n=n+5$$

오른쪽 그림에서 n의 값이 한없이 커질 때, a_n의 값은 한없이 커지므로 수열 $\{n+5\}$는 양의 무한대로 발산한다.

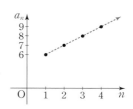

007 답 수렴, 4

주어진 수열의 일반항을 a_n이라 하면

$$a_n=4+\frac{(-1)^n}{n}$$

오른쪽 그림에서 n의 값이 한없이 커질 때, a_n의 값은 4에 한없이 가까워지므로 수열 $\left\{4+\frac{(-1)^n}{n}\right\}$은 수렴하고, 그 극한값은 4이다.

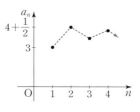

008 답 발산 (음의 무한대로 발산)

주어진 수열의 일반항을 a_n이라 하면

$$a_n=\frac{1-n}{2}$$

오른쪽 그림에서 n의 값이 한없이 커질 때, a_n의 값은 음수이면서 그 절댓값이 한없이 커지므로 수열 $\left\{\frac{1-n}{2}\right\}$은 음의 무한대로 발산한다.

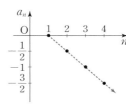

009 답 발산 (진동)

주어진 수열의 일반항을 a_n이라 하면

$$a_n=3+(-1)^n$$

오른쪽 그림에서 n의 값이 한없이 커질 때, a_n의 값은 수렴하지도 않고 양의 무한대나 음의 무한대로 발산하지도 않으므로 수열 $\{3+(-1)^n\}$은 진동한다.

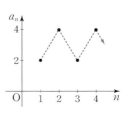

010 답 발산 (진동)

주어진 수열의 일반항을 a_n이라 하면

$a_n = \cos n\pi$

오른쪽 그림에서 n의 값이 한없이 커질 때, a_n의 값은 수렴하지도 않고 양의 무한대나 음의 무한대로 발산하지도 않으므로 수열 $\{\cos n\pi\}$는 진동한다.

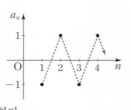

011 답 1

$$\lim_{n\to\infty}(a_n+b_n)=\lim_{n\to\infty}a_n+\lim_{n\to\infty}b_n=3+(-2)=1$$

012 답 8

$$\lim_{n\to\infty}(2a_n-b_n)=2\lim_{n\to\infty}a_n-\lim_{n\to\infty}b_n=2\times3-(-2)=8$$

013 답 -30

$$\lim_{n\to\infty}5a_nb_n=5\lim_{n\to\infty}a_n\times\lim_{n\to\infty}b_n=5\times3\times(-2)=-30$$

014 답 -1

$$\lim_{n\to\infty}\frac{2a_n}{3b_n}=\frac{2\lim_{n\to\infty}a_n}{3\lim_{n\to\infty}b_n}=\frac{2\times3}{3\times(-2)}=-1$$

015 답 -2

$$\lim_{n\to\infty}\frac{3a_n-1}{2b_n}=\frac{3\lim_{n\to\infty}a_n-\lim_{n\to\infty}1}{2\lim_{n\to\infty}b_n}=\frac{3\times3-1}{2\times(-2)}=-2$$

016 답 1

$$\lim_{n\to\infty}\left(1+\frac{2}{n}\right)=\lim_{n\to\infty}1+2\lim_{n\to\infty}\frac{1}{n}=1+2\times0=1$$

017 답 3

$$\lim_{n\to\infty}\frac{3n+7}{n}=\lim_{n\to\infty}\left(3+\frac{7}{n}\right)=\lim_{n\to\infty}3+7\lim_{n\to\infty}\frac{1}{n}=3+7\times0=3$$

018 답 0

$$\lim_{n\to\infty}\frac{4n-1}{n^2}=\lim_{n\to\infty}\left(\frac{4}{n}-\frac{1}{n^2}\right)=4\lim_{n\to\infty}\frac{1}{n}-\lim_{n\to\infty}\frac{1}{n}\times\lim_{n\to\infty}\frac{1}{n}$$
$$=4\times0-0\times0=0$$

019 답 4

$$\lim_{n\to\infty}\left(\frac{3}{n}+1\right)\left(4-\frac{1}{n}\right)=\left(3\lim_{n\to\infty}\frac{1}{n}+\lim_{n\to\infty}1\right)\left(\lim_{n\to\infty}4-\lim_{n\to\infty}\frac{1}{n}\right)$$
$$=(3\times0+1)\times(4-0)=4$$

020 답 2

$$\lim_{n\to\infty}\frac{2+\dfrac{5}{n^2}}{1-\dfrac{1}{n}}=\frac{\lim_{n\to\infty}\left(2+\dfrac{5}{n^2}\right)}{\lim_{n\to\infty}\left(1-\dfrac{1}{n}\right)}=\frac{\lim_{n\to\infty}2+5\lim_{n\to\infty}\dfrac{1}{n}\times\lim_{n\to\infty}\dfrac{1}{n}}{\lim_{n\to\infty}1-\lim_{n\to\infty}\dfrac{1}{n}}$$
$$=\frac{2+5\times0\times0}{1-0}=2$$

021 답 수렴, -1

$$\lim_{n\to\infty}\frac{2-n}{n+3}=\lim_{n\to\infty}\frac{\dfrac{2}{n}-1}{1+\dfrac{3}{n}}=-1$$

022 답 수렴, 2

$$\lim_{n\to\infty}\frac{(n+4)(2n-1)}{n^2}=\lim_{n\to\infty}\frac{2n^2+7n-4}{n^2}$$
$$=\lim_{n\to\infty}\left(2+\frac{7}{n}-\frac{4}{n^2}\right)=2$$

023 답 발산

$$\lim_{n\to\infty}\frac{-n^2+9}{2n+1}=\lim_{n\to\infty}\frac{-n+\dfrac{9}{n}}{2+\dfrac{1}{n}}\text{에서}$$

$$\lim_{n\to\infty}\left(-n+\frac{9}{n}\right)=-\infty,\ \lim_{n\to\infty}\left(2+\frac{1}{n}\right)=2\text{이므로}$$

$$\lim_{n\to\infty}\frac{-n+\dfrac{9}{n}}{2+\dfrac{1}{n}}=-\infty$$

024 답 수렴, $\dfrac{1}{3}$

$$\lim_{n\to\infty}\frac{n^2-1}{3n^2-5n+7}=\lim_{n\to\infty}\frac{1-\dfrac{1}{n^2}}{3-\dfrac{5}{n}+\dfrac{7}{n^2}}$$
$$=\frac{\lim_{n\to\infty}\left(1-\dfrac{1}{n^2}\right)}{\lim_{n\to\infty}\left(3-\dfrac{5}{n}+\dfrac{7}{n^2}\right)}=\frac{1}{3}$$

025 답 발산

$$\lim_{n\to\infty}\frac{3n^2-5n}{n+1}=\lim_{n\to\infty}\frac{3n-5}{1+\dfrac{1}{n}}\text{에서}$$

$$\lim_{n\to\infty}(3n-5)=\infty,\ \lim_{n\to\infty}\left(1+\frac{1}{n}\right)=1\text{이므로}\ \lim_{n\to\infty}\frac{3n-5}{1+\dfrac{1}{n}}=\infty$$

026 답 발산

$$\lim_{n\to\infty}(n^3-8n)=\lim_{n\to\infty}n^3\left(1-\frac{8}{n^2}\right)=\infty$$

027 답 발산

$$\lim_{n\to\infty}(n-2n^2-3)=\lim_{n\to\infty}n^2\left(\frac{1}{n}-2-\frac{3}{n^2}\right)=-\infty$$

028 답 수렴, 0

$$\lim_{n\to\infty}(\sqrt{n+5}-\sqrt{n})=\lim_{n\to\infty}\frac{(\sqrt{n+5}-\sqrt{n})(\sqrt{n+5}+\sqrt{n})}{\sqrt{n+5}+\sqrt{n}}$$
$$=\lim_{n\to\infty}\frac{5}{\sqrt{n+5}+\sqrt{n}}=0$$

029 답 발산

$$\lim_{n\to\infty}\frac{1}{\sqrt{n^2+3}-n}=\lim_{n\to\infty}\frac{\sqrt{n^2+3}+n}{(\sqrt{n^2+3}-n)(\sqrt{n^2+3}+n)}$$
$$=\lim_{n\to\infty}\frac{\sqrt{n^2+3}+n}{3}=\infty$$

030 답 수렴, 4

$$\lim_{n\to\infty}(\sqrt{n^2+4n}-\sqrt{n^2-4n})$$
$$=\lim_{n\to\infty}\frac{(\sqrt{n^2+4n}-\sqrt{n^2-4n})(\sqrt{n^2+4n}+\sqrt{n^2-4n})}{\sqrt{n^2+4n}+\sqrt{n^2-4n}}$$
$$=\lim_{n\to\infty}\frac{8n}{\sqrt{n^2+4n}+\sqrt{n^2-4n}}$$
$$=\lim_{n\to\infty}\frac{8}{\sqrt{1+\frac{4}{n}}+\sqrt{1-\frac{4}{n}}}=\frac{8}{1+1}=4$$

031 답 (가) : 2, (나) : 2, (다) : 2

032 답 5

$$\frac{5n^2-2}{n^2+3}<a_n<\frac{5n^2}{n^2+1}$$에서

$$\lim_{n\to\infty}\frac{5n^2-2}{n^2+3}=\lim_{n\to\infty}\frac{5-\frac{2}{n^2}}{1+\frac{3}{n^2}}=5$$

$$\lim_{n\to\infty}\frac{5n^2}{n^2+1}=\lim_{n\to\infty}\frac{5}{1+\frac{1}{n^2}}=5$$

이므로 수열의 극한의 대소 관계에 따라
$$\lim_{n\to\infty}a_n=5$$

033 답 (가) : 4, (나) : 4, (다) : 4

034 답 2

$2n^2+1\le(n^2+n)a_n\le2n^2+3n$에서 각 변을 n^2+n으로 나누면

$$\frac{2n^2+1}{n^2+n}\le a_n\le\frac{2n^2+3n}{n^2+n}$$

이때 $\displaystyle\lim_{n\to\infty}\frac{2n^2+1}{n^2+n}=2$, $\displaystyle\lim_{n\to\infty}\frac{2n^2+3n}{n^2+n}=2$이므로 수열의 극한의 대소 관계에 의하여

$$\lim_{n\to\infty}a_n=2$$

035 답 수렴, 0

공비가 $\frac{2}{5}$이고, $-1<\frac{2}{5}<1$이므로

$$\lim_{n\to\infty}\left(\frac{2}{5}\right)^n=0$$

036 답 수렴, 0

공비가 -0.3이고, $-1<-0.3<1$이므로

$$\lim_{n\to\infty}(-0.3)^n=0$$

037 답 수렴, 0

공비가 $-\frac{1}{4}$이고, $-1<-\frac{1}{4}<1$이므로

$$\lim_{n\to\infty}\frac{(-1)^n}{4^n}=\lim_{n\to\infty}\left(-\frac{1}{4}\right)^n=0$$

038 답 발산

공비가 $\sqrt{1.5}$이고, $\sqrt{1.5}>1$이므로 발산한다.

039 답 발산

$\dfrac{5^n}{4^{n+1}}=\dfrac{1}{4}\times\left(\dfrac{5}{4}\right)^n$에서 공비는 $\dfrac{5}{4}$이고, $\dfrac{5}{4}>1$이므로 발산한다.

040 답 수렴, 0

$\dfrac{3^n}{2^{2n}}=\dfrac{3^n}{4^n}=\left(\dfrac{3}{4}\right)^n$에서 공비는 $\dfrac{3}{4}$이고, $\dfrac{3}{4}<1$이므로

$$\lim_{n\to\infty}\frac{3^n}{2^{2n}}=0$$

041 답 발산

$\left(\dfrac{2}{3}\right)^{1-n}=\left(\dfrac{2}{3}\right)\times\left(\dfrac{3}{2}\right)^n$에서 공비는 $\dfrac{3}{2}$이고, $\dfrac{3}{2}>1$이므로 발산한다.

042 답 수렴, 0

$3^{-n}=\left(\dfrac{1}{3}\right)^n$에서 공비는 $\dfrac{1}{3}$이고, $-1<\dfrac{1}{3}<1$이므로

$$\lim_{n\to\infty}3^{-n}=0$$

$2^{-n}=\left(\dfrac{1}{2}\right)^n$에서 공비는 $\dfrac{1}{2}$이고, $-1<\dfrac{1}{2}<1$이므로

$$\lim_{n\to\infty}2^{-n}=0$$

$$\therefore\lim_{n\to\infty}(3^{-n}-2^{-n})=0$$

043 답 발산

분자, 분모를 각각 3^n으로 나누면

$$\lim_{n\to\infty}\frac{5^n-1}{3^n}=\lim_{n\to\infty}\frac{\left(\frac{5}{3}\right)^n-\left(\frac{1}{3}\right)^n}{1}=\infty$$

044 답 수렴, -1

분자, 분모를 각각 6^n으로 나누면

$$\lim_{n\to\infty}\frac{3^n-6^n}{3^n+6^n}=\lim_{n\to\infty}\frac{\left(\frac{1}{2}\right)^n-1}{\left(\frac{1}{2}\right)^n+1}=\frac{0-1}{0+1}=-1$$

045 답 수렴, 0

분자, 분모를 각각 4^n으로 나누면

$$\lim_{n\to\infty}\frac{3^{n+1}-1}{4^n-2^n}=\lim_{n\to\infty}\frac{3\times\left(\frac{3}{4}\right)^n-\left(\frac{1}{4}\right)^n}{1-\left(\frac{1}{2}\right)^n}=\frac{3\times0-0}{1-0}=0$$

046 답 수렴, $\dfrac{25}{4}$

분자, 분모를 각각 5^n으로 나누면

$$\lim_{n\to\infty}\frac{5^{n+1}+2^n}{5^n-5^{n-1}}=\lim_{n\to\infty}\frac{5+\left(\frac{2}{5}\right)^n}{1-\frac{1}{5}}=\frac{5+0}{\frac{4}{5}}=\frac{25}{4}$$

047 답 $-\dfrac{1}{3}\le x<\dfrac{1}{3}$

공비가 $-3x$이므로 주어진 등비수열이 수렴하려면

$$-1<-3x\le1 \qquad \therefore -\frac{1}{3}\le x<\frac{1}{3}$$

048 답 $-2<x\le2$

공비가 $\dfrac{x}{2}$이므로 주어진 등비수열이 수렴하려면

$$-1<\frac{x}{2}\le1 \qquad \therefore -2<x\le2$$

049 답 $0<x\le1$

공비가 $2x-1$이므로 주어진 등비수열이 수렴하려면
$$-1<2x-1\le1,\ 0<2x\le2$$
$$\therefore 0<x\le1$$

050 답 $-4<x\le-2$

공비가 $x+3$이므로 주어진 등비수열이 수렴하려면
$$-1<x+3\le1 \qquad \therefore -4<x\le-2$$

도전! 유형 연습하기

➔ 본책 11쪽~20쪽

051 답 ㄴ

단계 1 n의 값이 커질 때, 수열의 일반항의 값 조사하기

ㄱ. 수열 $\left\{-\dfrac{n}{2}\right\}$에 $n=1,\ 2,\ 3,\ 4,\ 5,\ 6,\ \cdots$을 차례대로 대입하면

$$-\frac{1}{2},\ -1,\ -\frac{3}{2},\ -2,\ -\frac{5}{2},\ -3,\ \cdots$$

따라서 n의 값이 한없이 커질 때, $-\dfrac{n}{2}$의 값은 음수이면서 그 절댓값이 한없이 커지므로 주어진 수열은 음의 무한대로 발산한다.

ㄴ. 수열 $\left\{\log_3\left(\dfrac{n+1}{n}\right)\right\}$에 $n=1,\ 2,\ 3,\ 4,\ 5,\ 6,\ \cdots$을 차례대로 대입하면

$$\log_3 2,\ \log_3\frac{3}{2},\ \log_3\frac{4}{3},\ \log_3\frac{5}{4},\ \log_3\frac{6}{5},\ \log_3\frac{7}{6},\ \cdots$$

따라서 n의 값이 한없이 커질 때, $\log_3\left(\dfrac{n+1}{n}\right)$의 값은 $\log_3 1$, 즉 0에 한없이 가까워지므로 주어진 수열은 수렴하고, 그 극한값은 0이다.

ㄷ. 수열 $\left\{\dfrac{3^{2n-1}}{n}\right\}$에 $n=1,\ 2,\ 3,\ 4,\ 5,\ 6,\ \cdots$을 차례대로 대입하면

$$3,\ \frac{3^3}{2},\ \frac{3^5}{3},\ \frac{3^7}{4},\ \frac{3^9}{5},\ \frac{3^{11}}{6},\ \cdots$$

따라서 n의 값이 한없이 커질 때, $\dfrac{3^{2n-1}}{n}$의 값은 한없이 커지므로 주어진 수열은 양의 무한대로 발산한다.

단계 2 수렴하는 수열 찾기

수렴하는 수열은 ㄴ이다.

052 답 ②

① $1^2+2,\ 2^2+4,\ 3^2+6,\ 4^2+8,\ 5^2+10,\ 6^2+12,\ \cdots$이므로 발산한다.

② $0,\ \dfrac{3}{4},\ \dfrac{8}{9},\ \dfrac{15}{16},\ \dfrac{24}{25},\ \dfrac{35}{36},\ \cdots$이므로 1에 수렴한다.

③ $1+1,\ \dfrac{1}{2}-1,\ \dfrac{1}{3}+1,\ \dfrac{1}{4}-1,\ \dfrac{1}{5}+1,\ \dfrac{1}{6}-1,\ \cdots$이므로 홀수 번째 항 $1+1,\ \dfrac{1}{3}+1,\ \dfrac{1}{5}+1,\ \cdots$은 1에 수렴하고, 짝수 번째 항 $\dfrac{1}{2}-1,\ \dfrac{1}{4}-1,\ \dfrac{1}{6}-1,\ \cdots$은 -1에 수렴하므로 발산(진동)한다.

④ $3,\ 3^2,\ 3^3,\ 3^4,\ 3^5,\ 3^6,\ \cdots$이므로 발산한다.

⑤ $1,\ 3,\ 1,\ 3,\ 1,\ 3,\ \cdots$이므로 발산(진동)한다.

따라서 수렴하는 수열은 ②이다.

053 답 ③

ㄱ. n의 값이 한없이 커질 때, $\dfrac{-n^2}{2n+1}$의 값은

$$-\frac{1}{3}, \ -\frac{4}{5}, \ -\frac{9}{7}, \ -\frac{16}{9}, \ -\frac{25}{11}, \ -\frac{36}{13}, \ \cdots$$

이므로 주어진 수열은 음의 무한대로 발산한다.

ㄴ. n의 값이 한없이 커질 때, $\dfrac{1}{n^2+1}$의 값은

$$\frac{1}{1^2+1}, \ \frac{1}{2^2+1}, \ \frac{1}{3^2+1}, \ \frac{1}{4^2+1}, \ \frac{1}{5^2+1}, \ \frac{1}{6^2+1}, \ \cdots$$

이므로 주어진 수열은 0에 수렴한다.

ㄷ. n의 값이 한없이 커질 때, $(-1)^n \times \dfrac{1}{n+2}$의 값은

$$-\frac{1}{3}, \ \frac{1}{4}, \ -\frac{1}{5}, \ \frac{1}{6}, \ -\frac{1}{7}, \ \frac{1}{8}, \ \cdots$$

홀수 번째 항 $-\dfrac{1}{3}, \ -\dfrac{1}{5}, \ -\dfrac{1}{7}, \ \cdots$은 0에 수렴하고,

짝수 번째 항 $\dfrac{1}{4}, \ \dfrac{1}{6}, \ \dfrac{1}{8}, \ \cdots$도 0에 수렴하므로 주어진 수열은 0에 수렴한다.

ㄹ. n의 값이 한없이 커질 때, $\dfrac{(-1)^n+1}{n}$의 값은

$$0, \ 1, \ 0, \ \frac{1}{2}, \ 0, \ \frac{1}{3}, \ \cdots$$

이므로 주어진 수열은 0에 수렴한다.

ㅁ. n의 값이 한없이 커질 때, $n\sin 30°$의 값은

$$\sin 30°, \ 2\sin 30°, \ 3\sin 30°, \ 4\sin 30°, \ 5\sin 30°,$$
$$6\sin 30°, \ \cdots$$

즉, $\dfrac{1}{2}, \ 1, \ \dfrac{3}{2}, \ 2, \ \dfrac{5}{2}, \ 3, \ \cdots$으로 한없이 커지므로 주어진 수열은 양의 무한대로 발산한다.

따라서 발산하는 것은 ㄱ, ㅁ이다.

054 답 -5

단계 1 수열의 극한에 대한 기본 성질을 이용하여 식 변형하기

$$\lim_{n\to\infty}(3a_n-1)(b_n+4)$$
$$= \lim_{n\to\infty}(3a_n-1) \times \lim_{n\to\infty}(b_n+4)$$
$$= (3\lim_{n\to\infty}a_n - \lim_{n\to\infty}1) \times (\lim_{n\to\infty}b_n + \lim_{n\to\infty}4) \quad \cdots \ \text{㉠}$$

단계 2 $\lim\limits_{n\to\infty}(3a_n-1)(b_n+4)$의 값 구하기

$\lim\limits_{n\to\infty}a_n=2$, $\lim\limits_{n\to\infty}b_n=-5$이므로 ㉠에 대입하면

$$(3\times 2-1) \times (-5+4) = -5$$

낱선특강 수열의 극한에 대한 기본 성질

$\lim\limits_{n\to\infty}a_n=\alpha$, $\lim\limits_{n\to\infty}b_n=\beta$ (α, β는 실수)이면

실수 p, q, r에 대하여

(1) $\lim\limits_{n\to\infty}(pa_n+qb_n)=p\alpha+q\beta$

(2) $\lim\limits_{n\to\infty}ra_nb_n=r\alpha\beta$

055 답 ⑤

$$\lim_{n\to\infty}b_n = \lim_{n\to\infty}\{2a_n-(2a_n-b_n)\}$$
$$= \lim_{n\to\infty}2a_n - \lim_{n\to\infty}(2a_n-b_n)$$
$$= 6-(-4)=10$$

056 답 28

$$\lim_{n\to\infty}(a_n{}^2+a_nb_n+b_n{}^2) = \lim_{n\to\infty}\{(a_n+b_n)^2-a_nb_n\}$$
$$= \lim_{n\to\infty}(a_n+b_n)^2 - \lim_{n\to\infty}a_nb_n$$
$$= 6^2-8=28$$

057 답 25

단계 1 $\lim\limits_{n\to\infty}a_n=\alpha$이면 $\lim\limits_{n\to\infty}a_{n+1}=\lim\limits_{n\to\infty}a_{n+2}=\alpha$임을 이용하여 주어진 식을 α에 대한 식으로 나타내기

수열 $\{a_n\}$이 수렴하므로 $\lim\limits_{n\to\infty}a_n=\alpha$ (α는 실수)라 하면

$$\lim_{n\to\infty}a_n = \lim_{n\to\infty}a_{n+1} = \lim_{n\to\infty}a_{n+2} = \alpha$$

$\lim\limits_{n\to\infty}\dfrac{a_{n+2}+7}{a_{n+1}-9}=2$에서 $\dfrac{\alpha+7}{\alpha-9}=2$

단계 2 α의 값 구하기

$$\alpha+7=2(\alpha-9) \qquad \therefore \ \alpha=25$$

058 답 $\dfrac{1}{3}$

수열 $\{a_n\}$이 0이 아닌 실수에 수렴하므로 $\lim\limits_{n\to\infty}a_n=\alpha$ ($\alpha\ne 0$)라 하면

$$\lim_{n\to\infty}a_{n+1}=\alpha$$

$9a_n+\dfrac{1}{a_{n+1}}=6$에서

$$\lim_{n\to\infty}\left(9a_n+\frac{1}{a_{n+1}}\right) = \lim_{n\to\infty}6$$이므로

$$9\alpha+\frac{1}{\alpha}=6, \ 9\alpha^2-6\alpha+1=0, \ (3\alpha-1)^2=0$$

$$\therefore \ \alpha=\frac{1}{3}$$

059 답 ㄴ, ㄷ

단계 1 $\lim\limits_{n\to\infty}\dfrac{1}{n}=0$임을 이용하여 주어진 수열의 수렴, 발산 조사하기

ㄱ. $\lim\limits_{n\to\infty}\dfrac{n^3-8}{(n-2)n} = \lim\limits_{n\to\infty}\dfrac{n-\dfrac{8}{n^2}}{1-\dfrac{2}{n}} = \infty$

ㄴ. $\lim\limits_{n\to\infty}\dfrac{\sqrt{n^2+4n}}{4n} = \lim\limits_{n\to\infty}\dfrac{\sqrt{1+\dfrac{4}{n}}}{4} = \dfrac{1}{4}$

ㄷ. $\lim\limits_{n\to\infty}\dfrac{\sqrt{2n}}{n+1} = \lim\limits_{n\to\infty}\dfrac{\sqrt{\dfrac{2}{n}}}{1+\dfrac{1}{n}} = 0$

단계 2 극한값이 존재하는 수열 찾기

극한값이 존재하는 것은 ㄴ, ㄷ이다.

참고 극한의 계산에서 다음과 같이 생각하면 편리하다.

(1) $\infty \pm (상수) = \infty$ (2) $\infty + \infty = \infty$

(3) $\infty \times \infty = \infty$ (4) $\dfrac{(상수)}{\infty} = 0$

(5) $\begin{cases} (양수) \times \infty = \infty \\ (음수) \times \infty = -\infty \end{cases}$

060 답 ④

① $\displaystyle\lim_{n\to\infty} \frac{2n-1}{3n+1} = \lim_{n\to\infty} \frac{2-\dfrac{1}{n}}{3+\dfrac{1}{n}} = \frac{2}{3}$

② $\displaystyle\lim_{n\to\infty} \frac{3n^2-5n+6}{-n^2+4n-5} = \lim_{n\to\infty} \frac{3-\dfrac{5}{n}+\dfrac{6}{n^2}}{-1+\dfrac{4}{n}-\dfrac{5}{n^2}} = -3$

③ $\displaystyle\lim_{n\to\infty}\left(2-\frac{3}{n}\right)\left(\frac{2}{n}+5\right) = \lim_{n\to\infty}\left(2-\frac{3}{n}\right) \times \lim_{n\to\infty}\left(\frac{2}{n}+5\right)$
$= 2 \times 5 = 10$

④ $\displaystyle\lim_{n\to\infty} \frac{(9n+7)(1-4n)}{(3+n)(1-2n)} = \lim_{n\to\infty} \frac{\left(9+\dfrac{7}{n}\right)\left(\dfrac{1}{n}-4\right)}{\left(\dfrac{3}{n}+1\right)\left(\dfrac{1}{n}-2\right)}$
$= \frac{9 \times (-4)}{1 \times (-2)} = 18$

⑤ $\displaystyle\lim_{n\to\infty}\left(-\frac{1}{n^2}+6\right) = 6$

따라서 극한값이 가장 큰 것은 ④이다.

061 답 ①

다항식 $f(x)$를 $2x-n$으로 나눈 나머지는 $f\left(\dfrac{n}{2}\right)$이므로

$R(n) = f\left(\dfrac{n}{2}\right) = 2\left(\dfrac{n}{2}\right)^2 + 3 \times \dfrac{n}{2} + 1$
$= \dfrac{n^2}{2} + \dfrac{3n}{2} + 1$

또, $f(n) = 2n^2 + 3n + 1$

$\therefore \displaystyle\lim_{n\to\infty} \frac{R(n)}{f(n)} = \lim_{n\to\infty} \frac{\dfrac{n^2}{2}+\dfrac{3n}{2}+1}{2n^2+3n+1}$
$= \displaystyle\lim_{n\to\infty} \frac{\dfrac{1}{2}+\dfrac{3}{2n}+\dfrac{1}{n^2}}{2+\dfrac{3}{n}+\dfrac{1}{n^2}} = \frac{1}{4}$

062 답 1

$a_n = n^2$, $b_n = (n+1)^2$이므로

$\displaystyle\lim_{n\to\infty} \frac{b_n}{a_n} = \lim_{n\to\infty} \frac{(n+1)^2}{n^2} = \lim_{n\to\infty} \frac{n^2+2n+1}{n^2}$
$= \displaystyle\lim_{n\to\infty} \frac{1+\dfrac{2}{n}+\dfrac{1}{n^2}}{1} = 1$

063 답 ③

단계 1 $1+2+3+\cdots+n$을 간단한 식으로 나타내기

$1+2+3+\cdots+n = \dfrac{n(n+1)}{2}$

단계 2 주어진 수열의 극한값 구하기

$\displaystyle\lim_{n\to\infty} \frac{n^2+3}{1+2+3+\cdots+n} = \lim_{n\to\infty} \frac{n^2+3}{\dfrac{n(n+1)}{2}} = \lim_{n\to\infty} \frac{2n^2+6}{n^2+n}$
$= \displaystyle\lim_{n\to\infty} \frac{2+\dfrac{6}{n^2}}{1+\dfrac{1}{n}} = 2$

064 답 $\dfrac{1}{3}$

$a_n = \left(1-\dfrac{1}{2}\right)\left(1-\dfrac{1}{3}\right)\left(1-\dfrac{1}{4}\right) \times \cdots \times \left(1-\dfrac{1}{n+1}\right)$
$= \dfrac{1}{2} \times \dfrac{2}{3} \times \dfrac{3}{4} \times \cdots \times \dfrac{n}{n+1}$
$= \dfrac{1}{n+1}$

$b_n = 1^2+2^2+3^2+\cdots+n^2 = \dfrac{n(n+1)(2n+1)}{6}$

$\therefore \displaystyle\lim_{n\to\infty} \frac{a_n b_n}{n^2} = \lim_{n\to\infty} \frac{1}{n^2} \times a_n b_n$
$= \displaystyle\lim_{n\to\infty} \frac{1}{n^2} \times \frac{1}{n+1} \times \frac{n(n+1)(2n+1)}{6}$
$= \displaystyle\lim_{n\to\infty} \frac{2n^3+3n^2+n}{6(n^3+n^2)}$
$= \displaystyle\lim_{n\to\infty} \frac{2+\dfrac{3}{n}+\dfrac{1}{n^2}}{6+\dfrac{6}{n}} = \frac{1}{3}$

065 답 $\dfrac{1}{8}$

$f(n) = 1+2+3+\cdots+n = \dfrac{n(n+1)}{2}$이므로

$\{f(n)\}^2 = \left\{\dfrac{n(n+1)}{2}\right\}^2 = \dfrac{n^4+2n^3+n^2}{4}$

$(n+3)^2 f(2n) = (n+3)^2 \times \dfrac{(4n^2+2n)}{2}$
$= \dfrac{(n^2+6n+9) \times (4n^2+2n)}{2}$

$\therefore \displaystyle\lim_{n\to\infty} \frac{\{f(n)\}^2}{(n+3)^2 f(2n)}$
$= \displaystyle\lim_{n\to\infty} \frac{\dfrac{n^4+2n^3+n^2}{4}}{\dfrac{(n^2+6n+9) \times (4n^2+2n)}{2}}$
$= \displaystyle\lim_{n\to\infty} \frac{2\left(1+\dfrac{2}{n}+\dfrac{1}{n^2}\right)}{4\left(1+\dfrac{6}{n}+\dfrac{9}{n^2}\right) \times \left(4+\dfrac{2}{n}\right)} = \frac{1}{8}$

낯선특강 자연수의 거듭제곱의 합

(1) $\displaystyle\sum_{k=1}^{n} k = \frac{n(n+1)}{2}$

(2) $\displaystyle\sum_{k=1}^{n} k^2 = \frac{n(n+1)(2n+1)}{6}$

(3) $\displaystyle\sum_{k=1}^{n} k^3 = \left\{\frac{n(n+1)}{2}\right\}^2$

---

066 답 24

단계 1 a의 값 구하기

$a \neq 0$이면 $\displaystyle\lim_{n\to\infty} \frac{an^2+bn+1}{4n+3} = \infty$ (또는 $-\infty$)이므로

$a = 0$

단계 2 b의 값 구하기

$\displaystyle\lim_{n\to\infty} \frac{an^2+bn+1}{4n+3} = \lim_{n\to\infty} \frac{bn+1}{4n+3} = \lim_{n\to\infty} \frac{b+\dfrac{1}{n}}{4+\dfrac{3}{n}} = \frac{b}{4}$

따라서 $\dfrac{b}{4} = 6$이므로 $b = 24$

단계 3 $a+b$의 값 구하기

$a+b = 24$

067 답 ⑤

$b \neq 0$이면 $\displaystyle\lim_{n\to\infty} \frac{a(n+2)^2}{bn^3+3n^2} = \lim_{n\to\infty} \frac{an^2+4an+4a}{bn^3+3n^2} = 0$이므로

$b = 0$

$\displaystyle\lim_{n\to\infty} \frac{a(n+2)^2}{bn^3+3n^2} = \lim_{n\to\infty} \frac{an^2+4an+4a}{3n^2} = \frac{a}{3}$

따라서 $\dfrac{a}{3} = 4$이므로 $a = 12$

$\therefore 3a+b = 36$

068 답 ②

단계 1 근호를 포함한 식을 유리화하여 $\dfrac{\infty}{\infty}$ 꼴로 변형하기

$\displaystyle\lim_{n\to\infty} (\sqrt{16n^2-5n} - 4n)$

$= \displaystyle\lim_{n\to\infty} \frac{(\sqrt{16n^2-5n}-4n)(\sqrt{16n^2-5n}+4n)}{\sqrt{16n^2-5n}+4n}$

$= \displaystyle\lim_{n\to\infty} \frac{-5n}{\sqrt{16n^2-5n}+4n}$ ······ ㉠

단계 2 주어진 수열의 극한값 구하기

㉠의 분자, 분모를 n으로 나누면

$\displaystyle\lim_{n\to\infty} \frac{-5}{\sqrt{16-\dfrac{5}{n}}+4} = \frac{-5}{4+4} = -\frac{5}{8}$

069 답 ②

$\displaystyle\lim_{n\to\infty} \sqrt{n}(\sqrt{3n+1} - \sqrt{3n-1})$

$= \displaystyle\lim_{n\to\infty} \frac{\sqrt{n}(\sqrt{3n+1}-\sqrt{3n-1})(\sqrt{3n+1}+\sqrt{3n-1})}{\sqrt{3n+1}+\sqrt{3n-1}}$

$= \displaystyle\lim_{n\to\infty} \frac{2\sqrt{n}}{\sqrt{3n+1}+\sqrt{3n-1}}$

$= \displaystyle\lim_{n\to\infty} \frac{2}{\sqrt{3+\dfrac{1}{n}}+\sqrt{3-\dfrac{1}{n}}}$

$= \dfrac{2}{2\sqrt{3}} = \dfrac{\sqrt{3}}{3}$

070 답 ⑤

수열 $\{a_n\}$은 첫째항이 0, 공차가 8인 등차수열이므로

$a_n = 8n-8$

$\therefore S_n = \dfrac{n(8n-8)}{2} = 4n^2-4n$

$S_{n+1} = 4(n+1)^2 - 4(n+1)$

$\qquad = 4n^2+8n+4-(4n+4)$

$\qquad = 4n^2+4n$

$\therefore \displaystyle\lim_{n\to\infty} (\sqrt{S_{n+1}} - \sqrt{S_n}) = \lim_{n\to\infty} (\sqrt{4n^2+4n} - \sqrt{4n^2-4n})$

$\qquad = \displaystyle\lim_{n\to\infty} \frac{8n}{\sqrt{4n^2+4n}+\sqrt{4n^2-4n}}$

$\qquad = \displaystyle\lim_{n\to\infty} \frac{8}{\sqrt{4+\dfrac{4}{n}}+\sqrt{4-\dfrac{4}{n}}}$

$\qquad = \dfrac{8}{2+2} = 2$

071 답 1

자연수 n에 대하여

$\sqrt{n^2} < \sqrt{n^2+2n} < \sqrt{(n+1)^2}$

$\therefore n < \sqrt{n^2+2n} < n+1$

따라서 $\sqrt{n^2+2n}$의 정수 부분은 n, 소수 부분은 $\sqrt{n^2+2n}-n$이므로

$a_n = n$, $b_n = \sqrt{n^2+2n} - n$

$\therefore \displaystyle\lim_{n\to\infty} \frac{a_n b_n}{a_n+b_n} = \lim_{n\to\infty} \frac{n(\sqrt{n^2+2n}-n)}{\sqrt{n^2+2n}}$

$\qquad = \displaystyle\lim_{n\to\infty} \frac{n(\sqrt{n^2+2n}-n)(\sqrt{n^2+2n}+n)}{\sqrt{n^2+2n}(\sqrt{n^2+2n}+n)}$

$\qquad = \displaystyle\lim_{n\to\infty} \frac{2n^2}{n^2+2n+\sqrt{n^4+2n^3}}$

$\qquad = \displaystyle\lim_{n\to\infty} \frac{2}{1+\dfrac{2}{n}+\sqrt{1+\dfrac{2}{n}}}$

$\qquad = \dfrac{2}{1+1} = 1$

072 답 −1

이차방정식 $x^2-3x+n-\sqrt{n^2+6n}=0$의 두 근이 α_n, β_n이므로 근과 계수의 관계에 의하여

$\alpha_n+\beta_n=3$, $\alpha_n\beta_n=n-\sqrt{n^2+6n}$

$\therefore \lim_{n\to\infty}\left(\dfrac{1}{\alpha_n}+\dfrac{1}{\beta_n}\right)=\lim_{n\to\infty}\dfrac{\alpha_n+\beta_n}{\alpha_n\beta_n}$

$=\lim_{n\to\infty}\dfrac{3}{n-\sqrt{n^2+6n}}$

$=\lim_{n\to\infty}\dfrac{3(n+\sqrt{n^2+6n})}{n^2-(n^2+6n)}$

$=\lim_{n\to\infty}\dfrac{3(n+\sqrt{n^2+6n})}{-6n}$

$=\lim_{n\to\infty}\dfrac{3\left(1+\sqrt{1+\dfrac{6}{n}}\right)}{-6}$

$=\dfrac{3\times(1+1)}{-6}=-1$

073 답 6

단계 1 근호를 포함한 식 유리화하기

$\lim_{n\to\infty}(\sqrt{n^2+an}-n)=\lim_{n\to\infty}\dfrac{(\sqrt{n^2+an}-n)(\sqrt{n^2+an}+n)}{\sqrt{n^2+an}+n}$

$=\lim_{n\to\infty}\dfrac{n^2+an-n^2}{\sqrt{n^2+an}+n}$

$=\lim_{n\to\infty}\dfrac{an}{\sqrt{n^2+an}+n}$ ⋯ ㉠

단계 2 a의 값 구하기

㉠의 분자, 분모를 n으로 나누면

$\lim_{n\to\infty}\dfrac{a}{\sqrt{1+\dfrac{a}{n}}+1}=\dfrac{a}{2}$

따라서 $\dfrac{a}{2}=3$이므로 $a=6$

074 답 ④

$a\leq0$이면 $\lim_{n\to\infty}\{\sqrt{n^2+4n+2}-(an+b)\}=\infty$이므로 $a>0$

$\therefore \lim_{n\to\infty}\{\sqrt{n^2+4n+2}-(an+b)\}$

$=\lim_{n\to\infty}\dfrac{\{\sqrt{n^2+4n+2}-(an+b)\}\{\sqrt{n^2+4n+2}+(an+b)\}}{\sqrt{n^2+4n+2}+(an+b)}$

$=\lim_{n\to\infty}\dfrac{(1-a^2)n^2+2(2-ab)n+(2-b^2)}{\sqrt{n^2+4n+2}+(an+b)}$

$=\lim_{n\to\infty}\dfrac{(1-a^2)n+2(2-ab)+\dfrac{2-b^2}{n}}{\sqrt{1+\dfrac{4}{n}+\dfrac{2}{n^2}}+a+\dfrac{b}{n}}$

이때 $1-a^2\neq0$이면 극한값이 존재하지 않으므로

$1-a^2=0$, $\dfrac{2(2-ab)}{1+a}=8$

$\therefore a=1$ ($\because a>0$), $b=-6$

$\therefore a^2+b^2=1^2+(-6)^2=37$

075 답 ②

$\lim_{n\to\infty}\dfrac{an+4}{\sqrt{n^2+bn}-n}=\lim_{n\to\infty}\dfrac{(an+4)(\sqrt{n^2+bn}+n)}{(\sqrt{n^2+bn}-n)(\sqrt{n^2+bn}+n)}$

$=\lim_{n\to\infty}\dfrac{(an+4)(\sqrt{n^2+bn}+n)}{bn}$

$=\lim_{n\to\infty}\dfrac{(an+4)\left(\sqrt{1+\dfrac{b}{n}}+1\right)}{b}$

이때 $a\neq0$이면 극한값이 존재하지 않으므로 $a=0$

$\lim_{n\to\infty}\dfrac{4\left(\sqrt{1+\dfrac{b}{n}}+1\right)}{b}=\dfrac{8}{b}$에서

$\dfrac{8}{b}=6$이므로 $b=\dfrac{4}{3}$

$\therefore a-b=0-\dfrac{4}{3}=-\dfrac{4}{3}$

076 답 9

단계 1 $na_n=b_n$으로 놓고 a_n을 b_n에 대한 식으로 나타내기

$na_n=b_n$이라 하면 $a_n=\dfrac{b_n}{n}$

단계 2 주어진 수열의 극한값 구하기

이때 $\lim_{n\to\infty}b_n=\dfrac{1}{3}$이므로

$\lim_{n\to\infty}\dfrac{3n+5}{n^2a_n}=\lim_{n\to\infty}\dfrac{3n+5}{n^2\times\dfrac{b_n}{n}}=\lim_{n\to\infty}\dfrac{3n+5}{nb_n}$

$=\lim_{n\to\infty}\dfrac{3n+5}{n}\times\lim_{n\to\infty}\dfrac{1}{b_n}$

$=3\times3=9$

077 답 ②

$\dfrac{a_n}{4n^2+1}=b_n$이라 하면 $a_n=(4n^2+1)b_n$

이때 $\lim_{n\to\infty}b_n=2$이므로

$\lim_{n\to\infty}\dfrac{5n^2+2a_n}{n^2+3}=\lim_{n\to\infty}\dfrac{5n^2+2(4n^2+1)b_n}{n^2+3}$

$=\lim_{n\to\infty}\dfrac{5n^2}{n^2+3}+\lim_{n\to\infty}\dfrac{8n^2+2}{n^2+3}\times\lim_{n\to\infty}b_n$

$=\lim_{n\to\infty}\dfrac{5}{1+\dfrac{3}{n^2}}+\lim_{n\to\infty}\dfrac{8+\dfrac{2}{n^2}}{1+\dfrac{3}{n^2}}\times\lim_{n\to\infty}b_n$

$=5+8\times2=21$

078 답 48

$\dfrac{a_n}{3n-1}=c_n$, $\dfrac{b_n}{2n+5}=d_n$이라 하면

$a_n=(3n-1)c_n$, $b_n=(2n+5)d_n$

이때 $\lim_{n\to\infty}c_n=4$, $\lim_{n\to\infty}d_n=2$이므로

$$\lim_{n\to\infty}\frac{a_n b_n}{(n+1)^2}=\lim_{n\to\infty}\frac{(3n-1)c_n\times(2n+5)d_n}{(n+1)^2}$$
$$=\lim_{n\to\infty}\left(\frac{6n^2+13n-5}{n^2+2n+1}\times c_n\times d_n\right)$$
$$=\lim_{n\to\infty}\left(\frac{6+\dfrac{13}{n}-\dfrac{5}{n^2}}{1+\dfrac{2}{n}+\dfrac{1}{n^2}}\times c_n\times d_n\right)$$
$$=6\times4\times2=48$$

079 답 $\dfrac{1}{12}$

$(n^3+1)a_n=c_n$, $(2n+3)b_n=d_n$이라 하면

$a_n=\dfrac{c_n}{n^3+1}$, $b_n=\dfrac{d_n}{2n+3}$

이때 $\lim\limits_{n\to\infty}c_n=4$, $\lim\limits_{n\to\infty}d_n=6$이므로

$$\lim_{n\to\infty}\frac{b_n}{(3n+1)^2 a_n}=\lim_{n\to\infty}\frac{\dfrac{d_n}{2n+3}}{(3n+1)^2\times\dfrac{c_n}{n^3+1}}$$
$$=\lim_{n\to\infty}\left\{\frac{n^3+1}{(2n+3)(3n+1)^2}\times\frac{d_n}{c_n}\right\}$$
$$=\lim_{n\to\infty}\left(\frac{1+\dfrac{1}{n^3}}{18+\dfrac{39}{n}+\dfrac{20}{n^2}+\dfrac{3}{n^3}}\times\frac{d_n}{c_n}\right)$$
$$=\frac{1}{18}\times\frac{6}{4}=\frac{1}{12}$$

080 답 ④

단계 **1** a_n에 대한 부등식 세우기

$\sqrt{9n^2-n}<(n+1)a_n<\sqrt{9n^2+2n}$에서

$\dfrac{\sqrt{9n^2-n}}{n+1}<a_n<\dfrac{\sqrt{9n^2+2n}}{n+1}$

단계 **2** $\lim\limits_{n\to\infty}a_n$의 값 구하기

$\lim\limits_{n\to\infty}\dfrac{\sqrt{9n^2-n}}{n+1}=3$, $\lim\limits_{n\to\infty}\dfrac{\sqrt{9n^2+2n}}{n+1}=3$이므로 수열의 극한의

대소 관계에 따라

$\lim\limits_{n\to\infty}a_n=3$

081 답 ④

$4n-2<na_n<\dfrac{4n^2+5n+1}{n}$에서

$\dfrac{4n-2}{n}<a_n<\dfrac{4n^2+5n+1}{n^2}$

이때 $\lim\limits_{n\to\infty}\dfrac{4n-2}{n}=4$, $\lim\limits_{n\to\infty}\dfrac{4n^2+5n+1}{n^2}=4$이므로 수열의 극

한의 대소 관계에 따라

$\lim\limits_{n\to\infty}a_n=4$

082 답 6

$(2n-1)(3n^2+1)<(n+1)^2 a_n<6n^2(n+1)$에서

$\dfrac{(2n-1)(3n^2+1)}{(n+1)^2}<a_n<\dfrac{6n^2(n+1)}{(n+1)^2}$

$\therefore \dfrac{(2n-1)(3n^2+1)}{n(n+1)^2}<\dfrac{a_n}{n}<\dfrac{6n^2(n+1)}{n(n+1)^2}$

이때 $\lim\limits_{n\to\infty}\dfrac{(2n-1)(3n^2+1)}{n(n+1)^2}=6$, $\lim\limits_{n\to\infty}\dfrac{6n}{n+1}=6$이므로 수열

의 극한의 대소 관계에 따라 $\lim\limits_{n\to\infty}\dfrac{a_n}{n}=6$

083 답 4

$6n^2+4n-1<a_n<6n^2+4n+3$에서

$4n-1<a_n-6n^2<4n+3$

$\therefore \dfrac{4n-1}{n}<\dfrac{a_n-6n^2}{n}<\dfrac{4n+3}{n}$

이때 $\lim\limits_{n\to\infty}\dfrac{4n-1}{n}=4$, $\lim\limits_{n\to\infty}\dfrac{4n+3}{n}=4$이므로 수열의 극한의

대소 관계에 따라 $\lim\limits_{n\to\infty}\dfrac{a_n-6n^2}{n}=4$

084 답 $\dfrac{1}{5}$

$2n<a_n<2n+1$에서

$\sum\limits_{k=1}^{n}2k<\sum\limits_{k=1}^{n}a_k<\sum\limits_{k=1}^{n}(2k+1)$

$n(n+1)<\sum\limits_{k=1}^{n}a_k<n(n+1)+n$

$n^2+n<\sum\limits_{k=1}^{n}a_k<n^2+2n$

$\therefore \dfrac{n^2+n}{5n^2+4}<\dfrac{a_1+a_2+a_3+\cdots+a_n}{5n^2+4}<\dfrac{n^2+2n}{5n^2+4}$

이때 $\lim\limits_{n\to\infty}\dfrac{n^2+n}{5n^2+4}=\dfrac{1}{5}$, $\lim\limits_{n\to\infty}\dfrac{n^2+2n}{5n^2+4}=\dfrac{1}{5}$이므로 수열의 극한

의 대소 관계에 따라 $\lim\limits_{n\to\infty}\dfrac{a_1+a_2+a_3+\cdots+a_n}{5n^2+4}=\dfrac{1}{5}$

085 답 ①

단계 **1** 수열의 극한에 대한 성질을 이용하여 주어진 명제가 참임을 설명하기

ㄱ. $\lim\limits_{n\to\infty}a_n=\lim\limits_{n\to\infty}\{(a_n-3b_n)+3b_n\}$
　　　$=\lim\limits_{n\to\infty}(a_n-3b_n)+3\lim\limits_{n\to\infty}b_n=0+3=3$ (참)

단계 **2** 반례를 이용하여 주어진 명제가 거짓임을 설명하기

ㄴ. (반례) $a_n=n$, $b_n=\dfrac{1}{n}$이라 하면 $\lim\limits_{n\to\infty}a_n=\infty$이고

$\lim\limits_{n\to\infty}b_n=0$이지만 $a_n b_n=1$이므로 $\lim\limits_{n\to\infty}a_n b_n=1$이다.

ㄷ. (반례) $a_n=n-\dfrac{1}{n}$, $b_n=n$, $c_n=n+\dfrac{1}{n}$이라 하면 모든 자연

수 n에 대하여 $a_n<b_n<c_n$이고 $\lim\limits_{n\to\infty}(c_n-a_n)=\lim\limits_{n\to\infty}\dfrac{2}{n}=0$

이지만 수열 $\{b_n\}$은 발산한다.

따라서 옳은 것은 ㄱ이다.

086 답 ⑤

① (반례) $a_n=\dfrac{1}{n}$, $b_n=\dfrac{1}{n^2}$이라 하면 $\lim\limits_{n\to\infty}a_n=0$, $\lim\limits_{n\to\infty}b_n=0$이

지만 $\lim\limits_{n\to\infty}\dfrac{a_n}{b_n}=\lim\limits_{n\to\infty}n=\infty$

② (반례) $a_n=n+2$, $b_n=n+1$이라 하면 $\lim\limits_{n\to\infty}a_n=\infty$,

$\lim\limits_{n\to\infty}b_n=\infty$이지만 $\lim\limits_{n\to\infty}(a_n-b_n)=\lim\limits_{n\to\infty}1=1$

③ (반례) $a_n=n$, $b_n=-n^2$이면 $\lim\limits_{n\to\infty}a_n=\infty$, $\lim\limits_{n\to\infty}b_n=-\infty$이

지만 $\lim\limits_{n\to\infty}(a_n+b_n)=\lim\limits_{n\to\infty}(n-n^2)=-\infty$

④ (반례) $a_n=1+\dfrac{1}{n}$, $b_n=1+\dfrac{2}{n}$이면 모든 자연수 n에 대하

여 $a_n<b_n$이지만 $\lim\limits_{n\to\infty}a_n=\lim\limits_{n\to\infty}b_n=1$

⑤ $a_n<b_n$에서 $\lim\limits_{n\to\infty}a_n\le\lim\limits_{n\to\infty}b_n$

이때 $\lim\limits_{n\to\infty}a_n=\infty$이므로 $\lim\limits_{n\to\infty}b_n=\infty$ (참)

따라서 옳은 것은 ⑤이다.

087 답 ㄱ, ㄴ

ㄱ. $a_n-b_n=c_n$이라 하면 $b_n=a_n-c_n$

이때 $\lim\limits_{n\to\infty}a_n=\alpha$, $\lim\limits_{n\to\infty}c_n=0$이므로

$\lim\limits_{n\to\infty}b_n=\lim\limits_{n\to\infty}(a_n-c_n)=\lim\limits_{n\to\infty}a_n-\lim\limits_{n\to\infty}c_n=\alpha$

ㄴ. $\lim\limits_{n\to\infty}\dfrac{a_n-b_n}{a_n}=0$ $\left(\because\ \dfrac{\alpha}{\infty}=0\right)$이므로

$\lim\limits_{n\to\infty}\left(1-\dfrac{b_n}{a_n}\right)=0$ ∴ $\lim\limits_{n\to\infty}\dfrac{b_n}{a_n}=1$

ㄷ. (반례) $a_n=n^2$, $b_n=2n^2$이라 하면 $\lim\limits_{n\to\infty}a_n=\infty$, $\lim\limits_{n\to\infty}b_n=\infty$

이지만 $\lim\limits_{n\to\infty}\dfrac{b_n}{a_n}=\lim\limits_{n\to\infty}\dfrac{2n^2}{n^2}=2$

따라서 옳은 것은 ㄱ, ㄴ이다.

088 답 ㄴ, ㄹ

단계 1 공비를 구하여 주어진 등비수열의 수렴, 발산 조사하기

ㄱ. 공비가 1.09이고, $1.09>1$이므로 발산한다.

ㄴ. 공비가 $-\dfrac{3}{4}$이고, $-1<-\dfrac{3}{4}<1$이므로 0에 수렴한다.

ㄷ. $\dfrac{1}{0.5^n}=\left(\dfrac{1}{0.5}\right)^n=2^n$에서 공비가 2이고, $2>1$이므로 발산한다.

ㄹ. $(-0.6)^{2n}=0.36^n$에서 공비가 0.36이고, $-1<0.36<1$이므

로 0에 수렴한다.

따라서 수렴하는 수열은 ㄴ, ㄹ이다.

089 답 ⑤

① 공비가 $\dfrac{1}{2}$이고, $-1<\dfrac{1}{2}<1$이므로 0에 수렴한다.

② $0.4^{2n}=0.16^n$에서 공비가 0.16이고, $-1<0.16<1$이므로 0

에 수렴한다.

③ 공비가 $\sqrt{0.99}$이고, $-1<\sqrt{0.99}<1$이므로 0에 수렴한다.

④ 공비가 $-\dfrac{3}{10}$이고, $-1<-\dfrac{3}{10}<1$이므로 0에 수렴한다.

⑤ $\dfrac{3^{2n-1}}{5^n}=\dfrac{1}{3}\times\left(\dfrac{9}{5}\right)^n$에서 공비가 $\dfrac{9}{5}$이고, $\dfrac{9}{5}>1$이므로 발산

한다.

따라서 발산하는 것은 ⑤이다.

090 답 ②

① 공비가 $-\dfrac{1}{2}$이고, $-1<-\dfrac{1}{2}<1$이므로

$\lim\limits_{n\to\infty}\left(-\dfrac{1}{2}\right)^n=0$

② $\dfrac{1}{1.5^n}=\left(\dfrac{2}{3}\right)^n$에서 공비가 $\dfrac{2}{3}$이고, $-1<\dfrac{2}{3}<1$이므로

$\lim\limits_{n\to\infty}\dfrac{1}{1.5^n}=0$

③ 0.9^n에서 공비가 0.9이고, $-1<0.9<1$이므로 $\lim\limits_{n\to\infty}0.9^n=0$

∴ $\lim\limits_{n\to\infty}(0.9^n+1)=1$

④ $\dfrac{2^{2n+1}}{3^n}=2\times\left(\dfrac{4}{3}\right)^n$에서 공비가 $\dfrac{4}{3}$이고, $\dfrac{4}{3}>1$이므로

$\lim\limits_{n\to\infty}\dfrac{2^{2n+1}}{3^n}=\infty$

⑤ $\left(\dfrac{3}{5}\right)^{-2n}=\left(\dfrac{25}{9}\right)^n$에서 공비가 $\dfrac{25}{9}$이고, $\dfrac{25}{9}>1$이므로

$\lim\limits_{n\to\infty}\left(\dfrac{3}{5}\right)^{-2n}=\infty$

∴ $\lim\limits_{n\to\infty}\left\{\left(\dfrac{3}{5}\right)^{-2n}+2\right\}=\infty$

따라서 옳지 않은 것은 ②이다.

091 답 27

단계 1 분모에서 밑의 절댓값이 가장 큰 항으로 분자, 분모를 각각 나누기

$\lim\limits_{n\to\infty}\dfrac{9^{n+1}+5^n}{3^{2n-1}-4^n}=\lim\limits_{n\to\infty}\dfrac{9\times9^n+5^n}{\dfrac{1}{3}\times9^n-4^n}=\lim\limits_{n\to\infty}\dfrac{9+\left(\dfrac{5}{9}\right)^n}{\dfrac{1}{3}-\left(\dfrac{4}{9}\right)^n}$

단계 2 주어진 수열의 극한값 찾기

$\lim\limits_{n\to\infty}\left(\dfrac{5}{9}\right)^n=0$, $\lim\limits_{n\to\infty}\left(\dfrac{4}{9}\right)^n=0$이므로 극한값은

$\dfrac{9+0}{\dfrac{1}{3}-0}=27$

092 답 ③

$\lim\limits_{n\to\infty}a_n=\alpha$ (α는 실수)라 하면

$\lim\limits_{n\to\infty}\dfrac{5^n+9^{n+1}\times a_n}{5^n\times a_n-3^{2n}}=\lim\limits_{n\to\infty}\dfrac{\left(\dfrac{5}{9}\right)^n+9a_n}{\left(\dfrac{5}{9}\right)^n\times a_n-1}=-9\alpha$

따라서 $-9\alpha=18$이므로 $\alpha=-2$

∴ $\lim\limits_{n\to\infty}3a_n=3\times(-2)=-6$

093 답 7

$a_1 = \sqrt{7} = 7^{\frac{1}{2}}$

$a_2 = \sqrt{7\sqrt{7}} = \sqrt{7 \times 7^{\frac{1}{2}}} = \left(7^{1+\frac{1}{2}}\right)^{\frac{1}{2}} = 7^{\frac{1}{2}+\left(\frac{1}{2}\right)^2}$

$a_3 = \sqrt{7\sqrt{7\sqrt{7}}} = \left(7^{1+\frac{1}{2}+\left(\frac{1}{2}\right)^2}\right)^{\frac{1}{2}} = 7^{\frac{1}{2}+\left(\frac{1}{2}\right)^2+\left(\frac{1}{2}\right)^3}$

$\vdots$

$a_n = 7^{\frac{1}{2}+\left(\frac{1}{2}\right)^2+\left(\frac{1}{2}\right)^3+\cdots+\left(\frac{1}{2}\right)^n} = 7^{1-\left(\frac{1}{2}\right)^n}$

$\therefore \lim\limits_{n\to\infty} a_n = \lim\limits_{n\to\infty}\left\{7^{1-\left(\frac{1}{2}\right)^n}\right\} = 7$

094 답 18

$6x^{n+1}+4x+1$을 $x-2$로 나누었을 때의 나머지 a_n은

$a_n = 6\times2^{n+1}+4\times2+1 = 12\times2^n+9$

$6x^{n+1}+4x+1$을 $x-3$으로 나누었을 때의 나머지 b_n은

$b_n = 6\times3^{n+1}+4\times3+1 = 18\times3^n+13$

$\therefore \lim\limits_{n\to\infty}\dfrac{a_n+b_n}{3^n+2}$

$= \lim\limits_{n\to\infty}\dfrac{a_n}{3^n+2} + \lim\limits_{n\to\infty}\dfrac{b_n}{3^n+2}$

$= \lim\limits_{n\to\infty}\dfrac{12\times2^n+9}{3^n+2} + \lim\limits_{n\to\infty}\dfrac{18\times3^n+13}{3^n+2}$

$= \lim\limits_{n\to\infty}\dfrac{12\times\left(\frac{2}{3}\right)^n+9\times\left(\frac{1}{3}\right)^n}{1+2\times\left(\frac{1}{3}\right)^n} + \lim\limits_{n\to\infty}\dfrac{18+13\times\left(\frac{1}{3}\right)^n}{1+2\times\left(\frac{1}{3}\right)^n}$

$= 0+18 = 18$

095 답 6

$\dfrac{a}{b}<1$이므로 $\lim\limits_{n\to\infty}\left(\dfrac{a}{b}\right)^n = 0$

$\lim\limits_{n\to\infty}\dfrac{a^{n+1}+2b^n}{a^n+b^{n+1}} = \lim\limits_{n\to\infty}\dfrac{a\times\left(\frac{a}{b}\right)^n+2}{\left(\frac{a}{b}\right)^n+b} = \dfrac{2}{b}$

따라서 $\dfrac{2}{b} = \dfrac{1}{3}$이므로 $b=6$

096 답 ②

$a_n = 5\times2^{n-1}$이므로

$a_{n+1} = 5\times2^n$

$\sum\limits_{k=1}^{n} a_k = \dfrac{5(2^n-1)}{2-1} = 5\times2^n-5$

$\therefore \lim\limits_{n\to\infty}\dfrac{a_1+a_2+a_3+\cdots+a_n}{a_n+a_{n+1}}$

$= \lim\limits_{n\to\infty}\dfrac{5\times2^n-5}{5\times2^{n-1}+5\times2^n}$

$= \lim\limits_{n\to\infty}\dfrac{5-\frac{5}{2^n}}{\frac{5}{2}+5} = \dfrac{2}{3}$

097 답 ②

단계 1 주어진 수열의 공비 찾기

$\{(5x+4)^{n-1}\}$에서 공비가 $5x+4$

단계 2 등비수열의 수렴 조건을 이용하여 x의 값의 범위 구하기

주어진 등비수열이 수렴하려면 $-1<5x+4\le1$

$\therefore -1<x\le-\dfrac{3}{5}$

098 답 ④

등비수열 $\{(\log_3 x-2)^n\}$에서 공비가 $\log_3 x-2$이므로 이 수열이 수렴하려면

$-1<\log_3 x-2\le1$, $1<\log_3 x\le3$

$\therefore 3<x\le27$ $\qquad\qquad\cdots\ \bigcirc$

등비수열 $\{(x-3)(11-2x)^n\}$에서 첫째항이 $(x-3)(11-2x)$,

공비가 $11-2x$이므로 이 수열이 수렴하려면

$(x-3)(11-2x)=0$ 또는 $-1<11-2x\le1$

$(x-3)(11-2x)=0$에서 $x=3$ 또는 $x=\dfrac{11}{2}$

$-1<11-2x\le1$에서 $-12<-2x\le-10$이므로 $5\le x<6$

$\therefore x=3$ 또는 $5\le x<6$ $\qquad\cdots\ \bigcirc$

따라서 $\bigcirc$, $\bigcirc$에서 $5\le x<6$

099 답 ⑤

공비가 $\dfrac{x^2-6x+7}{2}$이므로 주어진 등비수열이 수렴하려면

$-1<\dfrac{x^2-6x+7}{2}\le1$

(i) $-1<\dfrac{x^2-6x+7}{2}$에서 $x^2-6x+9>0$

$\quad(x-3)^2>0$ $\qquad \therefore x\ne3$

(ii) $\dfrac{x^2-6x+7}{2}\le1$에서 $x^2-6x+5\le0$

$\quad(x-1)(x-5)\le0$ $\qquad \therefore 1\le x\le5$

(i), (ii)에서 $1\le x<3$ 또는 $3<x\le5$

따라서 정수 x는 1, 2, 4, 5이므로 구하는 합은

$1+2+4+5=12$

100 답 ⑤

등비수열 $\{r^n\}$이 수렴하므로

$-1<r\le1$

ㄱ. 공비가 $-r$이고, $-1\le-r<1$이므로 수열 $\{(-r)^n\}$은 항상 수렴한다고 할 수 없다.

ㄴ. 공비가 $\dfrac{1+r}{2}$이고, $0<1+r\le2$에서 $0<\dfrac{1+r}{2}\le1$이므로 수열 $\left\{\left(\dfrac{1+r}{2}\right)^{n-1}\right\}$은 항상 수렴한다.

ㄷ. $r^{2n-1}=r\times(r^2)^{n-1}$이므로 공비는 r^2이다.

이때 $0\le r^2\le1$이므로 수열 $\{r^{2n-1}\}$은 항상 수렴한다.

ㄹ. 공비가 $\dfrac{2-r}{3}$이고, $-1\le -r<1$에서 $1\le 2-r<3$이므로

$$\dfrac{1}{3}\le \dfrac{2-r}{3}<1$$

즉, 수열 $\left\{\left(\dfrac{2-r}{3}\right)^{n}\right\}$은 항상 수렴한다.

따라서 항상 수렴하는 수열은 ㄴ, ㄷ, ㄹ이다.

101 답 ⑤

단계 1 r의 값의 범위에 따라 주어진 수열의 극한값 구하기

(ⅰ) $|r|<1$일 때, $\lim\limits_{n\to\infty}r^{n}=0$

$$\therefore \lim\limits_{n\to\infty}\dfrac{r^{n+1}-1}{r^{n}+1}=\dfrac{0-1}{0+1}=-1$$

(ⅱ) $r=1$일 때, $\lim\limits_{n\to\infty}r^{n}=1$

$$\therefore \lim\limits_{n\to\infty}\dfrac{r^{n+1}-1}{r^{n}+1}=\dfrac{1-1}{1+1}=0$$

(ⅲ) $|r|>1$일 때, $\lim\limits_{n\to\infty}r^{n}=\infty$이므로 $\lim\limits_{n\to\infty}\dfrac{1}{r^{n}}=0$

$$\therefore \lim\limits_{n\to\infty}\dfrac{r^{n+1}-1}{r^{n}+1}=\lim\limits_{n\to\infty}\dfrac{r-\dfrac{1}{r^{n}}}{1+\dfrac{1}{r^{n}}}=r$$

단계 2 r의 값 구하기

(ⅰ), (ⅱ), (ⅲ)에서 $\lim\limits_{n\to\infty}\dfrac{r^{n+1}-1}{r^{n}+1}=9$를 만족시키는 경우는 (ⅲ)이다.

$$\therefore r=9$$

102 답 ④

(ⅰ) $|r|<1$일 때, $\lim\limits_{n\to\infty}r^{2n}=0$이므로

$$\lim\limits_{n\to\infty}\dfrac{r^{2n-1}+4}{r^{2n}+1}=\dfrac{0+4}{0+1}=4$$

(ⅱ) $r=1$일 때, $\lim\limits_{n\to\infty}r^{2n}=1$이므로

$$\lim\limits_{n\to\infty}\dfrac{r^{2n-1}+4}{r^{2n}+1}=\dfrac{1+4}{1+1}=\dfrac{5}{2}$$

(ⅲ) $r=-1$일 때, $\lim\limits_{n\to\infty}r^{2n}=1$이므로

$$\lim\limits_{n\to\infty}\dfrac{r^{2n-1}+4}{r^{2n}+1}=\dfrac{-1+4}{1+1}=\dfrac{3}{2}$$

(ⅳ) $|r|>1$일 때, $\lim\limits_{n\to\infty}r^{2n}=\infty$이므로 $\lim\limits_{n\to\infty}\dfrac{1}{r^{2n}}=0$

$$\lim\limits_{n\to\infty}\dfrac{r^{2n-1}+4}{r^{2n}+1}=\lim\limits_{n\to\infty}\dfrac{\dfrac{1}{r}+\dfrac{4}{r^{2n}}}{1+\dfrac{1}{r^{2n}}}=\dfrac{\dfrac{1}{r}+0}{1+0}=\dfrac{1}{r}$$

이때 $r=2$이면 극한값은 $\dfrac{1}{2}$이다.

한편 극한값이 3이 되려면 $r=\dfrac{1}{3}$이어야 하는데 $|r|>1$이므로 수열의 극한값은 3이 될 수 없다.

따라서 주어진 수열의 극한값이 될 수 없는 것은 ④이다.

103 답 ③

①, ⑤ $|r|>1$일 때, $\lim\limits_{n\to\infty}\dfrac{1}{r^{n}}=\lim\limits_{n\to\infty}\dfrac{1}{r^{2n}}=0$이므로

$$\lim\limits_{n\to\infty}\dfrac{r^{n}}{r^{2n}-5}=\lim\limits_{n\to\infty}\dfrac{\dfrac{1}{r^{n}}}{1-\dfrac{5}{r^{2n}}}=\dfrac{0}{1-0}=0$$

② $r=-1$일 때, $\lim\limits_{n\to\infty}r^{2n}=1$

(ⅰ) n이 짝수이면 $r^{n}=1$이므로

$$\lim\limits_{n\to\infty}\dfrac{r^{n}}{r^{2n}-5}=\dfrac{1}{1-5}=-\dfrac{1}{4}$$

(ⅱ) n이 홀수이면 $r^{n}=-1$이므로

$$\lim\limits_{n\to\infty}\dfrac{r^{n}}{r^{2n}-5}=\dfrac{-1}{1-5}=\dfrac{1}{4}$$

(ⅰ), (ⅱ)에서 발산(진동)한다.

③ $-1<r<1$일 때, $\lim\limits_{n\to\infty}r^{n}=\lim\limits_{n\to\infty}r^{2n}=0$이므로

$$\lim\limits_{n\to\infty}\dfrac{r^{n}}{r^{2n}-5}=\dfrac{0}{0-5}=0$$

④ $r=1$일 때, $\lim\limits_{n\to\infty}r^{n}=\lim\limits_{n\to\infty}r^{2n}=1$이므로

$$\lim\limits_{n\to\infty}\dfrac{r^{n}}{r^{2n}-5}=\dfrac{1}{1-5}=-\dfrac{1}{4}$$

따라서 옳지 않은 것은 ③이다.

104 답 123

단계 1 $f(5)$의 값 구하기

$f(x)=\lim\limits_{n\to\infty}\dfrac{x^{2n+3}+4x}{x^{2n}+1}$에서

$$f(5)=\lim\limits_{n\to\infty}\dfrac{5^{2n+3}+4\times 5}{5^{2n}+1}=\lim\limits_{n\to\infty}\dfrac{5^{3}+\dfrac{4}{5^{2n-1}}}{1+\dfrac{1}{5^{2n}}}=125$$

단계 2 $f\left(-\dfrac{1}{2}\right)$의 값 구하기

$$f\left(-\dfrac{1}{2}\right)=\lim\limits_{n\to\infty}\dfrac{\left(-\dfrac{1}{2}\right)^{2n+3}+4\times\left(-\dfrac{1}{2}\right)}{\left(-\dfrac{1}{2}\right)^{2n}+1}=-2$$

단계 3 $f(5)+f\left(-\dfrac{1}{2}\right)$의 값 구하기

$$f(5)+f\left(-\dfrac{1}{2}\right)=125+(-2)=123$$

105 답 $-\dfrac{13}{2}$

$$f(-4)=\lim\limits_{n\to\infty}\dfrac{(-4)^{n+1}-2}{(-4)^{n}+1}=\lim\limits_{n\to\infty}\dfrac{-4-2\times\left(-\dfrac{1}{4}\right)^{n}}{1+\left(-\dfrac{1}{4}\right)^{n}}=-4$$

$$f\left(\dfrac{1}{3}\right)=\lim\limits_{n\to\infty}\dfrac{\left(\dfrac{1}{3}\right)^{n+1}-2}{\left(\dfrac{1}{3}\right)^{n}+1}=-2,\ f(1)=\lim\limits_{n\to\infty}\dfrac{1^{n+1}-2}{1^{n}+1}=-\dfrac{1}{2}$$

$$\therefore f(-4)+f\left(\dfrac{1}{3}\right)+f(1)=-4+(-2)+\left(-\dfrac{1}{2}\right)=-\dfrac{13}{2}$$

106 답 ④

(ⅰ) $0<x<1$일 때, $\lim\limits_{n\to\infty}x^n=\lim\limits_{n\to\infty}x^{n+1}=0$이므로

$$f(x)=\frac{2}{x}$$

(ⅱ) $x=1$일 때, $\lim\limits_{n\to\infty}x^n=\lim\limits_{n\to\infty}x^{n+1}=1$이므로

$$f(x)=\frac{1+2}{1+1}=\frac{3}{2}$$

(ⅲ) $x>1$일 때, $\lim\limits_{n\to\infty}\dfrac{1}{x^n}=\lim\limits_{n\to\infty}\dfrac{1}{x^{n+1}}=0$이므로

$$f(x)=\lim\limits_{n\to\infty}\frac{x^{n+1}+2}{x^n+x}=\lim\limits_{n\to\infty}\frac{x+\dfrac{2}{x^n}}{1+\dfrac{1}{x^{n-1}}}=x$$

따라서 $y=f(x)$의 그래프의 개형으로 가장 적당한 것은 ④이다.

107 답 ②

단계 **1** 두 점 P_n, Q_n의 좌표를 n에 대한 식으로 각각 나타내기

$P_n(n,\ 3n^2)$, $Q_n(n+1,\ 3(n+1)^2)$

단계 **2** a_n을 n에 대한 식으로 나타내기

$$a_n=\frac{3(n+1)^2-3n^2}{n+1-n}=6n+3$$

단계 **3** $\lim\limits_{n\to\infty}\dfrac{a_n}{n}$의 값 구하기

$$\lim\limits_{n\to\infty}\frac{a_n}{n}=\lim\limits_{n\to\infty}\frac{6n+3}{n}=6$$

108 답 $\dfrac{27}{8}$

$A(3,\ 0)$이고, 두 직선의 교점의 x좌표는

$\dfrac{3n}{n+2}x=3-x$에서 $\dfrac{4n+2}{n+2}x=3$ $\quad\therefore x=\dfrac{3n+6}{4n+2}$

$x=\dfrac{3n+6}{4n+2}$을 $y=3-x$에 대입하면 $y=\dfrac{9n}{4n+2}$

따라서 $P_n\Big(\dfrac{3n+6}{4n+2},\ \dfrac{9n}{4n+2}\Big)$이므로

$$S_n=\frac{1}{2}\times3\times\frac{9n}{4n+2}=\frac{27n}{8n+4}$$

$$\therefore \lim\limits_{n\to\infty}S_n=\lim\limits_{n\to\infty}\frac{27n}{8n+4}=\frac{27}{8}$$

109 답 ⑤

$\Big(4-\dfrac{1}{n}\Big)^2+y^2=16$에서 $y^2=16-\Big(4-\dfrac{1}{n}\Big)^2=\dfrac{8}{n}-\dfrac{1}{n^2}$이므로

$y=\pm\sqrt{\dfrac{8}{n}-\dfrac{1}{n^2}}$

따라서 $A_n\Big(4-\dfrac{1}{n},\ \sqrt{\dfrac{8}{n}-\dfrac{1}{n^2}}\Big)$, $B_n\Big(4-\dfrac{1}{n},\ -\sqrt{\dfrac{8}{n}-\dfrac{1}{n^2}}\Big)$이므로

$$\overline{A_nB_n}=2\sqrt{\frac{8}{n}-\frac{1}{n^2}}$$

$$\therefore \lim\limits_{n\to\infty}n\,\overline{A_nB_n}^{\,2}=\lim\limits_{n\to\infty}n\times4\Big(\frac{8}{n}-\frac{1}{n^2}\Big)$$
$$=\lim\limits_{n\to\infty}\Big(32-\frac{4}{n}\Big)=32$$

110 답 $\dfrac{8}{3}$

원 $x^2+y^2=4n^2$ 위의 점 $P_n(n,\ \sqrt{3}\,n)$에서의 접선의 방정식은

$nx+\sqrt{3}\,ny=4n^2$, 즉 $x+\sqrt{3}\,y=4n$이므로

x절편은 $4n$, y절편은 $\dfrac{4\sqrt{3}}{3}n$이다.

따라서 $A_n(4n,\ 0)$, $B_n\Big(0,\ \dfrac{4\sqrt{3}}{3}n\Big)$이므로

$$a_n=\frac{1}{2}\times4n\times\frac{4\sqrt{3}}{3}n=\frac{8\sqrt{3}\,n^2}{3}$$

$$\therefore \lim\limits_{n\to\infty}\frac{a_n}{\sqrt{3}\,n^2+2}=\lim\limits_{n\to\infty}\frac{\dfrac{8\sqrt{3}}{3}n^2}{\sqrt{3}\,n^2+2}$$
$$=\lim\limits_{n\to\infty}\frac{\dfrac{8\sqrt{3}}{3}}{\sqrt{3}+\dfrac{2}{n^2}}=\frac{8}{3}$$

참고 원 $x^2+y^2=r^2$ 위의 점 $(x_1,\ y_1)$에서의 접선의 방정식은
$$x_1x+y_1y=r^2$$

111 답 5

$P_n(n,\ 5^n)$, $Q_n(n,\ 4^n)$에서

$\overline{P_nQ_n}=5^n-4^n$이므로 $\overline{P_{n+1}Q_{n+1}}=5^{n+1}-4^{n+1}$

$$\therefore \lim\limits_{n\to\infty}\frac{\overline{P_{n+1}Q_{n+1}}}{\overline{P_nQ_n}}=\lim\limits_{n\to\infty}\frac{5^{n+1}-4^{n+1}}{5^n-4^n}$$
$$=\lim\limits_{n\to\infty}\frac{5-4\times\Big(\dfrac{4}{5}\Big)^n}{1-\Big(\dfrac{4}{5}\Big)^n}=5$$

112 답 $\dfrac{1}{4}$

기울기가 n이고 이차함수 $y=x^2$에 접하는 직선의 방정식은
$y=nx+k$

$x^2=nx+k$에서 $x^2-nx-k=0$

이차방정식의 판별식을 D라 하면

$D=n^2+4k=0$ $\quad\therefore k=-\dfrac{n^2}{4}$

따라서 직선의 방정식은 $y=nx-\dfrac{n^2}{4}$이므로 x절편은 $\dfrac{n}{4}$, y절편은 $-\dfrac{n^2}{4}$이다.

즉, $P_n\Big(\dfrac{n}{4},\ 0\Big)$, $Q_n\Big(0,\ -\dfrac{n^2}{4}\Big)$이므로

$$l_n=\sqrt{\frac{n^2}{16}+\frac{n^4}{16}}=\frac{1}{4}\sqrt{n^2+n^4}$$

$$\therefore \lim\limits_{n\to\infty}\frac{l_n}{n^2}=\lim\limits_{n\to\infty}\frac{1}{n^2}\times\frac{1}{4}\sqrt{n^2+n^4}=\lim\limits_{n\to\infty}\frac{1}{4}\sqrt{\frac{1}{n^2}+1}=\frac{1}{4}$$

실전! 기출 문제 정복하기

➡ 본책 21쪽~23쪽

113 답 ①

$1 \times 2 + 2 \times 3 + \cdots + n(n+1)$
$= \sum\limits_{k=1}^{n} k(k+1) = \sum\limits_{k=1}^{n} k^2 + \sum\limits_{k=1}^{n} k$
$= \dfrac{n(n+1)(2n+1)}{6} + \dfrac{n(n+1)}{2} = \dfrac{n(n+1)(n+2)}{3}$
$\therefore \lim\limits_{n\to\infty} \dfrac{1 \times 2 + 2 \times 3 + \cdots + n(n+1)}{4n^3 + n^2}$
$= \lim\limits_{n\to\infty} \dfrac{n^3 + 3n^2 + 2n}{3(4n^3 + n^2)} = \lim\limits_{n\to\infty} \dfrac{1 + \dfrac{3}{n} + \dfrac{2}{n^2}}{12 + \dfrac{3}{n}} = \dfrac{1}{12}$

114 답 ①

$\lim\limits_{n\to\infty} \dfrac{1}{a_n} = 0$이므로 $\lim\limits_{n\to\infty} \dfrac{-2a_n + 1}{a_n + 3} = \lim\limits_{n\to\infty} \dfrac{-2 + \dfrac{1}{a_n}}{1 + \dfrac{3}{a_n}} = -2$

115 답 ③

n단계에서 $(n+1)$단계로 올라갈 때마다 성냥개비는 6개씩 늘어나므로 $a_{n+1} = a_n + 6$, $a_1 = 4$
즉, 첫째항이 4, 공차가 6인 등차수열이므로 $a_n = 6n - 2$
n단계에서 $(n+1)$단계로 올라갈 때마다 정사각형의 개수는 2씩 늘어나므로 $b_{n+1} = b_n + 2$, $b_1 = 1$
즉, 첫째항이 1, 공차가 2인 등차수열이므로 $b_n = 2n - 1$
$\therefore \lim\limits_{n\to\infty} \dfrac{9(2n-1)}{6n-2} = \lim\limits_{n\to\infty} \dfrac{18 - \dfrac{9}{n}}{6 - \dfrac{2}{n}} = 3$

116 답 4

원 C의 중심 $(-1, 0)$과 원 O_n의 중심 $(3n, 4n)$ 사이의 거리는
$\sqrt{(3n+1)^2 + (4n)^2} = \sqrt{25n^2 + 6n + 1}$
원 C의 반지름의 길이는 1, 원 O_n의 반지름의 길이는 $3n$이므로
$a_n = \sqrt{25n^2 + 6n + 1} + 3n + 1$, $b_n = \sqrt{25n^2 + 6n + 1} - (3n+1)$
$\therefore \lim\limits_{n\to\infty} \dfrac{a_n}{b_n}$
$= \lim\limits_{n\to\infty} \dfrac{\sqrt{25n^2 + 6n + 1} + 3n + 1}{\sqrt{25n^2 + 6n + 1} - (3n+1)}$
$= \lim\limits_{n\to\infty} \dfrac{(\sqrt{25n^2 + 6n + 1} + 3n + 1)^2}{\{\sqrt{25n^2 + 6n + 1} - (3n+1)\}\{\sqrt{25n^2 + 6n + 1} + (3n+1)\}}$
$= \lim\limits_{n\to\infty} \dfrac{34n^2 + 12n + 2 + 2\sqrt{25n^2 + 6n + 1} \times (3n+1)}{16n^2}$
$= \dfrac{34 + 30}{16} = 4$

117 답 ④

$3n < \sqrt{9n^2 + 4n + 1} < 3n + 1$이므로 $a_n = 3n$
$\lim\limits_{n\to\infty} (\sqrt{9n^2 + 4n + 1} - 3n) = \lim\limits_{n\to\infty} \dfrac{4n + 1}{\sqrt{9n^2 + 4n + 1} + 3n}$
$= \lim\limits_{n\to\infty} \dfrac{4 + \dfrac{1}{n}}{\sqrt{9 + \dfrac{4}{n} + \dfrac{1}{n^2}} + 3} = \dfrac{2}{3}$

118 답 -1

$a_n - b_n = c_n$이라 하면 $b_n = a_n - c_n$
이때 $\lim\limits_{n\to\infty} a_n = \infty$, $\lim\limits_{n\to\infty} c_n = 2$이므로 $\lim\limits_{n\to\infty} \dfrac{c_n}{a_n} = 0$
$\therefore \lim\limits_{n\to\infty} \dfrac{a_n + b_n}{a_n - 3b_n} = \lim\limits_{n\to\infty} \dfrac{2a_n - c_n}{-2a_n + 3c_n} = \lim\limits_{n\to\infty} \dfrac{2 - \dfrac{c_n}{a_n}}{-2 + 3 \times \dfrac{c_n}{a_n}} = -1$

119 답 $\dfrac{1}{2}$

$2n - 1 < na_n < \sqrt{4n^2 + 7n}$에서
$\dfrac{(2n-1)(n^2+2n)}{n(4n^2+3)} < \dfrac{(n^2+2n)a_n}{4n^2+3} < \dfrac{\sqrt{4n^2+7n}(n^2+2n)}{n(4n^2+3)}$
이때 $\lim\limits_{n\to\infty} \dfrac{(2n-1)(n^2+2n)}{n(4n^2+3)} = \dfrac{1}{2}$,
$\lim\limits_{n\to\infty} \dfrac{\sqrt{4n^2+7n}(n^2+2n)}{n(4n^2+3)} = \dfrac{1}{2}$이므로 수열의 극한의 대소 관계에 따라 $\lim\limits_{n\to\infty} \dfrac{(n^2+2n)a_n}{4n^2+3} = \dfrac{1}{2}$

120 답 ③

ㄱ. $a_n + b_n = c_n$이라 하면 $\lim\limits_{n\to\infty} c_n = 0$이고 $b_n = c_n - a_n$이므로
$\quad \lim\limits_{n\to\infty} b_n = \lim\limits_{n\to\infty} (c_n - a_n) = \lim\limits_{n\to\infty} c_n - \lim\limits_{n\to\infty} a_n = -\lim\limits_{n\to\infty} a_n$ (참)
ㄴ. (반례) $a_n = \dfrac{1}{n}$, $b_n = n + 1$이라 하면 $\lim\limits_{n\to\infty} a_n = 0$,
$\quad \lim\limits_{n\to\infty} a_n b_n = \lim\limits_{n\to\infty} \dfrac{n+1}{n} = 1$이지만 수열 $\{b_n\}$은 발산한다.
ㄷ. $\dfrac{b_n}{a_n} = c_n$이라 하면 $b_n = a_n c_n$
$\quad$ 이때 $\lim\limits_{n\to\infty} c_n = 1$이므로
$\quad \lim\limits_{n\to\infty} (a_n - b_n) = \lim\limits_{n\to\infty} (a_n - a_n c_n) = \lim\limits_{n\to\infty} a_n - \lim\limits_{n\to\infty} a_n \lim\limits_{n\to\infty} c_n$
$\quad\quad = 0 - 0 \times 1 = 0$ (참)
따라서 옳은 것은 ㄱ, ㄷ이다.

121 답 ⑤

$\lim\limits_{n\to\infty} \dfrac{3n-1}{n+1} = \lim\limits_{n\to\infty} \dfrac{3 - \dfrac{1}{n}}{1 + \dfrac{1}{n}} = 3$이므로 $a = 3$
$\therefore \lim\limits_{n\to\infty} \dfrac{a^{n+2} + 1}{a^n - 1} = \lim\limits_{n\to\infty} \dfrac{3^{n+2} + 1}{3^n - 1} = \lim\limits_{n\to\infty} \dfrac{3^2 + \dfrac{1}{3^n}}{1 - \dfrac{1}{3^n}} = 9$

122 답 $\dfrac{2\sqrt{3}}{3}$

점 $(2n, 0)$을 지나고 y절편이 a_n인 직선의 방정식은

$a_n x + 2ny - 2na_n = 0$

이 직선이 원 $x^2 + y^2 = n^2$에 접하므로 원의 중심과 직선 사이의 거리는

$\dfrac{|-2na_n|}{\sqrt{a_n^2 + 4n^2}} = n$, $2a_n = \sqrt{a_n^2 + 4n^2}$, $4a_n^2 = a_n^2 + 4n^2$, $3a_n^2 = 4n^2$

이때 $a_n > 0$이므로 $a_n = \dfrac{2}{\sqrt{3}}n = \dfrac{2\sqrt{3}}{3}n$

$\therefore \displaystyle\lim_{n\to\infty} \dfrac{a_n}{n+3} = \lim_{n\to\infty} \dfrac{\dfrac{2\sqrt{3}n}{3}}{n+3} = \lim_{n\to\infty} \dfrac{\dfrac{2\sqrt{3}}{3}}{1+\dfrac{3}{n}} = \dfrac{2\sqrt{3}}{3}$

참고 원의 중심과 원에 접하는 직선 사이의 거리는 반지름의 길이와 같다.

123 답 ④

점 $(a_n, \sqrt{n})$이 원 $x^2 + y^2 = 4n^2$ 위의 점이므로

$(a_n)^2 + (\sqrt{n})^2 = 4n^2$

이때 $a_n > 0$이므로 $a_n = \sqrt{4n^2 - n}$

$\therefore \displaystyle\lim_{n\to\infty}(2n - a_n) = \lim_{n\to\infty}(2n - \sqrt{4n^2 - n})$

$= \displaystyle\lim_{n\to\infty} \dfrac{n}{2n + \sqrt{4n^2 - n}}$

$= \displaystyle\lim_{n\to\infty} \dfrac{1}{2 + \sqrt{4 - \dfrac{1}{n}}} = \dfrac{1}{4}$

124 답 3

$\dfrac{4n}{x} = 5 - \dfrac{x}{n}$, $x^2 - 5nx + 4n^2 = 0$

$(x - 4n)(x - n) = 0$ $\therefore x = 4n$ 또는 $x = n$

$y = \dfrac{4n}{x}$에 대입하여 A_n, B_n의 좌표를 구하면

$\mathrm{A}_n(n, 4)$, $\mathrm{B}_n(4n, 1)$

$d_n = \sqrt{(4n-n)^2 + (1-4)^2} = \sqrt{9n^2 + 9}$

$d_{n+1} = \sqrt{9(n+1)^2 + 9}$

$\therefore \displaystyle\lim_{n\to\infty}(d_{n+1} - d_n) = \lim_{n\to\infty}(\sqrt{9(n+1)^2 + 9} - \sqrt{9n^2 + 9})$

$= \displaystyle\lim_{n\to\infty} \dfrac{18n + 9}{\sqrt{9(n+1)^2 + 9} + \sqrt{9n^2 + 9}}$

$= \displaystyle\lim_{n\to\infty} \dfrac{18 + \dfrac{9}{n}}{\sqrt{9 + \dfrac{18}{n} + \dfrac{18}{n^2}} + \sqrt{9 + \dfrac{9}{n^2}}} = 3$

125 답 $\dfrac{1}{2}$

$2x + y = 3^n$ $\cdots$ ㉠

$x - 2y = 2^n$ $\cdots$ ㉡

㉠$-$㉡$\times 2$에서 $y = \dfrac{3^n - 2^{n+1}}{5}$

㉠$\times 2 +$㉡에서 $x = \dfrac{2 \times 3^n + 2^n}{5}$

따라서 $a_n = \dfrac{2 \times 3^n + 2^n}{5}$, $b_n = \dfrac{3^n - 2^{n+1}}{5}$이므로

$\displaystyle\lim_{n\to\infty} \dfrac{b_n}{a_n} = \lim_{n\to\infty} \dfrac{\dfrac{3^n - 2^{n+1}}{5}}{\dfrac{2 \times 3^n + 2^n}{5}} = \lim_{n\to\infty} \dfrac{1 - 2 \times \left(\dfrac{2}{3}\right)^n}{2 + \left(\dfrac{2}{3}\right)^n} = \dfrac{1}{2}$

126 답 $\dfrac{1}{4}$

단계1 a_n의 값의 범위 구하기

이차방정식 $x^2 - (n+1)x + a_n = 0$의 판별식을 D_1이라 하면

$D_1 = \{-(n+1)\}^2 - 4a_n \geq 0$에서 $a_n \leq \dfrac{(n+1)^2}{4}$

또 이차방정식 $x^2 - nx + a_n = 0$의 판별식을 D_2라 하면

$D_2 = n^2 - 4a_n < 0$에서 $a_n > \dfrac{n^2}{4}$

$\therefore \dfrac{n^2}{4} < a_n \leq \dfrac{(n+1)^2}{4}$ $\cdots\cdots$50%

단계2 $\dfrac{a_n}{n^2 + 2n}$의 값의 범위 구하기

각 변을 $n^2 + 2n$으로 나누면

$\dfrac{n^2}{4(n^2 + 2n)} < \dfrac{a_n}{n^2 + 2n} \leq \dfrac{(n+1)^2}{4(n^2 + 2n)}$ $\cdots\cdots$20%

단계3 $\displaystyle\lim_{n\to\infty} \dfrac{a_n}{n^2 + 2n}$의 값 구하기

$\displaystyle\lim_{n\to\infty} \dfrac{n^2}{4(n^2 + 2n)} = \dfrac{1}{4}$, $\displaystyle\lim_{n\to\infty} \dfrac{(n+1)^2}{4(n^2 + 2n)} = \dfrac{1}{4}$이므로 수열의 극한의 대소 관계에 따라

$\displaystyle\lim_{n\to\infty} \dfrac{a_n}{n^2 + 2n} = \dfrac{1}{4}$ $\cdots\cdots$30%

127 답 $\dfrac{1}{5}$

단계1 점 A_n, B_n의 좌표 구하기

$\mathrm{A}_n(2^n, n)$, $\mathrm{B}_n(5^{n+1}, n)$ $\cdots\cdots$20%

단계2 a_n, a_{n+1} 구하기

$a_n = \dfrac{n}{2}(5^{n+1} - 2^n)$이므로 $a_{n+1} = \dfrac{n+1}{2}(5^{n+2} - 2^{n+1})$ $\cdots\cdots$30%

단계3 $\displaystyle\lim_{n\to\infty} \dfrac{a_n}{a_{n+1}}$의 값 구하기

$\displaystyle\lim_{n\to\infty} \dfrac{a_n}{a_{n+1}} = \lim_{n\to\infty} \dfrac{\dfrac{n}{2}(5^{n+1} - 2^n)}{\dfrac{n+1}{2}(5^{n+2} - 2^{n+1})}$

$= \displaystyle\lim_{n\to\infty} \dfrac{n}{n+1} \times \lim_{n\to\infty} \dfrac{5 - \left(\dfrac{2}{5}\right)^n}{25 - 2 \times \left(\dfrac{2}{5}\right)^n}$

$= 1 \times \dfrac{1}{5} = \dfrac{1}{5}$ $\cdots\cdots$50%

2 급수

▶ 본책 24쪽~27쪽

128 답 발산

제n항까지의 부분합을 S_n이라 하면

$$S_n = \sum_{k=1}^{n} k = \frac{n(n+1)}{2}$$

$$\therefore \lim_{n \to \infty} S_n = \lim_{n \to \infty} \frac{n(n+1)}{2} = \infty$$

따라서 주어진 급수는 발산한다.

129 답 수렴, $\frac{5}{4}$

제n항까지의 부분합을 S_n이라 하면

$$S_n = \frac{1 \times \left\{1 - \left(\frac{1}{5}\right)^n\right\}}{1 - \frac{1}{5}} = \frac{\left\{1 - \left(\frac{1}{5}\right)^n\right\}}{\frac{4}{5}}$$

$$= \frac{5}{4}\left\{1 - \left(\frac{1}{5}\right)^n\right\}$$

$$\therefore \lim_{n \to \infty} S_n = \lim_{n \to \infty} \frac{5}{4}\left\{1 - \left(\frac{1}{5}\right)^n\right\} = \frac{5}{4}$$

따라서 주어진 급수는 수렴하고, 그 합은 $\frac{5}{4}$이다.

130 답 수렴, 1

제n항까지의 부분합을 S_n이라 하면

$$S_n = \frac{1}{1 \times 2} + \frac{1}{2 \times 3} + \frac{1}{3 \times 4} + \cdots + \frac{1}{n(n+1)}$$

$$= \sum_{k=1}^{n} \frac{1}{k(k+1)} = \sum_{k=1}^{n} \left(\frac{1}{k} - \frac{1}{k+1}\right)$$

$$= \left(1 - \frac{1}{2}\right) + \left(\frac{1}{2} - \frac{1}{3}\right) + \left(\frac{1}{3} - \frac{1}{4}\right) + \cdots + \left(\frac{1}{n} - \frac{1}{n+1}\right)$$

$$= 1 - \frac{1}{n+1}$$

$$\therefore \lim_{n \to \infty} S_n = \lim_{n \to \infty} \left(1 - \frac{1}{n+1}\right) = 1$$

따라서 주어진 급수는 수렴하고, 그 합은 1이다.

131 답 발산

제n항까지의 부분합을 S_n이라 하면

$$S_n = \frac{1}{\sqrt{2}+1} + \frac{1}{\sqrt{3}+\sqrt{2}} + \frac{1}{\sqrt{4}+\sqrt{3}} + \cdots + \frac{1}{\sqrt{n+1}+\sqrt{n}}$$

$$= (\sqrt{2}-1) + (\sqrt{3}-\sqrt{2}) + (\sqrt{4}-\sqrt{3}) + \cdots + (\sqrt{n+1}-\sqrt{n})$$

$$= \sqrt{n+1} - 1$$

$$\therefore \lim_{n \to \infty} S_n = \lim_{n \to \infty} (\sqrt{n+1} - 1) = \infty$$

따라서 주어진 급수는 발산한다.

132 답 발산

제n항까지의 부분합을 S_n이라 하면

$$S_n = \sum_{k=1}^{n} (k+2) = \frac{n(n+1)}{2} + 2n = \frac{n^2+5n}{2}$$

$$\therefore \lim_{n \to \infty} S_n = \lim_{n \to \infty} \left(\frac{n^2+5n}{2}\right) = \infty$$

따라서 주어진 급수는 발산한다.

133 답 수렴, $\frac{1}{6}$

제n항까지의 부분합을 S_n이라 하면

$$S_n = \sum_{k=1}^{n} \frac{1}{(3k-1)(3k+2)} = \frac{1}{3} \sum_{k=1}^{n} \left(\frac{1}{3k-1} - \frac{1}{3k+2}\right)$$

$$= \frac{1}{3}\left\{\left(\frac{1}{2} - \frac{1}{5}\right) + \left(\frac{1}{5} - \frac{1}{8}\right) + \cdots + \left(\frac{1}{3n-1} - \frac{1}{3n+2}\right)\right\}$$

$$= \frac{1}{3}\left(\frac{1}{2} - \frac{1}{3n+2}\right)$$

$$\therefore \lim_{n \to \infty} S_n = \lim_{n \to \infty} \frac{1}{3}\left(\frac{1}{2} - \frac{1}{3n+2}\right) = \frac{1}{6}$$

따라서 주어진 급수는 수렴하고, 그 합은 $\frac{1}{6}$이다.

134 답 수렴, $\frac{1}{2}$

제n항까지의 부분합을 S_n이라 하면

$$S_n = \sum_{k=1}^{n} \left(\frac{k+2}{k+1} - \frac{k+3}{k+2}\right)$$

$$= \left(\frac{3}{2} - \frac{4}{3}\right) + \left(\frac{4}{3} - \frac{5}{4}\right) + \left(\frac{5}{4} - \frac{6}{5}\right) + \cdots + \left(\frac{n+2}{n+1} - \frac{n+3}{n+2}\right)$$

$$= \frac{3}{2} - \frac{n+3}{n+2}$$

$$\therefore \lim_{n \to \infty} S_n = \lim_{n \to \infty} \left(\frac{3}{2} - \frac{n+3}{n+2}\right) = \frac{3}{2} - 1 = \frac{1}{2}$$

135 답 발산

제n항까지의 부분합을 S_n이라 하면

$$S_n = \sum_{k=1}^{n} (\sqrt{2k+1} - \sqrt{2k-1})$$

$$= (\sqrt{3} - \sqrt{1}) + (\sqrt{5} - \sqrt{3}) + (\sqrt{7} - \sqrt{5}) + \cdots + (\sqrt{2n+1} - \sqrt{2n-1})$$

$$= \sqrt{2n+1} - 1$$

$$\therefore \lim_{n \to \infty} S_n = \lim_{n \to \infty} (\sqrt{2n+1} - 1) = \infty$$

따라서 주어진 급수는 발산한다.

136 답 (가) : $\dfrac{n^2}{n^2+2n-1}$, (나) : 1

주어진 급수의 제n항을 a_n이라 하면

$$a_n = \boxed{\frac{n^2}{n^2+2n-1}}$$

이므로 $\lim\limits_{n \to \infty} a_n = \lim\limits_{n \to \infty} \boxed{\frac{n^2}{n^2+2n-1}} = \boxed{1}$

137 답 풀이 참조

주어진 급수의 제n항을 a_n이라 하면

$$a_n = \frac{n}{2n+1}$$

이므로 $\lim\limits_{n\to\infty} a_n = \lim\limits_{n\to\infty} \frac{n}{2n+1} = \frac{1}{2}$

따라서 $\lim\limits_{n\to\infty} a_n \neq 0$이므로 주어진 급수는 발산한다.

138 답 풀이 참조

주어진 급수의 제n항을 a_n이라 하면

$$a_n = 1 - \frac{1}{(n+1)^2} = \frac{n^2+2n}{n^2+2n+1}$$

이므로 $\lim\limits_{n\to\infty} a_n = \lim\limits_{n\to\infty} \frac{n^2+2n}{n^2+2n+1} = 1$

따라서 $\lim\limits_{n\to\infty} a_n \neq 0$이므로 주어진 급수는 발산한다.

139 답 풀이 참조

주어진 급수의 제n항을 a_n이라 하면

$$a_n = (-1)^n \times n^2$$

n이 홀수일 때, $\lim\limits_{n\to\infty} a_n = -\infty$

n이 짝수일 때, $\lim\limits_{n\to\infty} a_n = \infty$

따라서 $\lim\limits_{n\to\infty} a_n \neq 0$이므로 주어진 급수는 발산한다.

140 답 풀이 참조

주어진 급수의 제n항을 a_n이라 하면

$$a_n = \sqrt{n^2+2n} - n$$

$$\begin{aligned}\therefore \lim_{n\to\infty} a_n &= \lim_{n\to\infty} (\sqrt{n^2+2n}-n)\\ &= \lim_{n\to\infty} \frac{(\sqrt{n^2+2n}-n)(\sqrt{n^2+2n}+n)}{\sqrt{n^2+2n}+n}\\ &= \lim_{n\to\infty} \frac{2n}{\sqrt{n^2+2n}+n}\\ &= \lim_{n\to\infty} \frac{2}{\sqrt{1+\frac{2}{n}}+1} = 1\end{aligned}$$

따라서 $\lim\limits_{n\to\infty} a_n \neq 0$이므로 주어진 급수는 발산한다.

141 답 풀이 참조

주어진 급수의 제n항을 a_n이라 하면

$$a_n = \frac{n^2}{2n+1}$$

$$\therefore \lim_{n\to\infty} a_n = \lim_{n\to\infty} \frac{n^2}{2n+1} = \lim_{n\to\infty}\left(\frac{n}{2+\frac{1}{n}}\right) = \infty$$

따라서 $\lim\limits_{n\to\infty} a_n \neq 0$이므로 주어진 급수는 발산한다.

142 답 풀이 참조

주어진 급수의 제n항을 a_n이라 하면

$$a_n = \log \frac{3n^2}{2+n^2}$$

$$\therefore \lim_{n\to\infty} a_n = \lim_{n\to\infty} \log \frac{3n^2}{2+n^2} = \log 3$$

따라서 $\lim\limits_{n\to\infty} a_n \neq 0$이므로 주어진 급수는 발산한다.

143 답 -3

$$\begin{aligned}\sum_{n=1}^{\infty}(2a_n+b_n) &= \sum_{n=1}^{\infty} 2a_n + \sum_{n=1}^{\infty} b_n = 2\sum_{n=1}^{\infty} a_n + \sum_{n=1}^{\infty} b_n\\ &= 2\times(-2)+1 = -3\end{aligned}$$

144 답 -11

$$\begin{aligned}\sum_{n=1}^{\infty}(4a_n-3b_n) &= \sum_{n=1}^{\infty} 4a_n - \sum_{n=1}^{\infty} 3b_n = 4\sum_{n=1}^{\infty} a_n - 3\sum_{n=1}^{\infty} b_n\\ &= 4\times(-2)-3\times1 = -11\end{aligned}$$

145 답 $-\frac{5}{6}$

$$\begin{aligned}\sum_{n=1}^{\infty}\left(\frac{a_n}{3}-\frac{b_n}{6}\right) &= \sum_{n=1}^{\infty}\frac{a_n}{3} - \sum_{n=1}^{\infty}\frac{b_n}{6} = \frac{1}{3}\sum_{n=1}^{\infty} a_n - \frac{1}{6}\sum_{n=1}^{\infty} b_n\\ &= \frac{1}{3}\times(-2)-\frac{1}{6}\times1 = -\frac{5}{6}\end{aligned}$$

146 답 발산

공비가 $\frac{3}{2}$이고, $\frac{3}{2} > 1$이므로 주어진 등비급수는 발산한다.

147 답 수렴, $\frac{9}{4}$

첫째항이 3, 공비가 $-\frac{1}{3}$이고, $-1 < -\frac{1}{3} < 1$이므로 주어진 등비급수는 수렴한다. 따라서 그 합은 $\frac{3}{1-\left(-\frac{1}{3}\right)} = \frac{9}{4}$

148 답 발산

공비가 $-\sqrt{5}$이고, $-\sqrt{5} < -1$이므로 주어진 등비급수는 발산한다.

149 답 수렴, 40

$\sum\limits_{n=1}^{\infty} \frac{2^{2n+1}}{5^{n-1}} = 10\sum\limits_{n=1}^{\infty}\left(\frac{4}{5}\right)^n$에서 첫째항이 8, 공비가 $\frac{4}{5}$이고, $-1 < \frac{4}{5} < 1$이므로 주어진 등비급수는 수렴한다. 따라서 그 합은 $\frac{8}{1-\frac{4}{5}} = 40$

150 답 발산

$\sum\limits_{n=1}^{\infty}\left(-\dfrac{3}{4}\right)^{-n}=\sum\limits_{n=1}^{\infty}\left(-\dfrac{4}{3}\right)^{n}$에서 공비가 $-\dfrac{4}{3}$이고, $-\dfrac{4}{3}<-1$

이므로 주어진 등비급수는 발산한다.

151 답 수렴, 1

$\sum\limits_{n=1}^{\infty}3^{n-1}\left(\dfrac{1}{4}\right)^{n}=\sum\limits_{n=1}^{\infty}\dfrac{1}{4}\left(\dfrac{3}{4}\right)^{n-1}$에서 첫째항이 $\dfrac{1}{4}$, 공비가 $\dfrac{3}{4}$이

고, $-1<\dfrac{3}{4}<1$이므로 주어진 등비급수는 수렴한다. 따라서

그 합은 $\dfrac{\dfrac{1}{4}}{1-\dfrac{3}{4}}=1$

152 답 $\dfrac{5}{4}$

$\sum\limits_{n=1}^{\infty}\left\{\left(\dfrac{1}{2}\right)^{n}+\left(\dfrac{1}{5}\right)^{n}\right\}=\sum\limits_{n=1}^{\infty}\left(\dfrac{1}{2}\right)^{n}+\sum\limits_{n=1}^{\infty}\left(\dfrac{1}{5}\right)^{n}$

$=\dfrac{\dfrac{1}{2}}{1-\dfrac{1}{2}}+\dfrac{\dfrac{1}{5}}{1-\dfrac{1}{5}}=1+\dfrac{1}{4}=\dfrac{5}{4}$

153 답 $\dfrac{8}{3}$

$\sum\limits_{n=1}^{\infty}\left(\dfrac{6}{3^{n}}-\dfrac{1}{4^{n}}\right)=6\sum\limits_{n=1}^{\infty}\left(\dfrac{1}{3}\right)^{n}-\sum\limits_{n=1}^{\infty}\left(\dfrac{1}{4}\right)^{n}$

$=6\times\dfrac{\dfrac{1}{3}}{1-\dfrac{1}{3}}-\dfrac{\dfrac{1}{4}}{1-\dfrac{1}{4}}=6\times\dfrac{1}{2}-\dfrac{1}{3}=\dfrac{8}{3}$

154 답 2

$\sum\limits_{n=1}^{\infty}\dfrac{2^{n+1}+3^{n}}{6^{n}}=\sum\limits_{n=1}^{\infty}\dfrac{2\times2^{n}+3^{n}}{6^{n}}$

$=2\sum\limits_{n=1}^{\infty}\left(\dfrac{1}{3}\right)^{n}+\sum\limits_{n=1}^{\infty}\left(\dfrac{1}{2}\right)^{n}$

$=2\times\dfrac{\dfrac{1}{3}}{1-\dfrac{1}{3}}+\dfrac{\dfrac{1}{2}}{1-\dfrac{1}{2}}=2\times\dfrac{1}{2}+1=2$

155 답 $-2<x<2$

공비가 $\dfrac{1}{2}x$이므로 주어진 등비급수가 수렴하려면

$-1<\dfrac{1}{2}x<1$ $\quad\therefore -2<x<2$

156 답 $-\dfrac{1}{3}<x<\dfrac{1}{3}$

공비가 $-3x$이므로 주어진 등비급수가 수렴하려면

$-1<-3x<1$ $\quad\therefore -\dfrac{1}{3}<x<\dfrac{1}{3}$

157 답 $0<x<1$

공비가 $2x-1$이므로 주어진 등비급수가 수렴하려면

$-1<2x-1<1,\ 0<2x<2$

$\therefore 0<x<1$

158 답 $\overline{P_{1}Q_{1}}=\dfrac{1}{2},\ \overline{P_{2}Q_{2}}=\dfrac{1}{4},\ \overline{P_{3}Q_{3}}=\dfrac{1}{8}$

$\triangle OPQ$에서

$\overline{PQ}^{2}+\overline{OQ}^{2}=(\sqrt{2})^{2}$

$\overline{PQ}=\overline{OQ}$이므로 $2\overline{PQ}^{2}=2$

$\therefore \overline{PQ}=1\ (\because \overline{PQ}>0)$

$\triangle OPQ \backsim \triangle OP_{1}Q_{1}$ (AA 닮음)이므로

$\overline{PQ}:\overline{P_{1}Q_{1}}=\overline{OQ}:\overline{OQ_{1}}=1:\dfrac{1}{2}$

$\therefore \overline{P_{1}Q_{1}}=\dfrac{1}{2}$

같은 방법으로

$\overline{P_{2}Q_{2}}=\dfrac{1}{2}\overline{P_{1}Q_{1}}=\left(\dfrac{1}{2}\right)^{2},\ \overline{P_{3}Q_{3}}=\dfrac{1}{2}\overline{P_{2}Q_{2}}=\left(\dfrac{1}{2}\right)^{3}$

159 답 1

수열 $\{\overline{P_{n}Q_{n}}\}$은 첫째항이 $\dfrac{1}{2}$이고, 공비가 $\dfrac{1}{2}$인 등비수열이므로

$\overline{P_{1}Q_{1}}+\overline{P_{2}Q_{2}}+\overline{P_{3}Q_{3}}+\cdots=\dfrac{1}{2}+\left(\dfrac{1}{2}\right)^{2}+\left(\dfrac{1}{2}\right)^{3}+\cdots$

$=\dfrac{\dfrac{1}{2}}{1-\dfrac{1}{2}}=1$

160 답 $\dfrac{19}{33}$

$0.\dot{5}\dot{7}=0.575757\cdots$

$=0.57+0.0057+0.000057+\cdots$

$=\dfrac{57}{100}+\dfrac{57}{10000}+\dfrac{57}{1000000}+\cdots$

$=\dfrac{\dfrac{57}{100}}{1-\dfrac{1}{100}}=\dfrac{57}{99}=\dfrac{19}{33}$

161 답 $\dfrac{15}{37}$

$0.\dot{4}0\dot{5}=0.405405405\cdots$

$=0.405+0.000405+0.000000405+\cdots$

$=\dfrac{405}{1000}+\dfrac{405}{1000000}+\dfrac{405}{1000000000}+\cdots$

$=\dfrac{\dfrac{405}{1000}}{1-\dfrac{1}{1000}}=\dfrac{405}{999}=\dfrac{15}{37}$

162 답 $\dfrac{11}{90}$

$0.1\dot{2}=0.1222\cdots=0.1+0.02+0.002+0.0002+\cdots$

$\quad=\dfrac{1}{10}+\dfrac{2}{100}+\dfrac{2}{1000}+\dfrac{2}{10000}+\cdots$

$\quad=\dfrac{1}{10}+\dfrac{\frac{2}{100}}{1-\frac{1}{10}}=\dfrac{1}{10}+\dfrac{2}{90}=\dfrac{11}{90}$

163 답 $\dfrac{122}{99}$

$1.\dot{2}\dot{3}=1.232323\cdots=1+0.23+0.0023+0.000023+\cdots$

$\quad=1+\dfrac{23}{100}+\dfrac{23}{10000}+\dfrac{23}{1000000}+\cdots$

$\quad=1+\dfrac{\frac{23}{100}}{1-\frac{1}{100}}=1+\dfrac{23}{99}=\dfrac{122}{99}$

➡ 본책 28쪽~37쪽

164 답 4

단계 1 $\sum\limits_{n=1}^{\infty}a_n=\lim\limits_{n\to\infty}\sum\limits_{k=1}^{n}a_k$임을 알기

부분합이 $\sum\limits_{k=1}^{n}a_k=\dfrac{8n}{2n-1}$이므로

$\sum\limits_{n=1}^{\infty}a_n=\lim\limits_{n\to\infty}\sum\limits_{k=1}^{n}a_k=\lim\limits_{n\to\infty}\dfrac{8n}{2n-1}$

단계 2 $\sum\limits_{n=1}^{\infty}a_n$의 값 구하기

$\therefore \sum\limits_{n=1}^{\infty}a_n=\lim\limits_{n\to\infty}\dfrac{8n}{2n-1}=4$

165 답 6

$\lim\limits_{n\to\infty}(S_n-3)=\lim\limits_{n\to\infty}S_n-3=\sum\limits_{n=1}^{\infty}a_n-3=9-3=6$

166 답 $\dfrac{1}{4}$

$\sum\limits_{k=1}^{n}a_k=S_n$이라 하면

$S_n=\sqrt{4n^2+n}-2n$

$=\dfrac{(\sqrt{4n^2+n}-2n)(\sqrt{4n^2+n}+2n)}{\sqrt{4n^2+n}+2n}$

$=\dfrac{n}{\sqrt{4n^2+n}+2n}$

$\therefore \sum\limits_{n=1}^{\infty}a_n=\lim\limits_{n\to\infty}S_n=\lim\limits_{n\to\infty}\dfrac{n}{\sqrt{4n^2+n}+2n}=\dfrac{1}{4}$

167 답 ⑤

$\sum\limits_{n=1}^{\infty}a_n=\lim\limits_{n\to\infty}S_n=\lim\limits_{n\to\infty}\dfrac{kn^2+3n-4}{5n^2-2}=\dfrac{k}{5}$

이때 $\sum\limits_{n=1}^{\infty}a_n=2$이므로 $\dfrac{k}{5}=2$

$\therefore k=10$

168 답 2

단계 1 주어진 급수의 제n항 구하기

주어진 급수의 제n항을 a_n이라 하면

$a_n=\dfrac{1}{1+2+3+\cdots+n}=\dfrac{2}{n(n+1)}$

단계 2 급수의 첫째항부터 제n항까지의 부분합 S_n 구하기

첫째항부터 제n항까지의 부분합을 S_n이라 하면

$S_n=\sum\limits_{k=1}^{n}\dfrac{2}{k(k+1)}=2\sum\limits_{k=1}^{n}\left(\dfrac{1}{k}-\dfrac{1}{k+1}\right)$ ← $\dfrac{1}{k(k+1)}=\dfrac{1}{k+1-k}\left(\dfrac{1}{k}-\dfrac{1}{k+1}\right)$

$=2\left\{\left(1-\dfrac{1}{2}\right)+\left(\dfrac{1}{2}-\dfrac{1}{3}\right)+\cdots+\left(\dfrac{1}{n}-\dfrac{1}{n+1}\right)\right\}$ ↖ 소거되는 항을 찾는다.

$=2\left(1-\dfrac{1}{n+1}\right)$

단계 3 $\lim\limits_{n\to\infty}S_n$의 값 구하기

$\lim\limits_{n\to\infty}S_n=\lim\limits_{n\to\infty}2\left(1-\dfrac{1}{n+1}\right)=2$

169 답 $\dfrac{1}{2}$

주어진 급수의 제n항을 a_n이라 하면

$a_n=\dfrac{1}{(2n)^2-1}=\dfrac{1}{(2n-1)(2n+1)}=\dfrac{1}{2}\left(\dfrac{1}{2n-1}-\dfrac{1}{2n+1}\right)$

첫째항부터 제n항까지의 부분합을 S_n이라 하면

$S_n=\sum\limits_{k=1}^{n}\dfrac{1}{2}\left(\dfrac{1}{2k-1}-\dfrac{1}{2k+1}\right)$

$=\dfrac{1}{2}\left\{\left(1-\dfrac{1}{3}\right)+\left(\dfrac{1}{3}-\dfrac{1}{5}\right)+\cdots+\left(\dfrac{1}{2n-1}-\dfrac{1}{2n+1}\right)\right\}$

$=\dfrac{1}{2}\left(1-\dfrac{1}{2n+1}\right)$

따라서 구하는 급수의 합은

$\lim\limits_{n\to\infty}S_n=\lim\limits_{n\to\infty}\dfrac{1}{2}\left(1-\dfrac{1}{2n+1}\right)=\dfrac{1}{2}$

170 답 ③

수열 $\{a_n\}$의 공차를 $d\,(d>0)$라 하면 $a_{n+1}-a_n=d$

첫째항부터 제n항까지의 부분합을 S_n이라 하면

$$S_n = \sum_{k=1}^{n} \frac{1}{a_k a_{k+1}} = \frac{1}{d} \sum_{k=1}^{n} \left(\frac{1}{a_k} - \frac{1}{a_{k+1}} \right)$$
$$= \frac{1}{d} \left\{ \left(\frac{1}{a_1} - \frac{1}{a_2} \right) + \left(\frac{1}{a_2} - \frac{1}{a_3} \right) + \cdots + \left(\frac{1}{a_n} - \frac{1}{a_{n+1}} \right) \right\}$$
$$= \frac{1}{d} \left(\frac{1}{a_1} - \frac{1}{a_{n+1}} \right)$$

이때 $a_{n+1} = a_1 + (n+1-1)d = 1 + nd$이므로

$$S_n = \frac{1}{d} \left(1 - \frac{1}{1+nd} \right)$$

구하는 급수의 합은

$$\lim_{n \to \infty} S_n = \lim_{n \to \infty} \frac{1}{d} \left(1 - \frac{1}{1+nd} \right) = \frac{1}{d}$$

이때 $\frac{1}{d} = 6$이므로 $d = \frac{1}{6}$

$$\therefore a_{13} = 1 + (13-1) \times \frac{1}{6} = 3$$

171 답 5

다항식 $a_n x^2 + a_n x + 3$을 $x - n$으로 나누면

$$a_n x^2 + a_n x + 3 = (x-n)\underbrace{\{a_n x + (n+1)a_n\}}_{몫} + \underbrace{n(n+1)a_n + 3}_{나머지}$$

이때 나머지가 8이므로

$$n(n+1)a_n + 3 = 8, \quad n(n+1)a_n = 5$$

$$\therefore a_n = \frac{5}{n(n+1)}$$

$$\sum_{n=1}^{\infty} a_n = \sum_{n=1}^{\infty} \frac{5}{n(n+1)} = 5 \lim_{n \to \infty} \sum_{k=1}^{n} \frac{1}{k(k+1)}$$
$$= 5 \lim_{n \to \infty} \sum_{k=1}^{n} \left(\frac{1}{k} - \frac{1}{k+1} \right)$$
$$= 5 \lim_{n \to \infty} \left\{ \left(1 - \frac{1}{2} \right) + \left(\frac{1}{2} - \frac{1}{3} \right) + \cdots + \left(\frac{1}{n} - \frac{1}{n+1} \right) \right\}$$
$$= 5 \lim_{n \to \infty} \left(1 - \frac{1}{n+1} \right) = 5$$

172 답 1

단계 1 로그의 성질을 이용하여 식 변형하기

$$\sum_{n=2}^{\infty} \log_2 \frac{n^2}{n^2-1}$$
$$= \lim_{n \to \infty} \sum_{k=2}^{n} \log_2 \frac{k \times k}{(k-1)(k+1)}$$
$$= \lim_{n \to \infty} \left\{ \log_2 \frac{2 \times 2}{1 \times 3} + \log_2 \frac{3 \times 3}{2 \times 4} + \log_2 \frac{4 \times 4}{3 \times 5} + \cdots \right.$$
$$\left. + \log_2 \frac{n \times n}{(n-1)(n+1)} \right\}$$
$$= \lim_{n \to \infty} \log_2 \left\{ \frac{2 \times 2}{1 \times 3} \times \frac{3 \times 3}{2 \times 4} \times \frac{4 \times 4}{3 \times 5} \times \cdots \times \frac{n \times n}{(n-1)(n+1)} \right\}$$

단계 2 $\sum_{n=2}^{\infty} \log_2 \frac{n^2}{n^2-1}$의 합 구하기

$$\sum_{n=2}^{\infty} \log_2 \frac{n^2}{n^2-1} = \lim_{n \to \infty} \log_2 \frac{2n}{n+1} = \log_2 2 = 1$$

173 답 ①

수열 $\{a_n\}$의 첫째항부터 제n항까지의 합을 S_n이라 하면

$$S_n = a_1 + a_2 + a_3 + \cdots + a_n$$
$$= \left(\log \frac{3}{2} - \log \frac{2}{1} \right) + \left(\log \frac{4}{3} - \log \frac{3}{2} \right) + \left(\log \frac{5}{4} - \log \frac{4}{3} \right)$$
$$+ \cdots + \left(\log \frac{n+2}{n+1} - \log \frac{n+1}{n} \right)$$
$$= -\log 2 + \log \frac{n+2}{n+1}$$

이때 $\lim_{n \to \infty} \log \frac{n+2}{n+1} = \log 1 = 0$이므로

$$\sum_{n=1}^{\infty} a_n = \lim_{n \to \infty} S_n = \lim_{n \to \infty} \left(-\log 2 + \log \frac{n+2}{n+1} \right)$$
$$= -\log 2 + 0$$
$$= -\log 2$$

174 답 수렴, 0

단계 1 S_{2n-1}과 S_{2n} 구하기

급수의 첫째항부터 제n항까지의 부분합을 S_n이라 하면

$$S_1 = \frac{1}{2}, \ S_2 = 0, \ S_3 = \frac{1}{3}, \ S_4 = 0, \ S_5 = \frac{1}{4}, \ S_6 = 0, \ \cdots$$이므로

$$S_{2n-1} = \frac{1}{n+1}, \quad S_{2n} = 0$$

단계 2 주어진 급수의 합 구하기

$$\lim_{n \to \infty} S_{2n-1} = \lim_{n \to \infty} \frac{1}{n+1} = 0, \quad \lim_{n \to \infty} S_{2n} = 0$$

따라서 $\lim_{n \to \infty} S_{2n-1} = \lim_{n \to \infty} S_{2n} = 0$이므로 주어진 급수는 0에 수렴한다.

참고 이 문제와 같이 각 항의 부호가 $+$, $-$ 교대로 나타나는 경우 첫째항부터 제n항까지의 부분합 S_n은 한 개의 식으로 나타낼 수 없다. 따라서 홀수 번째 항까지의 부분합 S_{2n-1}과 짝수 번째 항까지의 부분합 S_{2n}으로 나누어 구한 후 급수의 수렴과 발산을 조사한다.

175 답 ④

급수의 첫째항부터 제n항까지의 부분합을 S_n이라 하자.

ㄱ. $S_1 = 1$, $S_2 = \frac{1}{2}$, $S_3 = 1$, $S_4 = \frac{2}{3}$, $S_5 = 1$, $S_6 = \frac{3}{4}$, $\cdots$이므로

$$S_{2n-1} = 1, \quad S_{2n} = \frac{n}{n+1}$$

$$\therefore \lim_{n \to \infty} S_{2n-1} = 1, \quad \lim_{n \to \infty} S_{2n} = \lim_{n \to \infty} \frac{n}{n+1} = 1$$

따라서 $\lim_{n \to \infty} S_{2n-1} = \lim_{n \to \infty} S_{2n} = 1$이므로 주어진 급수는 1에 수렴한다.

ㄴ. $S_1 = 2$, $S_2 = \frac{1}{2}$, $S_3 = 2$, $S_4 = \frac{2}{3}$, $S_5 = 2$, $S_6 = \frac{3}{4}$, $\cdots$이므로

$$S_{2n-1} = 2, \quad S_{2n} = \frac{n}{n+1}$$

$$\therefore \lim_{n \to \infty} S_{2n-1} = 2, \quad \lim_{n \to \infty} S_{2n} = \lim_{n \to \infty} \frac{n}{n+1} = 1$$

따라서 $\lim_{n \to \infty} S_{2n-1} \neq \lim_{n \to \infty} S_{2n}$이므로 주어진 급수는 발산한다.

ㄷ. $S_n = \left(1 - \dfrac{1}{3}\right) + \left(\dfrac{1}{3} - \dfrac{1}{5}\right) + \left(\dfrac{1}{5} - \dfrac{1}{7}\right) + \cdots$

$$+ \left(\dfrac{1}{2n-1} - \dfrac{1}{2n+1}\right)$$

$$= 1 - \dfrac{1}{2n+1}$$

$$\therefore \lim_{n \to \infty} S_n = \lim_{n \to \infty}\left(1 - \dfrac{1}{2n+1}\right) = 1$$

따라서 주어진 급수는 1에 수렴한다.

그러므로 수렴하는 급수는 ㄱ, ㄷ이다.

176 답 $\dfrac{5}{6}$

단계 1 $\lim S_n$, $\lim a_n$의 값 구하기

$\displaystyle\sum_{n=1}^{\infty} a_n = 4$이므로 $\lim_{n \to \infty} S_n = 4$

급수 $\displaystyle\sum_{n=1}^{\infty} a_n$이 수렴하므로 $\lim_{n \to \infty} a_n = 0$

단계 2 $\lim \dfrac{2S_n + a_n - 3}{S_{n-1} - a_n + 2}$의 값 구하기

$$\lim_{n \to \infty} \dfrac{2S_n + a_n - 3}{S_{n-1} - a_n + 2} = \dfrac{8 + 0 - 3}{4 - 0 + 2} = \dfrac{5}{6}$$

177 답 $\dfrac{3}{2}$

주어진 급수가 수렴하므로

$$\lim_{n \to \infty}\left(\dfrac{a_n}{n} - 3\right) = 0 \qquad \therefore \lim_{n \to \infty}\dfrac{a_n}{n} = 3$$

$$\therefore \lim_{n \to \infty}\dfrac{a_n^2 - 3n^2}{na_n + n^2 - 2n} = \lim_{n \to \infty}\dfrac{\dfrac{a_n^2}{n^2} - 3}{\dfrac{a_n}{n} + 1 - \dfrac{2}{n}}$$

$$= \dfrac{9 - 3}{3 + 1 - 0} = \dfrac{3}{2}$$

178 답 $-\dfrac{1}{4}$

$\displaystyle\sum_{n=1}^{\infty}\dfrac{4a_n + 1}{a_n - 3}$이 수렴하므로 $\lim_{n \to \infty}\dfrac{4a_n + 1}{a_n - 3} = 0$

$\dfrac{4a_n + 1}{a_n - 3} = b_n$으로 놓으면

$a_n b_n - 3b_n = 4a_n + 1$, $(b_n - 4)a_n = 3b_n + 1$

$$\therefore a_n = \dfrac{3b_n + 1}{b_n - 4}$$

이때 $\lim_{n \to \infty} b_n = 0$이므로

$$\lim_{n \to \infty} a_n = \lim_{n \to \infty}\dfrac{3b_n + 1}{b_n - 4} = \dfrac{3 \times 0 + 1}{0 - 4} = -\dfrac{1}{4}$$

179 답 ②

단계 1 $\lim a_n \neq 0$임을 이용하여 주어진 급수가 발산하는지 조사하기

ㄱ. $\lim_{n \to \infty}\dfrac{n}{5n-3} = \dfrac{1}{5} \neq 0$이므로 주어진 급수는 발산한다.

단계 2 급수의 부분합의 극한을 조사하기

ㄴ. $\displaystyle\sum_{n=1}^{\infty}\dfrac{1}{\sqrt{n+1} + \sqrt{n}}$

$$= \sum_{n=1}^{\infty}(\sqrt{n+1} - \sqrt{n})$$

$$= \lim_{n \to \infty}\sum_{k=1}^{n}(\sqrt{k+1} - \sqrt{k})$$

$$= \lim_{n \to \infty}\{(\sqrt{2} - \sqrt{1}) + (\sqrt{3} - \sqrt{2}) + \cdots + (\sqrt{n+1} - \sqrt{n})\}$$

$$= \lim_{n \to \infty}(-1 + \sqrt{n+1}) = \infty$$

따라서 주어진 급수는 발산한다.

ㄷ. $\displaystyle\sum_{n=1}^{\infty}\dfrac{2n+1}{1^2 + 2^2 + 3^2 + \cdots + n^2}$

$$= \sum_{n=1}^{\infty}\dfrac{6}{n(n+1)} = \lim_{n \to \infty}\sum_{k=1}^{n}6\left(\dfrac{1}{k} - \dfrac{1}{k+1}\right)$$

$$= \lim_{n \to \infty}6\left\{\left(1 - \dfrac{1}{2}\right) + \left(\dfrac{1}{2} - \dfrac{1}{3}\right) + \cdots + \left(\dfrac{1}{n} - \dfrac{1}{n+1}\right)\right\}$$

$$= 6\lim_{n \to \infty}\left(1 - \dfrac{1}{n+1}\right) = 6$$

따라서 주어진 급수는 6에 수렴한다.

단계 3 수렴하는 급수 찾기

따라서 수렴하는 급수는 ㄷ이다.

날선특강 자연수의 거듭제곱의 합

(1) $\displaystyle\sum_{k=1}^{n} k = \dfrac{n(n+1)}{2}$

(2) $\displaystyle\sum_{k=1}^{n} k^2 = \dfrac{n(n+1)(2n+1)}{6}$

(3) $\displaystyle\sum_{k=1}^{n} k^3 = \left\{\dfrac{n(n+1)}{2}\right\}^2$

180 답 ④

ㄱ. $a_n = \dfrac{2}{4n^2 - 1}$에서

$$\sum_{n=1}^{\infty}\dfrac{2}{4n^2 - 1}$$

$$= \sum_{n=1}^{\infty}\dfrac{2}{(2n-1)(2n+1)}$$

$$= \lim_{n \to \infty}\sum_{k=1}^{n}\left(\dfrac{1}{2k-1} - \dfrac{1}{2k+1}\right)$$

$$= \lim_{n \to \infty}\left\{\left(1 - \dfrac{1}{3}\right) + \left(\dfrac{1}{3} - \dfrac{1}{5}\right) + \cdots + \left(\dfrac{1}{2n-1} - \dfrac{1}{2n+1}\right)\right\}$$

$$= \lim_{n \to \infty}\left(1 - \dfrac{1}{2n+1}\right) = 1$$

따라서 급수 $\displaystyle\sum_{n=1}^{\infty}\dfrac{2}{4n^2 - 1}$는 1에 수렴한다.

ㄴ. $a_n = \dfrac{\sqrt{5n}}{\sqrt{4n} - 1}$에서

$$\lim_{n \to \infty}\dfrac{\sqrt{5n}}{\sqrt{4n} - 1} = \lim_{n \to \infty}\dfrac{\sqrt{5}}{\sqrt{4} - \sqrt{\dfrac{1}{n}}} = \dfrac{\sqrt{5}}{2} \neq 0$$

따라서 급수 $\displaystyle\sum_{n=1}^{\infty}\dfrac{\sqrt{5n}}{\sqrt{4n} - 1}$은 발산한다.

ㄷ. $a_n = n\sqrt{1+\dfrac{3}{n}} - n = \sqrt{n^2+3n} - n$에서

$$\lim_{n\to\infty} (\sqrt{n^2+3n} - n)$$
$$= \lim_{n\to\infty} \frac{(\sqrt{n^2+3n}-n)(\sqrt{n^2+3n}+n)}{\sqrt{n^2+3n}+n}$$
$$= \lim_{n\to\infty} \frac{3n}{\sqrt{n^2+3n}+n} = \frac{3}{2} \neq 0$$

따라서 급수 $\displaystyle\sum_{n=1}^{\infty}\left(n\sqrt{1+\dfrac{3}{n}}-n\right)$은 발산한다.

그러므로 발산하는 것은 ㄴ, ㄷ이다.

181 답 2

$a_n - 3b_n = c_n$으로 놓을 때, b_n을 a_n과 c_n에 대한 식으로 나타내기

$a_n - 3b_n = c_n$으로 놓으면 $3b_n = a_n - c_n$

$\therefore b_n = \dfrac{1}{3}a_n - \dfrac{1}{3}c_n$

$\displaystyle\sum_{}^{\infty} b_n$의 값 구하기

$\displaystyle\sum_{n=1}^{\infty} a_n = 10$, $\displaystyle\sum_{n=1}^{\infty} c_n = 4$이므로

$\displaystyle\sum_{n=1}^{\infty} b_n = \sum_{n=1}^{\infty}\left(\frac{1}{3}a_n - \frac{1}{3}c_n\right) = \frac{1}{3}\sum_{n=1}^{\infty}a_n - \frac{1}{3}\sum_{n=1}^{\infty}c_n$

$= \dfrac{1}{3}\times 10 - \dfrac{1}{3}\times 4 = 2$

182 답 ④

$\displaystyle\sum_{n=1}^{\infty} a_n = \alpha$, $\displaystyle\sum_{n=1}^{\infty} b_n = \beta$ (α, β는 상수)라 하면

$\displaystyle\sum_{n=1}^{\infty}(3a_n+2b_n) = 15$, $\displaystyle\sum_{n=1}^{\infty}(2a_n+b_n) = 9$에서

$3\displaystyle\sum_{n=1}^{\infty}a_n + 2\sum_{n=1}^{\infty}b_n = 15$, $2\sum_{n=1}^{\infty}a_n + \sum_{n=1}^{\infty}b_n = 9$

즉, $3\alpha + 2\beta = 15$, $2\alpha + \beta = 9$

두 식을 연립하여 풀면 $\alpha = 3$, $\beta = 3$

$\therefore \displaystyle\sum_{n=1}^{\infty}(4a_n - 5b_n) = 4\sum_{n=1}^{\infty}a_n - 5\sum_{n=1}^{\infty}b_n = 4\alpha - 5\beta$

$= 12 - 15 = -3$

183 답 ③

ㄱ. $\displaystyle\sum_{n=1}^{\infty} a_n = \alpha$, $\displaystyle\sum_{n=1}^{\infty} b_n = \beta$ (α, β는 상수)라 하면

$\displaystyle\sum_{n=1}^{\infty} \frac{a_n+b_n}{3} = \frac{1}{3}\left(\sum_{n=1}^{\infty}a_n + \sum_{n=1}^{\infty}b_n\right) = \frac{1}{3}(\alpha+\beta)$

따라서 주어진 급수는 수렴한다.

ㄴ. $\displaystyle\sum_{n=1}^{\infty} a_n$이 수렴하므로 $\displaystyle\lim_{n\to\infty} a_n = 0$이고

$\displaystyle\sum_{k=1}^{n}(a_k - a_{k+1}) = (a_1-a_2) + (a_2-a_3) + \cdots + (a_n-a_{n+1})$

$= a_1 - a_{n+1}$

$\therefore \displaystyle\sum_{n=1}^{\infty}(a_n - a_{n+1}) = \lim_{n\to\infty}\sum_{k=1}^{n}(a_k - a_{k+1})$

$= \displaystyle\lim_{n\to\infty}(a_1 - a_{n+1})$

$= a_1 - \displaystyle\lim_{n\to\infty} a_{n+1} = a_1 - 0 = a_1$

따라서 주어진 급수는 수렴한다.

ㄷ. $\displaystyle\sum_{n=1}^{\infty} a_n$이 수렴하므로 $\displaystyle\lim_{n\to\infty} a_n = 0$

즉, 수열 $\left\{\dfrac{1}{a_n}\right\}$은 발산하므로 급수 $\displaystyle\sum_{n=1}^{\infty}\dfrac{1}{a_n}$은 발산한다.

그러므로 수렴하는 급수는 ㄱ, ㄴ이다.

184 답 ⑤

주어진 명제가 거짓인 경우 반례 찾기

ㄱ. [반례] $\{a_n\}$: 0, 1, 0, 1, 0, 1, $\cdots$

$\{b_n\}$: 2, 0, 2, 0, 2, 0, $\cdots$

이라 하면 $a_n b_n = 0$이므로 $\displaystyle\sum_{n=1}^{\infty} a_n b_n$은 0에 수렴하지만

$\displaystyle\lim_{n\to\infty} a_n \neq 0$이고 $\displaystyle\lim_{n\to\infty} b_n \neq 0$이다. (거짓)

주어진 명제가 참인 경우 증명하기

ㄴ. $\displaystyle\sum_{n=1}^{\infty} a_n$이 수렴하므로 $\displaystyle\lim_{n\to\infty} a_n = 0$이고 $\displaystyle\lim_{n\to\infty} b_n = \alpha$이므로

$\displaystyle\lim_{n\to\infty} a_n b_n = \lim_{n\to\infty} a_n \times \lim_{n\to\infty} b_n = 0 \times \alpha = 0$ (참)

ㄷ. $\displaystyle\sum_{n=1}^{\infty}(a_n+b_n)$과 $\displaystyle\sum_{n=1}^{\infty}(a_n-b_n)$이 모두 수렴하면

$\displaystyle\sum_{n=1}^{\infty}\{(a_n+b_n)+(a_n-b_n)\} = \sum_{n=1}^{\infty} 2a_n$이 수렴하므로

$\displaystyle\sum_{n=1}^{\infty} a_n$도 수렴한다.

또, $\displaystyle\sum_{n=1}^{\infty}\{(a_n+b_n)-(a_n-b_n)\} = \sum_{n=1}^{\infty} 2b_n$이 수렴하므로

$\displaystyle\sum_{n=1}^{\infty} b_n$도 수렴한다. (참)

따라서 옳은 것은 ㄴ, ㄷ이다.

185 답 ③

ㄱ. $\displaystyle\sum_{n=1}^{\infty} a_n$, $\displaystyle\sum_{n=1}^{\infty} b_n$이 모두 수렴하므로 $\displaystyle\lim_{n\to\infty} a_n = 0$, $\displaystyle\lim_{n\to\infty} b_n = 0$

$\therefore \displaystyle\lim_{n\to\infty}(a_n+b_n) = 0$ (참)

ㄴ. $2a_n + b_n = c_n$, $a_n - 2b_n = d_n$으로 놓고

$\displaystyle\sum_{n=1}^{\infty}(2a_n+b_n) = \sum_{n=1}^{\infty}c_n = \alpha$, $\displaystyle\sum_{n=1}^{\infty}(a_n-2b_n) = \sum_{n=1}^{\infty}d_n = \beta$

(α, β는 상수)라 하면

$a_n = \dfrac{2c_n+d_n}{5}$, $b_n = \dfrac{c_n-2d_n}{5}$이므로

$\displaystyle\sum_{n=1}^{\infty} a_n = \sum_{n=1}^{\infty} \frac{2c_n+d_n}{5} = \frac{2}{5}\alpha + \frac{1}{5}\beta$

$\displaystyle\sum_{n=1}^{\infty} b_n = \sum_{n=1}^{\infty} \frac{c_n-2d_n}{5} = \frac{1}{5}\alpha - \frac{2}{5}\beta$

즉, $\displaystyle\sum_{n=1}^{\infty} a_n$과 $\displaystyle\sum_{n=1}^{\infty} b_n$은 수렴한다. (참)

ㄷ. [반례] $\{a_n\}: 1, -1, 1, -1, \cdots,$

$\{b_n\}: -1, 1, -1, 1, -1, \cdots$이면 $\displaystyle\sum_{n=1}^{\infty} a_n$과 $\displaystyle\sum_{n=1}^{\infty} b_n$은 모두

발산하지만 $a_n + b_n = 0$이므로 $\displaystyle\sum_{n=1}^{\infty}(a_n + b_n)$은 0에 수렴한

다. (거짓)

따라서 옳은 것은 ㄱ, ㄴ이다.

186 답 $\dfrac{15}{4}$

단계 1 등비급수로 나타내기

$\dfrac{2^{n+1}+(-1)^n}{3^n} = 2 \times \left(\dfrac{2}{3}\right)^n + \left(-\dfrac{1}{3}\right)^n$이고

두 등비급수 $2\displaystyle\sum_{n=1}^{\infty}\left(\dfrac{2}{3}\right)^n$, $\displaystyle\sum_{n=1}^{\infty}\left(-\dfrac{1}{3}\right)^n$이 각각 수렴한다.

단계 2 급수의 성질을 이용하여 급수의 합 구하기

$\displaystyle\sum_{n=1}^{\infty}\dfrac{2^{n+1}+(-1)^n}{3^n} = 2\sum_{n=1}^{\infty}\left(\dfrac{2}{3}\right)^n + \sum_{n=1}^{\infty}\left(-\dfrac{1}{3}\right)^n$

$= 2 \times \dfrac{\dfrac{2}{3}}{1-\dfrac{2}{3}} + \dfrac{-\dfrac{1}{3}}{1+\dfrac{1}{3}}$

$= 4 + \left(-\dfrac{1}{4}\right)$

$= \dfrac{15}{4}$

187 답 $\dfrac{2}{5}$

$\displaystyle\sum_{n=1}^{\infty}\dfrac{1}{2^n}\sin\dfrac{n\pi}{2} = \dfrac{1}{2} - \dfrac{1}{2^3} + \dfrac{1}{2^5} - \dfrac{1}{2^7} + \cdots$

$= \dfrac{\dfrac{1}{2}}{1-\left(-\dfrac{1}{2^2}\right)}$

$= \dfrac{2}{5}$

참고 $\sin\dfrac{n\pi}{2}$는 n의 값에 따라 $1, 0, -1, 0$이 차례로 반복된다.

이와 같이 삼각함수를 포함한 등비급수는 각 항을 나열해서 공비를 구한다.

188 답 ②

$\displaystyle\sum_{n=1}^{\infty}\left(\dfrac{3^{n-1}+2^{2n}}{5^n}\right) = \sum_{n=1}^{\infty}\left(\dfrac{3^{n-1}+4^n}{5^n}\right)$

$= \dfrac{1}{5}\sum_{n=1}^{\infty}\left(\dfrac{3}{5}\right)^{n-1} + \sum_{n=1}^{\infty}\left(\dfrac{4}{5}\right)^n$

$= \dfrac{1}{5} \times \dfrac{1}{1-\dfrac{3}{5}} + \dfrac{\dfrac{4}{5}}{1-\dfrac{4}{5}}$

$= \dfrac{1}{5} \times \dfrac{5}{2} + 4 = \dfrac{9}{2}$

따라서 $a=2$, $b=9$이므로 $a+b=11$

189 답 3

$f(x) = x^n$이라 하면

나머지정리에 의해 $a_n = f\left(\dfrac{3}{4}\right) = \left(\dfrac{3}{4}\right)^n$ ← $f(x)$를 $4x-3$으로 나눈 나머지는 $f\left(\dfrac{3}{4}\right)$

$\therefore \displaystyle\sum_{n=1}^{\infty} a_n = \sum_{n=1}^{\infty}\left(\dfrac{3}{4}\right)^n = \dfrac{\dfrac{3}{4}}{1-\dfrac{3}{4}} = 3$

참고 나머지정리에 의해 다항식 $f(x)$를 일차식 $ax+b$로 나누었을 때의 나머지는 $f\left(-\dfrac{b}{a}\right)$이다.

190 답 $\dfrac{17}{15}$

수열 $\{a_n\}$의 항을 차례로 나열하면 $3, 5, 3, 5, \cdots$이므로

$\dfrac{a_1}{4} + \dfrac{a_2}{4^2} + \dfrac{a_3}{4^3} + \dfrac{a_4}{4^4} + \dfrac{a_5}{4^5} + \dfrac{a_6}{4^6} + \cdots$

$= \dfrac{3}{4} + \dfrac{5}{4^2} + \dfrac{3}{4^3} + \dfrac{5}{4^4} + \dfrac{3}{4^5} + \dfrac{5}{4^6} + \cdots$

$= \left(\dfrac{3}{4} + \dfrac{3}{4^3} + \dfrac{3}{4^5} + \cdots\right) + \left(\dfrac{5}{4^2} + \dfrac{5}{4^4} + \dfrac{5}{4^6} + \cdots\right)$

$= \dfrac{\dfrac{3}{4}}{1-\dfrac{1}{16}} + \dfrac{\dfrac{5}{16}}{1-\dfrac{1}{16}} = \dfrac{4}{5} + \dfrac{1}{3} = \dfrac{17}{15}$

191 답 25

단계 1 등비급수 $\displaystyle\sum_{n=1}^{\infty} a_n$의 공비 구하기

첫째항이 4인 등비수열 $\{a_n\}$의 공비를 $r\ (-1<r<1)$라 하면

$\displaystyle\sum_{n=1}^{\infty} a_n = 10$에서 $\dfrac{4}{1-r} = 10$ $\quad \therefore r = \dfrac{3}{5}$

단계 2 등비급수 $\displaystyle\sum_{n=1}^{\infty} a_n^2$의 합 구하기

수열 $\{a_n^2\}$은 첫째항이 $a_1^2 = 16$, 공비가 $r^2 = \dfrac{9}{25}$인 등비수열이

므로 $\displaystyle\sum_{n=1}^{\infty} a_n^2 = \dfrac{16}{1-\dfrac{9}{25}} = 25$

192 답 $\dfrac{3}{2}$

주어진 등비급수는 첫째항이 1이고 공비가 $-\dfrac{1}{3}x$이므로

$\dfrac{1}{1-\left(-\dfrac{1}{3}x\right)} = \dfrac{2}{3}$, $3 = 2\left(1+\dfrac{1}{3}x\right)$

$9 = 6 + 2x$ $\quad \therefore x = \dfrac{3}{2}$

193 답 ①

등비수열 $\{a_n\}$의 첫째항을 a, 공비를 $r\ (-1<r<1)$라 하면

$a_2 = ar = \dfrac{8}{3}$ $\qquad \cdots$ ㉠

$\sum\limits_{n=1}^{\infty} a_n = \dfrac{a}{1-r} = 12$ ⋯ ⓛ

ⓖ, ⓛ에서 $a=8$, $r=\dfrac{1}{3}$ ($\because a>4$)

따라서 수열 $\{a_{2n-1}\}$은 첫째항이 8, 공비가 $\dfrac{1}{9}$인 등비수열이므로

$\sum\limits_{n=1}^{\infty} a_{2n-1} = \dfrac{8}{1-\dfrac{1}{9}} = 9$

194 답 $\dfrac{\pi}{6}$

주어진 등비급수의 첫째항은 1, 공비는 $\cos x$이고
$0 < x < \pi$에서 $-1 < \cos x < 1$이므로

$1 + \cos x + \cos^2 x + \cos^3 x + \cdots = \dfrac{1}{1-\cos x} = 4 + 2\sqrt{3}$

$1 - \cos x = \dfrac{1}{4+2\sqrt{3}} = \dfrac{4-2\sqrt{3}}{4} = 1 - \dfrac{\sqrt{3}}{2}$

$\cos x = \dfrac{\sqrt{3}}{2}$ $\quad \therefore x = \dfrac{\pi}{6}$ ($\because 0 < x < \pi$)

195 답 ③

등비수열 $\{a_n\}$의 첫째항을 a, 공비를 r ($-1 < r < 1$)라 하면

$\sum\limits_{n=1}^{\infty} a_n = 4$에서 $\dfrac{a}{1-r} = 4$ ⋯ ⓖ

수열 $\{a_n^2\}$은 첫째항이 a^2, 공비가 r^2이므로 $\sum\limits_{n=1}^{\infty} a_n^2 = \dfrac{48}{5}$에서

$\dfrac{a^2}{1-r^2} = \dfrac{48}{5}$, $\dfrac{a^2}{(1+r)(1-r)} = \dfrac{48}{5}$ ⋯ ⓛ

ⓖ을 ⓛ에 대입하면 $4 \times \dfrac{a}{1+r} = \dfrac{48}{5}$

$\dfrac{a}{1+r} = \dfrac{12}{5}$ ⋯ ⓒ

ⓖ÷ⓒ을 하면 $\dfrac{1+r}{1-r} = \dfrac{5}{3}$ $\quad \therefore r = \dfrac{1}{4}$

$r = \dfrac{1}{4}$을 ⓖ에 대입하면 $\dfrac{a}{1-\dfrac{1}{4}} = 4$ $\quad \therefore a = 3$

수열 $\{a_n^3\}$은 첫째항이 $a^3 = 27$, 공비가 $r^3 = \dfrac{1}{64}$이므로

$\sum\limits_{n=1}^{\infty} a_n^3 = \dfrac{27}{1-\dfrac{1}{64}} = \dfrac{192}{7}$

따라서 $p=7$, $q=192$이므로 $p+q=199$

196 답 ①

단계 1 등비급수의 수렴 조건을 이용하여 정수 x의 값의 범위 구하기

$\sum\limits_{n=1}^{\infty} \left(\dfrac{2x+1}{5}\right)^{n-1}$의 공비가 $\dfrac{2x+1}{5}$이므로 수렴하려면

$-1 < \dfrac{2x+1}{5} < 1$, $-5 < 2x+1 < 5$

$-6 < 2x < 4$ $\quad \therefore -3 < x < 2$

단계 2 정수 x의 개수 구하기

정수 x는 -2, -1, 0, 1의 4개이다.

197 답 ②

(ⅰ) $x+3=0$, 즉 $x=-3$일 때 주어진 급수는 수렴한다.

(ⅱ) $x+3 \neq 0$, 즉 $x \neq -3$일 때 공비가 $\dfrac{x-1}{2}$이므로 주어진 급수가 수렴하려면

$-1 < \dfrac{x-1}{2} < 1$, $-2 < x-1 < 2$

$\therefore -1 < x < 3$

(ⅰ), (ⅱ)에서 $x=-3$ 또는 $-1 < x < 3$

따라서 정수 x는 -3, 0, 1, 2의 4개이다.

198 답 ①

두 등비급수가 모두 수렴하기 위해서는

$-1 < x+a < 1$, $-1 < \dfrac{ax}{12} < 1$

이어야 한다. 즉

$-1-a < x < 1-a$, $-\dfrac{12}{a} < x < \dfrac{12}{a}$ ($\because a>0$)

두 범위를 모두 만족시키는 실수 x의 값이 존재하려면 $-1-a$는 0보다 작으므로

$-\dfrac{12}{a} < 1-a$, $a^2-a-12 < 0$, $(a+3)(a-4) < 0$

$\therefore -3 < a < 4$

그런데 a는 양수이므로 $0 < a < 4$

199 답 ③

$\sum\limits_{n=1}^{\infty} r^n$이 수렴하므로 $-1 < r < 1$ ⋯ ⓖ

ㄱ. $\sum\limits_{n=1}^{\infty} r^{2n}$은 공비가 r^2인 등비급수이므로 ⓖ에서 $0 \leq r^2 < 1$

따라서 주어진 급수는 수렴한다.

ㄴ. $\sum\limits_{n=1}^{\infty} \dfrac{r^n + (-r)^n}{2} = \dfrac{1}{2}\sum\limits_{n=1}^{\infty} \{r^n + (-r)^n\}$에서

$-1 < -r < 1$이므로 $\sum\limits_{n=1}^{\infty} (-r)^n$도 수렴한다.

따라서 주어진 급수는 수렴한다.

ㄷ. $\sum\limits_{n=1}^{\infty} \left(\dfrac{r}{2}+1\right)^n$은 공비가 $\dfrac{r}{2}+1$인 등비급수이므로 ⓖ에서

$-\dfrac{1}{2} < \dfrac{r}{2} < \dfrac{1}{2}$, $\dfrac{1}{2} < \dfrac{r}{2}+1 < \dfrac{3}{2}$

따라서 주어진 급수가 항상 수렴한다고 할 수 없다.

ㄹ. $\sum\limits_{n=1}^{\infty} \left(\dfrac{r-1}{2}\right)^n$은 공비가 $\dfrac{r-1}{2}$인 등비급수이므로 ⓖ에서

$-2 < r-1 < 0$, $-1 < \dfrac{r-1}{2} < 0$

따라서 주어진 급수는 수렴한다.

ㅁ. $\sum\limits_{n=1}^{\infty}\left(\dfrac{r}{2}-1\right)^n$은 공비가 $\dfrac{r}{2}-1$인 등비급수이므로 ㉠에서

$$-\dfrac{3}{2}<\dfrac{r}{2}-1<-\dfrac{1}{2}$$

따라서 주어진 급수가 항상 수렴한다고 할 수 없다.

그러므로 항상 수렴하는 급수는 ㄱ, ㄴ, ㄹ이다.

200 답 ⑤

단계 1 일반항 a_n 구하기

(i) $n=1$일 때, $a_1=S_1=2$

(ii) $n\geq2$일 때,

$$a_n=S_n-S_{n-1}=\dfrac{n(3n+1)}{2}-\dfrac{(n-1)(3n-2)}{2}$$

$$=\dfrac{3n^2+n-3n^2+5n-2}{2}=3n-1 \qquad \cdots ㉠$$

이때 $a_1=2$는 ㉠에 $n=1$을 대입한 것과 같으므로 $a_n=3n-1$

단계 2 급수 $\sum\limits_{n=1}^{\infty}\dfrac{12}{a_na_{n+1}}$의 합 구하기

$$\sum_{n=1}^{\infty}\dfrac{12}{a_na_{n+1}}$$

$$=\lim_{n\to\infty}\sum_{k=1}^{n}\dfrac{12}{a_ka_{k+1}}=\lim_{n\to\infty}\sum_{k=1}^{n}\dfrac{12}{(3k-1)(3k+2)}$$

$$=4\lim_{n\to\infty}\sum_{k=1}^{n}\left(\dfrac{1}{3k-1}-\dfrac{1}{3k+2}\right)$$

$$=4\lim_{n\to\infty}\left\{\left(\dfrac{1}{2}-\dfrac{1}{5}\right)+\left(\dfrac{1}{5}-\dfrac{1}{8}\right)+\left(\dfrac{1}{8}-\dfrac{1}{11}\right)+\cdots\right.$$

$$\left.+\left(\dfrac{1}{3n-1}-\dfrac{1}{3n+2}\right)\right\}$$

$$=4\lim_{n\to\infty}\left(\dfrac{1}{2}-\dfrac{1}{3n+2}\right)=2$$

201 답 ①

수열 $\{a_n\}$의 공차를 d라 하면

$$S_n=\dfrac{n\{2\times8+(n-1)d\}}{2}$$이므로

$$\lim_{n\to\infty}\dfrac{1}{S_n}=\lim_{n\to\infty}\dfrac{1}{S_{n+1}}=0$$

$a_{n+1}=S_{n+1}-S_n$이므로

$$\sum_{n=1}^{\infty}\dfrac{a_{n+1}}{S_nS_{n+1}}=\sum_{n=1}^{\infty}\dfrac{S_{n+1}-S_n}{S_nS_{n+1}}=\sum_{n=1}^{\infty}\left(\dfrac{1}{S_n}-\dfrac{1}{S_{n+1}}\right)$$

$$=\lim_{n\to\infty}\sum_{k=1}^{n}\left(\dfrac{1}{S_k}-\dfrac{1}{S_{k+1}}\right)$$

$$=\lim_{n\to\infty}\left\{\left(\dfrac{1}{S_1}-\dfrac{1}{S_2}\right)+\left(\dfrac{1}{S_2}-\dfrac{1}{S_3}\right)+\cdots\right.$$

$$\left.+\left(\dfrac{1}{S_n}-\dfrac{1}{S_{n+1}}\right)\right\}$$

$$=\lim_{n\to\infty}\left(\dfrac{1}{S_1}-\dfrac{1}{S_{n+1}}\right)=\dfrac{1}{S_1}=\dfrac{1}{8}$$

202 답 $\dfrac{25}{4}$

(i) $n=1$일 때, $a_1=S_1=4$

(ii) $n\geq2$일 때,

$$a_n=S_n-S_{n-1}=10\left\{1-\left(\dfrac{3}{5}\right)^n\right\}-10\left\{1-\left(\dfrac{3}{5}\right)^{n-1}\right\}$$

$$=4\times\left(\dfrac{3}{5}\right)^{n-1} \qquad \cdots ㉠$$

이때 $a_1=4$는 ㉠에 $n=1$을 대입한 것과 같으므로

$$a_n=4\times\left(\dfrac{3}{5}\right)^{n-1}$$

$$\therefore a_1+a_3+a_5+a_7+\cdots$$

$$=4+4\times\left(\dfrac{3}{5}\right)^2+4\times\left(\dfrac{3}{5}\right)^4+4\times\left(\dfrac{3}{5}\right)^6+\cdots$$

$$=\dfrac{4}{1-\dfrac{9}{25}}=\dfrac{25}{4}$$

203 답 $\dfrac{4}{27}$

$\log_4(S_n+1)=n$에서

$$S_n+1=4^n \qquad \therefore S_n=4^n-1$$

(i) $n=1$일 때, $a_1=S_1=3$

(ii) $n\geq2$일 때,

$$a_n=S_n-S_{n-1}=4^n-1-(4^{n-1}-1)=3\times4^{n-1} \qquad \cdots ㉠$$

이때 $a_1=3$은 ㉠에 $n=1$을 대입한 것과 같으므로

$$a_n=3\times4^{n-1}$$

$$\therefore a_na_{n+1}=9\times4^{2n-1}$$

$$\therefore \sum_{n=1}^{\infty}\dfrac{5}{a_na_{n+1}}=\sum_{n=1}^{\infty}\dfrac{5}{9\times4^{2n-1}}=\dfrac{5}{9}\sum_{n=1}^{\infty}\left(\dfrac{1}{4}\right)^{2n-1}$$

$$=\dfrac{5}{9}\times\dfrac{\dfrac{1}{4}}{1-\dfrac{1}{16}}=\dfrac{4}{27}$$

204 답 $\left(\dfrac{25}{34},\dfrac{15}{34}\right)$

단계 1 점 P_n이 가까워지는 점의 x좌표 구하기

점 P_n이 한없이 가까워지는 점의 좌표를 (x,y)라 하면

$$x=\overline{OP_1}-\overline{P_2P_3}+\overline{P_4P_5}-\cdots=1-\left(\dfrac{3}{5}\right)^2+\left(\dfrac{3}{5}\right)^4-\cdots$$

$$=\dfrac{1}{1-\left(-\dfrac{9}{25}\right)}=\dfrac{25}{34}$$

단계 2 점 P_n이 가까워지는 점의 y좌표 구하기

$$y=\overline{P_1P_2}-\overline{P_3P_4}+\overline{P_5P_6}-\cdots=\dfrac{3}{5}-\left(\dfrac{3}{5}\right)^3+\left(\dfrac{3}{5}\right)^5-\cdots$$

$$=\dfrac{\dfrac{3}{5}}{1-\left(-\dfrac{9}{25}\right)}=\dfrac{15}{34}$$

단계 3 점 P_n이 가까워지는 점의 좌표 구하기

점 P_n이 한없이 가까워지는 점의 좌표는 $\left(\dfrac{25}{34},\dfrac{15}{34}\right)$이다.

205 답 $\left(\dfrac{16}{7}, \dfrac{12}{7}\right)$

점 P_n이 한없이 가까워지는 점의 좌표를 (x, y)라 하면

$x = 1 + \left(\dfrac{3}{4}\right)^2 + \left(\dfrac{3}{4}\right)^4 + \left(\dfrac{3}{4}\right)^6 + \cdots = \dfrac{1}{1 - \dfrac{9}{16}} = \dfrac{16}{7}$

$y = \dfrac{3}{4} + \left(\dfrac{3}{4}\right)^3 + \left(\dfrac{3}{4}\right)^5 + \left(\dfrac{3}{4}\right)^7 + \cdots = \dfrac{\dfrac{3}{4}}{1 - \dfrac{9}{16}} = \dfrac{12}{7}$

따라서 점 P_n이 한없이 가까워지는 점의 좌표는 $\left(\dfrac{16}{7}, \dfrac{12}{7}\right)$이다.

206 답 $\dfrac{10}{13}$

점 P_n이 한없이 가까워지는 점의 y좌표는

$\overline{OP_1} - \overline{P_1P_2}\cos 60° - \overline{P_2P_3}\cos 60° + \overline{P_3P_4} - \overline{P_4P_5}\cos 60°$
$- \overline{P_5P_6}\cos 60° + \overline{P_6P_7} - \cdots$

$= 1 - \dfrac{2}{5} \times \dfrac{1}{2} - \left(\dfrac{2}{5}\right)^2 \times \dfrac{1}{2} + \left(\dfrac{2}{5}\right)^3 - \left(\dfrac{2}{5}\right)^4 \times \dfrac{1}{2}$
$\qquad\qquad - \left(\dfrac{2}{5}\right)^5 \times \dfrac{1}{2} + \left(\dfrac{2}{5}\right)^6 - \cdots$

$= \left\{1 + \left(\dfrac{2}{5}\right)^3 + \left(\dfrac{2}{5}\right)^6 + \cdots\right\} - \dfrac{1}{5}\left\{1 + \left(\dfrac{2}{5}\right)^3 + \left(\dfrac{2}{5}\right)^6 + \cdots\right\}$
$\qquad\qquad - \dfrac{2}{25}\left\{1 + \left(\dfrac{2}{5}\right)^3 + \left(\dfrac{2}{5}\right)^6 + \cdots\right\}$

$= \left(1 - \dfrac{1}{5} - \dfrac{2}{25}\right)\left\{1 + \left(\dfrac{2}{5}\right)^3 + \left(\dfrac{2}{5}\right)^6 + \cdots\right\}$

$= \dfrac{18}{25} \times \dfrac{1}{1 - \dfrac{8}{125}} = \dfrac{10}{13}$

207 답 50

단계 1 $\overline{AB} + \overline{CP} + \overline{C_1P_1} + \overline{C_2P_2} + \cdots$를 식으로 나타내기

$\overline{AB} + \overline{CP} + \overline{C_1P_1} + \overline{C_2P_2} + \cdots$

$= 10 + 10 \times \dfrac{4}{5} + 10 \times \left(\dfrac{4}{5}\right)^2 + 10 \times \left(\dfrac{4}{5}\right)^3 + \cdots$

단계 2 $\overline{AB} + \overline{CP} + \overline{C_1P_1} + \overline{C_2P_2} + \cdots$의 합 구하기

첫째항이 10이고, 공비가 $\dfrac{4}{5}$인 등비급수이므로 그 합은

$\dfrac{10}{1 - \dfrac{4}{5}} = 50$

208 답 ⑤

$\angle XOY = 30°$이므로

$\overline{PP_1} = \overline{OP}\sin 30° = \overline{OP} \times \dfrac{1}{2} = 8 \times \dfrac{1}{2} = 4$

$\angle OPP_1 = 60°$이므로

$\overline{P_1P_2} = \overline{PP_1}\sin 60° = \overline{PP_1} \times \dfrac{\sqrt{3}}{2} = 4 \times \dfrac{\sqrt{3}}{2} = 2\sqrt{3}$

$\angle P_2P_1P_3 = 60°$이므로

$\overline{P_2P_3} = \overline{P_1P_2}\sin 60° = \overline{P_1P_2} \times \dfrac{\sqrt{3}}{2} = 2\sqrt{3} \times \dfrac{\sqrt{3}}{2} = 3$

$\quad\vdots$

$\therefore \overline{PP_1} + \overline{P_1P_2} + \overline{P_2P_3} + \cdots = 4 + 2\sqrt{3} + 3 + \cdots$

$\qquad\qquad\qquad = \dfrac{4}{1 - \dfrac{\sqrt{3}}{2}} = 16 + 8\sqrt{3}$

따라서 $\alpha = 16$, $\beta = 8$이므로 $\alpha + \beta = 24$

209 답 3

n번째에서는 $(n-1)$번째에서 새로 그린 선분의 길이의 $\dfrac{1}{3}$인 길이의 선분이 2^{n-1}개가 생기므로 n번째에서 새로 그리는 선분의 길이의 합은

$2^{n-1} \times \left(\dfrac{1}{3}\right)^{n-1} = \left(\dfrac{2}{3}\right)^{n-1}$

따라서 모든 선분의 길이의 합은

$\displaystyle\sum_{n=1}^{\infty} \left(\dfrac{2}{3}\right)^{n-1} = \dfrac{1}{1 - \dfrac{2}{3}} = 3$

210 답 6π

$\overline{A_1A_2} = 4$이므로 $l_1 = 2\pi$

선분 A_nA_{n+1}을 $1:2$로 내분하는 점이 A_{n+2}이므로

$\overline{A_{n+1}A_{n+2}} = \dfrac{2}{3}\overline{A_nA_{n+1}}$

이때 반원의 호의 길이는 지름의 길이에 비례하므로

$l_{n+1} = \dfrac{2}{3}l_n$

즉, 수열 $\{l_n\}$은 첫째항이 $l_1 = 2\pi$, 공비가 $\dfrac{2}{3}$인 등비수열이다.

$\therefore \displaystyle\sum_{n=1}^{\infty} l_n = \dfrac{2\pi}{1 - \dfrac{2}{3}} = 6\pi$

211 답 $30 + 18\sqrt{5}$

$\overline{AA_1} = 4$, $\overline{AD_1} = 2$이므로 피타고라스 정리에서 $\overline{A_1D_1} = 2\sqrt{5}$

따라서 정사각형 $A_1B_1C_1D_1$의 둘레의 길이는 $8\sqrt{5}$이고 정사각형 $A_nB_nC_nD_n$과 정사각형 $A_{n+1}B_{n+1}C_{n+1}D_{n+1}$은 닮음비가 $3 : \sqrt{5}$이다.

이때 정사각형 $A_nB_nC_nD_n$의 둘레의 길이를 l_n이라 하면

$l_{n+1} = \dfrac{\sqrt{5}}{3}l_n$

따라서 구하는 정사각형의 둘레의 길이의 합은 첫째항이 $8\sqrt{5}$, 공비가 $\dfrac{\sqrt{5}}{3}$인 등비급수의 합이므로

$\dfrac{8\sqrt{5}}{1 - \dfrac{\sqrt{5}}{3}} = 30 + 18\sqrt{5}$

212 답 18

단계 1 정사각형 A_1, A_2, A_3, $\cdots$의 넓이를 각각 구하기

정사각형 A_n의 넓이를 S_n이라 하면

$S_1 = 3 \times 3 = 9$

$S_2 = \dfrac{1}{2}S_1 = \dfrac{1}{2} \times 9 = \dfrac{9}{2}$,

$S_3 = \dfrac{1}{2}S_2 = \dfrac{1}{2} \times \dfrac{9}{2} = \dfrac{9}{4}$ ← 정사각형의 넓이가 $\dfrac{1}{2}$씩 줄어든다.

단계 2 정사각형 A_1, A_2, A_3, $\cdots$의 넓이의 합 구하기

구하는 넓이의 합은 첫째항이 9, 공비가 $\dfrac{1}{2}$인 등비급수의 합이

므로

$\dfrac{9}{1 - \dfrac{1}{2}} = 18$

213 답 $\dfrac{\sqrt{3}}{5}$

첫 번째 정삼각형에서 색칠한 부분의 넓이는

$\dfrac{3}{4} \times \dfrac{\sqrt{3}}{4} \times 1^2 = \dfrac{3\sqrt{3}}{16}$

세 번째 정삼각형에서 색칠한 부분의 넓이는

$\dfrac{3}{4} \times \dfrac{\sqrt{3}}{4} \times \left(\dfrac{1}{4}\right)^2 = \dfrac{3\sqrt{3}}{16} \times \left(\dfrac{1}{4}\right)^2$

$\vdots$

따라서 색칠한 부분의 넓이의 합은

첫째항이 $\dfrac{3\sqrt{3}}{16}$, 공비가 $\dfrac{1}{16}$인 등비급수의 합이므로

$\dfrac{\dfrac{3\sqrt{3}}{16}}{1 - \dfrac{1}{16}} = \dfrac{\sqrt{3}}{5}$

214 답 $128 - 32\pi$

$\overline{OC_2} = \overline{OB_1} = 8$이므로 $\overline{OB_2} = 8 \times \dfrac{1}{\sqrt{2}} = 4\sqrt{2}$

$\overline{OC_3} = 4\sqrt{2}$이므로 $\overline{OB_3} = 4\sqrt{2} \times \dfrac{1}{\sqrt{2}} = 4$

$\overline{OC_4} = 4$이므로 $\overline{OB_4} = 4 \times \dfrac{1}{\sqrt{2}} = 2\sqrt{2}$

$\vdots$

따라서 색칠한 부분의 넓이의 합은

$8^2 \times \left(1 - \dfrac{\pi}{4}\right) + (4\sqrt{2})^2 \times \left(1 - \dfrac{\pi}{4}\right) + 4^2 \times \left(1 - \dfrac{\pi}{4}\right) + \cdots$

$= 64 \times \left(1 - \dfrac{\pi}{4}\right) + 32 \times \left(1 - \dfrac{\pi}{4}\right) + 16 \times \left(1 - \dfrac{\pi}{4}\right) + \cdots$

$= \dfrac{64 \times \left(1 - \dfrac{\pi}{4}\right)}{1 - \dfrac{1}{2}}$

$= 128 - 32\pi$

215 답 36π

부채꼴 $B_1C_1C_2$에서 $\overline{B_1C_1} = 12$이므로

$S_1 = 12^2\pi \times \dfrac{1}{6} = 24\pi$

부채꼴 $B_2C_2C_3$에서 $\overline{AC_2} = 12$이고

$\overline{C_2B_2} = \overline{AC_2} \times \tan 30° = 12 \times \dfrac{1}{\sqrt{3}} = 4\sqrt{3}$이므로

$S_2 = (4\sqrt{3})^2\pi \times \dfrac{1}{6} = 8\pi$

부채꼴 $B_3C_3C_4$에서 $\overline{AC_3} = 4\sqrt{3}$이고

$\overline{C_3B_3} = \overline{AC_3} \times \tan 30° = 4\sqrt{3} \times \dfrac{1}{\sqrt{3}} = 4$이므로

$S_3 = 4^2\pi \times \dfrac{1}{6} = \dfrac{8}{3}\pi$

$\vdots$

즉, 수열 $\{S_n\}$은 첫째항이 24π이고, 공비가 $\dfrac{1}{3}$인 등비수열이다.

$\therefore S_1 + S_2 + S_3 + \cdots = \dfrac{24\pi}{1 - \dfrac{1}{3}} = 36\pi$

216 답 $\dfrac{4}{3}$

$\triangle ABC$가 직각이등변삼각형이고

$\triangle ABC \circ \triangle AC_1A_1$이므로 $\overline{BC_1} = 1$

또 $\triangle A_1B_1C \circ \triangle A_1C_2A_2$이므로

$\overline{B_1C_2} = \dfrac{1}{2}$

즉, 정사각형 $A_1C_1BB_1$과

$A_2C_2B_1B_2$의 길이의 비가 $1 : \dfrac{1}{2}$이

므로 넓이의 비는 $1 : \dfrac{1}{4}$이다.

따라서 모든 정사각형의 넓이의 합은

$1 + \dfrac{1}{4} + \left(\dfrac{1}{4}\right)^2 + \left(\dfrac{1}{4}\right)^3 + \cdots = \dfrac{1}{1 - \dfrac{1}{4}} = \dfrac{4}{3}$

217 답 12π

원 C_n의 넓이 S_n에 대하여

$S_1 = \pi \times 3^2 = 9\pi$

$S_2 = \pi \times \left(\dfrac{3}{2}\right)^2 = 9\pi \times \left(\dfrac{1}{2}\right)^2$

$S_3 = \pi \times \left(\dfrac{3}{4}\right)^2 = 9\pi \times \left(\dfrac{1}{2}\right)^4$

$\vdots$

$S_n = 9\pi \times \left(\dfrac{1}{4}\right)^{n-1}$

$\therefore \displaystyle\sum_{n=1}^{\infty} S_n = \dfrac{9\pi}{1 - \dfrac{1}{4}} = 12\pi$

218 답 120 m

단계 1 공이 움직인 거리를 식으로 나타내기

공이 상하 운동을 계속하며 움직인 거리를 l이라 하면

$$l=30+2\left\{30\times\frac{3}{5}+30\times\left(\frac{3}{5}\right)^2+30\times\left(\frac{3}{5}\right)^3+\cdots\right\}$$
└ 상하로 운동한다.

단계 2 공이 움직인 거리의 합 구하기

$$l=30+2\times\frac{30\times\frac{3}{5}}{1-\frac{3}{5}}=120\,(\text{m})$$

따라서 공이 움직인 거리의 합은 120 m이다.

219 답 10000시간

처음 스마트워치를 사용한 시간은 50시간이고

첫 번째 재충전한 후 스마트워치를 사용할 수 있는 시간은

$$50\times\left(1-\frac{1}{200}\right)=50\times\frac{199}{200}\,(\text{시간})$$

두 번째 재충전한 후 스마트워치를 사용할 수 있는 시간은

$$50\times\left(1-\frac{1}{200}\right)^2=50\times\left(\frac{199}{200}\right)^2(\text{시간})$$

$$\vdots$$

따라서 스마트워치의 배터리를 사용할 수 있는 시간의 합은

$$50+50\times\frac{199}{200}+50\times\left(\frac{199}{200}\right)^2+\cdots=\frac{50}{1-\frac{199}{200}}$$

$$=10000\,(\text{시간})$$

220 답 ①

n번째 수거하여 재활용된 병의 개수를 a_n이라 하면

$$a_1=10000\times\frac{80}{100}\times\frac{75}{100}=10000\times\frac{3}{5}$$

$$a_2=a_1\times\frac{80}{100}\times\frac{75}{100}=10000\times\left(\frac{3}{5}\right)^2$$

$$a_3=a_2\times\frac{80}{100}\times\frac{75}{100}=10000\times\left(\frac{3}{5}\right)^3$$

$$\vdots$$

따라서 재활용된 모든 병의 개수는

$$\sum_{n=1}^{\infty}a_n=\frac{10000\times\frac{3}{5}}{1-\frac{3}{5}}=15000$$

221 답 $-45<x<45$

단계 1 등비급수의 공비 구하기

주어진 등비급수의 공비는

$$0.0\dot{2}x=\frac{2}{90}x=\frac{1}{45}x\ \leftarrow\ \text{순환소수를 분수로 나타내기}$$

단계 2 x의 값의 범위 구하기

등비급수 $\sum_{n=1}^{\infty}(0.0\dot{2}x)^n$이 수렴하려면

$$-1<\frac{1}{45}x<1$$

$$\therefore -45<x<45$$

날선특강 **순환소수를 분수로 나타내는 공식**

$$0.\dot{a}=\frac{a}{9},\ 0.\dot{a}\dot{b}=\frac{ab}{99},\ 0.a\dot{b}=\frac{ab-a}{90}$$

222 답 ①

$0.\dot{6}=\frac{6}{9}=\frac{2}{3}$, $0.\dot{1}0\dot{2}=\frac{102}{999}=\frac{34}{333}$이므로 등비수열 $\{a_n\}$의 첫

째항은 a_1, 공비는 $\frac{2}{3}$이다.

$$\sum_{n=1}^{\infty}a_n=\frac{a_1}{1-\frac{2}{3}}=\frac{34}{333}$$

$$\therefore a_1=\frac{34}{333}\times\frac{1}{3}=\frac{34}{999}=0.\dot{0}3\dot{4}$$

223 답 $\frac{13}{60}$

$\frac{8}{33}=\frac{24}{99}=0.\dot{2}\dot{4}$이므로

$a_1=2,\ a_2=4,\ a_3=2,\ a_4=4,\ \cdots$

$$\therefore \sum_{n=1}^{\infty}\frac{a_n}{11^n}$$

$$=\frac{a_1}{11}+\frac{a_2}{11^2}+\frac{a_3}{11^3}+\frac{a_4}{11^4}+\frac{a_5}{11^5}+\frac{a_6}{11^6}+\cdots$$

$$=\frac{2}{11}+\frac{4}{11^2}+\frac{2}{11^3}+\frac{4}{11^4}+\frac{2}{11^5}+\frac{4}{11^6}+\cdots$$

$$=\left(\frac{2}{11}+\frac{2}{11^3}+\frac{2}{11^5}+\cdots\right)+\left(\frac{4}{11^2}+\frac{4}{11^4}+\frac{4}{11^6}+\cdots\right)$$

$$=\frac{\frac{2}{11}}{1-\frac{1}{11^2}}+\frac{\frac{4}{11^2}}{1-\frac{1}{11^2}}$$

$$=\frac{11}{60}+\frac{1}{30}=\frac{13}{60}$$

실전! **기출 문제 정복하기**

➔ 본책 38쪽~40쪽

224 답 6

$$a_n=\frac{1^2+2^2+3^2+\cdots+n^2}{(n+1)^2-n^2}=\frac{\frac{n(n+1)(2n+1)}{6}}{2n+1}$$

$$=\frac{n(n+1)}{6}$$

$$\therefore \sum_{n=1}^{\infty} \frac{1}{a_n} = \sum_{n=1}^{\infty} \frac{6}{n(n+1)} = 6\lim_{n\to\infty} \sum_{k=1}^{n}\left(\frac{1}{k} - \frac{1}{k+1}\right)$$

$$= 6\lim_{n\to\infty}\left\{\left(1-\frac{1}{2}\right) + \left(\frac{1}{2}-\frac{1}{3}\right) + \cdots + \left(\frac{1}{n}-\frac{1}{n+1}\right)\right\}$$

$$= 6\lim_{n\to\infty}\left(1-\frac{1}{n+1}\right) = 6$$

225 답 $\dfrac{3}{8}$

직선의 방정식은 $y=\dfrac{1}{2}x+2$이므로 x는 2의 배수이어야 한다.

따라서 $x=2k$를 대입하면 $y=k+2$이므로 k가 자연수이면 x좌표, y좌표가 모두 자연수이다.

$a_n = 2n$, $b_n = n+2$ $(n=1, 2, 3, \cdots)$

$$\therefore \sum_{n=1}^{\infty}\frac{1}{a_n b_n} = \sum_{n=1}^{\infty}\frac{1}{2n(n+2)} = \lim_{n\to\infty}\sum_{k=1}^{n}\frac{1}{2k(k+2)}$$

$$= \lim_{n\to\infty}\sum_{k=1}^{n}\frac{1}{4}\left(\frac{1}{k}-\frac{1}{k+2}\right)$$

$$= \frac{1}{4}\lim_{n\to\infty}\left\{\left(1-\frac{1}{3}\right)+\left(\frac{1}{2}-\frac{1}{4}\right)+\left(\frac{1}{3}-\frac{1}{5}\right)+\cdots\right.$$
$$\left.+\left(\frac{1}{n}-\frac{1}{n+2}\right)\right\}$$

$$= \frac{1}{4}\lim_{n\to\infty}\left(1+\frac{1}{2}-\frac{1}{n+1}-\frac{1}{n+2}\right) = \frac{3}{8}$$

226 답 ⑤

$\sum_{n=1}^{\infty}(a_n - n^2)$이 수렴하므로 $\lim_{n\to\infty}(a_n - n^2) = 0$

$$\lim_{n\to\infty}\frac{a_n - n}{a_n + n^2} = \lim_{n\to\infty}\frac{(a_n - n^2) + n^2 - n}{(a_n - n^2) + 2n^2}$$

$$= \lim_{n\to\infty}\frac{\dfrac{a_n - n^2}{n^2} + 1 - \dfrac{1}{n}}{\dfrac{a_n - n^2}{n^2} + 2} = \frac{1}{2}$$

227 답 ②

$\sum_{n=1}^{\infty}\dfrac{2^n a_n - 2^{n+1}}{2^n + 1}$이 수렴하므로 $\lim_{n\to\infty}\dfrac{2^n a_n - 2^{n+1}}{2^n + 1} = 0$

$\dfrac{2^n a_n - 2^{n+1}}{2^n + 1} = b_n$이라 하면 $\lim_{n\to\infty} b_n = 0$

$a_n = \dfrac{(2^n + 1)b_n + 2^{n+1}}{2^n}$이므로

$$\lim_{n\to\infty} a_n = \lim_{n\to\infty}\frac{(2^n + 1)b_n + 2^{n+1}}{2^n} = \lim_{n\to\infty}\left\{\left(1+\frac{1}{2^n}\right)b_n + 2\right\} = 2$$

228 답 ④

ㄱ. 주어진 급수의 첫째항부터 제n항까지의 부분합을 S_n이라 하면

$$S_n = \sum_{k=1}^{n}\frac{1}{k(k+1)} = \sum_{k=1}^{n}\left(\frac{1}{k}-\frac{1}{k+1}\right)$$

$$= \left(1-\frac{1}{2}\right)+\left(\frac{1}{2}-\frac{1}{3}\right)+\left(\frac{1}{3}-\frac{1}{4}\right)+\cdots+\left(\frac{1}{n}-\frac{1}{n+1}\right)$$

$$= 1 - \frac{1}{n+1}$$

$$\therefore \lim_{n\to\infty} S_n = \lim_{n\to\infty}\left(1-\frac{1}{n+1}\right) = 1$$

따라서 주어진 급수는 수렴한다. (거짓)

ㄴ. 주어진 급수의 일반항을 a_n이라 하면

$$a_n = \log\frac{n}{2n-1}$$

이때 $\lim_{n\to\infty} a_n = \lim_{n\to\infty}\log\dfrac{n}{2n-1} = \log\dfrac{1}{2} \neq 0$

따라서 주어진 급수는 발산한다. (참)

ㄷ. $\lim_{n\to\infty}\dfrac{3n^2-1}{2n^2+1} = \lim_{n\to\infty}\dfrac{3-\dfrac{1}{n^2}}{2+\dfrac{1}{n^2}} = \dfrac{3}{2} \neq 0$

따라서 주어진 급수는 발산한다. (거짓)

ㄹ. 주어진 급수의 첫째항부터 제n항까지의 부분합을 S_n이라 하면

$$S_n = \sum_{k=1}^{n}(\sqrt{k+2}-\sqrt{k+1})$$

$$= (\sqrt{3}-\sqrt{2})+(\sqrt{4}-\sqrt{3})+(\sqrt{5}-\sqrt{4})+\cdots$$
$$+(\sqrt{n+2}-\sqrt{n+1})$$

$$= \sqrt{n+2}-\sqrt{2}$$

$$\therefore \lim_{n\to\infty} S_n = \lim_{n\to\infty}(\sqrt{n+2}-\sqrt{2}) = \infty$$

따라서 주어진 급수는 발산한다. (참)

그러므로 옳은 것은 ㄴ, ㄹ이다.

229 답 ②

ㄱ. $\sum_{n=1}^{\infty} a_n$이 수렴하므로 $\lim_{n\to\infty} a_n = 0$

$\sum_{n=1}^{\infty} b_n$이 수렴하므로 $\lim_{n\to\infty} b_n = 0$

$\therefore \lim_{n\to\infty} a_n b_n = \lim_{n\to\infty} a_n \times \lim_{n\to\infty} b_n = 0$ (참)

ㄴ. [반례] $\{a_n\} : 1, -1, 1, -1, 1, \cdots$
$\{b_n\} : -1, 1, -1, 1, -1, \cdots$

이면 $\sum_{n=1}^{\infty} a_n$과 $\sum_{n=1}^{\infty} b_n$은 발산하지만 $\lim_{n\to\infty}(a_n + b_n) = 0$이다.

(거짓)

ㄷ. $\sum_{n=1}^{\infty} a_n = \alpha$, $\sum_{n=1}^{\infty}(a_n + b_n) = \beta$ (α, β는 상수)라 하면

$$\sum_{n=1}^{\infty} b_n = \sum_{n=1}^{\infty}\{(a_n + b_n) - a_n\}$$

$$= \sum_{n=1}^{\infty}(a_n + b_n) - \sum_{n=1}^{\infty} a_n = \beta - \alpha$$

즉, $\sum_{n=1}^{\infty} b_n$은 수렴한다. (참)

ㄹ. [반례] $\{a_n\} : 1, 0, 1, 0, 1, \cdots$, $\{b_n\} : 0, 1, 0, 1, 0, \cdots$

이면 $\sum_{n=1}^{\infty} a_n b_n$은 0에 수렴하고 $\lim_{n\to\infty} a_n \neq 0$이지만

$\lim_{n\to\infty} b_n \neq 0$이다. (거짓)

따라서 옳은 것은 ㄱ, ㄷ이다.

230 답 32

수열 $\{a_n\}$은 첫째항이 3, 공비가 $\frac{2}{3}$인 등비수열이므로

$$a_n = 3 \times \left(\frac{2}{3}\right)^{n-1}$$

$$a_{2n-1} = 3 \times \left(\frac{2}{3}\right)^{(2n-1)-1} = 3 \times \left(\frac{2}{3}\right)^{2(n-1)} = 3 \times \left(\frac{4}{9}\right)^{n-1}$$

$$\sum_{n=1}^{\infty} a_{2n-1} = \frac{3}{1-\frac{4}{9}} = \frac{27}{5}$$

따라서 $p=5$, $q=27$이므로 $p+q=32$

231 답 $\frac{54}{5}$

두 등비수열 $\{a_n\}$, $\{b_n\}$의 공비를 $r\ (-1<r<1)$라 하면

$\sum_{n=1}^{\infty} a_n = 9$에서 $\frac{a_1}{1-r} = 9$ $\quad \therefore a_1 = 9(1-r)$

$\sum_{n=1}^{\infty} b_n = 6$에서 $\frac{b_1}{1-r} = 6$ $\quad \therefore b_1 = 6(1-r)$

$a_1 - b_1 = 1$이므로

$r = \frac{2}{3}$, $a_1 = 3$, $b_1 = 2$

$$\therefore a_n b_n = 3 \times \left(\frac{2}{3}\right)^{n-1} \times 2 \times \left(\frac{2}{3}\right)^{n-1} = 6 \times \left(\frac{4}{9}\right)^{n-1}$$

$$\therefore \sum_{n=1}^{\infty} a_n b_n = \sum_{n=1}^{\infty} 6 \times \left(\frac{4}{9}\right)^{n-1} = \frac{6}{1-\frac{4}{9}} = \frac{54}{5}$$

232 답 ⑤

공비가 $\frac{x}{8}(x-2)$이므로 등비급수 $\sum_{n=1}^{\infty} \left(\frac{x}{8}\right)^n (x-2)^n$이 수렴하려면

$$-1 < \frac{x(x-2)}{8} < 1$$

$$-8 < x(x-2) < 8, \quad -8 < x^2 - 2x < 8$$

(i) $x^2 - 2x > -8$에서 $x^2 - 2x + 8 > 0$

$\quad (x-1)^2 + 7 > 0$이므로 x는 모든 실수이다.

(ii) $x^2 - 2x < 8$에서 $x^2 - 2x - 8 < 0$, $(x+2)(x-4) < 0$

$\quad$ 이므로 $-2 < x < 4$

(i), (ii)에서 구하는 정수 x는 -1, 0, 1, 2, 3이므로 그 합은 5이다.

233 답 1

(i) $n=1$일 때, $a_1 = S_1 = 1$

(ii) $n \geq 2$일 때,

$$a_n = S_n - S_{n-1} = n^2 - (n-1)^2 = 2n-1 \quad \cdots \text{㉠}$$

이때 $a_1 = 1$은 ㉠에 $n=1$을 대입한 것과 같으므로

$$a_n = 2n-1$$

$a_n = 2n-1$에서 $a_{n+1} = 2(n+1)-1 = 2n+1$

$$\therefore \sum_{n=1}^{\infty} \frac{2}{a_n a_{n+1}}$$

$$= \lim_{n \to \infty} \sum_{k=1}^{n} \frac{2}{a_k a_{k+1}} = \lim_{n \to \infty} \sum_{k=1}^{n} \frac{2}{(2k-1)(2k+1)}$$

$$= \lim_{n \to \infty} \sum_{k=1}^{n} \left(\frac{1}{2k-1} - \frac{1}{2k+1}\right)$$

$$= \lim_{n \to \infty} \left\{\left(1 - \frac{1}{3}\right) + \left(\frac{1}{3} - \frac{1}{5}\right) + \left(\frac{1}{5} - \frac{1}{7}\right) + \cdots \right.$$

$$\left. + \left(\frac{1}{2n-1} - \frac{1}{2n+1}\right)\right\}$$

$$= \lim_{n \to \infty} \left(1 - \frac{1}{2n+1}\right) = 1$$

234 답 13

직선 $x=k$가 곡선 $y=3^{2-x}$과 만나는 점의 좌표는 $(k, 3^{2-k})$

직선 $x=k$가 곡선 $y=-2^{-x}$과 만나는 점의 좌표는 $(k, -2^{-k})$

이므로 $l_k = 3^{2-k} - (-2^{-k})$

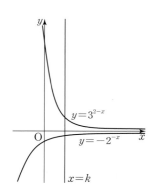

$$\therefore \lim_{n \to \infty} \sum_{k=1}^{n} \{3^{2-k} - (-2^{-k})\}$$

$$= \lim_{n \to \infty} \sum_{k=1}^{n} (3^{2-k} + 2^{-k})$$

$$= \lim_{n \to \infty} \sum_{k=1}^{n} \left\{9 \times \left(\frac{1}{3}\right)^k + \left(\frac{1}{2}\right)^k\right\}$$

$$= 9 \times \frac{\frac{1}{3}}{1-\frac{1}{3}} + \frac{\frac{1}{2}}{1-\frac{1}{2}}$$

$$= \frac{9}{2} + 1 = \frac{11}{2}$$

따라서 $p=2$, $q=11$이므로 $p+q=13$

235 답 $\frac{1}{3}$

자연수 n의 값에 따라 두 함수 $y = \frac{|x|}{n}$와 $y = |\sin \pi x|$의 그래프를 그리면 다음과 같다.

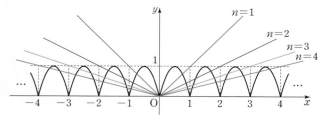

그림에서 $a_1 = 3$, $a_2 = 7$, $a_3 = 11$, $a_4 = 15$, $\cdots$이므로

$$a_n = 4n-1$$

$$\therefore \sum_{n=1}^{\infty} \frac{4}{a_n a_{n+1}}$$

$$= \sum_{n=1}^{\infty} \frac{4}{(4n-1)(4n+3)} = \lim_{n \to \infty} \sum_{k=1}^{n} \left(\frac{1}{4k-1} - \frac{1}{4k+3}\right)$$

$$= \lim_{n \to \infty} \left\{ \left(\frac{1}{3} - \frac{1}{7} \right) + \left(\frac{1}{7} - \frac{1}{11} \right) + \cdots \right.$$
$$\left. + \left(\frac{1}{4n-1} - \frac{1}{4n+3} \right) \right\}$$
$$= \lim_{n \to \infty} \left(\frac{1}{3} - \frac{1}{4n+3} \right) = \frac{1}{3}$$

236 답 2

선분 A_1A_2를 $3:1$로 외분하는 점이 A_3이므로 점 A_2는 선분 A_1A_3을 $2:1$로 내분하는 점이다.

$$\therefore \overline{A_2A_3} = \frac{1}{2}\overline{A_1A_2}$$

같은 방법으로

$$\overline{A_3A_4} = \frac{1}{2}\overline{A_2A_3} = \left(\frac{1}{2} \right)^2 \overline{A_1A_2}$$
$$\overline{A_4A_5} = \frac{1}{2}\overline{A_3A_4} = \left(\frac{1}{2} \right)^3 \overline{A_1A_2}$$
$$\vdots$$
$$\overline{A_nA_{n+1}} = \left(\frac{1}{2} \right)^{n-1} \overline{A_1A_2} = \left(\frac{1}{2} \right)^{n-1}$$

따라서 수열 $\{ \overline{A_nA_{n+1}} \}$은 첫째항이 1, 공비가 $\frac{1}{2}$인 등비수열이므로

$$\sum_{n=1}^{\infty} \overline{A_nA_{n+1}} = \frac{1}{1 - \frac{1}{2}} = 2$$

237 답 $\frac{1}{2}$

$\angle OP_1P_2 = 45°$이므로

$$\overline{P_1P_2} = \overline{OP_1} \cos 45° = \frac{\sqrt{2}}{2}$$
$$\overline{OP_2} = \overline{P_1P_2} = \frac{\sqrt{2}}{2}$$이므로
$$\overline{P_2P_3} = \overline{OP_2} \cos 45° = \frac{\sqrt{2}}{2} \times \frac{\sqrt{2}}{2} = \left(\frac{\sqrt{2}}{2} \right)^2$$
$$\overline{OP_3} = \overline{P_2P_3} = \left(\frac{\sqrt{2}}{2} \right)^2$$이므로
$$\overline{P_3P_4} = \overline{OP_3} \cos 45° = \left(\frac{\sqrt{2}}{2} \right)^2 \times \frac{\sqrt{2}}{2} = \left(\frac{\sqrt{2}}{2} \right)^3$$
$$\vdots$$
$$\therefore \overline{P_nP_{n+1}} = \left(\frac{\sqrt{2}}{2} \right)^n$$

삼각형 OP_nP_{n+1}의 넓이 S_n은

$$S_n = \frac{1}{2} \times \left(\frac{\sqrt{2}}{2} \right)^n \times \left(\frac{\sqrt{2}}{2} \right)^n = \left(\frac{1}{2} \right)^{n+1}$$

$$\therefore \sum_{n=1}^{\infty} S_n = \sum_{n=1}^{\infty} \left(\frac{1}{2} \right)^{n+1} = \frac{\frac{1}{4}}{1 - \frac{1}{2}} = \frac{1}{2}$$

238 답 $\frac{30}{7}$

단계 1 $(\alpha_n - \beta_n)^2$을 n에 대한 식으로 나타내기

이차방정식의 근과 계수의 관계에 의하여

$\alpha_n + \beta_n = \frac{6^n}{3^n} = 2^n$, $\alpha_n\beta_n = -\frac{1}{3^n}$이므로

$$(\alpha_n - \beta_n)^2 = (\alpha_n + \beta_n)^2 - 4\alpha_n\beta_n$$
$$= (2^n)^2 - 4 \times \left(-\frac{1}{3^n} \right) = 4^n + \frac{4}{3^n} \quad \cdots\cdots 40\%$$

단계 2 급수 $\sum_{n=1}^{\infty} \frac{(\alpha_n - \beta_n)^2}{5^n}$의 합 구하기

$$\sum_{n=1}^{\infty} \frac{(\alpha_n - \beta_n)^2}{5^n} = \sum_{n=1}^{\infty} \frac{4^n + \frac{4}{3^n}}{5^n} = \sum_{n=1}^{\infty} \left\{ \left(\frac{4}{5} \right)^n + 4 \times \left(\frac{1}{15} \right)^n \right\}$$
$$= \sum_{n=1}^{\infty} \left(\frac{4}{5} \right)^n + 4 \sum_{n=1}^{\infty} \left(\frac{1}{15} \right)^n$$
$$= \frac{\frac{4}{5}}{1 - \frac{4}{5}} + 4 \times \frac{\frac{1}{15}}{1 - \frac{1}{15}}$$
$$= 4 + 4 \times \frac{1}{14} = \frac{30}{7} \quad \cdots\cdots 60\%$$

239 답 $\frac{1}{2}$

단계 1 삼각형의 넓이 a_n 구하기

직선 $(n+1)x + ny = 1$에서 $y = 0$일 때 $x = \frac{1}{n+1}$이고, $x = 0$일 때 $y = \frac{1}{n}$이므로 주어진 직선의 x절편은 $\frac{1}{n+1}$, y절편은 $\frac{1}{n}$이다.

따라서 삼각형의 넓이는

$$a_n = \frac{1}{2} \times \frac{1}{n+1} \times \frac{1}{n} = \frac{1}{2n(n+1)} \quad \cdots\cdots 40\%$$

단계 2 급수 $\sum_{n=1}^{\infty} a_n$의 합 구하기

$$\sum_{n=1}^{\infty} a_n = \sum_{n=1}^{\infty} \frac{1}{2n(n+1)} = \frac{1}{2} \sum_{n=1}^{\infty} \frac{1}{n(n+1)}$$
$$= \frac{1}{2} \lim_{n \to \infty} \sum_{k=1}^{n} \left(\frac{1}{k} - \frac{1}{k+1} \right)$$
$$= \frac{1}{2} \lim_{n \to \infty} \left\{ \left(1 - \frac{1}{2} \right) + \left(\frac{1}{2} - \frac{1}{3} \right) + \cdots + \left(\frac{1}{n} - \frac{1}{n+1} \right) \right\}$$
$$= \frac{1}{2} \lim_{n \to \infty} \left(1 - \frac{1}{n+1} \right) = \frac{1}{2} \quad \cdots\cdots 60\%$$

II. 미분법

1 지수함수와 로그함수의 미분

➡ 본책 42쪽~44쪽

240 답 ∞

241 답 ∞

242 답 0

243 답 0

$$\lim_{x\to-\infty}\frac{3^{2x}}{4^x}=\lim_{x\to-\infty}\left(\frac{9}{4}\right)^x=0$$

244 답 $\dfrac{25}{4}$

$$\lim_{x\to2}\left(\frac{5}{2}\right)^x=\left(\frac{5}{2}\right)^2=\frac{25}{4}$$

245 답 $\dfrac{1}{6}$

$$\lim_{x\to-1}6^x=6^{-1}=\frac{1}{6}$$

246 답 $-\infty$

$$\lim_{x\to\infty}(3^x-5^x)=\lim_{x\to\infty}5^x\left\{\left(\frac{3}{5}\right)^x-1\right\}$$

이때 $\lim_{x\to\infty}\left\{\left(\frac{3}{5}\right)^x-1\right\}=-1$이므로

$$\lim_{x\to\infty}5^x\left\{\left(\frac{3}{5}\right)^x-1\right\}=-\infty$$

247 답 -1

$$\lim_{x\to-\infty}\frac{5^x+5^{-x}}{5^x-5^{-x}}=\lim_{x\to-\infty}\frac{5^{2x}+1}{5^{2x}-1}=\lim_{x\to-\infty}\frac{25^x+1}{25^x-1}$$

이때 $\lim_{x\to-\infty}25^x=0$이므로

$$\lim_{x\to-\infty}\frac{25^x+1}{25^x-1}=-1$$

248 답 $-\infty$

249 답 ∞

250 답 ∞

251 답 $-\infty$

252 답 $\log_2 3$

$$\lim_{x\to3}\log_2 x=\log_2 3$$

253 답 -1

$$\lim_{x\to5}\log_{\frac{1}{5}} x=\log_{\frac{1}{5}} 5=-\log_5 5=-1$$

254 답 ∞

$$\lim_{x\to\infty}\log_4(x^2+1)=\log_4\left\{\lim_{x\to\infty}(x^2+1)\right\}=\infty$$

255 답 1

$$\lim_{x\to\infty}\{\log_3(3x+1)-\log_3 x\}$$
$$=\lim_{x\to\infty}\log_3\frac{3x+1}{x}=\log_3\left(\lim_{x\to\infty}\frac{3x+1}{x}\right)$$
$$=\log_3 3=1$$

256 답 e

$$\lim_{x\to0}(1+3x)^{\frac{1}{3x}}=e$$

257 답 e^4

$$\lim_{x\to0}(1+4x)^{\frac{1}{x}}=\lim_{x\to0}\{(1+4x)^{\frac{1}{4x}}\}^4=e^4$$

258 답 e^5

$$\lim_{x\to\infty}\left(1+\frac{5}{x}\right)^x=\lim_{x\to\infty}\left\{\left(1+\frac{5}{x}\right)^{\frac{x}{5}}\right\}^5=e^5$$

259 답 $e^{\frac{3}{2}}$

$$\lim_{x\to0}\left(1+\frac{x}{2}\right)^{\frac{3}{x}}=\lim_{x\to0}\left\{\left(1+\frac{x}{2}\right)^{\frac{2}{x}}\right\}^{\frac{3}{2}}=e^{\frac{3}{2}}$$

260 답 3

$\ln e^3=3\ln e=3$

261 답 $\dfrac{1}{2}$

$\ln\sqrt{e}=\ln e^{\frac{1}{2}}=\frac{1}{2}\ln e=\frac{1}{2}$

262 답 -2

$\ln\dfrac{1}{e^2}=\ln e^{-2}=-2\ln e=-2$

263 답 $\ln 3$

$\dfrac{1}{\log_3 e} = \ln 3$

264 답 3

$\displaystyle\lim_{x\to 0}\frac{\ln(1+3x)}{x} = \lim_{x\to 0}\frac{\ln(1+3x)}{3x}\times 3 = 1\times 3 = 3$

265 답 $\dfrac{2}{3}$

$\displaystyle\lim_{x\to 0}\frac{e^{2x}-1}{3x} = \lim_{x\to 0}\frac{e^{2x}-1}{2x}\times\frac{2}{3} = 1\times\frac{2}{3} = \frac{2}{3}$

266 답 $-\dfrac{5}{\ln 3}$

$\displaystyle\lim_{x\to 0}\frac{\log_3(1-5x)}{x} = \lim_{x\to 0}\frac{\log_3(1-5x)}{-5x}\times(-5)$
$\qquad\qquad = \dfrac{1}{\ln 3}\times(-5) = -\dfrac{5}{\ln 3}$

267 답 $\dfrac{1}{2}\ln 2$

$\displaystyle\lim_{x\to 0}\frac{2^x-1}{2x} = \lim_{x\to 0}\frac{2^x-1}{x}\times\frac{1}{2} = \frac{1}{2}\ln 2$

268 답 $y'=4e^x$

$y'=(4e^x)'=4e^x$

269 답 $y'=e^{x+3}$

$y=e^{x+3}=e^3\times e^x$이므로 $y'=e^3(e^x)'=e^3\times e^x=e^{x+3}$

270 답 $y'=3e^{x-2}$

$y'=3e^{-2}(e^x)'=3e^{-2}\times e^x=3e^{x-2}$

271 답 $y'=(2-x)xe^{-x}$

$y'=2xe^{-x}-x^2e^{-x}=(2-x)xe^{-x}$

272 답 $y'=5^x\ln 5$

273 답 $y'=3\ln 2\times 2^x$

274 답 $y'=4^x\ln 4+6^{x+1}\ln 6$

$y'=4^x\ln 4+6\times 6^x\ln 6$
$\quad =4^x\ln 4+6^{x+1}\ln 6$

275 답 $y'=3^x\{(x+1)\ln 3+1\}$

$y'=3^x\ln 3\times(x+1)+3^x=3^x\{(x+1)\ln 3+1\}$

276 답 $y'=\dfrac{1}{x}$

$y=\ln 5x=\ln 5+\ln x$이므로 $y'=\dfrac{1}{x}$

277 답 $y'=\dfrac{1}{x}$

$y=\ln ex=1+\ln x$이므로 $y'=\dfrac{1}{x}$

278 답 $y'=\dfrac{2}{x}$

$y=\ln x^2=2\ln x$이므로 $y'=\dfrac{2}{x}$

279 답 $y'=\ln x+1$

$y'=\ln x+x\times\dfrac{1}{x}=\ln x+1$

280 답 $y'=\dfrac{5}{x\ln 10}+1$

밑을 10으로 하는 상용로그이므로

$y'=\dfrac{5}{x\ln 10}+1$

281 답 $y'=\dfrac{1}{x\ln 2}$

$y=\log_2 3x=\log_2 x+\log_2 3$이므로

$y'=\dfrac{1}{x\ln 2}$

282 답 $y'=\log x+\dfrac{1}{\ln 10}$

$y'=1\times\log x+x\times\dfrac{1}{x\ln 10}$

$\quad =\log x+\dfrac{1}{\ln 10}$

283 답 $y'=2x\log_4 x+\dfrac{x}{2\ln 2}$

$y'=2x\log_4 x+x^2\times\dfrac{1}{x\ln 4}$

$\quad =2x\log_4 x+\dfrac{x}{2\ln 2}$

➜ 본책 45쪽~52쪽

284 답 ④

단계 1 극한값 구하기

$$\lim_{x\to\infty}\frac{2^{3x}-3^x}{2^{3x-2}+5\times3^x}=\lim_{x\to\infty}\frac{8^x-3^x}{\frac{1}{4}\times8^x+5\times3^x}$$

$$=\lim_{x\to\infty}\frac{1-\left(\frac{3}{8}\right)^x}{\frac{1}{4}+5\times\left(\frac{3}{8}\right)^x}=4$$

285 답 ③

$$\lim_{x\to\infty}(5^x+4^x)^{\frac{1}{x}}=\lim_{x\to\infty}\left\{5^x\left(1+\frac{4^x}{5^x}\right)\right\}^{\frac{1}{x}}$$

$$=\lim_{x\to\infty}(5^x)^{\frac{1}{x}}\times\lim_{x\to\infty}\left\{1+\left(\frac{4}{5}\right)^x\right\}^{\frac{1}{x}}$$

$$=5\times1=5$$

286 답 ①

$$\lim_{x\to\infty}\frac{a\times5^x}{5^{x+2}-3^x}=\lim_{x\to\infty}\frac{a}{5^2-\left(\frac{3}{5}\right)^x}=\frac{a}{25}$$

따라서 $\frac{a}{25}=2$이므로 $a=50$

287 답 ③

ㄱ. $-x=t$로 놓으면 $x\to-\infty$일 때 $t\to\infty$이므로

$$\lim_{x\to-\infty}\frac{2^x+3}{(\sqrt{5})^x+1}=\lim_{t\to\infty}\frac{2^{-t}+3}{(\sqrt{5})^{-t}+1}=\lim_{t\to\infty}\frac{\left(\frac{1}{2}\right)^t+3}{\left(\frac{1}{\sqrt{5}}\right)^t+1}=3$$

ㄴ. $-x=t$로 놓으면 $x\to-\infty$일 때 $t\to\infty$이므로

$$\lim_{x\to-\infty}\frac{3^x}{3^x-3^{-x}}=\lim_{t\to\infty}\frac{3^{-t}}{3^{-t}-3^t}=\lim_{t\to\infty}\frac{\left(\frac{1}{9}\right)^t}{\left(\frac{1}{9}\right)^t-1}=0$$

ㄷ. $\frac{1}{x}=t$로 놓으면 $x\to-\infty$일 때 $t\to0-$이므로

$$\lim_{x\to-\infty}\frac{1}{1-4^{\frac{1}{x}}}=\lim_{t\to0-}\frac{1}{1-4^t}=\infty$$

따라서 극한값이 존재하는 것은 ㄱ, ㄴ이다.

288 답 3

$$\lim_{x\to0+}\frac{1}{x}=\infty$$이므로 $$\lim_{x\to0+}5^{\frac{1}{x}}=\infty$$

$$\therefore\lim_{x\to0+}\frac{3}{1+5^{\frac{1}{x}}}=0\qquad\therefore a=0$$

$$\lim_{x\to\infty}\left(\frac{1}{5}\right)^x=0$$이므로 $$\lim_{x\to\infty}\frac{3}{1+\left(\frac{1}{5}\right)^x}=3\qquad\therefore b=3$$

$$\therefore a+b=0+3=3$$

289 답 1

단계 1 극한값 구하기

$$\lim_{x\to\infty}(\log_3\sqrt{9x^2+4x}-\log_3 x)$$

$$=\lim_{x\to\infty}\log_3\frac{\sqrt{9x^2+4x}}{x}\quad\text{➜ 로그의 성질 이용하기}$$

$$=\log_3\left(\lim_{x\to\infty}\sqrt{9+\frac{4}{x}}\right)=\log_3\sqrt{9}=1$$

낯선특강 **로그의 성질**

$a>0$, $a\neq1$, $M>0$, $N>0$일 때

(1) $\log_a 1=0$, $\log_a a=1$

(2) $\log_a MN=\log_a M+\log_a N$

(3) $\log_a\dfrac{M}{N}=\log_a M-\log_a N$

(4) $\log_a M^k=k\log_a M$ (단, k는 실수)

290 답 ②

$$\lim_{x\to\infty}\{\log_3(6x+5)-\log_3(2x^2+1)+\log_3(3x-1)\}$$

$$=\lim_{x\to\infty}\log_3\frac{(6x+5)(3x-1)}{2x^2+1}$$

$$=\log_3\left(\lim_{x\to\infty}\frac{18x^2+9x-5}{2x^2+1}\right)=\log_3 9=2$$

291 답 ①

$$\lim_{x\to1}(\log_2|x^3-8|-\log_2|x^2+x-6|)$$

$$=\lim_{x\to1}\log_2|x^3-8|-\lim_{x\to1}\log_2|x^2+x-6|$$

$$=\log_2 7-\log_2 4=\log_2 7-2$$

292 답 81

$$\lim_{x\to\infty}\{\log_3(ax+2)-\log_3(x-3)\}$$

$$=\lim_{x\to\infty}\log_3\frac{ax+2}{x-3}=\log_3\left(\lim_{x\to\infty}\frac{ax+2}{x-3}\right)=\log_3 a$$

따라서 $\log_3 a=4$이므로 $a=3^4=81$

293 답 2

$$4^x+9^x=9^x\left\{\left(\frac{4}{9}\right)^x+1\right\}$$이므로

$$\lim_{x\to\infty}\frac{1}{x}\log_3(4^x+9^x)=\lim_{x\to\infty}\log_3\left[9^x\left\{\left(\frac{4}{9}\right)^x+1\right\}\right]^{\frac{1}{x}}$$

$$=\log_3\left[\lim_{x\to\infty}9\times\left\{\left(\frac{4}{9}\right)^x+1\right\}^{\frac{1}{x}}\right]$$

$$=\log_3(9\times1)=2$$

294 답 ④

단계 1 $\lim_{\star \to 0}(1+\star)^{\frac{1}{\star}}$ 꼴로 식 변형하기

$$\lim_{x \to 0}(1+3x)^{\frac{5}{x}}=\lim_{x \to 0}\{(1+3x)^{\frac{1}{3x}}\}^{15}$$

단계 2 극한값 구하기

$\lim_{x \to 0}(1+3x)^{\frac{1}{3x}}=e$ 이므로 구하는 극한값은 e^{15} 이다.

295 답 ②

$$\lim_{x \to \infty}\left(\frac{x+a}{x-a}\right)^x=\lim_{x \to \infty}\left(\frac{1+\frac{a}{x}}{1-\frac{a}{x}}\right)^x=\lim_{x \to \infty}\frac{\left(1+\frac{a}{x}\right)^x}{\left(1-\frac{a}{x}\right)^x}$$

$$=\lim_{x \to \infty}\frac{\left\{\left(1+\frac{a}{x}\right)^{\frac{x}{a}}\right\}^a}{\left\{\left(1-\frac{a}{x}\right)^{-\frac{x}{a}}\right\}^{-a}}=\frac{e^a}{e^{-a}}=e^{2a}$$

따라서 $e^{2a}=e^{16}$ 이므로 $2a=16$

$\therefore a=8$

296 답 ①

ㄱ. $x-1=t$ 로 놓으면 $x \to 1$ 일 때 $t \to 0$ 이므로

$\quad \lim_{x \to 1}x^{\frac{2}{x-1}}=\lim_{x \to 1}\{1+(x-1)\}^{\frac{2}{x-1}}=\lim_{t \to 0}(1+t)^{\frac{2}{t}}=e^2$ (참)

ㄴ. $\lim_{x \to 0}(1-x)^{\frac{1}{x}}=\lim_{x \to 0}\{(1-x)^{-\frac{1}{x}}\}^{-1}=e^{-1}=\frac{1}{e}$ (참)

ㄷ. $-x=t$ 로 놓으면 $x \to -\infty$ 일 때 $t \to \infty$ 이므로

$\quad \lim_{x \to -\infty}\left(1-\frac{1}{x}\right)^{-x}=\lim_{t \to \infty}\left(1+\frac{1}{t}\right)^t=e$ (거짓)

ㄹ. $-x=t$ 로 놓으면 $x \to -\infty$ 일 때 $t \to \infty$ 이므로

$\quad \lim_{x \to -\infty}\left(1-\frac{1}{3x}\right)^{2x}=\lim_{t \to \infty}\left(1+\frac{1}{3t}\right)^{-2t}=\lim_{t \to \infty}\left\{\left(1+\frac{1}{3t}\right)^{3t}\right\}^{-\frac{2}{3}}$

$\quad\quad =e^{-\frac{2}{3}}$ (거짓)

따라서 옳은 것은 ㄱ, ㄴ이다.

297 답 $e^{\frac{1}{3}}$

$$\lim_{n \to \infty}\left\{\frac{1}{3}\left(1+\frac{1}{n}\right)\left(1+\frac{1}{n+1}\right)\left(1+\frac{1}{n+2}\right)\cdots\left(1+\frac{1}{3n}\right)\right\}^n$$

$$=\lim_{n \to \infty}\left\{\frac{1}{3}\left(\frac{n+1}{n}\right)\left(\frac{n+2}{n+1}\right)\left(\frac{n+3}{n+2}\right)\cdots\left(\frac{3n+1}{3n}\right)\right\}^n$$

$$=\lim_{n \to \infty}\left(1+\frac{1}{3n}\right)^n=\lim_{n \to \infty}\left\{\left(1+\frac{1}{3n}\right)^{3n}\right\}^{\frac{1}{3}}=e^{\frac{1}{3}}$$

298 답 ③

단계 1 $\lim_{\star \to 0}\frac{\ln(1+\star)}{\star}$ 꼴로 식 변형하기

$$\lim_{x \to 0}\frac{\ln(5x+1)}{5x^2+10x}=\lim_{x \to 0}\frac{\ln(5x+1)}{5x}\times\lim_{x \to 0}\frac{1}{x+2}$$

단계 2 극한값 구하기

$\lim_{x \to 0}\frac{\ln(5x+1)}{5x}=1$, $\lim_{x \to 0}\frac{1}{x+2}=\frac{1}{2}$ 이므로

$$\lim_{x \to 0}\frac{\ln(5x+1)}{5x^2+10x}=1\times\frac{1}{2}=\frac{1}{2}$$

299 답 ⑤

$$\lim_{x \to 0}\frac{\ln(1+ax)}{x}=\lim_{x \to 0}\frac{\ln(1+ax)}{ax}\times a=1\times a=a$$

$\therefore a=6$

300 답 ③

$x-4=t$ 로 놓으면 $x \to 4$ 일 때 $t \to 0$ 이므로

$$\lim_{x \to 4}\frac{\ln\sqrt{x-3}}{x-4}=\lim_{t \to 0}\frac{\ln\sqrt{1+t}}{t}$$

$$=\lim_{t \to 0}\frac{1}{2}\times\frac{\ln(1+t)}{t}$$

$$=\frac{1}{2}\times 1=\frac{1}{2}$$

301 답 5

$$\lim_{x \to \infty}x\{\ln(x+5)-\ln x\}=\lim_{x \to \infty}x\ln\frac{x+5}{x}$$

$$=\lim_{x \to \infty}x\ln\left(1+\frac{5}{x}\right)$$

$$=\lim_{x \to \infty}\frac{x}{5}\ln\left(1+\frac{5}{x}\right)\times 5$$

$$=1\times 5=5$$

302 답 ④

단계 1 극한값 구하기

$$\lim_{x \to 0}\frac{\log_2(7+x)-\log_2 7}{x}=\lim_{x \to 0}\frac{\log_2\left(1+\frac{x}{7}\right)}{x}$$ → 로그의 성질 이용하여 식 변형하기

$$=\lim_{x \to 0}\frac{\log_2\left(1+\frac{x}{7}\right)}{\frac{x}{7}}\times\frac{1}{7}$$

$$=\frac{1}{\ln 2}\times\frac{1}{7}=\frac{1}{7\ln 2}$$

303 답 ①

$$\lim_{x \to 0}\frac{\log_5(1-5x)}{10x}=\lim_{x \to 0}\frac{\log_5(1-5x)}{-5x}\times\left(-\frac{1}{2}\right)$$

$$=\frac{1}{\ln 5}\times\left(-\frac{1}{2}\right)=-\frac{1}{2\ln 5}$$

304 답 e

$x-3=t$ 로 놓으면 $x \to 3$ 일 때 $t \to 0$ 이므로

$$\lim_{x \to 3}\frac{\log_2(x-2)}{x-3}=\lim_{t \to 0}\frac{\log_2(1+t)}{t}=\frac{1}{\ln 2}$$

따라서 $k=\dfrac{1}{\ln 2}=\log_2 e$이므로

$2^k=2^{\log_2 e}=e$

305 답 ⑤

단계 1 $\lim\limits_{\star \to 0}\dfrac{e^\star -1}{\star}$ 꼴로 식 변형하기

$$\lim_{x \to 0}\frac{e^{2x}-e^{-5x}}{x}=\lim_{x \to 0}\frac{e^{2x}-1-(e^{-5x}-1)}{x}$$
$$=\lim_{x \to 0}\left(\frac{e^{2x}-1}{x}-\frac{e^{-5x}-1}{x}\right)$$
$$=\lim_{x \to 0}\left\{\frac{e^{2x}-1}{2x}\times 2-\frac{e^{-5x}-1}{-5x}\times(-5)\right\}$$
$$=\lim_{x \to 0}\left(\frac{e^{2x}-1}{2x}\right)\times 2-\lim_{x \to 0}\left(\frac{e^{-5x}-1}{-5x}\right)\times(-5)$$

단계 2 극한값 구하기

$\lim\limits_{x \to 0}\dfrac{e^{2x}-1}{2x}=1$, $\lim\limits_{x \to 0}\dfrac{e^{-5x}-1}{-5x}=1$이므로

$$\lim_{x \to 0}\frac{e^{2x}-e^{-5x}}{x}=1\times 2-1\times(-5)=7$$

306 답 3

$x+1=t$로 놓으면 $x \to -1$일 때 $t \to 0$이므로

$$\lim_{x \to -1}\frac{e^{x+1}-x^2}{x+1}=\lim_{t \to 0}\frac{e^t-(t-1)^2}{t}=\lim_{t \to 0}\frac{e^t-(t^2-2t+1)}{t}$$
$$=\lim_{t \to 0}\left(\frac{e^t-1}{t}-t+2\right)=1+2=3$$

307 답 ①

$$\lim_{x \to 0}\frac{e^x-1}{\ln(1+10x)}=\lim_{x \to 0}\frac{e^x-1}{x}\times\frac{10x}{\ln(1+10x)}\times\frac{1}{10}$$
$$=1\times 1\times\frac{1}{10}=\frac{1}{10}$$

308 답 ⑤

$$\lim_{x \to 0}f(x)(e^{4x}-1)=\lim_{x \to 0}4\times xf(x)\times\frac{e^{4x}-1}{4x}$$
$$=4\times 6\times 1=24$$

309 답 $\ln 2$

단계 1 $\lim\limits_{\star \to 0}\dfrac{a^\star -1}{\star}$ 꼴로 식 변형하기

$$\lim_{x \to 0}\frac{8^x-4^x}{x}=\lim_{x \to 0}\frac{8^x-1-(4^x-1)}{x}$$
$$=\lim_{x \to 0}\frac{8^x-1}{x}-\lim_{x \to 0}\frac{4^x-1}{x}$$

단계 2 극한값 구하기

$\lim\limits_{x \to 0}\dfrac{8^x-1}{x}=\ln 8$, $\lim\limits_{x \to 0}\dfrac{4^x-1}{x}=\ln 4$이므로

$$\lim_{x \to 0}\frac{8^x-4^x}{x}=\ln 8-\ln 4=\ln 2$$

310 답 ④

$x-2=t$로 놓으면 $x \to 2$일 때 $t \to 0$이므로

$$\lim_{x \to 2}\frac{5^{x-2}-1}{x^2+x-6}=\lim_{x \to 2}\frac{5^{x-2}-1}{(x-2)(x+3)}$$
$$=\lim_{t \to 0}\frac{5^t-1}{t(t+5)}$$
$$=\lim_{t \to 0}\frac{5^t-1}{t}\times\frac{1}{t+5}$$
$$=\ln 5\times\frac{1}{5}=\frac{1}{5}\ln 5$$

311 답 2

$$\lim_{x \to 0}\frac{(a+16)^x-a^x}{x}=\lim_{x \to 0}\frac{(a+16)^x-1-(a^x-1)}{x}$$
$$=\lim_{x \to 0}\frac{(a+16)^x-1}{x}-\lim_{x \to 0}\frac{a^x-1}{x}$$
$$=\ln(a+16)-\ln a=\ln\frac{a+16}{a}$$

따라서 $\ln\dfrac{a+16}{a}=\ln 9$이므로

$\dfrac{a+16}{a}=9$, $a+16=9a$

$\therefore a=2$

312 답 ④

$$\lim_{x \to 0}\frac{3^x-1}{\log_3(1+x)}=\lim_{x \to 0}\left\{\frac{3^x-1}{x}\times\frac{x}{\log_3(1+x)}\right\}$$
$$=\lim_{x \to 0}\left\{\frac{3^x-1}{x}\times\frac{1}{\dfrac{\log_3(1+x)}{x}}\right\}$$
$$=\ln 3\times\frac{1}{\dfrac{1}{\ln 3}}=(\ln 3)^2$$

313 답 ①

단계 1 $x \to 3$일 때 (분모) $\to 0$임을 이용하여 a, b에 대한 관계식 구하기

$x \to 3$일 때 (분모) $\to 0$이고 극한값이 존재하므로 (분자) $\to 0$
이다.

즉, $\lim\limits_{x \to 3}(ax+b)=0$이므로 $3a+b=0$ $\therefore b=-3a$

$b=-3a$를 주어진 식의 좌변에 대입하면

$$\lim_{x \to 3}\frac{ax-3a}{e^{x-3}-1}=\lim_{x \to 3}\frac{a(x-3)}{e^{x-3}-1}$$

단계 2 $x-3=t$로 치환하여 식 변형하기

$x-3=t$로 놓으면 $x \to 3$일 때 $t \to 0$이므로

$$\lim_{x \to 3}\frac{ax+b}{e^{x-3}-1}=\lim_{t \to 0}\frac{at}{e^t-1}=\lim_{t \to 0}a\times\frac{t}{e^t-1}=a$$

단계 3 $a+b$의 값 구하기

$a=5$이므로 $b=-15$

$\therefore a+b=5+(-15)=-10$

314 답 ③

$x \to -1$일 때 (분모)$\to 0$이고 극한값이 존재하므로
(분자)$\to 0$이다.

즉, $\lim\limits_{x \to -1} \{a \ln (x+2)+b\}=0$이므로 $b=0$

$b=0$을 주어진 식의 좌변에 대입하면

$$\lim_{x \to -1} \frac{a \ln (x+2)+b}{x^2-3x-4}=\lim_{x \to -1}\frac{a \ln (x+2)}{(x+1)(x-4)}$$

이때 $x+1=t$로 놓으면 $x \to -1$일 때 $t \to 0$이므로

$$\lim_{x \to -1}\frac{a \ln (x+2)}{(x+1)(x-4)}=\lim_{t \to 0}\frac{a \ln (t+1)}{t(t-5)}$$

$$=\lim_{t \to 0}\frac{\ln (t+1)}{t}\times\frac{a}{t-5}$$

$$=1\times\frac{a}{-5}=-\frac{a}{5}$$

따라서 $-\dfrac{a}{5}=2$이므로 $a=-10$

$\therefore a-b=-10-0=-10$

315 답 3

$x \to 0$일 때 (분자)$\to 0$이고 0이 아닌 극한값이 존재하므로
(분모)$\to 0$이다.

즉, $\lim\limits_{x \to 0}(e^{bx+c}-1)=0$이므로 $e^c-1=0$ $\therefore c=0$

$c=0$을 주어진 식의 좌변에 대입하면

$$\lim_{x \to 0}\frac{\ln (1+ax)}{e^{bx}-1}=\lim_{x \to 0}\frac{\ln (1+ax)}{ax}\times\frac{bx}{e^{bx}-1}\times\frac{a}{b}$$

$$=1\times 1\times\frac{a}{b}$$

$$=\frac{a}{b}$$

따라서 $\dfrac{a}{b}=3$이므로 $\dfrac{a}{b}+c=3+0=3$

316 답 2

$x \to 0$일 때 (분모)$\to 0$이고 극한값이 존재하므로 (분자)$\to 0$
이다.

즉, $\lim\limits_{x \to 0}(8^x-2^x-4^x+a)=0$이므로

$1-1-1+a=0$ $\therefore a=1$

$a=1$을 주어진 식의 좌변에 대입하면

$$\lim_{x \to 0}\frac{8^x-2^x-4^x+a}{x^2}=\lim_{x \to 0}\frac{8^x-2^x-4^x+1}{x^2}$$

$$=\lim_{x \to 0}\frac{(2^x-1)(4^x-1)}{x^2}$$

$$=\lim_{x \to 0}\frac{2^x-1}{x}\times\frac{4^x-1}{x}$$

$$=\ln 2\times\ln 4$$

$$=\ln 2\times 2\ln 2=2(\ln 2)^2$$

따라서 $2(\ln 2)^2=b(\ln 2)^2$에서 $b=2$이므로

$ab=1\times 2=2$

317 답 ⑤

단계 1 S_n 구하기

나누어진 작은 정사각형의 한 변의 길이가 $\dfrac{1}{n}$이므로

$$S_n=1-\frac{1}{n^2}=\frac{n^2-1}{n^2}=\frac{n-1}{n}\times\frac{n+1}{n}$$

단계 2 극한값 구하기

$$2S_2 S_3 S_4 \cdots S_n$$

$$=2\times\left(\frac{1}{2}\times\frac{3}{2}\right)\times\left(\frac{2}{3}\times\frac{4}{3}\right)\times\cdots\times\left(\frac{n-1}{n}\times\frac{n+1}{n}\right)$$

$$=\frac{n+1}{n}$$

$$\therefore \lim_{n \to \infty}(2S_2 S_3 S_4 \cdots S_n)^{2n}=\lim_{n \to \infty}\left(\frac{n+1}{n}\right)^{2n}=\lim_{n \to \infty}\left(1+\frac{1}{n}\right)^{2n}$$

$$=\lim_{n \to \infty}\left\{\left(1+\frac{1}{n}\right)^n\right\}^2=e^2$$

318 답 e^2

$A(0, 1)$, $P(t, a^t)$이므로 $\overline{AQ}=t$, $\overline{PQ}=a^t-1$

$$\therefore \lim_{t \to 0}\frac{\overline{PQ}}{\overline{AQ}}=\lim_{t \to 0}\frac{a^t-1}{t}=\ln a$$

따라서 $\ln a=2$이므로 $a=e^2$

319 답 2

$t>0$이고 $P(t, \ln (t+1))$, $Q(t, e^{-t}-1)$이므로

$\overline{PQ}=\ln (t+1)-(e^{-t}-1)$, $\overline{PH}=t$

$$\therefore \lim_{t \to 0+}\frac{\overline{PQ}}{\overline{PH}}=\lim_{t \to 0+}\frac{\ln (t+1)-(e^{-t}-1)}{t}$$

$$=\lim_{t \to 0+}\left\{\frac{\ln (t+1)}{t}+\frac{e^{-t}-1}{-t}\right\}$$

$$=1+1=2$$

320 답 $\ln 3$

곡선 $y=3^x-1$ 위의 점 P의 좌표를 $(t, 3^t-1)$이라 하면

$$S_A=\frac{1}{2}(3^t-1),\ S_B=\frac{1}{2}t$$

$$\therefore \frac{S_A}{S_B}=\frac{3^t-1}{t}$$

따라서 구하는 극한값은

$$\lim_{t \to 0+}\frac{S_A}{S_B}=\lim_{t \to 0+}\frac{3^t-1}{t}=\ln 3$$

321 답 11

단계 1 $f(x)$가 $x=0$에서 연속임을 이용하여 a와 b에 대한 관계식 구하기

함수 $f(x)$가 $x=0$에서 연속이므로

$$\lim_{x \to 0+}f(x)=\lim_{x \to 0-}f(x)=f(0)$$

$$\therefore \lim_{x \to 0+}\frac{\ln (10x+a)}{x}=b \qquad \cdots \text{㉠}$$

단계 2 a, b의 값 구하기

㉠에서 $x \to 0+$일 때 (분모)$\to 0$이고 극한값이 존재하므로 (분자)$\to 0$이다.

즉, $\lim\limits_{x \to 0+} \ln(10x+a)=0$이므로 $\ln a=0$ ∴ $a=1$

$a=1$을 ㉠의 좌변에 대입하면

$$\lim\limits_{x \to 0+} \frac{\ln(10x+a)}{x} = \lim\limits_{x \to 0+} \frac{\ln(10x+1)}{10x} \times 10$$
$$= 1 \times 10 = 10$$

따라서 $b=10$이므로

$a+b=1+10=11$

322 답 $\dfrac{1}{2}$

함수 $f(x)$가 $x=0$에서 연속이므로

$$\lim\limits_{x \to 0} f(x)=f(0)$$

∴ $a=\lim\limits_{x \to 0} \dfrac{xe^x}{e^{2x}-1} = \lim\limits_{x \to 0} \dfrac{x}{e^x-1} \times \dfrac{e^x}{e^x+1} = 1 \times \dfrac{1}{2} = \dfrac{1}{2}$

323 답 ②

단계 1 $f'(x)$ 구하기

$f(x)=(5x^2-4)e^x$에서

$f'(x)=(5x^2-4)'e^x+(5x^2-4)(e^x)'$
$\quad = 10xe^x+(5x^2-4)e^x=(5x^2+10x-4)e^x$

단계 2 $f'(0)$의 값 구하기

$f'(0)=(5 \times 0^2+10 \times 0-4)e^0=-4$

324 답 ②

$f(x)=2^{5x-1}=\dfrac{1}{2} \times 2^{5x}$이므로

$f'(x)=\left(\dfrac{1}{2} \times 2^{5x}\right)'=\dfrac{1}{2} \times 2^{5x} \times \ln 2^5=\dfrac{5}{2} \times \ln 2 \times 2^{5x}$

따라서 $f'\left(\dfrac{1}{5}\right)=\dfrac{5}{2} \times \ln 2 \times 2=5 \ln 2$이므로

$k=5$

325 답 ①

$f(x)=x^3 e^{-x}$에서

$f'(x)=(x^3)'e^{-x}+x^3(e^{-x})'=3x^2 \times e^{-x}+x^3 \times (-e^{-x})$
$\quad = x^2 e^{-x}(3-x)$

∴ $f'(1)=1 \times e^{-1} \times (3-1)=\dfrac{2}{e}$

326 답 ③

$f(x)=e^{x+\ln 6}=e^x \times e^{\ln 6}=6e^x$이므로

$f'(x)=(6e^x)'=6e^x$

∴ $f(\ln 3)-f'(0)=6e^{\ln 3}-6e^0=6 \times 3-6 \times 1=12$

327 답 ②

$f(x)=a^{2x}=(a^2)^x$이므로 $f'(x)=a^{2x} \ln a^2$

이때 주어진 곡선 위의 점 $(1, f(1))$에서의 미분계수가 e이므로

$f'(1)=a^2 \ln a^2=e$에서 $a^2=e$

∴ $a=\sqrt{e}$

328 답 ⑤

단계 1 $f'(x)$ 구하기

$f(x)=x \ln x+x^4$에서

$f'(x)=\ln x+x \times \dfrac{1}{x}+4x^3=\ln x+4x^3+1$

단계 2 $3f'(1)$의 값 구하기

$f'(1)=0+4+1=5$이므로 $3f'(1)=3 \times 5=15$

329 답 ②

x의 값이 1에서 e까지 변할 때의 평균변화율은

$$\dfrac{\ln 2e-\ln 2}{e-1}=\dfrac{\ln 2+1-\ln 2}{e-1}=\dfrac{1}{e-1}$$

$f(x)=\ln 2x=\ln 2+\ln x$이므로 $f'(x)=\dfrac{1}{x}$

즉, $x=k$에서의 미분계수는 $f'(k)=\dfrac{1}{k}$

따라서 $\dfrac{1}{k}=\dfrac{1}{e-1}$이므로 $k=e-1$

330 답 $25e$

$f(x)=x^2 \log_2 5x=x^2(\log_2 5+\log_2 x)$이므로

$f'(x)=2x(\log_2 5+\log_2 x)+x^2 \times \dfrac{1}{x \ln 2}$
$\quad = x\left(2 \log_2 5+2 \log_2 x+\dfrac{1}{\ln 2}\right)$
$\quad = x(\log_2 5^2+\log_2 x^2+\log_2 e)$
$\quad = x \log_2 25ex^2$

∴ $a=25e$

331 답 $\dfrac{1}{e^2}$

$k(x)=f(x)g(x)$로 놓으면

$$\lim\limits_{h \to 0} \dfrac{1}{h}\{f(1+h)g(1+h)-f(1)g(1)\}$$
$$= \lim\limits_{h \to 0} \dfrac{k(1+h)-k(1)}{h}=k'(1)$$

$k(x)=f(x)g(x)=(2-\ln x)e^{x-3}=\dfrac{1}{e^3}(2-\ln x)e^x$이므로

$k'(x)=\dfrac{1}{e^3}\left(-\dfrac{1}{x}\right)e^x+\dfrac{1}{e^3}(2-\ln x)e^x$
$\quad = \dfrac{1}{e^3}\left(2-\dfrac{1}{x}-\ln x\right)e^x$

따라서 $k'(1)=\dfrac{1}{e^2}$이므로 구하는 값은 $\dfrac{1}{e^2}$이다.

332 답 $2-2\ln 2$

단계 1 $f(x)$가 $x=2$에서 연속임을 이용하여 a와 b에 대한 관계식 구하기

함수 $f(x)$가 $x=2$에서 미분가능하므로 $x=2$에서 연속이다.

즉, $\lim\limits_{x\to2+}2^x=\lim\limits_{x\to2-}(ax^2+b)=f(2)$에서

$4=4a+b$ $\cdots\cdots$ ㉠

단계 2 $f'(2)$가 존재함을 이용하여 등식 구하기

$f'(2)$가 존재하므로

$f'(x)=\begin{cases}2^x\ln 2 & (x>2)\\ 2ax & (x<2)\end{cases}$에서 $\lim\limits_{x\to2-}2ax=\lim\limits_{x\to2+}2^x\ln 2$

$4a=4\ln 2$ $\therefore a=\ln 2$

단계 3 $\dfrac{b}{e^a}$의 값 구하기

㉠에서 $b=4-4a$이므로 $a=\ln 2$를 대입하면

$b=4-4a=4-4\ln 2$

$\therefore \dfrac{b}{e^a}=\dfrac{4-4\ln 2}{e^{\ln 2}}=2-2\ln 2$

333 답 ⑤

함수 $f(x)$가 모든 양수 x에서 미분가능하면 $x=1$에서도 미분가능하므로 $x=1$에서 연속이다.

즉, $\lim\limits_{x\to1+}(be^{x-1}+2)=\lim\limits_{x\to1-}\ln ax=f(1)$

$\therefore b+2=\ln a$ $\cdots\cdots$ ㉠

또, $f'(1)$이 존재하므로

$f'(x)=\begin{cases}\dfrac{1}{x} & (x<1)\\ be^{x-1} & (x>1)\end{cases}$에서 $\lim\limits_{x\to1+}be^{x-1}=\lim\limits_{x\to1-}\dfrac{1}{x}$

$\therefore b=1$

$b=1$을 ㉠에 대입하면 $a=e^3$

$\therefore ab=e^3\times1=e^3$

실전! **기출 문제 정복하기**

→ 본책 53쪽~55쪽

334 답 3

$\left(1+\dfrac{1}{n}\right)^{a_n}=e^{\frac{1}{3}}$에서 $\left(1+\dfrac{1}{n}\right)^{n\times\frac{a_n}{n}}=e^{\frac{1}{3}}$

양변에 자연로그를 취하면 $\dfrac{a_n}{n}\ln\left(1+\dfrac{1}{n}\right)^n=\dfrac{1}{3}$

$\therefore \dfrac{a_n}{n}=\dfrac{1}{3}\times\dfrac{1}{\ln\left(1+\dfrac{1}{n}\right)^n}$

$\therefore \lim\limits_{n\to\infty}\dfrac{9a_n}{n}=\lim\limits_{n\to\infty}\dfrac{9}{3\ln\left(1+\dfrac{1}{n}\right)^n}$

$=3\times\dfrac{1}{\ln e}=3$

335 답 ②

$a=\lim\limits_{x\to\infty}\left(1+\dfrac{3}{x}\right)^x=\lim\limits_{x\to\infty}\left\{\left(1+\dfrac{3}{x}\right)^{\frac{x}{3}}\right\}^3=e^3$

$b=\lim\limits_{x\to0}\dfrac{e^{5x}-1}{x}=\lim\limits_{x\to0}\dfrac{e^{5x}-1}{5x}\times5=5$

$\therefore b\ln a=5\times\ln e^3=5\times3=15$

336 답 ⑤

(ⅰ) $A=\lim\limits_{x\to0}(1+3x)^{\frac{1}{x}}=\lim\limits_{x\to0}\left\{(1+3x)^{\frac{1}{3x}}\right\}^3=e^3$

(ⅱ) $\lim\limits_{x\to0-}\dfrac{1}{x}=-\infty$이므로 $\lim\limits_{x\to0-}3^{\frac{1}{x}}=0$

$\therefore B=\lim\limits_{x\to0-}\dfrac{3}{1+3^{\frac{1}{x}}}=\dfrac{3}{1+0}=3$

(ⅲ) $C=\lim\limits_{x\to0}\dfrac{4^x-1}{x}=\ln 4=2\ln 2$

(ⅰ), (ⅱ), (ⅲ)에서 $C<B<A$

참고 (1) $e=2.7182\cdots$

(2) $0<\ln 2<1$이고, $1<2\ln 2<2$

337 답 ③

(ⅰ) $-1<x<0$일 때

$\dfrac{e^{6x}-1}{6x}\leq\dfrac{f(x)}{x}\leq\dfrac{\ln(1+x)}{x}$

이때 $\lim\limits_{x\to0-}\dfrac{\ln(1+x)}{x}=1$, $\lim\limits_{x\to0-}\dfrac{e^{6x}-1}{6x}=1$이므로

$\lim\limits_{x\to0-}\dfrac{f(x)}{x}=1$

(ⅱ) $x>0$일 때

$\dfrac{\ln(1+x)}{x}\leq\dfrac{f(x)}{x}\leq\dfrac{e^{6x}-1}{6x}$

이때 $\lim\limits_{x\to0+}\dfrac{\ln(1+x)}{x}=1$, $\lim\limits_{x\to0+}\dfrac{e^{6x}-1}{6x}=1$이므로

$\lim\limits_{x\to0+}\dfrac{f(x)}{x}=1$

(ⅰ), (ⅱ)에서 $\lim\limits_{x\to0}\dfrac{f(x)}{x}=1$

$8x=t$로 놓으면 $x\to0$일 때 $t\to0$이므로

$\lim\limits_{x\to0}\dfrac{f(8x)}{x}=\lim\limits_{t\to0}\dfrac{f(t)}{\dfrac{t}{8}}$

$=8\lim\limits_{t\to0}\dfrac{f(t)}{t}=8\times1=8$

338 답 $\dfrac{1}{5}$

$$\lim_{x \to 0} \frac{9x}{e^x + e^{2x} + e^{3x} + \cdots + e^{9x} - 9}$$

$$= \lim_{x \to 0} \frac{9}{\dfrac{e^x + e^{2x} + e^{3x} + \cdots + e^{9x} - 9}{x}}$$

$$= \lim_{x \to 0} \frac{9}{\dfrac{e^x - 1}{x} + \dfrac{e^{2x} - 1}{x} + \dfrac{e^{3x} - 1}{x} + \cdots + \dfrac{e^{9x} - 1}{x}}$$

$$= \lim_{x \to 0} \frac{9}{\dfrac{e^x - 1}{x} + \dfrac{e^{2x} - 1}{2x} \times 2 + \dfrac{e^{3x} - 1}{3x} \times 3 + \cdots + \dfrac{e^{9x} - 1}{9x} \times 9}$$

$$= \frac{9}{1 + 2 + 3 + \cdots + 9} = \frac{9}{45} = \frac{1}{5}$$

339 답 ②

$A(t, \ln t)$, $B(t, -\ln t)$이므로 $\overline{AB} = 2 \ln t$

선분 PQ의 길이가 $f(t)$이고 삼각형 AQB의 넓이가 1이므로

$\dfrac{1}{2} \times \overline{AB} \times \overline{PQ} = 1$에서 $\dfrac{1}{2} \times 2 \ln t \times f(t) = 1$

$\therefore f(t) = \dfrac{1}{\ln t}$

$t - 1 = s$로 놓으면 $t = s + 1$이고 $t \to 1+$일 때 $s \to 0+$이므로

$$\lim_{t \to 1+} (t-1)f(t) = \lim_{t \to 1+} \frac{t-1}{\ln t}$$

$$= \lim_{s \to 0+} \frac{s}{\ln(s+1)} = 1$$

340 답 ①

점 P의 좌표를 $(a, \ln a)(a > 0)$라 하면 점 Q의 좌표는 (a, e^a)

점 P는 직선 $x + y = t$ 위의 점이므로 $a + \ln a = t$

$\ln a e^a = t$ $\therefore a e^a = e^t$

따라서 삼각형 OHQ의 넓이 $S(t)$는

$$S(t) = \frac{1}{2} \times \overline{OH} \times \overline{HQ} = \frac{1}{2} \times a \times e^a = \frac{1}{2} a e^a = \frac{1}{2} e^t$$

$$\therefore \lim_{t \to 0+} \frac{2S(t) - 1}{t} = \lim_{t \to 0+} \frac{2 \times \frac{1}{2} e^t - 1}{t} = 1$$

341 답 ②

$f(x) = x^2 + ax + b$ (a, b는 상수)로 놓으면

$$f(x)g(x) = \begin{cases} \dfrac{x^2 + ax + b}{\ln(x+1)} & (x \neq 0, \ x > -1) \\ 8b & (x = 0) \end{cases}$$

함수 $f(x)g(x)$가 $x = 0$에서 연속이므로

$$\lim_{x \to 0} \frac{x^2 + ax + b}{\ln(x+1)} = 8b$$

(i) $x \to 0$일 때, (분모)$\to 0$이고 극한값이 존재하므로 (분자)$\to 0$이어야 한다.

즉, $\lim_{x \to 0}(x^2 + ax + b) = 0$이므로 $b = 0$

(ii) $\lim_{x \to 0} f(x)g(x) = f(0)g(0)$이 성립해야 하므로

$$\lim_{x \to 0} f(x)g(x) = \lim_{x \to 0} \frac{x + a}{\dfrac{\ln(x+1)}{x}}$$

$$= \frac{a}{1} = a$$

에서 $a = 0$

(i), (ii)에서 $f(x) = x^2$

$\therefore f(3) = 3^2 = 9$

342 답 ③

$(x-2)f(x) = e^{3x-6} - 1$에서

$x \neq 2$일 때 $f(x) = \dfrac{e^{3x-6} - 1}{x - 2}$

이때 함수 $f(x)$가 모든 실수 x에서 연속이므로 $f(x)$는 $x = 2$에서 연속이다.

즉, $\lim_{x \to 2} f(x) = f(2)$이므로

$$\lim_{x \to 2} \frac{e^{3x-6} - 1}{x - 2} = f(2)$$

$x - 2 = t$로 놓으면 $x \to 2$일 때 $t \to 0$이므로

$$\lim_{x \to 2} \frac{e^{3x-6} - 1}{x - 2} = \lim_{t \to 0} \frac{e^{3t} - 1}{t}$$

$$= \lim_{t \to 0} \frac{e^{3t} - 1}{3t} \times 3$$

$$= 1 \times 3 = 3$$

$\therefore f(2) = 3$

343 답 9

$$\lim_{x \to 1} \frac{x^3 - 1}{f(x) - f(1)} = \lim_{x \to 1} \frac{x - 1}{f(x) - f(1)} \times (x^2 + x + 1)$$

$$= \lim_{x \to 1} \frac{1}{\dfrac{f(x) - f(1)}{x - 1}} \times (x^2 + x + 1)$$

$$= \frac{3}{f'(1)}$$

$f(x) = e^{3x} \ln x$에서

$$f'(x) = 3e^{3x} \times \ln x + e^{3x} \times \frac{1}{x}$$

$$= e^{3x}\left(3 \ln x + \frac{1}{x}\right)$$

$f'(1) = e^3(3 \times 0 + 1) = e^3$이므로

$$\frac{3}{f'(1)} = \frac{3}{e^3}$$

따라서 $a = 3$, $b = 3$이므로 $ab = 3 \times 3 = 9$

344 답 ④

$f(x)=e^{2x}(\ln x+kx)$에서

$f'(x)=2e^{2x}(\ln x+kx)+e^{2x}\left(\dfrac{1}{x}+k\right)$이므로

$f'(1)=2e^2(0+k)+e^2(1+k)=(3k+1)e^2$

이때 $f'(1)=10e^2$이므로 $(3k+1)e^2=10e^2$

$3k+1=10$ $\therefore k=3$

345 답 $\dfrac{5}{e}$

$x \longrightarrow 1$일 때 (분모)$\longrightarrow 0$이고 극한값이 존재하므로 (분자)$\longrightarrow 0$ 이다.

즉, $\displaystyle\lim_{x \to 1}\{e^{x+1}f(x)-3\}=0$이므로 $f(1)=\dfrac{3}{e^2}$

$g(x)=e^{x+1}f(x)$라 하면 $g(1)=e^2f(1)=e^2 \times \dfrac{3}{e^2}=3$이므로

$\displaystyle\lim_{x \to 1}\dfrac{e^{x+1}f(x)-3}{x-1}=\lim_{x \to 1}\dfrac{g(x)-g(1)}{x-1}$

$\qquad\qquad\qquad\qquad =g'(1)=5e$

이때 $g'(x)=e^{x+1}f(x)+e^{x+1}f'(x)$이므로

$g'(1)=e^2f(1)+e^2f'(1)$

$\qquad =e^2 \times \dfrac{3}{e^2}+e^2 \times f'(1)$

$\qquad =5e$

$\therefore f'(1)=\dfrac{5e-3}{e^2}$

$\therefore f(1)+f'(1)=\dfrac{3}{e^2}+\dfrac{5e-3}{e^2}=\dfrac{5}{e}$

346 답 $33e^{10}$

단계 1 미분계수를 이용하여 간단히 나타내기

$\displaystyle\lim_{h \to 0}\dfrac{f(5+h)-f(5-2h)}{h}$

$=\displaystyle\lim_{h \to 0}\dfrac{f(5+h)-f(5)-\{f(5-2h)-f(5)\}}{h}$

$=\displaystyle\lim_{h \to 0}\left\{\dfrac{f(5+h)-f(5)}{h}-\dfrac{f(5-2h)-f(5)}{h}\right\}$

$=\displaystyle\lim_{h \to 0}\left\{\dfrac{f(5+h)-f(5)}{h}+\dfrac{f(5-2h)-f(5)}{-2h} \times 2\right\}$

$=f'(5)+2f'(5)=3f'(5)$ ······50%

단계 2 $f'(x)$ 구하기

$f(x)=xe^{2x}$에서

$f'(x)=1 \times e^{2x}+x \times 2 \times e^{2x}$

$\qquad =(2x+1)e^{2x}$ ······30%

단계 3 $\displaystyle\lim_{h \to 0}\dfrac{f(5+h)-f(5-2h)}{h}$의 값 구하기

$f'(5)=(2 \times 5+1)e^{10}=11e^{10}$이므로

$3f'(5)=3 \times 11e^{10}=33e^{10}$ ······20%

347 답 6

단계 1 $f(x)$가 $x=1$에서 연속임을 이용하여 a와 b에 대한 관계식 구하기

$f(x)$가 $x=1$에서 미분가능하므로 $x=1$에서 연속이다.

$\displaystyle\lim_{x \to 1-}(3+a \ln x)=\lim_{x \to 1+}(x^2-bx)=f(1)$이므로

$3=1-b$ $\therefore b=-2$ ······40%

단계 2 $f'(1)$이 존재함을 이용하여 등식 구하기

$f'(1)$이 존재하므로

$f'(x)=\begin{cases} \dfrac{a}{x} & (x<1) \\ 2x-b & (x>1) \end{cases}$에서

$\displaystyle\lim_{x \to 1-}\dfrac{a}{x}=\lim_{x \to 1+}(2x-b)$ ······50%

단계 3 $a-b$의 값 구하기

$a=2-b=2-(-2)=4$

따라서 $a=4$, $b=-2$이므로

$a-b=4-(-2)=6$ ······10%

2 삼각함수의 미분

→ 본책 56쪽~58쪽

348 답 $-\dfrac{5}{4}$

$\overline{\mathrm{OP}}=\sqrt{3^2+(-4)^2}=5$이므로 $\csc\theta=-\dfrac{5}{4}$

349 답 $\dfrac{5}{3}$

350 답 $-\dfrac{3}{4}$

351 답 $\csc\theta=\sqrt{2}$, $\sec\theta=\sqrt{2}$, $\cot\theta=1$

$\theta=\dfrac{\pi}{4}$일 때 $\sin\theta=\dfrac{\sqrt{2}}{2}$이므로 $\csc\theta=\sqrt{2}$

$\cos\theta=\dfrac{\sqrt{2}}{2}$이므로 $\sec\theta=\sqrt{2}$

$\tan\theta=1$이므로 $\cot\theta=1$

352 답 $\csc\theta=\dfrac{2\sqrt{3}}{3}$, $\sec\theta=-2$, $\cot\theta=-\dfrac{\sqrt{3}}{3}$

$\theta=\dfrac{2}{3}\pi$일 때 $\sin\theta=\dfrac{\sqrt{3}}{2}$이므로 $\csc\theta=\dfrac{2}{\sqrt{3}}=\dfrac{2\sqrt{3}}{3}$

$\cos\theta=-\dfrac{1}{2}$이므로 $\sec\theta=-2$

$\tan\theta=-\sqrt{3}$이므로 $\cot\theta=-\dfrac{1}{\sqrt{3}}=-\dfrac{\sqrt{3}}{3}$

353 답 $\csc\theta=-\sqrt{2}$, $\sec\theta=-\sqrt{2}$, $\cot\theta=1$

$\theta=-135°=-\dfrac{3}{4}\pi$일 때

$\sin\theta=-\dfrac{\sqrt{2}}{2}$이므로 $\csc\theta=-\sqrt{2}$

$\cos\theta=-\dfrac{\sqrt{2}}{2}$이므로 $\sec\theta=-\sqrt{2}$

$\tan\theta=1$이므로 $\cot\theta=1$

354 답 $-2\sqrt{2}$

$\tan^2\theta+1=\sec^2\theta$에서

$\tan^2\theta=\sec^2\theta-1=(-3)^2-1=8$

이때 크기가 θ인 각이 제2사분면의 각이므로 $\tan\theta<0$

$\therefore\ \tan\theta=-2\sqrt{2}$

355 답 $-\sqrt{6}$

$\csc^2\theta=1+\cot^2\theta=1+(\sqrt{5})^2=6$

이때 크기가 θ인 각이 제3사분면의 각이므로 $\csc\theta<0$

$\therefore\ \csc\theta=-\sqrt{6}$

356 답 $\sec\theta=-\sqrt{5}$, $\csc\theta=-\dfrac{\sqrt{5}}{2}$

$\sec^2\theta=\tan^2\theta+1=2^2+1=5$

이때 크기가 θ인 각이 제3사분면의 각이므로 $\sec\theta<0$

$\therefore\ \sec\theta=-\sqrt{5}$

$\csc^2\theta=1+\cot^2\theta=1+\left(\dfrac{1}{2}\right)^2=\dfrac{5}{4}$

이때 크기가 θ인 각이 제3사분면의 각이므로 $\csc\theta<0$

$\therefore\ \csc\theta=-\dfrac{\sqrt{5}}{2}$

357 답 $\tan\theta=-\sqrt{3}$, $\cot\theta=-\dfrac{\sqrt{3}}{3}$

$\sec\theta=\dfrac{1}{\cos\theta}=-2$

$\tan^2\theta+1=\sec^2\theta$에서

$\tan^2\theta=\sec^2\theta-1=(-2)^2-1=3$

이때 크기가 θ인 각이 제2사분면의 각이므로 $\tan\theta<0$

$\therefore\ \tan\theta=-\sqrt{3}$

$\therefore\ \cot\theta=\dfrac{1}{\tan\theta}=-\dfrac{1}{\sqrt{3}}=-\dfrac{\sqrt{3}}{3}$

358 답 $\dfrac{\sqrt{6}+\sqrt{2}}{4}$

$\begin{aligned}\sin 75°&=\sin(45°+30°)\\&=\sin 45°\cos 30°+\cos 45°\sin 30°\\&=\dfrac{\sqrt{2}}{2}\times\dfrac{\sqrt{3}}{2}+\dfrac{\sqrt{2}}{2}\times\dfrac{1}{2}\\&=\dfrac{\sqrt{6}+\sqrt{2}}{4}\end{aligned}$

359 답 $\dfrac{\sqrt{2}-\sqrt{6}}{4}$

$\begin{aligned}\cos 105°&=\cos(60°+45°)\\&=\cos 60°\cos 45°-\sin 60°\sin 45°\\&=\dfrac{1}{2}\times\dfrac{\sqrt{2}}{2}-\dfrac{\sqrt{3}}{2}\times\dfrac{\sqrt{2}}{2}\\&=\dfrac{\sqrt{2}-\sqrt{6}}{4}\end{aligned}$

360 답 $2-\sqrt{3}$

$\begin{aligned}\tan 15°&=\tan(45°-30°)\\&=\dfrac{\tan 45°-\tan 30°}{1+\tan 45°\tan 30°}\\&=\dfrac{1-\dfrac{\sqrt{3}}{3}}{1+1\times\dfrac{\sqrt{3}}{3}}\\&=2-\sqrt{3}\end{aligned}$

361 답 $\dfrac{\sqrt{3}}{2}$

$\sin 40° \cos 20° + \cos 40° \sin 20°$

$= \sin(40° + 20°) = \sin 60° = \dfrac{\sqrt{3}}{2}$

362 답 $\dfrac{1}{2}$

$\cos 110° \cos 50° + \sin 110° \sin 50°$

$= \cos(110° - 50°) = \cos 60° = \dfrac{1}{2}$

363 답 1

$\dfrac{\tan 55° - \tan 10°}{1 + \tan 55° \tan 10°} = \tan(55° - 10°) = \tan 45° = 1$

364 답 $\dfrac{24}{25}$

$\cos \alpha > 0$이므로

$\cos \alpha = \sqrt{1 - \sin^2 \alpha} = \sqrt{1 - \left(\dfrac{3}{5}\right)^2} = \dfrac{4}{5}$

$\therefore \sin 2\alpha = 2 \sin \alpha \cos \alpha = 2 \times \dfrac{3}{5} \times \dfrac{4}{5} = \dfrac{24}{25}$

365 답 $\dfrac{7}{25}$

$\cos 2\alpha = 1 - 2 \sin^2 \alpha = 1 - 2 \times \left(\dfrac{3}{5}\right)^2 = \dfrac{7}{25}$

366 답 $\dfrac{24}{7}$

$\tan \alpha = \dfrac{\sin \alpha}{\cos \alpha} = \dfrac{\dfrac{3}{5}}{\dfrac{4}{5}} = \dfrac{3}{4}$

$\therefore \tan 2\alpha = \dfrac{2 \tan \alpha}{1 - \tan^2 \alpha} = \dfrac{2 \times \dfrac{3}{4}}{1 - \left(\dfrac{3}{4}\right)^2} = \dfrac{24}{7}$

다른 풀이

$\tan 2\alpha = \dfrac{\sin 2\alpha}{\cos 2\alpha} = \dfrac{\dfrac{24}{25}}{\dfrac{7}{25}} = \dfrac{24}{7}$

367 답 $2 \sin\left(\theta + \dfrac{\pi}{3}\right)$

오른쪽 그림과 같이 좌표평면 위에 점

$P(1, \sqrt{3})$을 잡으면

$\overline{OP} = \sqrt{1^2 + (\sqrt{3})^2} = 2$

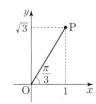

$\therefore \sin \theta + \sqrt{3} \cos \theta$

$= 2\left(\sin \theta \times \dfrac{1}{2} + \cos \theta \times \dfrac{\sqrt{3}}{2}\right)$

$= 2\left(\sin \theta \cos \dfrac{\pi}{3} + \cos \theta \sin \dfrac{\pi}{3}\right)$

$= 2 \sin\left(\theta + \dfrac{\pi}{3}\right)$

368 답 $\sqrt{2} \sin\left(\theta + \dfrac{\pi}{4}\right)$

오른쪽 그림과 같이 좌표평면 위에 점
P(1, 1)을 잡으면
$\overline{OP} = \sqrt{1^2 + 1^2} = \sqrt{2}$

$\therefore \sin \theta + \cos \theta$

$= \sqrt{2}\left(\sin \theta \times \dfrac{1}{\sqrt{2}} + \cos \theta \times \dfrac{1}{\sqrt{2}}\right)$

$= \sqrt{2}\left(\sin \theta \cos \dfrac{\pi}{4} + \cos \theta \times \sin \dfrac{\pi}{4}\right)$

$= \sqrt{2} \sin\left(\theta + \dfrac{\pi}{4}\right)$

369 답 $2 \sin\left(\theta + \dfrac{11}{6}\pi\right)$

오른쪽 그림과 같이 좌표평면 위에 점
$P(\sqrt{3}, -1)$을 잡으면
$\overline{OP} = \sqrt{(\sqrt{3})^2 + (-1)^2} = 2$

$\therefore \sqrt{3} \sin \theta - \cos \theta$

$= 2\left\{\sin \theta \times \dfrac{\sqrt{3}}{2} + \cos \theta \times \left(-\dfrac{1}{2}\right)\right\}$

$= 2\left(\sin \theta \cos \dfrac{11}{6}\pi + \cos \theta \sin \dfrac{11}{6}\pi\right)$

$= 2 \sin\left(\theta + \dfrac{11}{6}\pi\right)$

370 답 $\dfrac{\sqrt{3}}{2}$

$\lim\limits_{x \to \frac{\pi}{3}} \sin x = \sin \dfrac{\pi}{3} = \dfrac{\sqrt{3}}{2}$

371 답 $\dfrac{1}{2}$

$\lim\limits_{x \to \frac{\pi}{6}} \cos 2x = \cos\left(2 \times \dfrac{\pi}{6}\right) = \cos \dfrac{\pi}{3} = \dfrac{1}{2}$

372 답 $\dfrac{\sqrt{2}}{2}$

$\lim\limits_{x \to \frac{\pi}{4}} \sin x \tan x = \sin \dfrac{\pi}{4} \times \tan \dfrac{\pi}{4}$

$= \dfrac{\sqrt{2}}{2} \times 1 = \dfrac{\sqrt{2}}{2}$

373 답 2

$$\lim_{x \to 0} \frac{\sin^2 x}{1-\cos x} = \lim_{x \to 0} \frac{1-\cos^2 x}{1-\cos x}$$
$$= \lim_{x \to 0} \frac{(1-\cos x)(1+\cos x)}{1-\cos x}$$
$$= \lim_{x \to 0} (1+\cos x) = 2$$

374 답 2

$$\lim_{x \to \frac{\pi}{2}} \frac{\sin 2x}{\cos x} = \lim_{x \to \frac{\pi}{2}} \frac{2 \sin x \cos x}{\cos x} = \lim_{x \to \frac{\pi}{2}} 2 \sin x$$
$$= 2 \sin \frac{\pi}{2} = 2 \times 1 = 2$$

375 답 1

$$\lim_{x \to 0} \frac{\sin x}{\tan x} = \lim_{x \to 0} \frac{\sin x}{\frac{\sin x}{\cos x}} = \lim_{x \to 0} \cos x = 1$$

376 답 3

$$\lim_{x \to 0} \frac{\sin 3x}{x} = \lim_{x \to 0} \frac{\sin 3x}{3x} \times 3 = 1 \times 3 = 3$$

377 답 $\frac{5}{2}$

$$\lim_{x \to 0} \frac{\tan 5x}{2x} = \lim_{x \to 0} \frac{\tan 5x}{5x} \times \frac{5}{2} = 1 \times \frac{5}{2} = \frac{5}{2}$$

378 답 2

$$\lim_{x \to 0} \frac{\sin 2x}{\sin x} = \lim_{x \to 0} \frac{\sin 2x}{2x} \times \frac{x}{\sin x} \times 2 = 1 \times 1 \times 2 = 2$$

379 답 4

$$\lim_{x \to 0} \frac{\sin x + \tan 3x}{x} = \lim_{x \to 0} \left(\frac{\sin x}{x} + \frac{\tan 3x}{3x} \times 3 \right)$$
$$= 1 + 1 \times 3 = 4$$

380 답 $y' = 2 \cos x$

381 답 $y' = \cos x + \sqrt{5} \sin x$

382 답 $y' = -2 \sin x \cos x$

$y = \cos^2 x = \cos x \times \cos x$이므로

$y' = -\sin x \times \cos x + \cos x \times (-\sin x)$
$\quad = -2 \sin x \cos x$

383 답 $y' = \cos^2 x - \sin^2 x$

$y = \sin x \cos x$이므로

$y' = \cos x \times \cos x + \sin x \times (-\sin x)$
$\quad = \cos^2 x - \sin^2 x$

도전! 유형 연습하기

→ 본책 59쪽~69쪽

384 답 ⑤

단계 1 통분하여 식을 간단히 하기

$$\frac{1}{1+\cos \theta} + \frac{1}{1-\cos \theta}$$
$$= \frac{1-\cos \theta + 1 + \cos \theta}{(1+\cos \theta)(1-\cos \theta)}$$
$$= \frac{2}{1-\cos^2 \theta} = \frac{2}{\sin^2 \theta} = 2 \csc^2 \theta$$

$\sin^2 \theta + \cos^2 \theta = 1$

385 답 $2 \tan \theta$

$$\frac{\sin \theta}{\sec \theta + \tan \theta} + \frac{\sin \theta}{\sec \theta - \tan \theta}$$
$$= \frac{\sin \theta (\sec \theta - \tan \theta) + \sin \theta (\sec \theta + \tan \theta)}{\sec^2 \theta - \tan^2 \theta}$$
$$= 2 \sin \theta \sec \theta = 2 \times \sin \theta \times \frac{1}{\cos \theta} = 2 \tan \theta$$

386 답 ①

$\sin \theta + \cos \theta = \frac{1}{2}$의 양변을 제곱하면

$\sin^2 \theta + 2 \sin \theta \cos \theta + \cos^2 \theta = \frac{1}{4}$

$1 + 2 \sin \theta \cos \theta = \frac{1}{4}$ ∴ $\sin \theta \cos \theta = -\frac{3}{8}$

∴ $\sec \theta + \csc \theta = \frac{1}{\cos \theta} + \frac{1}{\sin \theta}$
$$= \frac{\sin \theta + \cos \theta}{\sin \theta \cos \theta}$$
$$= \frac{\frac{1}{2}}{-\frac{3}{8}} = -\frac{4}{3}$$

387 답 ②

단계 1 삼각함수의 덧셈정리를 이용하여 식을 간단히 하기

$\sin 65° \cos 35° - \cos 65° \sin 35°$
$= \sin (65° - 35°) = \sin 30° = \frac{1}{2}$

388 답 $\frac{4-6\sqrt{2}}{15}$

$0 < \alpha < \frac{\pi}{2}$, $0 < \beta < \frac{\pi}{2}$에서 $\sin \alpha > 0$, $\sin \beta > 0$이므로

$\sin \alpha = \sqrt{1 - \cos^2 \alpha} = \sqrt{1 - \left(\frac{4}{5}\right)^2} = \frac{3}{5}$

$$\sin \beta = \sqrt{1 - \cos^2 \beta} = \sqrt{1 - \left(\frac{1}{3}\right)^2} = \frac{2\sqrt{2}}{3}$$

$$\therefore \cos(\alpha + \beta) = \cos \alpha \cos \beta - \sin \alpha \sin \beta$$

$$= \frac{4}{5} \times \frac{1}{3} - \frac{3}{5} \times \frac{2\sqrt{2}}{3}$$

$$= \frac{4 - 6\sqrt{2}}{15}$$

389 답 ①

$$\tan(\alpha - \beta) = \frac{\tan \alpha - \tan \beta}{1 + \tan \alpha \tan \beta} = \frac{2 - \tan \beta}{1 + 2\tan \beta} = \frac{3}{4}$$에서

$$4(2 - \tan \beta) = 3(1 + 2\tan \beta), \ 5 = 10\tan \beta$$

$$\therefore \tan \beta = \frac{1}{2}$$

390 답 $-\frac{5}{8}$

$\sin \alpha + \cos \beta = \frac{\sqrt{2}}{2}$의 양변을 제곱하면

$$\sin^2 \alpha + 2\sin \alpha \cos \beta + \cos^2 \beta = \frac{1}{2} \quad \cdots \ \text{㉠}$$

$\cos \alpha + \sin \beta = \frac{1}{2}$의 양변을 제곱하면

$$\cos^2 \alpha + 2\cos \alpha \sin \beta + \sin^2 \beta = \frac{1}{4} \quad \cdots \ \text{㉡}$$

㉠, ㉡을 변끼리 더하면

$$2 + 2\sin \alpha \cos \beta + 2\cos \alpha \sin \beta = \frac{3}{4}$$

$$2 + 2\sin(\alpha + \beta) = \frac{3}{4}$$

$$\therefore \sin(\alpha + \beta) = -\frac{5}{8}$$

391 답 ⑤

단계 **1** 이차방정식의 근과 계수의 관계 이용하기

이차방정식의 근과 계수의 관계에 의하여

$$\tan \alpha + \tan \beta = 5, \ \tan \alpha \tan \beta = 3$$

단계 **2** $\tan(\alpha + \beta)$의 값 구하기

$$\tan(\alpha + \beta) = \frac{\tan \alpha + \tan \beta}{1 - \tan \alpha \tan \beta}$$

$$= \frac{5}{1 - 3} = -\frac{5}{2}$$

392 답 ⑤

이차방정식의 근과 계수의 관계에 의하여

$$\tan \alpha + \tan \beta = -a, \ \tan \alpha \tan \beta = -2a + 1$$

$$\tan(\alpha + \beta) = \frac{\tan \alpha + \tan \beta}{1 - \tan \alpha \tan \beta}$$

$$= \frac{-a}{1 - (-2a + 1)} = -\frac{1}{2}$$

$$\therefore \csc^2(\alpha + \beta) = 1 + \cot^2(\alpha + \beta)$$

$$= 1 + \left\{ \frac{1}{\tan(\alpha + \beta)} \right\}^2$$

$$= 1 + (-2)^2 = 5$$

393 답 ③

단계 **1** 두 직선을 이용하여 $\tan \alpha$, $\tan \beta$의 값 구하기

두 직선 $y = 2x - 1$, $y = \frac{1}{3}x + 1$이 x축의 양의 방향과 이루는

각의 크기를 각각 α, β라 하면

$$\tan \alpha = 2, \ \tan \beta = \frac{1}{3}$$

단계 **2** $\tan \theta$의 값 구하기

$$\tan \theta = |\tan(\alpha - \beta)| = \left| \frac{\tan \alpha - \tan \beta}{1 + \tan \alpha \tan \beta} \right|$$

$$= \left| \frac{2 - \frac{1}{3}}{1 + 2 \times \frac{1}{3}} \right| = 1$$

394 답 $\frac{3}{2}$

두 직선 $y = mx + 2$, $y = -3x + 3$이 x축의 양의 방향과 이루는

각의 크기를 각각 α, β라 하면

$$\tan \alpha = m, \ \tan \beta = -3$$

두 직선이 이루는 예각의 크기가 $\frac{\pi}{4}$이므로

$$|\tan(\alpha - \beta)| = \tan \frac{\pi}{4}, \ \left| \frac{\tan \alpha - \tan \beta}{1 + \tan \alpha \tan \beta} \right| = 1$$

$$\left| \frac{m - (-3)}{1 + m \times (-3)} \right| = 1, \ \frac{m + 3}{1 - 3m} = \pm 1$$

$$\therefore m = 2 \ \text{또는} \ m = -\frac{1}{2}$$

따라서 모든 m의 값의 합은

$$2 + \left(-\frac{1}{2}\right) = \frac{3}{2}$$

395 답 $\frac{4}{7}$

단계 **1** 삼각함수의 값을 구할 수 있는 각을 문자로 나타내기

$\angle ABC = \alpha$, $\angle DBC = \beta$라 하면

$$\tan \alpha = \frac{3}{2}, \ \tan \beta = \frac{1}{2}$$

단계 **2** $\tan \theta$의 값 구하기

이때 $\theta = \alpha - \beta$이므로

$$\tan \theta = \tan(\alpha - \beta) = \frac{\tan \alpha - \tan \beta}{1 + \tan \alpha \tan \beta}$$

$$= \frac{\frac{3}{2} - \frac{1}{2}}{1 + \frac{3}{2} \times \frac{1}{2}} = \frac{4}{7}$$

396 답 ③

점 P에서 변 BC에 내린 수선의 발을 R, 점 Q에서 선분 PR에 내린 수선의 발을 S라 하자.

$\angle BPR = \alpha$, $\angle SPQ = \beta$라 하면

$\tan \alpha = \dfrac{\overline{BR}}{\overline{PR}} = \dfrac{2}{3}$, $\tan \beta = \dfrac{\overline{QS}}{\overline{PS}} = \dfrac{1}{2}$

이때 $\theta = \alpha + \beta$이므로

$\tan \theta = \tan(\alpha + \beta) = \dfrac{\tan \alpha + \tan \beta}{1 - \tan \alpha \tan \beta}$

$\qquad = \dfrac{\dfrac{2}{3} + \dfrac{1}{2}}{1 - \dfrac{2}{3} \times \dfrac{1}{2}} = \dfrac{7}{4}$

397 답 $\dfrac{2\sqrt{6} + \sqrt{15}}{9}$

예각삼각형 ABC에서 $\cos A > 0$, $\sin B > 0$이므로

$\cos A = \sqrt{1 - \sin^2 A} = \sqrt{1 - \left(\dfrac{\sqrt{6}}{3}\right)^2} = \dfrac{\sqrt{3}}{3}$

$\sin B = \sqrt{1 - \cos^2 B} = \sqrt{1 - \left(\dfrac{2}{3}\right)^2} = \dfrac{\sqrt{5}}{3}$

$\therefore \sin C = \sin\{\pi - (A+B)\} = \sin(A+B)$

$\qquad = \sin A \cos B + \cos A \sin B = \dfrac{\sqrt{6}}{3} \times \dfrac{2}{3} + \dfrac{\sqrt{3}}{3} \times \dfrac{\sqrt{5}}{3}$

$\qquad = \dfrac{2\sqrt{6} + \sqrt{15}}{9}$

398 답 13.6 m

사람의 눈이 있는 지점을 A, 등대의 꼭대기와 밑부분을 각각 B, C라 하고 점 A에서 선분 BC에 내린 수선의 발을 D라 하자.

$\tan\left(\theta - \dfrac{\pi}{4}\right) = \dfrac{\overline{CD}}{\overline{AD}} = \dfrac{1.6}{8} = \dfrac{1}{5}$

이므로

$\tan \theta = \tan\left\{\left(\theta - \dfrac{\pi}{4}\right) + \dfrac{\pi}{4}\right\}$

$\qquad = \dfrac{\tan\left(\theta - \dfrac{\pi}{4}\right) + \tan\dfrac{\pi}{4}}{1 - \tan\left(\theta - \dfrac{\pi}{4}\right) \times \tan\dfrac{\pi}{4}}$

$\qquad = \dfrac{\dfrac{1}{5} + 1}{1 - \dfrac{1}{5} \times 1} = \dfrac{3}{2}$

이때 $\tan \theta = \dfrac{\overline{BD}}{\overline{AD}} = \dfrac{\overline{BD}}{8} = \dfrac{3}{2}$이므로 $\overline{BD} = 12$

따라서 등대의 높이는

$\overline{BD} + \overline{CD} = 12 + 1.6 = 13.6 \text{(m)}$

399 답 ③

단계 1 주어진 식을 $r\sin(\theta + \alpha)$ 꼴로 변형하기

$2\sin\left(\theta + \dfrac{\pi}{6}\right) - 2\cos\theta$

$= 2\left(\sin\theta\cos\dfrac{\pi}{6} + \cos\theta\sin\dfrac{\pi}{6}\right) - 2\cos\theta$

$= \sqrt{3}\sin\theta + \cos\theta - 2\cos\theta$

$= \sqrt{3}\sin\theta - \cos\theta$

$= 2\left\{\sin\theta \times \dfrac{\sqrt{3}}{2} + \cos\theta \times \left(-\dfrac{1}{2}\right)\right\}$

$= 2\left(\sin\theta\cos\dfrac{11}{6}\pi + \cos\theta\sin\dfrac{11}{6}\pi\right)$

$= 2\sin\left(\theta + \dfrac{11}{6}\pi\right)$

단계 2 $r\cos\alpha$의 값 구하기

$r = 2$, $\alpha = \dfrac{11}{6}\pi$이므로

$r\cos\alpha = 2\cos\dfrac{11}{6}\pi$

$\qquad = 2 \times \dfrac{\sqrt{3}}{2} = \sqrt{3}$

400 답 -8

$y = 4\sin 3x + 2\cos\left(3x + \dfrac{\pi}{6}\right)$

$\quad = 4\sin 3x + 2\left(\cos 3x\cos\dfrac{\pi}{6} - \sin 3x\sin\dfrac{\pi}{6}\right)$

$\quad = 4\sin 3x + 2\left(\cos 3x \times \dfrac{\sqrt{3}}{2} - \sin 3x \times \dfrac{1}{2}\right)$

$\quad = 4\sin 3x + \sqrt{3}\cos 3x - \sin 3x$

$\quad = 3\sin 3x + \sqrt{3}\cos 3x$

$\quad = 2\sqrt{3}\left(\sin 3x \times \dfrac{\sqrt{3}}{2} + \cos 3x \times \dfrac{1}{2}\right) \quad \cdots \text{㉠}$

$\quad = 2\sqrt{3}\left(\sin 3x\cos\dfrac{\pi}{6} + \cos 3x\sin\dfrac{\pi}{6}\right)$

$\quad = 2\sqrt{3}\sin\left(3x + \dfrac{\pi}{6}\right)$

따라서 주기는 $\dfrac{2}{3}\pi$, 최댓값은 $2\sqrt{3}$, 최솟값은 $-2\sqrt{3}$이므로

$a = \dfrac{2}{3}$, $b = 2\sqrt{3}$, $c = -2\sqrt{3}$

$\therefore abc = \dfrac{2}{3} \times 2\sqrt{3} \times (-2\sqrt{3}) = -8$

참고 $r\cos(\theta - \beta)$로 나타낼 수도 있다.

㉠에서

$y = 2\sqrt{3}\left(\cos 3x\cos\dfrac{\pi}{3} + \sin 3x\sin\dfrac{\pi}{3}\right)$

$\quad = 2\sqrt{3}\cos\left(3x - \dfrac{\pi}{3}\right)$

이므로 주기는 $\dfrac{2}{3}\pi$, 최댓값은 $2\sqrt{3}$, 최솟값은 $-2\sqrt{3}$으로 구할 수 있다.

날선특강 삼각함수의 최대·최소와 주기

삼각함수	최댓값	최솟값	주기
$y=a\sin(bx+c)+d$	$|a|+d$	$-|a|+d$	$\dfrac{2\pi}{|b|}$
$y=a\cos(bx+c)+d$	$|a|+d$	$-|a|+d$	$\dfrac{2\pi}{|b|}$
$y=a\tan(bx+c)+d$	없다.	없다.	$\dfrac{\pi}{|b|}$

401 답 ②

$y=\sin x-\cos x$

$\quad=\sqrt{2}\left\{\sin x\times\dfrac{\sqrt{2}}{2}+\cos x\times\left(-\dfrac{\sqrt{2}}{2}\right)\right\}$

$\quad=\sqrt{2}\left(\sin x\cos\dfrac{7}{4}\pi+\cos x\sin\dfrac{7}{4}\pi\right)$

$\quad=\sqrt{2}\sin\left(x+\dfrac{7}{4}\pi\right)$

따라서 함수 $y=\sin x-\cos x$의 그래프는 $y=\sqrt{2}\sin x$의 그래프를 x축의 방향으로 $-\dfrac{7}{4}\pi$만큼 평행이동한 것이므로

$a=\sqrt{2}$, $b=-\dfrac{7}{4}\pi$

$\therefore ab=\sqrt{2}\times\left(-\dfrac{7}{4}\pi\right)=-\dfrac{7\sqrt{2}}{4}\pi$

402 답 $-\dfrac{31}{25}$

단계 1 $\cos\theta$의 값 구하기

$\dfrac{\pi}{2}<\theta<\pi$에서 $\cos\theta<0$이므로

$\cos\theta=-\sqrt{1-\sin^2\theta}=-\sqrt{1-\left(\dfrac{4}{5}\right)^2}=-\dfrac{3}{5}$

단계 2 $\sin2\theta+\cos2\theta$의 값 구하기

$\sin2\theta=2\sin\theta\cos\theta=2\times\dfrac{4}{5}\times\left(-\dfrac{3}{5}\right)=-\dfrac{24}{25}$

$\cos2\theta=1-2\sin^2\theta=1-2\times\left(\dfrac{4}{5}\right)^2=-\dfrac{7}{25}$

$\therefore \sin2\theta+\cos2\theta=-\dfrac{24}{25}+\left(-\dfrac{7}{25}\right)=-\dfrac{31}{25}$

403 답 ②

$\sin\theta+\cos\theta=\dfrac{1}{3}$의 양변을 제곱하면

$\sin^2\theta+2\sin\theta\cos\theta+\cos^2\theta=\dfrac{1}{9}$

$1+2\sin\theta\cos\theta=\dfrac{1}{9}$, $1+\sin2\theta=\dfrac{1}{9}$

$\therefore \sin2\theta=-\dfrac{8}{9}$

404 답 ③

$3\cos\theta+\sin\theta=0$에서 $3\cos\theta=-\sin\theta$이므로

$\dfrac{\sin\theta}{\cos\theta}=-3$ $\quad\therefore \tan\theta=-3$

$\therefore \tan2\theta=\dfrac{2\tan\theta}{1-\tan^2\theta}=\dfrac{2\times(-3)}{1-(-3)^2}=\dfrac{3}{4}$

405 답 ⑤

$\cos\theta=\dfrac{1}{\sec\theta}=-\dfrac{1}{\sqrt{5}}$

$\dfrac{\pi}{2}<\theta<\dfrac{3}{4}\pi$에서 $\sin\theta>0$이므로

$\sin\theta=\sqrt{1-\cos^2\theta}=\sqrt{1-\left(-\dfrac{1}{\sqrt{5}}\right)^2}=\dfrac{2}{\sqrt{5}}$

$\therefore \sin2\theta=2\sin\theta\cos\theta=2\times\dfrac{2}{\sqrt{5}}\times\left(-\dfrac{1}{\sqrt{5}}\right)=-\dfrac{4}{5}$

$\therefore \csc2\theta=\dfrac{1}{\sin2\theta}=-\dfrac{5}{4}$

406 답 $\dfrac{\sqrt{2}}{4}$

단계 1 $\cos^2\dfrac{\theta}{2}$의 값 구하기

$\cos^2\dfrac{\theta}{2}=\dfrac{1+\cos\theta}{2}=\dfrac{1+\left(-\dfrac{3}{4}\right)}{2}=\dfrac{1}{8}$

단계 2 $\cos\dfrac{\theta}{2}$의 값 구하기

$\dfrac{\pi}{2}<\theta<\pi$에서 $\dfrac{\pi}{4}<\dfrac{\theta}{2}<\dfrac{\pi}{2}$이므로 $\cos\dfrac{\theta}{2}>0$

$\therefore \cos\dfrac{\theta}{2}=\sqrt{\dfrac{1}{8}}=\dfrac{\sqrt{2}}{4}$

407 답 $-\dfrac{9\sqrt{10}}{10}$

$\pi<\theta<\dfrac{3}{2}\pi$에서 $\cos\theta<0$이므로

$\cos\theta=-\sqrt{1-\sin^2\theta}=-\sqrt{1-\left(-\dfrac{3}{5}\right)^2}=-\dfrac{4}{5}$

$\sin^2\dfrac{\theta}{2}=\dfrac{1-\cos\theta}{2}=\dfrac{1-\left(-\dfrac{4}{5}\right)}{2}=\dfrac{9}{10}$

$\tan^2\dfrac{\theta}{2}=\dfrac{1-\cos\theta}{1+\cos\theta}=\dfrac{1-\left(-\dfrac{4}{5}\right)}{1+\left(-\dfrac{4}{5}\right)}=9$

이때 $\dfrac{\pi}{2}<\dfrac{\theta}{2}<\dfrac{3}{4}\pi$에서 $\sin\dfrac{\theta}{2}>0$, $\tan\dfrac{\theta}{2}<0$이므로

$\sin\dfrac{\theta}{2}=\sqrt{\dfrac{9}{10}}=\dfrac{3\sqrt{10}}{10}$, $\tan\dfrac{\theta}{2}=-3$

$\therefore \sin\dfrac{\theta}{2}\tan\dfrac{\theta}{2}=\dfrac{3\sqrt{10}}{10}\times(-3)=-\dfrac{9\sqrt{10}}{10}$

408 답 ④

$0<\theta<\dfrac{\pi}{2}$에서 $\sec\theta>0$이므로

$\sec\theta=\sqrt{1+\tan^2\theta}=\sqrt{1+\left(\dfrac{\sqrt5}{2}\right)^2}=\dfrac{3}{2}$

$\therefore\cos\theta=\dfrac{2}{3}$

$\sin^2\dfrac{\theta}{2}=\dfrac{1-\cos\theta}{2}=\dfrac{1-\dfrac{2}{3}}{2}=\dfrac{1}{6}$

이때 $0<\dfrac{\theta}{2}<\dfrac{\pi}{4}$이므로 $\sin\dfrac{\theta}{2}>0$

$\therefore\sin\dfrac{\theta}{2}=\dfrac{\sqrt6}{6}$

409 답 ①

$3(1-\cos\theta)=3\times2\sin^2\dfrac{\theta}{2}=6\left(1-\cos^2\dfrac{\theta}{2}\right)$

$16\cos\dfrac{\theta}{2}=6\left(1-\cos^2\dfrac{\theta}{2}\right)$에서 $\cos\dfrac{\theta}{2}=t$로 놓으면

$16t=6(1-t^2),\ 3t^2+8t-3=0,\ (t+3)(3t-1)=0$

$-1\le t\le1$이므로 $t=\dfrac{1}{3}$

$\therefore\cos\dfrac{\theta}{2}=\dfrac{1}{3}$

410 답 $\dfrac{8}{5}$

주어진 등비급수의 공비가 $\sin^2\theta$이고

$\sin^2\theta=\dfrac{1-\cos2\theta}{2}=\dfrac{1-\dfrac{1}{4}}{2}=\dfrac{3}{8}$

즉, $0\le\sin^2\theta<1$이므로

$1+\sin^2\theta+\sin^4\theta+\sin^6\theta+\cdots$

$=\dfrac{1}{1-\sin^2\theta}=\dfrac{1}{1-\dfrac{3}{8}}=\dfrac{8}{5}$

411 답 $-\dfrac{7}{9}$

$\cos^2\dfrac{\theta}{2}=\dfrac{1+\cos\theta}{2}=\dfrac{1}{3}$에서 $3(1+\cos\theta)=2$

$\therefore\cos\theta=-\dfrac{1}{3}$

$\therefore\cos2\theta=2\cos^2\theta-1=2\times\left(-\dfrac{1}{3}\right)^2-1=-\dfrac{7}{9}$

412 답 ②

단계 1 이차방정식의 근과 계수의 관계를 이용하여 식 구하기

이차방정식의 근과 계수의 관계에 의하여

$\sin\theta+\cos2\theta=1$ $\cdots$ ㉠

$\sin\theta\cos2\theta=-a$ $\cdots$ ㉡

단계 2 상수 a의 값 구하기

㉠에서 $\sin\theta+(1-2\sin^2\theta)=1$

$2\sin^2\theta-\sin\theta=0,\ \sin\theta(2\sin\theta-1)=0$

$\therefore\sin\theta=0$ 또는 $\sin\theta=\dfrac{1}{2}$

$\sin\theta=0$이면 ㉡에서 $a=0$이므로 $\sin\theta\ne0$

$\sin\theta=\dfrac{1}{2}$이면 ㉡에서

$-a=\sin\theta(1-2\sin^2\theta)=\dfrac{1}{2}\times\left\{1-2\times\left(\dfrac{1}{2}\right)^2\right\}=\dfrac{1}{4}$

$\therefore a=-\dfrac{1}{4}$

413 답 ⑤

$f(x)=\cos2x-2\sin x+1=1-2\sin^2x-2\sin x+1$

$\qquad=-2\sin^2x-2\sin x+2=-2\left(\sin x+\dfrac{1}{2}\right)^2+\dfrac{5}{2}$

이때 $-1\le\sin x\le1$이므로 함수 $f(x)$는 $\sin x=-\dfrac{1}{2}$에서 최

댓값 $\dfrac{5}{2}$를 갖는다.

414 답 π

$\sin^2x+\cos2x=\sin^2x+1-2\sin^2x=-\sin^2x+1$

즉, $-\sin^2x+1=\dfrac{3}{4}$에서 $\sin^2x=\dfrac{1}{4}$

$0\le x\le\pi$에서 $\sin x\ge0$이므로

$\sin x=\dfrac{1}{2}$

함수 $y=\sin x$의 그래프와 직선 $y=\dfrac{1}{2}$의 두 교점의 x좌표를 각

각 $\alpha,\ \beta\ (\alpha<\beta)$라 하면

$\sin\alpha=\dfrac{1}{2}$에서 $\alpha=\dfrac{\pi}{6}$

$\sin\beta=\dfrac{1}{2}$에서 $\beta=\dfrac{5}{6}\pi$

따라서 구하는 서로 다른 실근의 합은

$\dfrac{\pi}{6}+\dfrac{5}{6}\pi=\pi$

415 답 4

$y=\sin^2x+2\sin x\cos x+5\cos^2x$

$\ =1+2\sin x\cos x+4\cos^2x$

$\ =1+\sin2x+4\left(\dfrac{1+\cos2x}{2}\right)$

$\ =3+\sin2x+2\cos2x$

$\ =3+\sqrt5\left(\sin2x\times\dfrac{1}{\sqrt5}+\cos2x\times\dfrac{2}{\sqrt5}\right)$

$\ =3+\sqrt5\sin(2x+\alpha)\ \left(단,\ \sin\alpha=\dfrac{2}{\sqrt5},\ \cos\alpha=\dfrac{1}{\sqrt5}\right)$

이때 $-1\le\sin(2x+\alpha)\le1$이므로

$-\sqrt5\le\sqrt5\sin(2x+\alpha)\le\sqrt5$

$3-\sqrt{5} \le 3+\sqrt{5}\sin(2x+\alpha) \le 3+\sqrt{5}$

따라서 $M=3+\sqrt{5}$, $m=3-\sqrt{5}$이므로

$Mm=(3+\sqrt{5}) \times (3-\sqrt{5})=4$

416 답 $\dfrac{5}{13}$

단계 1 삼각함수의 값을 구할 수 있는 적당한 각을 문자로 나타내기

$\angle ABD = \angle BAD = \theta$라 하면

$\tan\theta = \dfrac{\overline{BC}}{\overline{AC}} = \dfrac{2}{3}$

단계 2 $\cos(\angle BDC)$의 값 구하기

$\angle BDC = 2\theta$이므로

$\tan 2\theta = \dfrac{2\tan\theta}{1-\tan^2\theta} = \dfrac{2 \times \dfrac{2}{3}}{1-\left(\dfrac{2}{3}\right)^2} = \dfrac{12}{5}$

이때 $0 < 2\theta < \dfrac{\pi}{2}$이므로 $\sec 2\theta > 0$

$\therefore \sec 2\theta = \sqrt{1+\tan^2 2\theta} = \sqrt{1+\left(\dfrac{12}{5}\right)^2} = \dfrac{13}{5}$

$\therefore \cos(\angle BDC) = \cos 2\theta = \dfrac{1}{\sec 2\theta} = \dfrac{5}{13}$

417 답 70 m

C와 D 사이의 거리를 x m, $\angle BPD = \theta$라 하면

$\tan\theta = \dfrac{50}{30+x}$ $\quad \cdots \text{㉠}$

$\tan 2\theta = \dfrac{4}{3}$ $\quad \cdots \text{㉡}$

㉡에서 $\dfrac{2\tan\theta}{1-\tan^2\theta} = \dfrac{4}{3}$, $6\tan\theta = 4(1-\tan^2\theta)$

$2\tan^2\theta + 3\tan\theta - 2 = 0$, $(\tan\theta+2)(2\tan\theta-1)=0$

이때 $0 < \theta < \dfrac{\pi}{2}$이므로 $\tan\theta > 0$ $\quad \therefore \tan\theta = \dfrac{1}{2}$

㉠에서 $\dfrac{50}{30+x} = \dfrac{1}{2}$ $\quad \therefore x = 70$

따라서 C와 D 사이의 거리는 70 m이다.

418 답 ①

단계 1 극한값 구하기

$\lim\limits_{x \to \frac{\pi}{4}} \dfrac{\sin x - \cos x}{1-\tan x}$

$= \lim\limits_{x \to \frac{\pi}{4}} \dfrac{\sin x - \cos x}{1-\dfrac{\sin x}{\cos x}} = \lim\limits_{x \to \frac{\pi}{4}} \dfrac{\sin x - \cos x}{\dfrac{\cos x - \sin x}{\cos x}}$

$= \lim\limits_{x \to \frac{\pi}{4}} (-\cos x) = -\dfrac{\sqrt{2}}{2}$

419 답 ⑤

$\lim\limits_{x \to \pi} \dfrac{\tan^2 x}{1+\cos x}$

$= \lim\limits_{x \to \pi} \dfrac{\left(\dfrac{\sin x}{\cos x}\right)^2}{1+\cos x} = \lim\limits_{x \to \pi} \dfrac{\sin^2 x}{\cos^2 x(1+\cos x)}$

$= \lim\limits_{x \to \pi} \dfrac{1-\cos^2 x}{\cos^2 x(1+\cos x)} = \lim\limits_{x \to \pi} \dfrac{(1-\cos x)(1+\cos x)}{\cos^2 x(1+\cos x)}$

$= \lim\limits_{x \to \pi} \dfrac{1-\cos x}{\cos^2 x} = \dfrac{1-(-1)}{(-1)^2} = 2$

420 답 ①

$\lim\limits_{x \to 0} \dfrac{\csc x - \cot x}{\sin x}$

$= \lim\limits_{x \to 0} \dfrac{\dfrac{1}{\sin x} - \dfrac{\cos x}{\sin x}}{\sin x} = \lim\limits_{x \to 0} \dfrac{1-\cos x}{\sin^2 x}$

$= \lim\limits_{x \to 0} \dfrac{1-\cos x}{1-\cos^2 x} = \lim\limits_{x \to 0} \dfrac{1-\cos x}{(1-\cos x)(1+\cos x)}$

$= \lim\limits_{x \to 0} \dfrac{1}{1+\cos x} = \dfrac{1}{1+1} = \dfrac{1}{2}$

421 답 2

단계 1 $\lim\limits_{\theta \to 0} \dfrac{\sin\theta}{\theta} = 1$임을 이용하여 극한값 구하기

$\lim\limits_{x \to 0} \dfrac{\sin(\sin 2x)}{\sin x}$

$= \lim\limits_{x \to 0} \dfrac{\sin(\sin 2x)}{\sin 2x} \times \dfrac{x}{\sin x} \times \dfrac{\sin 2x}{2x} \times 2$

$= 1 \times 1 \times 1 \times 2 = 2$

422 답 ⑤

$\lim\limits_{x \to 0} \dfrac{\sin x + \sin 3x + \sin 5x}{4x}$

$= \dfrac{1}{4} \lim\limits_{x \to 0} \left(\dfrac{\sin x}{x} + \dfrac{\sin 3x}{x} + \dfrac{\sin 5x}{x}\right)$

$= \dfrac{1}{4} \lim\limits_{x \to 0} \left(\dfrac{\sin x}{x} + \dfrac{\sin 3x}{3x} \times 3 + \dfrac{\sin 5x}{5x} \times 5\right)$

$= \dfrac{1}{4} \times (1+1 \times 3 + 1 \times 5) = \dfrac{9}{4}$

423 답 ⑤

$\lim\limits_{x \to 0} \dfrac{3\sin 2x - \sin x}{2x}$

$= \lim\limits_{x \to 0} \left(\dfrac{3\sin 2x}{2x} - \dfrac{\sin x}{2x}\right)$

$= \lim\limits_{x \to 0} \left(3 \times \dfrac{\sin 2x}{2x} - \dfrac{1}{2} \times \dfrac{\sin x}{x}\right)$

$= 3 \times 1 - \dfrac{1}{2} \times 1 = \dfrac{5}{2}$

424 답 1

$$\lim_{x \to 0} \frac{f(\sin x)}{\sin f(x)}$$

$$= \lim_{x \to 0} \frac{\sin^2 x + \sin x}{\sin(x^2 + x)}$$

$$= \lim_{x \to 0} \frac{\sin x(\sin x + 1)}{\sin(x^2 + x)}$$

$$= \lim_{x \to 0} \frac{x^2 + x}{\sin(x^2 + x)} \times \frac{\sin x}{x} \times \frac{1}{x+1} \times (\sin x + 1)$$

$$= 1 \times 1 \times 1 \times 1 = 1$$

425 답 ③

$$\lim_{x \to 0} \frac{1 - f(2x)}{1 - f(x)}$$

$$= \lim_{x \to 0} \frac{1 - \cos 2x}{1 - \cos x} = \lim_{x \to 0} \frac{1 - (2\cos^2 x - 1)}{1 - \cos x}$$

$$= \lim_{x \to 0} \frac{2(1 - \cos^2 x)}{1 - \cos x} = \lim_{x \to 0} \frac{2(1 - \cos x)(1 + \cos x)}{1 - \cos x}$$

$$= \lim_{x \to 0} 2(1 + \cos x) = 2 \times (1 + 1) = 4$$

426 답 $\dfrac{10}{11}$

$$f(n)$$

$$= \lim_{x \to 0} \frac{x}{\sin 2x + \sin 4x + \sin 6x + \cdots + \sin 2nx}$$

$$= \lim_{x \to 0} \frac{1}{\dfrac{\sin 2x}{x} + \dfrac{\sin 4x}{x} + \dfrac{\sin 6x}{x} + \cdots + \dfrac{\sin 2nx}{x}}$$

$$= \lim_{x \to 0} \frac{1}{\dfrac{\sin 2x}{2x} \times 2 + \dfrac{\sin 4x}{4x} \times 4 + \dfrac{\sin 6x}{6x} \times 6 + \cdots + \dfrac{\sin 2nx}{2nx} \times 2n}$$

$$= \frac{1}{2 + 4 + 6 + \cdots + 2n} = \frac{1}{n(n+1)}$$

$$\therefore \sum_{k=1}^{10} f(k) = \sum_{k=1}^{10} \frac{1}{k(k+1)}$$

$$= \sum_{k=1}^{10} \left(\frac{1}{k} - \frac{1}{k+1} \right)$$

$$= \left(1 - \frac{1}{2} \right) + \left(\frac{1}{2} - \frac{1}{3} \right) + \cdots + \left(\frac{1}{10} - \frac{1}{11} \right)$$

$$= 1 - \frac{1}{11} = \frac{10}{11}$$

427 답 ①

단계 **1** $\lim\limits_{\theta \to 0} \dfrac{\tan \theta}{\theta} = 1$임을 이용하여 극한값 구하기

$$\lim_{x \to 0} \frac{\tan(3x^3 - x^2 + 2x)}{2x^3 + 4x^2 - x}$$

$$= \lim_{x \to 0} \frac{\tan(3x^3 - x^2 + 2x)}{3x^3 - x^2 + 2x} \times \frac{3x^3 - x^2 + 2x}{2x^3 + 4x^2 - x}$$

$$= 1 \times \lim_{x \to 0} \frac{3x^2 - x + 2}{2x^2 + 4x - 1} = 1 \times (-2) = -2$$

428 답 $\dfrac{3}{4}$

$$\lim_{x \to 0} \frac{x + \tan 2x}{\sin 4x}$$

$$= \lim_{x \to 0} \left(\frac{x}{\sin 4x} + \frac{\tan 2x}{\sin 4x} \right)$$

$$= \lim_{x \to 0} \left(\frac{4x}{\sin 4x} \times \frac{1}{4} + \frac{\tan 2x}{2x} \times \frac{4x}{\sin 4x} \times \frac{1}{2} \right)$$

$$= 1 \times \frac{1}{4} + 1 \times 1 \times \frac{1}{2} = \frac{3}{4}$$

429 답 $\dfrac{1}{2}$

단계 **1** $1 - \cos^2 x = \sin^2 x$임을 이용하여 극한값 구하기

$$\lim_{x \to 0} \frac{1 - \cos x}{x^2}$$

분자, 분모에 각각 $(1 + \cos x)$를 곱하기

$$= \lim_{x \to 0} \frac{(1 - \cos x)(1 + \cos x)}{x^2(1 + \cos x)}$$

$$= \lim_{x \to 0} \frac{\sin^2 x}{x^2(1 + \cos x)} = \lim_{x \to 0} \left(\frac{\sin x}{x} \right)^2 \times \frac{1}{1 + \cos x}$$

$$= 1^2 \times \frac{1}{1 + 1} = \frac{1}{2}$$

430 답 ⑤

$$\lim_{x \to 0} \frac{x \tan 4x}{1 - \cos x}$$

$$= \lim_{x \to 0} \frac{x \tan 4x(1 + \cos x)}{(1 - \cos x)(1 + \cos x)}$$

$$= \lim_{x \to 0} \frac{x \tan 4x(1 + \cos x)}{\sin^2 x}$$

$$= \lim_{x \to 0} \frac{x}{\sin x} \times \frac{\tan 4x}{4x} \times \frac{x}{\sin x} \times 4 \times (1 + \cos x)$$

$$= 1 \times 1 \times 1 \times 4 \times (1 + 1) = 8$$

431 답 1

$$\lim_{x \to 0} \frac{2\sin x - \sin 2x}{x \sin^2 x}$$

$$= \lim_{x \to 0} \frac{2\sin x - 2\sin x \cos x}{x \sin^2 x} = \lim_{x \to 0} \frac{2(1 - \cos x)}{x \sin x}$$

$$= \lim_{x \to 0} \frac{2(1 - \cos x)(1 + \cos x)}{x \sin x(1 + \cos x)} = \lim_{x \to 0} \frac{2\sin^2 x}{x \sin x(1 + \cos x)}$$

$$= \lim_{x \to 0} \frac{2\sin x}{x(1 + \cos x)} = 2\lim_{x \to 0} \frac{\sin x}{x} \times \frac{1}{1 + \cos x}$$

$$= 2 \times 1 \times \frac{1}{1 + 1} = 1$$

432 답 ②

단계 **1** $x - \dfrac{\pi}{2} = t$로 치환하기

$x - \dfrac{\pi}{2} = t$로 놓으면 $x \to \dfrac{\pi}{2}$일 때 $t \to 0$

단계 2 극한값 구하기

$$\lim_{x \to \frac{\pi}{2}} \frac{\cos x}{x - \frac{\pi}{2}} = \lim_{t \to 0} \frac{\cos\left(t + \frac{\pi}{2}\right)}{t} = \lim_{t \to 0} \frac{-\sin t}{t} = -1$$

433 답 ④

$\dfrac{1}{x} = t$로 놓으면 $x \to \infty$일 때 $t \to 0$이므로

$$\lim_{x \to \infty} \tan\left(\sin \frac{1}{x}\right) \csc \frac{1}{x} = \lim_{t \to 0} \frac{\tan(\sin t)}{\sin t} = 1$$

434 답 $-\dfrac{\pi}{2}$

$x - 1 = t$로 놓으면 $x \to 1$일 때 $t \to 0$이므로

$$\lim_{x \to 1} \frac{\sin \pi x}{x^2 - 1} = \lim_{t \to 0} \frac{\sin(\pi t + \pi)}{(t+1)^2 - 1} = \lim_{t \to 0} \frac{-\sin \pi t}{t^2 + 2t}$$
$$= \lim_{t \to 0} \frac{\sin \pi t}{\pi t} \times \left(-\frac{\pi}{t+2}\right) = 1 \times \left(-\frac{\pi}{2}\right) = -\frac{\pi}{2}$$

435 답 ④

$$\lim_{x \to \pi} \frac{\cot x + \csc x}{\pi - x} = \lim_{x \to \pi} \frac{\dfrac{\cos x}{\sin x} + \dfrac{1}{\sin x}}{\pi - x}$$
$$= \lim_{x \to \pi} \frac{1 + \cos x}{(\pi - x)\sin x}$$

$x - \pi = t$로 놓으면 $x \to \pi$일 때 $t \to 0$이므로

$$\lim_{x \to \pi} \frac{1 + \cos x}{(\pi - x)\sin x}$$
$$= \lim_{t \to 0} \frac{1 + \cos(\pi + t)}{-t \sin(\pi + t)} = \lim_{t \to 0} \frac{1 - \cos t}{t \sin t}$$
$$= \lim_{t \to 0} \frac{(1 - \cos t)(1 + \cos t)}{t \sin t(1 + \cos t)} = \lim_{t \to 0} \frac{\sin^2 t}{t \sin t(1 + \cos t)}$$
$$= \lim_{t \to 0} \frac{\sin t}{t(1 + \cos t)} = \lim_{t \to 0} \frac{\sin t}{t} \times \frac{1}{1 + \cos t}$$
$$= 1 \times \frac{1}{2} = \frac{1}{2}$$

436 답 5

단계 1 a의 값 구하기

$x \to 0$일 때 (분모)$\to 0$이고 극한값이 존재하므로
(분자)$\to 0$이다.

즉, $\lim\limits_{x \to 0} \ln(x + a) = 0$이므로 $\ln a = 0$ $\qquad \therefore a = 1$

단계 2 b의 값 구하기

$a = 1$을 주어진 식의 좌변에 대입하면

$$\lim_{x \to 0} \frac{\ln(x+1)}{\sin bx} = \lim_{x \to 0} \frac{\ln(x+1)}{x} \times \frac{bx}{\sin bx} \times \frac{1}{b} = \frac{1}{b}$$

$\dfrac{1}{b} = \dfrac{1}{4}$이므로 $b = 4$

단계 3 $a + b$의 값 구하기

$a + b = 1 + 4 = 5$

437 답 ⑤

$x \to 0$일 때 (분자)$\to 0$이고 0이 아닌 극한값이 존재하므로
(분모)$\to 0$이다.

즉, $\lim\limits_{x \to 0}(\sqrt{ax+b} - 1) = 0$이므로 $\sqrt{b} - 1 = 0$ $\qquad \therefore b = 1$

$b = 1$을 주어진 식의 좌변에 대입하면

$$\lim_{x \to 0} \frac{\tan 3x}{\sqrt{ax+1} - 1}$$
$$= \lim_{x \to 0} \frac{\tan 3x(\sqrt{ax+1} + 1)}{(\sqrt{ax+1} - 1)(\sqrt{ax+1} + 1)} = \lim_{x \to 0} \frac{\tan 3x(\sqrt{ax+1} + 1)}{ax}$$
$$= \lim_{x \to 0} \frac{\tan 3x}{3x} \times \frac{3}{a} \times (\sqrt{ax+1} + 1) = 1 \times \frac{3}{a} \times 2 = \frac{6}{a}$$

따라서 $\dfrac{6}{a} = 2$이므로 $a = 3$

$\therefore ab = 3 \times 1 = 3$

438 답 $a = 0,\ b = \dfrac{1}{2}$

$x \to a$일 때 (분모)$\to 0$이고 극한값이 존재하므로 (분자)$\to 0$
이다.

즉, $\lim\limits_{x \to a}(e^x - 1) = 0$이므로 $e^a - 1 = 0$ $\qquad \therefore a = 0$

$a = 0$을 주어진 식의 좌변에 대입하면

$$\lim_{x \to 0} \frac{e^x - 1}{2 \sin x} = \lim_{x \to 0} \frac{1}{2} \times \frac{e^x - 1}{x} \times \frac{x}{\sin x}$$
$$= \frac{1}{2} \times 1 \times 1 = \frac{1}{2}$$

$\therefore b = \dfrac{1}{2}$

439 답 1

단계 1 $\overline{\text{AH}}$를 θ에 대한 삼각함수로 나타내기

$\triangle$BCH에서 $\overline{\text{BH}} = \overline{\text{BC}} \sin \theta = \sin \theta$

$\angle$ABH $= \angle$BCH $= \theta$이므로

$\triangle$BHA에서 $\tan \theta = \dfrac{\overline{\text{AH}}}{\overline{\text{BH}}} = \dfrac{\overline{\text{AH}}}{\sin \theta}$

$\therefore \overline{\text{AH}} = \sin \theta \tan \theta$

단계 2 $\lim\limits_{\theta \to 0+} \dfrac{\overline{\text{AH}}}{\theta^2}$의 값 구하기

$$\lim_{\theta \to 0+} \frac{\overline{\text{AH}}}{\theta^2} = \lim_{\theta \to 0+} \frac{\sin \theta \tan \theta}{\theta^2}$$
$$= \lim_{\theta \to 0+} \frac{\sin \theta}{\theta} \times \frac{\tan \theta}{\theta}$$
$$= 1 \times 1 = 1$$

440 답 2

$\overline{\text{OA}} = \overline{\text{OB}} = 4$이므로

$\triangle$AOH에서 $\overline{\text{OH}} = \overline{\text{OA}} \cos \theta = 4 \cos \theta$

$\overline{\text{BH}} = \overline{\text{OB}} - \overline{\text{OH}} = 4 - 4 \cos \theta$

$$\therefore \lim_{\theta \to 0+} \frac{\overline{BH}}{\theta^2} = \lim_{\theta \to 0+} \frac{4-4\cos\theta}{\theta^2}$$
$$= \lim_{\theta \to 0+} \frac{4(1-\cos\theta)(1+\cos\theta)}{\theta^2(1+\cos\theta)}$$
$$= \lim_{\theta \to 0+} \frac{4\sin^2\theta}{\theta^2(1+\cos\theta)}$$
$$= \lim_{\theta \to 0+} \left(\frac{\sin\theta}{\theta}\right)^2 \times \frac{4}{1+\cos\theta}$$
$$= 1^2 \times \frac{4}{1+1} = 2$$

441 답 1

오른쪽 그림과 같이 $\overline{AO}=\overline{PO}=1$
이므로 $\angle PAO = \angle APO = \theta$
$\therefore \angle POH = 2\theta$
$\triangle POH$에서
$\overline{PH} = \overline{PO}\sin 2\theta = \sin 2\theta$
$\overline{OH} = \overline{PO}\cos 2\theta = \cos 2\theta$
$\overline{BH} = \overline{OB} - \overline{OH} = 1 - \cos 2\theta$
$$\therefore \lim_{\theta \to 0+} \frac{\overline{BH}}{\theta \times \overline{PH}} = \lim_{\theta \to 0+} \frac{1-\cos 2\theta}{\theta \times \sin 2\theta}$$
$$= \lim_{\theta \to 0+} \frac{(1-\cos 2\theta)(1+\cos 2\theta)}{\theta \times \sin 2\theta(1+\cos 2\theta)}$$
$$= \lim_{\theta \to 0+} \frac{\sin^2 2\theta}{\theta \times \sin 2\theta(1+\cos 2\theta)}$$
$$= \lim_{\theta \to 0+} \frac{\sin 2\theta}{\theta(1+\cos 2\theta)}$$
$$= \lim_{\theta \to 0+} \frac{\sin 2\theta}{2\theta} \times \frac{2}{(1+\cos 2\theta)}$$
$$= 1 \times \frac{2}{1+1} = 1$$

442 답 $\frac{3}{4}$

오른쪽 그림과 같이 꼭짓점 A에서
변 BC에 내린 수선의 발을 H라 하면
$\sin 4\theta = \frac{\overline{AH}}{\overline{AB}}$, $\sin 3\theta = \frac{\overline{AH}}{\overline{AC}}$이므로
$$\lim_{\theta \to 0+} \frac{\overline{AB}}{\overline{AC}} = \lim_{\theta \to 0+} \frac{\frac{\overline{AH}}{\sin 4\theta}}{\frac{\overline{AH}}{\sin 3\theta}}$$
$$= \lim_{\theta \to 0+} \frac{\sin 3\theta}{\sin 4\theta}$$
$$= \lim_{\theta \to 0+} \frac{\sin 3\theta}{3\theta} \times \frac{4\theta}{\sin 4\theta} \times \frac{3}{4}$$
$$= 1 \times 1 \times \frac{3}{4} = \frac{3}{4}$$

443 답 ②

 단계 1 $f'(x)$ 구하기
$f'(x) = e^x \sin x + e^x \cos x$

단계 2 $f'(0)$의 값 구하기
$f'(0) = e^0 \sin 0 + e^0 \cos 0 = 1$

444 답 ③

$$\lim_{h \to 0} \frac{f\left(\frac{\pi}{2}+2h\right)-f\left(\frac{\pi}{2}-h\right)}{h}$$
$$= \lim_{h \to 0} \frac{f\left(\frac{\pi}{2}+2h\right)-f\left(\frac{\pi}{2}\right)+f\left(\frac{\pi}{2}\right)-f\left(\frac{\pi}{2}-h\right)}{h}$$
$$= 2\lim_{h \to 0} \frac{f\left(\frac{\pi}{2}+2h\right)-f\left(\frac{\pi}{2}\right)}{2h} + \lim_{h \to 0} \frac{f\left(\frac{\pi}{2}-h\right)-f\left(\frac{\pi}{2}\right)}{-h}$$
$$= 2f'\left(\frac{\pi}{2}\right) + f'\left(\frac{\pi}{2}\right) = 3f'\left(\frac{\pi}{2}\right)$$
이때 $f'(x) = \cos x - x \sin x$이므로
$$3f'\left(\frac{\pi}{2}\right) = 3\left(\cos\frac{\pi}{2} - \frac{\pi}{2} \times \sin\frac{\pi}{2}\right) = 3\left(0 - \frac{\pi}{2}\right) = -\frac{3}{2}\pi$$

445 답 $\frac{\pi}{2}$

$f(x) = \sin^2 x = \sin x \times \sin x$에서
$f'(x) = \cos x \sin x + \sin x \cos x$
$\quad = 2\sin x \cos x = \sin 2x$
$f'(\alpha) = \sin 2\alpha = \frac{1}{2}$
$0 < 2\alpha < 2\pi$이므로 $2\alpha = \frac{\pi}{6}$ 또는 $2\alpha = \frac{5}{6}\pi$
$\therefore \alpha = \frac{\pi}{12}$ 또는 $\alpha = \frac{5}{12}\pi$
따라서 모든 α의 값의 합은
$$\frac{\pi}{12} + \frac{5}{12}\pi = \frac{\pi}{2}$$

446 답 e^π

$$f(x) = \lim_{h \to 0} \frac{e^x \cos(x+h) - e^x \cos x}{h}$$
$$= e^x \lim_{h \to 0} \frac{\cos(x+h) - \cos x}{h}$$
$$= e^x \times (\cos x)' = -e^x \sin x$$
$f'(x) = -e^x \sin x - e^x \cos x$이므로
$f'(\pi) = -e^\pi \sin\pi - e^\pi \cos\pi = e^\pi$

447 답 6

 단계 1 $\lim_{x \to 1} f(x) = f(1)$임을 알기
함수 $f(x)$가 $x=1$에서 연속이려면
$\lim_{x \to 1} f(x) = f(1)$
$$\therefore \lim_{x \to 1} \frac{\sin a(x-1)}{x^2-1} = 3$$

단계 2 상수 a의 값 구하기

$x-1=t$로 놓으면 $x \to 1$일 때 $t \to 0$이므로

$$\lim_{t \to 0} \frac{\sin at}{t^2+2t} = \lim_{t \to 0} \frac{\sin at}{at} \times \frac{a}{t+2} = 1 \times \frac{a}{2} = \frac{a}{2}$$

따라서 $\dfrac{a}{2}=3$이므로 $a=6$

---

448 답 ③

함수 $f(x)$가 구간 $\left(-\dfrac{\pi}{2}, \dfrac{\pi}{2}\right)$에서 연속이면 $x=0$에서 연속이므로

$$\lim_{x \to 0} f(x) = f(0)$$

$$\therefore \lim_{x \to 0} \frac{1-a\cos x}{bx \tan x} = 2 \quad \cdots \text{㉠}$$

$x \to 0$일 때 (분모)$\to 0$이고 극한값이 존재하므로 (분자)$\to 0$이다.

즉, $\lim_{x \to 0}(1-a\cos x)=0$이므로 $1-a=0$ $\therefore a=1$

$a=1$을 ㉠의 좌변에 대입하면

$$\lim_{x \to 0} \frac{1-\cos x}{bx \tan x} = \lim_{x \to 0} \frac{(1-\cos x)(1+\cos x)}{bx \tan x (1+\cos x)}$$

$$= \lim_{x \to 0} \frac{\sin^2 x}{bx \tan x (1+\cos x)}$$

$$= \lim_{x \to 0} \left(\frac{\sin x}{x}\right)^2 \times \frac{x}{\tan x} \times \frac{1}{b(1+\cos x)}$$

$$= 1^2 \times 1 \times \frac{1}{2b} = \frac{1}{2b}$$

따라서 $\dfrac{1}{2b}=2$이므로 $b=\dfrac{1}{4}$

$$\therefore a-b = 1-\frac{1}{4} = \frac{3}{4}$$

---

449 답 -2

함수 $f(x)$가 $x=0$에서 미분가능하려면 $x=0$에서 연속이어야 하므로

$$\lim_{x \to 0+}(3x+b) = \lim_{x \to 0-}(1-\sin ax) \qquad \therefore b=1$$

또 $f'(0)$이 존재해야 하므로

$$f'(x) = \begin{cases} 3 & (x>0) \\ -a\cos ax & (x<0) \end{cases}$$ 에서

$$\lim_{x \to 0+} 3 = \lim_{x \to 0-}(-a\cos ax) \qquad \therefore a=-3$$

$$\therefore a+b = -3+1 = -2$$

---

450 답 -1

함수 $f(x)$가 $x=0$에서 미분가능하려면 $x=0$에서 연속이어야 하므로

$$\lim_{x \to 0+}(e^x \sin x + ax) = \lim_{x \to 0-}(\cos x - b)$$

$$0=1-b \qquad \therefore b=1$$

또 $f'(0)$이 존재해야 하므로

$$f'(x) = \begin{cases} e^x \sin x + e^x \cos x + a & (x>0) \\ -\sin x & (x<0) \end{cases}$$ 에서

$$\lim_{x \to 0+}(e^x \sin x + e^x \cos x + a) = \lim_{x \to 0-}(-\sin x)$$

$$1+a=0 \qquad \therefore a=-1$$

$$\therefore ab = -1 \times 1 = -1$$

실전! **기출 문제 정복하기**

→ 본책 70쪽~73쪽

451 답 ③

$$2\sin\left(\theta-\frac{\pi}{6}\right) + \cos\theta$$

$$= 2\left(\sin\theta\cos\frac{\pi}{6} - \cos\theta\sin\frac{\pi}{6}\right) + \cos\theta$$

$$= 2\left(\frac{\sqrt{3}}{2}\sin\theta - \frac{1}{2}\cos\theta\right) + \cos\theta$$

$$= \sqrt{3}\sin\theta = \sqrt{3} \times \frac{\sqrt{3}}{3} = 1$$

---

452 답 $\dfrac{\sqrt{10}}{10}$

$$\cos^2\theta = \frac{1}{\sec^2\theta} = \frac{4}{5}$$

$0<\theta<\dfrac{\pi}{2}$에서 $\cos\theta>0$, $\sin\theta>0$이므로

$$\cos\theta = \sqrt{\frac{4}{5}} = \frac{2\sqrt{5}}{5}$$

$$\therefore \sin\theta = \sqrt{1-\cos^2\theta} = \sqrt{1-\frac{4}{5}} = \frac{\sqrt{5}}{5}$$

$$\therefore \cos\left(\theta+\frac{\pi}{4}\right) = \cos\theta\cos\frac{\pi}{4} - \sin\theta\sin\frac{\pi}{4}$$

$$= \frac{2\sqrt{5}}{5} \times \frac{\sqrt{2}}{2} - \frac{\sqrt{5}}{5} \times \frac{\sqrt{2}}{2} = \frac{\sqrt{10}}{10}$$

---

453 답 ④

두 직선 $x-y-1=0$, $ax-y+1=0$이 x축의 양의 방향과 이루는 각의 크기를 각각 α, β라 하면

$$\tan\alpha=1, \ \tan\beta=a$$

이때 $\tan\theta=\dfrac{1}{6}$이므로

$$\tan\theta=|\tan(\beta-\alpha)|=\left|\dfrac{\tan\beta-\tan\alpha}{1+\tan\beta\tan\alpha}\right|$$
$$=\left|\dfrac{a-1}{1+a}\right|=\dfrac{1}{6}$$

$a>1$이므로 $\dfrac{a-1}{1+a}=\dfrac{1}{6}$

$6a-6=1+a$, $5a=7$

$\therefore a=\dfrac{7}{5}$

454 답 ⑤

$\overline{\text{CD}}=a\,(a>0)$라 하면 직각삼각형 CED에서

$\overline{\text{DE}}=\sqrt{\overline{\text{CE}}^2-\overline{\text{CD}}^2}=\sqrt{5-a^2}$

이때 $\overline{\text{AD}}=4\overline{\text{DE}}$이므로 $\overline{\text{AD}}=4\sqrt{5-a^2}$

직각삼각형 CAD에서 $\overline{\text{CA}}^2=\overline{\text{CD}}^2+\overline{\text{AD}}^2$이므로

$(2\sqrt{5})^2=a^2+(4\sqrt{5-a^2})^2$, $20=a^2+16(5-a^2)$

$15a^2=60$, $a^2=4$

$\therefore a=2$

$\therefore \overline{\text{DE}}=1$, $\overline{\text{AD}}=4$

직각삼각형 ABD에서

$\overline{\text{BD}}=\sqrt{\overline{\text{AB}}^2-\overline{\text{AD}}^2}=\sqrt{5^2-4^2}=3$이므로

$\sin\alpha=\dfrac{4}{5}$, $\cos\alpha=\dfrac{3}{5}$

직각삼각형 CED에서

$\sin\beta=\dfrac{\sqrt{5}}{5}$, $\cos\beta=\dfrac{2\sqrt{5}}{5}$이므로

$$\therefore \cos(\alpha-\beta)=\cos\alpha\cos\beta+\sin\alpha\sin\beta$$
$$=\dfrac{3}{5}\times\dfrac{2\sqrt{5}}{5}+\dfrac{4}{5}\times\dfrac{\sqrt{5}}{5}=\dfrac{2\sqrt{5}}{5}$$

455 답 ⑤

$0<\alpha<\dfrac{\pi}{2}$에서 $\cos\alpha>0$이므로

$\cos\alpha=\sqrt{1-\sin^2\alpha}=\sqrt{1-\left(\dfrac{4}{5}\right)^2}=\dfrac{3}{5}$

삼각형 ROQ에서

$\overline{\text{OR}}=\sqrt{2}$, $\overline{\text{OQ}}=1$, $\angle\text{OQR}=\dfrac{\pi}{2}$이므로 $\overline{\text{RQ}}=1$

$\therefore \beta=\dfrac{\pi}{4}$

따라서 $\sin\beta=\dfrac{\sqrt{2}}{2}$, $\cos\beta=\dfrac{\sqrt{2}}{2}$이므로

$$\cos(\alpha+\beta)=\cos\alpha\cos\beta-\sin\alpha\sin\beta$$
$$=\dfrac{3}{5}\times\dfrac{\sqrt{2}}{2}-\dfrac{4}{5}\times\dfrac{\sqrt{2}}{2}=-\dfrac{\sqrt{2}}{10}$$

456 답 ①

삼각형 ABD에서 $\angle\text{ABD}=\alpha-\theta$, $\angle\text{ADB}=\theta+\beta$

이때 $\triangle\text{ABD}$가 이등변삼각형이므로

$\alpha-\theta=\theta+\beta$ $\therefore 2\theta=\alpha-\beta$

$\cos\alpha=\dfrac{\sqrt{10}}{10}$에서 $\sin\alpha=\sqrt{1-\left(\dfrac{\sqrt{10}}{10}\right)^2}=\dfrac{3\sqrt{10}}{10}$

$\cos\beta=\dfrac{\sqrt{5}}{5}$에서 $\sin\beta=\sqrt{1-\left(\dfrac{\sqrt{5}}{5}\right)^2}=\dfrac{2\sqrt{5}}{5}$

$$\therefore \sin2\theta=\sin(\alpha-\beta)=\sin\alpha\cos\beta-\cos\alpha\sin\beta$$
$$=\dfrac{3\sqrt{10}}{10}\times\dfrac{\sqrt{5}}{5}-\dfrac{\sqrt{10}}{10}\times\dfrac{2\sqrt{5}}{5}=\dfrac{\sqrt{2}}{10}$$

457 답 ③

$\csc^2\theta=1+\cot^2\theta=1+(\sqrt{5})^2=6$이므로

$\sin^2\theta=\dfrac{1}{\csc^2\theta}=\dfrac{1}{6}$

$\therefore \cos2\theta=1-2\sin^2\theta=1-2\times\dfrac{1}{6}=\dfrac{2}{3}$

458 답 8

$3\cos2x+7\cos x=0$에서 $3(2\cos^2x-1)+7\cos x=0$

$6\cos^2x+7\cos x-3=0$, $(2\cos x+3)(3\cos x-1)=0$

이때 $-1\le\cos x\le1$이므로 $\cos x=\dfrac{1}{3}$

$\therefore \tan^2x=\sec^2x-1=\dfrac{1}{\cos^2x}-1=3^2-1=8$

459 답 $\dfrac{5}{12}$

직선 $y=\dfrac{1}{5}x$가 x축의 양의 방향과 이루는 각의 크기를 θ라 하면 $\tan\theta=\dfrac{1}{5}$

$\therefore m=\tan2\theta=\dfrac{2\tan\theta}{1-\tan^2\theta}=\dfrac{2\times\dfrac{1}{5}}{1-\left(\dfrac{1}{5}\right)^2}=\dfrac{5}{12}$

460 답 ②

$\angle\text{POB}=2\angle\text{PAO}$이므로 $\beta=2\alpha$

$$\sin\alpha+\cos\beta=\sin\alpha+\cos2\alpha$$
$$=\sin\alpha+1-2\sin^2\alpha$$
$$=-2\left(\sin\alpha-\dfrac{1}{4}\right)^2+\dfrac{9}{8}$$

$-1\le\sin\alpha\le1$이므로 $\sin\alpha=\dfrac{1}{4}$일 때, $\sin\alpha+\cos\beta$가 최대이다.

$$\therefore \sin\alpha\cos\beta=\sin\alpha\cos2\alpha=\sin\alpha(1-2\sin^2\alpha)$$
$$=\dfrac{1}{4}\times\left\{1-2\times\left(\dfrac{1}{4}\right)^2\right\}=\dfrac{1}{4}\times\dfrac{7}{8}=\dfrac{7}{32}$$

461 답 12

$f(x) = 1 - \dfrac{1}{1+3\sin x} = \dfrac{3\sin x}{1+3\sin x}$ 이므로

$$\lim_{x \to 0} \frac{f(4x)}{x} = \lim_{x \to 0} \frac{1}{x} \times \frac{3\sin 4x}{1+3\sin 4x}$$

$$= \lim_{x \to 0} \frac{\sin 4x}{x} \times \frac{3}{1+3\sin 4x}$$

$$= \lim_{x \to 0} 4 \times \frac{\sin 4x}{4x} \times \frac{3}{1+3\sin 4x}$$

$$= 4 \times 1 \times 3 = 12$$

462 답 ③

$$\lim_{x \to 0} \frac{e^{2x^2}-1}{\tan 2x \sin x} = \lim_{x \to 0} \frac{e^{2x^2}-1}{2x^2} \times \frac{2x}{\tan 2x} \times \frac{x}{\sin x}$$

$$= 1 \times 1 \times 1 = 1$$

463 답 ④

$$\lim_{x \to 0} \frac{x^2}{f(x)}$$

$$= \lim_{x \to 0} \frac{1-\cos \dfrac{x}{2}}{f(x)} \times \frac{x^2}{1-\cos \dfrac{x}{2}}$$

$$= \lim_{x \to 0} \frac{1-\cos \dfrac{x}{2}}{f(x)} \times \frac{x^2\left(1+\cos \dfrac{x}{2}\right)}{\left(1-\cos \dfrac{x}{2}\right)\left(1+\cos \dfrac{x}{2}\right)}$$

$$= \lim_{x \to 0} \frac{1-\cos \dfrac{x}{2}}{f(x)} \times \frac{x^2\left(1+\cos \dfrac{x}{2}\right)}{\sin^2 \dfrac{x}{2}}$$

$$= \lim_{x \to 0} \frac{1-\cos \dfrac{x}{2}}{f(x)} \times \left(\frac{\dfrac{x}{2}}{\sin \dfrac{x}{2}}\right)^2 \times 4 \times \left(1+\cos \dfrac{x}{2}\right)$$

$$= 1 \times 1^2 \times 4 \times 2 = 8$$

464 답 $\dfrac{1}{4}$

$x - \pi = t$로 놓으면 $x \to \pi$일 때 $t \to 0$

$$\lim_{x \to \pi} \frac{\sqrt{2+\cos x}-1}{(x-\pi)^2}$$

$$= \lim_{t \to 0} \frac{\sqrt{2+\cos(t+\pi)}-1}{t^2}$$

$$= \lim_{t \to 0} \frac{\sqrt{2-\cos t}-1}{t^2}$$

$$= \lim_{t \to 0} \frac{(\sqrt{2-\cos t}-1)(\sqrt{2-\cos t}+1)}{t^2(\sqrt{2-\cos t}+1)}$$

$$= \lim_{t \to 0} \frac{1-\cos t}{t^2(\sqrt{2-\cos t}+1)}$$

$$= \lim_{t \to 0} \frac{(1-\cos t)(1+\cos t)}{t^2(\sqrt{2-\cos t}+1)(1+\cos t)}$$

$$= \lim_{t \to 0} \left(\frac{\sin t}{t}\right)^2 \times \frac{1}{\sqrt{2-\cos t}+1} \times \frac{1}{1+\cos t}$$

$$= 1^2 \times \frac{1}{2} \times \frac{1}{2} = \frac{1}{4}$$

465 답 ①

$\overline{OH} = \cos \theta$이므로 $\overline{HA} = 1 - \cos \theta$

직각삼각형 OAB에서

$\overline{OA} = \overline{OB}$이므로 $\angle OAB = \angle OBA$ ··· ㉠

$\overline{OB} /\!/ \overline{PH}$이므로 $\angle OBA = \angle HQA$ ··· ㉡

㉠, ㉡에 의하여 $\angle HAQ = \angle HQA$

따라서 직각삼각형 HAQ에서 $\overline{HA} = \overline{HQ} = 1 - \cos \theta$이므로

$$S(\theta) = \frac{(1-\cos \theta)^2}{2}$$

$$\therefore \lim_{\theta \to 0+} \frac{S(\theta)}{\theta^4} = \lim_{\theta \to 0+} \frac{(1-\cos \theta)^2}{2\theta^4}$$

$$= \lim_{\theta \to 0+} \frac{(1-\cos \theta)^2(1+\cos \theta)^2}{2\theta^4(1+\cos \theta)^2}$$

$$= \lim_{\theta \to 0+} \frac{(1-\cos^2 \theta)^2}{2\theta^4(1+\cos \theta)^2}$$

$$= \lim_{\theta \to 0+} \frac{\sin^4 \theta}{2\theta^4(1+\cos \theta)^2}$$

$$= \lim_{\theta \to 0+} \left(\frac{\sin \theta}{\theta}\right)^4 \times \frac{1}{2(1+\cos \theta)^2}$$

$$= 1^4 \times \frac{1}{2(1+1)^2} = \frac{1}{8}$$

466 답 $\dfrac{8\sqrt{3}}{3}\pi$

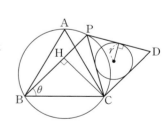

$\angle BPC = \angle BAC = \dfrac{\pi}{3}$이고

$\overline{BC} = 4\sqrt{3}$이므로 삼각형 PBC 의 꼭짓점 C에서 선분 BP에 내린 수선의 발을 H 라 하면

$\overline{CH} = \overline{BC} \sin \theta = \overline{PC} \sin \dfrac{\pi}{3}$

이므로

$$\overline{PC} = \frac{\overline{BC} \sin \theta}{\sin \dfrac{\pi}{3}} = \frac{4\sqrt{3}}{\dfrac{\sqrt{3}}{2}} \times \sin \theta = 8 \sin \theta$$

선분 PC를 한 변으로 하는 정삼각형 PCD의 내접원의 반지름 의 길이를 r라 하면

$\dfrac{1}{2} \times 8 \sin \theta \times r \times 3 = \dfrac{\sqrt{3}}{4} \times (8 \sin \theta)^2$이므로 $r = \dfrac{4\sqrt{3}}{3} \sin \theta$

$$\therefore l(\theta) = 2\pi \times \frac{4\sqrt{3}}{3} \sin \theta = \frac{8\sqrt{3}}{3}\pi \sin \theta$$

$$\therefore \lim_{\theta \to 0+} \frac{l(\theta)}{\theta} = \lim_{\theta \to 0+} \frac{\dfrac{8\sqrt{3}}{3}\pi \sin \theta}{\theta} = \frac{8\sqrt{3}}{3}\pi \lim_{\theta \to 0+} \frac{\sin \theta}{\theta}$$

$$= \frac{8\sqrt{3}}{3}\pi \times 1 = \frac{8\sqrt{3}}{3}\pi$$

467 답 ②

$f(x)=\sin x+a\cos x$에서

$f\left(\dfrac{\pi}{2}\right)=\sin\dfrac{\pi}{2}+a\cos\dfrac{\pi}{2}=1$이므로

$\displaystyle\lim_{x\to\frac{\pi}{2}}\dfrac{f(x)-1}{x-\dfrac{\pi}{2}}=\lim_{x\to\frac{\pi}{2}}\dfrac{f(x)-f\left(\dfrac{\pi}{2}\right)}{x-\dfrac{\pi}{2}}=f'\left(\dfrac{\pi}{2}\right)$

$f'(x)=\cos x-a\sin x$에서

$f'\left(\dfrac{\pi}{2}\right)=\cos\dfrac{\pi}{2}-a\sin\dfrac{\pi}{2}=-a$

따라서 $-a=3$에서 $a=-3$이므로 $f(x)=\sin x-3\cos x$

$\therefore f\left(\dfrac{\pi}{4}\right)=\sin\dfrac{\pi}{4}-3\cos\dfrac{\pi}{4}$

$\qquad =\dfrac{\sqrt{2}}{2}-3\times\dfrac{\sqrt{2}}{2}=-\sqrt{2}$

468 답 ⑤

$f(x)=\cos^2 x+\sin x=\cos x\cos x+\sin x$에서

$f'(x)=-2\sin x\cos x+\cos x=-\cos x(2\sin x-1)$

방정식 $f'(x)=0$에서

$-\cos x(2\sin x-1)=0$이므로

$\cos x=0$ 또는 $\sin x=\dfrac{1}{2}$

이때 $0\le x\le\pi$이므로

$\cos x=0$에서 $x=\dfrac{\pi}{2}$

$\sin x=\dfrac{1}{2}$에서 $x=\dfrac{\pi}{6},\ \dfrac{5}{6}\pi$

따라서 구하는 모든 실근의 합은

$\dfrac{\pi}{2}+\dfrac{\pi}{6}+\dfrac{5}{6}\pi=\dfrac{3}{2}\pi$

469 답 -2

단계 1 $x-\dfrac{\pi}{2}=t$로 놓고 주어진 식을 t에 대한 식으로 나타내기

$x-\dfrac{\pi}{2}=t$로 놓으면 $x=t+\dfrac{\pi}{2}$이고

$x\to\dfrac{\pi}{2}$일 때 $t\to 0$이므로

$\displaystyle\lim_{x\to\frac{\pi}{2}}\dfrac{\left(x-\dfrac{\pi}{2}\right)\cos x}{1-\sin x}=\lim_{t\to 0}\dfrac{t\cos\left(t+\dfrac{\pi}{2}\right)}{1-\sin\left(t+\dfrac{\pi}{2}\right)}$

$\qquad =\lim_{t\to 0}\dfrac{-t\sin t}{1-\cos t}$ 30%

단계 2 $(1-\cos t)(1+\cos t)=\sin^2 t$ 임을 이용하여 식 정리하기

$\displaystyle\lim_{t\to 0}\dfrac{-t\sin t}{1-\cos t}=\lim_{t\to 0}\dfrac{-t\sin t(1+\cos t)}{(1-\cos t)(1+\cos t)}$

$\qquad =\lim_{t\to 0}\dfrac{-t\sin t(1+\cos t)}{\sin^2 t}$

$\qquad =\lim_{t\to 0}\left(-\dfrac{t}{\sin t}\right)\times(1+\cos t)$ 40%

단계 3 $\displaystyle\lim_{x\to\frac{\pi}{2}}\dfrac{\left(x-\dfrac{\pi}{2}\right)\cos x}{1-\sin x}$의 값 구하기

$\displaystyle\lim_{t\to 0}\dfrac{t}{\sin t}=1,\ \lim_{t\to 0}(1+\cos t)=2$이므로

$\displaystyle\lim_{x\to\frac{\pi}{2}}\dfrac{\left(x-\dfrac{\pi}{2}\right)\cos x}{1-\sin x}=\lim_{t\to 0}\left(-\dfrac{t}{\sin t}\right)\times(1+\cos t)$

$\qquad\qquad =-1\times 2=-2$ 30%

470 답 $\dfrac{1}{3}$

단계 1 $x=0$에서 연속임을 이용하여 식 세우기

함수 $f(x)$가 $x=0$에서 연속이므로

$\displaystyle\lim_{x\to 0}f(x)=f(0)$

$\therefore \displaystyle\lim_{x\to 0}\dfrac{\ln(x+a)}{\tan bx}=3$ ··· ㉠ 30%

단계 2 (분모)→0이고 극한값이 존재하면 (분자)→0임을 이용하여 상수 $a,\ b$의 값 구하기

$x\to 0$일 때 (분모)→0이고 극한값이 존재하므로 (분자)→0이다.

즉, $\displaystyle\lim_{x\to 0}\ln(x+a)=0$에서 $\ln a=0$

$\therefore a=1$

$a=1$을 ㉠의 좌변에 대입하면

$\displaystyle\lim_{x\to 0}\dfrac{\ln(x+1)}{\tan bx}=\lim_{x\to 0}\dfrac{\ln(x+1)}{x}\times\dfrac{x}{\tan bx}$

$\qquad =\lim_{x\to 0}\dfrac{\ln(x+1)}{x}\times\dfrac{1}{b}\times\dfrac{bx}{\tan bx}$

$\qquad =1\times\dfrac{1}{b}\times 1=3$

$\therefore b=\dfrac{1}{3}$ 60%

단계 3 ab의 값 구하기

$ab=1\times\dfrac{1}{3}=\dfrac{1}{3}$ 10%

3 여러 가지 미분법

→ 본책 74쪽~77쪽

471 답 $y'=-\dfrac{1}{(x-3)^2}$

$y=\dfrac{1}{x-3}$에서

$y'=-\dfrac{(x-3)'}{(x-3)^2}=-\dfrac{1}{(x-3)^2}$

472 답 $y'=\dfrac{2}{(x+1)^2}$

$y=\dfrac{2x}{x+1}$에서

$y'=\dfrac{(2x)'(x+1)-2x(x+1)'}{(x+1)^2}$

$=\dfrac{2(x+1)-2x}{(x+1)^2}=\dfrac{2}{(x+1)^2}$

473 답 $y'=\dfrac{1-x}{e^x}$

$y=\dfrac{x}{e^x}$에서

$y'=\dfrac{(x)'e^x-x(e^x)'}{(e^x)^2}$

$=\dfrac{e^x-xe^x}{e^{2x}}=\dfrac{1-x}{e^x}$

474 답 $y'=-\dfrac{2}{x^3}$

$y=x^{-2}$에서 $y'=-2x^{-3}=-\dfrac{2}{x^3}$

475 답 $y'=-\dfrac{6}{x^4}$

$y=\dfrac{2}{x^3}$에서 $y=2x^{-3}$이므로

$y'=-6x^{-4}=-\dfrac{6}{x^4}$

476 답 $y'=-\dfrac{1}{x^2}+\dfrac{4}{x^5}+1$

$y=\dfrac{1}{x}-\dfrac{1}{x^4}+x$에서 $y=x^{-1}-x^{-4}+x$이므로

$y'=-x^{-2}+4x^{-5}+1=-\dfrac{1}{x^2}+\dfrac{4}{x^5}+1$

477 답 $y'=\sec^2 x-\csc^2 x$

478 답 $y'=-\sin x+\sec x\tan x$

479 답 $y'=\csc x(1-x\cot x)$

$y=x\csc x$에서

$y'=(x)'\csc x+x(\csc x)'$

$=\csc x-x\csc x\cot x$

$=\csc x(1-x\cot x)$

480 답 $y'=\sin x(1+\sec^2 x)$

$y=\sin x\tan x$에서

$y'=(\sin x)'\tan x+\sin x(\tan x)'$

$=\cos x\tan x+\sin x\sec^2 x$

$=\sin x+\sin x\sec^2 x$

$=\sin x(1+\sec^2 x)$

481 답 $y'=\dfrac{\sec x(x\tan x-1)}{x^2}$

$y=\dfrac{\sec x}{x}$에서

$y'=\dfrac{(\sec x)'x-\sec x(x)'}{x^2}$

$=\dfrac{x\sec x\tan x-\sec x}{x^2}$

$=\dfrac{\sec x(x\tan x-1)}{x^2}$

482 답 $y'=\tan x+x\sec^2 x$

$y=\dfrac{x}{\cot x}$에서

$y'=\dfrac{(x)'\cot x-x(\cot x)'}{\cot^2 x}=\dfrac{\cot x+x\csc^2 x}{\cot^2 x}$

$=\dfrac{1}{\cot x}+x\times\dfrac{1}{\sin^2 x}\times\dfrac{\sin^2 x}{\cos^2 x}$

$=\tan x+x\sec^2 x$

483 답 $y'=10(2x+1)^4$

$y=(2x+1)^5$에서

$y'=5(2x+1)^4(2x+1)'$

$=10(2x+1)^4$

484 답 $y'=3e^{3x-1}$

$y=e^{3x-1}$에서

$y'=e^{3x-1}\times(3x-1)'=3e^{3x-1}$

485 답 $y'=(2x+3)\cos(x^2+3x)$

$y=\sin(x^2+3x)$에서

$y'=\cos(x^2+3x)\times(x^2+3x)'$

$=(2x+3)\cos(x^2+3x)$

486 답 $y'=\dfrac{2x+1}{x^2+x-2}$

$y=\ln|x^2+x-2|$에서

$y'=\dfrac{(x^2+x-2)'}{x^2+x-2}=\dfrac{2x+1}{x^2+x-2}$

487 답 $y'=\dfrac{e^x}{e^x-1}$

$y=\ln|e^x-1|$에서

$y'=\dfrac{(e^x-1)'}{e^x-1}=\dfrac{e^x}{e^x-1}$

488 답 $y'=\dfrac{3}{(3x-1)\ln 2}$

$y=\log_2|3x-1|$에서

$y'=\dfrac{(3x-1)'}{(3x-1)\ln 2}=\dfrac{3}{(3x-1)\ln 2}$

489 답 $y'=\ln|x|+1$

$y=x\ln|x|$에서

$y'=(x)'\ln|x|+x(\ln|x|)'$

$\quad=\ln|x|+x\times\dfrac{1}{x}$

$\quad=\ln|x|+1$

490 답 $y'=\dfrac{1}{3\sqrt[3]{x^2}}$

$y=\sqrt[3]{x}$에서 $y=x^{\frac{1}{3}}$이므로

$y'=\dfrac{1}{3}x^{-\frac{2}{3}}=\dfrac{1}{3\sqrt[3]{x^2}}$

491 답 $y'=\sqrt{2}x^{\sqrt{2}-1}$

492 답 $y'=-\dfrac{1}{2x\sqrt{x}}$

$y=\dfrac{1}{\sqrt{x}}$에서 $y=x^{-\frac{1}{2}}$이므로

$y'=-\dfrac{1}{2}x^{-\frac{3}{2}}=-\dfrac{1}{2x\sqrt{x}}$

493 답 $y'=\dfrac{x+2}{\sqrt{x^2+4x+5}}$

$y=\sqrt{x^2+4x+5}$에서 $y=(x^2+4x+5)^{\frac{1}{2}}$이므로

$y'=\dfrac{1}{2}(x^2+4x+5)^{-\frac{1}{2}}(x^2+4x+5)'$

$\quad=\dfrac{2x+4}{2\sqrt{x^2+4x+5}}=\dfrac{x+2}{\sqrt{x^2+4x+5}}$

494 답 $\dfrac{dy}{dx}=-\dfrac{x}{y}$ (단, $y\neq 0$)

$x^2+y^2=1$에서 $2x+2y\dfrac{dy}{dx}=0$

$\therefore \dfrac{dy}{dx}=-\dfrac{x}{y}$ (단, $y\neq 0$)

495 답 $\dfrac{dy}{dx}=\dfrac{3x-2y}{2x+y}$ (단, $2x+y\neq 0$)

$3x^2-y^2=4xy$에서 $6x-2y\dfrac{dy}{dx}=4y+4x\dfrac{dy}{dx}$

$(4x+2y)\dfrac{dy}{dx}=6x-4y$

$\therefore \dfrac{dy}{dx}=\dfrac{3x-2y}{2x+y}$ (단, $2x+y\neq 0$)

496 답 $\dfrac{dy}{dx}=-\dfrac{2y}{3x}$ (단, $x\neq 0$)

$x^2y^3=5$에서 $2xy^3+x^2\times 3y^2\dfrac{dy}{dx}=0$

$2xy^3+3x^2y^2\dfrac{dy}{dx}=0$

$\therefore \dfrac{dy}{dx}=-\dfrac{2y}{3x}$ (단, $x\neq 0$)

497 답 $\dfrac{dy}{dx}=\dfrac{1}{5y^4}$

$x=y^5$의 양변을 y에 대하여 미분하면 $\dfrac{dx}{dy}=5y^4$

$\therefore \dfrac{dy}{dx}=\dfrac{1}{\dfrac{dx}{dy}}=\dfrac{1}{5y^4}$

498 답 $\dfrac{dy}{dx}=\dfrac{1}{3\sqrt[3]{(x+2)^2}}$

$y=\sqrt[3]{x+2}$의 양변을 세제곱하면

$y^3=x+2$

$x=y^3-2$의 양변을 y에 대하여 미분하면

$\dfrac{dx}{dy}=3y^2$

$\therefore \dfrac{dy}{dx}=\dfrac{1}{\dfrac{dx}{dy}}=\dfrac{1}{3y^2}=\dfrac{1}{3\sqrt[3]{(x+2)^2}}$

499 답 $\dfrac{dy}{dx}=\dfrac{3}{4\sqrt[4]{27x^3}}$

$y=\sqrt[4]{3x}$의 양변을 네제곱하면

$y^4=3x$

$x=\dfrac{y^4}{3}$의 양변을 y에 대하여 미분하면

$\dfrac{dx}{dy}=\dfrac{4y^3}{3}$

$\therefore \dfrac{dy}{dx}=\dfrac{1}{\dfrac{dx}{dy}}=\dfrac{3}{4y^3}=\dfrac{3}{4\sqrt[4]{(3x)^3}}=\dfrac{3}{4\sqrt[4]{27x^3}}$

500 답 (가) : 5, (나) : 1, (다) : $\dfrac{1}{3}$

$g(5)=k$라 하면 $f(k)=\boxed{5}$이므로

$k^3+4=\boxed{5}$, $k^3-1=(k-1)(k^2+k+1)=0$

$\therefore k=\boxed{1}$ $(\because k^2+k+1>0)$

따라서 $g(5)=\boxed{1}$이고 $f'(x)=3x^2$이므로

$g'(5)=\dfrac{1}{f'(g(5))}=\dfrac{1}{f'(\boxed{1})}=\boxed{\dfrac{1}{3}}$

501 답 $\dfrac{dy}{dx}=t$

$x=2t-1$에서 $\dfrac{dx}{dt}=2$

$y=t^2+3$에서 $\dfrac{dy}{dt}=2t$

$\therefore \dfrac{dy}{dx}=\dfrac{\dfrac{dy}{dt}}{\dfrac{dx}{dt}}=\dfrac{2t}{2}=t$

502 답 $\dfrac{dy}{dx}=-\dfrac{4}{3t}$

$x=2t^3+5$에서 $\dfrac{dx}{dt}=6t^2$

$y=1-4t^2$에서 $\dfrac{dy}{dt}=-8t$

$\therefore \dfrac{dy}{dx}=\dfrac{\dfrac{dy}{dt}}{\dfrac{dx}{dt}}=\dfrac{-8t}{6t^2}=-\dfrac{4}{3t}$

503 답 $\dfrac{dy}{dx}=\dfrac{3t^2}{2t-1}$

$x=t^2-t+1$에서 $\dfrac{dx}{dt}=2t-1$

$y=t^3+3$에서 $\dfrac{dy}{dt}=3t^2$

$\therefore \dfrac{dy}{dx}=\dfrac{\dfrac{dy}{dt}}{\dfrac{dx}{dt}}=\dfrac{3t^2}{2t-1}$

504 답 $\dfrac{dy}{dx}=\dfrac{\cos t}{2+\sin t}$

$x=2t-\cos t$에서 $\dfrac{dx}{dt}=2+\sin t$

$y=\sin t$에서 $\dfrac{dy}{dt}=\cos t$

$\therefore \dfrac{dy}{dx}=\dfrac{\dfrac{dy}{dt}}{\dfrac{dx}{dt}}=\dfrac{\cos t}{2+\sin t}$

505 답 $y''=6x+8$

$y=x^3+4x^2$에서 $y'=3x^2+8x$이므로

$y''=6x+8$

506 답 $y''=-\cos x$

$y=\cos x$에서 $y'=-\sin x$이므로

$y''=-\cos x$

507 답 $y''=\dfrac{2}{(x+1)^3}$

$y=\dfrac{1}{x+1}$에서 $y=(x+1)^{-1}$이므로 $y'=-(x+1)^{-2}$

$\therefore y''=2(x+1)^{-3}=\dfrac{2}{(x+1)^3}$

508 답 $y''=-\dfrac{1}{4x\sqrt{x}}$

$y=\sqrt{x}$에서 $y=x^{\frac{1}{2}}$이므로 $y'=\dfrac{1}{2}x^{-\frac{1}{2}}$

$\therefore y''=-\dfrac{1}{4}x^{-\frac{3}{2}}=-\dfrac{1}{4x\sqrt{x}}$

509 답 $y''=4e^{2x+1}$

$y=e^{2x+1}$에서 $y'=2e^{2x+1}$이므로

$y''=4e^{2x+1}$

510 답 $y''=-\dfrac{1}{x^2}$

$y=\ln|x|$에서 $y'=\dfrac{1}{x}$이므로

$y''=-\dfrac{1}{x^2}$

도전! 유형 연습하기

→ 본책 **78쪽~86쪽**

511 답 ⑤

단계 **1** $f'(x)$ 구하기

$f(x)=\dfrac{x-3}{x^2+1}$에서

$f'(x)=\dfrac{(x-3)'(x^2+1)-(x-3)(x^2+1)'}{(x^2+1)^2}$

$=\dfrac{x^2+1-(x-3)\times 2x}{(x^2+1)^2}$

$=\dfrac{-x^2+6x+1}{(x^2+1)^2}$

단계 2 $f'(1)$의 값 구하기

$$f'(1) = \frac{-1+6+1}{4} = \frac{3}{2}$$

512 답 1

$f(x) = \dfrac{ax+b}{x^2+x+1}$에서

$$f'(x) = \frac{(ax+b)'(x^2+x+1)-(ax+b)(x^2+x+1)'}{(x^2+x+1)^2}$$

$$= \frac{a(x^2+x+1)-(ax+b)(2x+1)}{(x^2+x+1)^2}$$

$$= \frac{-ax^2-2bx+a-b}{(x^2+x+1)^2}$$

$f'(0)=-1$에서 $a-b=-1$ $\cdots$ ㉠

$f'(1)=1$에서 $\dfrac{-a-2b+a-b}{9} = -\dfrac{b}{3} = 1$ $\therefore b=-3$

㉠에 $b=-3$을 대입하면 $a+3=-1$ $\therefore a=-4$

따라서 $f(x) = \dfrac{-4x-3}{x^2+x+1}$이므로 $f(-1) = \dfrac{4-3}{1-1+1} = 1$

513 답 ②

$f(x) = \dfrac{1+\cos x}{\sin x}$에서

$$f'(x) = \frac{(1+\cos x)'\sin x-(1+\cos x)(\sin x)'}{\sin^2 x}$$

$$= \frac{-\sin^2 x-(1+\cos x)\times\cos x}{\sin^2 x}$$

$$= \frac{-\sin^2 x-\cos x-\cos^2 x}{\sin^2 x} = \frac{-1-\cos x}{1-\cos^2 x}$$

$$= \frac{-(1+\cos x)}{(1-\cos x)(1+\cos x)} = -\frac{1}{1-\cos x}$$

$$\therefore f'\left(\frac{\pi}{3}\right) = -\frac{1}{1-\frac{1}{2}} = -2$$

514 답 -3

$g(x) = \dfrac{1}{xf(x)-x}$에서

$$g'(x) = -\frac{\{xf(x)-x\}'}{\{xf(x)-x\}^2} = -\frac{f(x)+xf'(x)-1}{\{xf(x)-x\}^2}$$

$$\therefore g'(1) = -\frac{f(1)+f'(1)-1}{\{f(1)-1\}^2} = -\frac{2+2-1}{(2-1)^2} = -3$$

515 답 9

$$\lim_{h \to 0} \frac{f(4h)-f(-2h)}{h}$$

$$= \lim_{h \to 0} \frac{f(4h)-f(0)+f(0)-f(-2h)}{h}$$

$$= 4\lim_{h \to 0} \frac{f(4h)-f(0)}{4h} + 2\lim_{h \to 0} \frac{f(-2h)-f(0)}{-2h}$$

$$= 4f'(0)+2f'(0) = 6f'(0)$$

$f(x) = \dfrac{3x}{e^x+1}$에서

$$f'(x) = \frac{(3x)'(e^x+1)-3x(e^x+1)'}{(e^x+1)^2}$$

$$= \frac{3(e^x+1)-3xe^x}{(e^x+1)^2} = \frac{3(e^x+1-xe^x)}{(e^x+1)^2}$$

$$\therefore 6f'(0) = 6 \times \frac{3(e^0+1-0)}{(e^0+1)^2} = 9$$

516 답 ⑤

단계 1 $\displaystyle\lim_{x \to 1} \dfrac{f(x)-3}{x-1}$ 간단히 하기

$f(1)=3$이므로

$$\lim_{x \to 1} \frac{f(x)-3}{x-1} = \lim_{x \to 1} \frac{f(x)-f(1)}{x-1} = f'(1)$$

단계 2 $f'(x)$ 구하기

$f(x) = \dfrac{3x^6+x^2-1}{x^3} = 3x^3+x^{-1}-x^{-3}$이므로

$$f'(x) = 9x^2-x^{-2}+3x^{-4} = 9x^2-\frac{1}{x^2}+\frac{3}{x^4}$$

단계 3 $f'(1)$의 값 구하기

$$f'(1) = 9-1+3 = 11$$

517 답 ⑤

$f(x) = \dfrac{2x^4-x^2+k}{x^2} = 2x^2-1+\dfrac{k}{x^2} = 2x^2-1+kx^{-2}$이므로

$$f'(x) = 4x-2kx^{-3} = 4x-\frac{2k}{x^3}$$

$f'(1)=-6$이므로 $4-2k=-6$

$2k=10$ $\therefore k=5$

518 답 -55

$$f(x) = \frac{1}{x}+\frac{1}{x^2}+\frac{1}{x^3}+\cdots+\frac{1}{x^{10}}$$

$$= x^{-1}+x^{-2}+x^{-3}+\cdots+x^{-10}$$

이므로

$$f'(x) = -x^{-2}-2x^{-3}-3x^{-4}-\cdots-10x^{-11}$$

$$\therefore f'(1) = -1-2-3-\cdots-10 = -55$$

519 답 $\dfrac{2}{3}$

단계 1 $f'(x)$ 구하기

$f(x) = \dfrac{\tan x}{1+\sec x}$에서

$$f'(x) = \frac{(\tan x)'(1+\sec x)-\tan x(1+\sec x)'}{(1+\sec x)^2}$$

$$= \frac{\sec^2 x(1+\sec x)-\tan x\times\sec x\tan x}{(1+\sec x)^2}$$

$$= \frac{\sec^2 x+\sec x(\sec^2 x-\tan^2 x)}{(1+\sec x)^2}$$

$$= \frac{\sec^2 x+\sec x}{(1+\sec x)^2} = \frac{\sec x}{1+\sec x}$$

단계 2 $f'\left(\dfrac{\pi}{3}\right)$의 값 구하기

$$f'\left(\frac{\pi}{3}\right)=\frac{2}{1+2}=\frac{2}{3}$$

520 답 ①

$$\lim_{h\to 0}\frac{f\left(\dfrac{\pi}{4}+h\right)-f\left(\dfrac{\pi}{4}-h\right)}{h}$$

$$=\lim_{h\to 0}\frac{f\left(\dfrac{\pi}{4}+h\right)-f\left(\dfrac{\pi}{4}\right)+f\left(\dfrac{\pi}{4}\right)-f\left(\dfrac{\pi}{4}-h\right)}{h}$$

$$=\lim_{h\to 0}\frac{f\left(\dfrac{\pi}{4}+h\right)-f\left(\dfrac{\pi}{4}\right)}{h}+\lim_{h\to 0}\frac{f\left(\dfrac{\pi}{4}-h\right)-f\left(\dfrac{\pi}{4}\right)}{-h}$$

$$=f'\left(\frac{\pi}{4}\right)+f'\left(\frac{\pi}{4}\right)$$

$$=2f'\left(\frac{\pi}{4}\right)$$

$f(x)=\sec x+\cot x$에서

$f'(x)=\sec x\tan x-\csc^2 x$

$$\therefore 2f'\left(\frac{\pi}{4}\right)=2\times\{\sqrt{2}-(\sqrt{2})^2\}=2\sqrt{2}-4$$

521 답 ②

$g(x)=\sin^2 x$로 놓으면

$$f(x)=\lim_{h\to 0}\frac{g(x+h)-g(x)}{h}=g'(x)$$

$$\therefore g'(x)=2\sin x\cos x$$

$$\therefore f\left(\frac{\pi}{6}\right)=g'\left(\frac{\pi}{6}\right)=2\times\frac{1}{2}\times\frac{\sqrt{3}}{2}=\frac{\sqrt{3}}{2}$$

522 답 $-4(\sqrt{3}+1)$

$f(x)=\csc x(2+\cos x)$에서

$$f'(x)=(\csc x)'(2+\cos x)+\csc x(2+\cos x)'$$

$$=-\csc x\cot x(2+\cos x)+\csc x\times(-\sin x)$$

$$=\frac{-2\cos x-\cos^2 x-\sin^2 x}{\sin^2 x}$$

$$=\frac{-2\cos x-1}{\sin^2 x}$$

따라서 점 $\left(\dfrac{\pi}{6},\ f\left(\dfrac{\pi}{6}\right)\right)$에서의 접선의 기울기는

$$f'\left(\frac{\pi}{6}\right)=\frac{-2\cos\dfrac{\pi}{6}-1}{\sin^2\dfrac{\pi}{6}}=-4(\sqrt{3}+1)$$

523 답 ③

단계 1 $f'(x)$ 구하기

$f(x)=\left(\dfrac{ax+2}{x-1}\right)^3$에서

$$f'(x)=3\left(\frac{ax+2}{x-1}\right)^2\times\left(\frac{ax+2}{x-1}\right)'$$

$$=3\left(\frac{ax+2}{x-1}\right)^2\times\frac{a(x-1)-(ax+2)}{(x-1)^2}$$

$$=3\left(\frac{ax+2}{x-1}\right)^2\times\frac{-a-2}{(x-1)^2}$$

$$=-\frac{3(a+2)(ax+2)^2}{(x-1)^4}$$

단계 2 상수 a의 값 구하기

$f'(0)=12$에서 $-12(a+2)=12$, $a+2=-1$

$$\therefore a=-3$$

524 답 $\dfrac{9}{2}$

$h(x)=(g\circ f)(x)=g(f(x))$에서

$h'(x)=g'(f(x))f'(x)$이므로

$h'(1)=g'(f(1))f'(1)$

$$f'(x)=\frac{(x-3)'(x^2+1)-(x-3)(x^2+1)'}{(x^2+1)^2}$$

$$=\frac{x^2+1-2x(x-3)}{(x^2+1)^2}=\frac{-x^2+6x+1}{(x^2+1)^2}$$

이므로 $f'(1)=\dfrac{-1+6+1}{4}=\dfrac{3}{2}$

$f(1)=-1$이고 $g'(x)=2x+5$이므로

$g'(f(1))=g'(-1)=3$

$$\therefore h'(1)=g'(f(1))f'(1)=3\times\frac{3}{2}=\frac{9}{2}$$

525 답 $\sqrt{3}$

$h(x)=(f\circ g)(x)=f(g(x))$에서

$h'(x)=f'(g(x))g'(x)$이므로

$$h'\left(\frac{\pi}{3}\right)=f'\left(g\left(\frac{\pi}{3}\right)\right)g'\left(\frac{\pi}{3}\right)$$

$g\left(\dfrac{\pi}{3}\right)=-\dfrac{1}{2}$이고 $f(x)=x^2+1$에서 $f'(x)=2x$이므로

$$f'\left(g\left(\frac{\pi}{3}\right)\right)=f'\left(-\frac{1}{2}\right)=2\times\left(-\frac{1}{2}\right)=-1$$

$g(x)=\cos 2x$에서 $g'(x)=-2\sin 2x$이므로

$$g'\left(\frac{\pi}{3}\right)=-2\sin\frac{2}{3}\pi=-\sqrt{3}$$

$$\therefore h'\left(\frac{\pi}{3}\right)=f'\left(-\frac{1}{2}\right)g'\left(\frac{\pi}{3}\right)=-1\times(-\sqrt{3})=\sqrt{3}$$

526 답 ②

$f(x)=2^{\sin x}$에서

$f'(x)=2^{\sin x}\ln 2\times(\sin x)'=2^{\sin x}\ln 2\times\cos x$

$$\therefore f'(\pi)=2^{\sin\pi}\ln 2\times\cos\pi=-\ln 2$$

527 답 ②

$f(0)=1$, $f(-1)=0$이므로

$$\lim_{h \to 0} \frac{f(h)-f(h-1)-1}{3h}$$

$$=\lim_{h \to 0} \frac{f(h)-f(0)+f(-1)-f(h-1)}{3h}$$

$$=\frac{1}{3}\lim_{h \to 0}\frac{f(h)-f(0)}{h}-\frac{1}{3}\lim_{h \to 0}\frac{f(-1+h)-f(-1)}{h}$$

$$=\frac{1}{3}f'(0)-\frac{1}{3}f'(-1)$$

$f(x)=(x+1)e^{x^2}$에서

$$f'(x)=(x+1)'e^{x^2}+(x+1)(e^{x^2})'$$
$$=e^{x^2}+(x+1)\times e^{x^2}\times 2x$$
$$=e^{x^2}(2x^2+2x+1)$$

$\therefore f'(0)=1$, $f'(-1)=e$

$$\therefore \frac{1}{3}f'(0)-\frac{1}{3}f'(-1)=\frac{1}{3}\times 1-\frac{1}{3}\times e$$

$$=\frac{1-e}{3}$$

528 답 -2

단계 1 $f(0)$, $f'(0)$의 값 구하기

$\lim\limits_{x \to 0} \dfrac{f(x)-1}{x}=2$에서 $x \to 0$일 때 (분모)$\to 0$이고 극한값이

존재하므로 (분자)$\to 0$이다.

즉, $\lim\limits_{x \to 0}\{f(x)-1\}=0$이므로 $f(0)=1$

$$\therefore \lim_{x \to 0}\frac{f(x)-1}{x}=\lim_{x \to 0}\frac{f(x)-f(0)}{x-0}=f'(0)=2$$

단계 2 $g(1)$, $g'(1)$의 값 구하기

$\lim\limits_{x \to 1}\dfrac{g(x)-3}{x-1}=-1$에서 $x \to 1$일 때 (분모)$\to 0$이고 극한값

이 존재하므로 (분자)$\to 0$이다.

즉, $\lim\limits_{x \to 1}\{g(x)-3\}=0$이므로 $g(1)=3$

$$\therefore \lim_{x \to 1}\frac{g(x)-3}{x-1}=\lim_{x \to 1}\frac{g(x)-g(1)}{x-1}=g'(1)=-1$$

단계 3 $y=(g\circ f)(x)$의 $x=0$에서의 미분계수 구하기

$y=(g\circ f)(x)=g(f(x))$에서 $y'=g'(f(x))f'(x)$이므로

$x=0$에서의 미분계수는

$$g'(f(0))f'(0)=g'(1)f'(0)$$
$$=-1\times 2=-2$$

529 답 ①

$y=(f\circ g)(x)=f(g(x))$에서

$$y'=f'(g(x))g'(x)$$

따라서 $x=2$에서의 미분계수는

$$f'(g(2))g'(2)=f'(2)g'(2)$$
$$=5\times(-1)=-5$$

530 답 -8

$h(x)=f(g(x))$로 놓으면

$h(1)=f(g(1))=f(1)=3$이므로

$$\lim_{x \to 1}\frac{f(g(x))-3}{x-1}=\lim_{x \to 1}\frac{h(x)-h(1)}{x-1}=h'(1)$$

$h'(x)=f'(g(x))g'(x)$이므로

$$h'(1)=f'(g(1))g'(1)=f'(1)g'(1)=-2\times 4=-8$$

531 답 ③

단계 1 $f'(2x+3)$ 구하기

$f(2x+3)=x^3+2x-3$의 양변을 x에 대하여 미분하면

$$2f'(2x+3)=3x^2+2$$

$$\therefore f'(2x+3)=\frac{3}{2}x^2+1$$

단계 2 $2f'(5)$의 값 구하기

$2x+3=5$에서 $x=1$이므로 위의 식의 양변에 $x=1$을 대입하면

$$f'(5)=\frac{3}{2}+1=\frac{5}{2}$$

$$\therefore 2f'(5)=5$$

532 답 $\dfrac{1}{3}$

$f(3+x)=f(1-3x)$의 양변을 x에 대하여 미분하면

$$f'(3+x)=-3f'(1-3x) \qquad \cdots \text{㉠}$$

$3+x=2$에서 $x=-1$이므로 ㉠의 양변에 $x=-1$을 대입하면

$$f'(2)=-3f'(4), \quad 3=-3f'(4) \qquad \therefore f'(4)=-1$$

$1-3x=-2$에서 $x=1$이므로 ㉠의 양변에 $x=1$을 대입하면

$$f'(4)=-3f'(-2), \quad -1=-3f'(-2)$$

$$\therefore f'(-2)=\frac{1}{3}$$

533 답 ③

단계 1 $f(x)=(x-1)^2 Q(x)$ 꼴로 나타내기

다항식 $f(x)$를 $(x-1)^2$으로 나누었을 때의 몫을 $Q(x)$라 하면

$$x^{10}+ax+b=(x-1)^2 Q(x) \qquad \cdots \text{㉠}$$

㉠의 양변을 x에 대하여 미분하면

$$10x^9+a=2(x-1)Q(x)+(x-1)^2 Q'(x) \qquad \cdots \text{㉡}$$

단계 2 a, b의 값 구하기

㉠, ㉡에 $x=1$을 각각 대입하면

$$1+a+b=0, \quad 10+a=0$$

위의 두 식을 연립하여 풀면

$$a=-10, \ b=9$$

단계 3 $f(-1)$의 값 구하기

$f(x)=x^{10}-10x+9$이므로

$$f(-1)=1+10+9=20$$

534 답 $\dfrac{17}{8}$

다항식 $f(x)$를 $(2x+1)^2$으로 나누었을 때의 몫을 $Q(x)$라 하면

$8x^5+ax^2+b=(2x+1)^2Q(x)$ $\qquad$ ··· ㉠

㉠의 양변을 x에 대하여 미분하면

$40x^4+2ax=2(2x+1)\times2\times Q(x)+(2x+1)^2Q'(x)$

$\qquad\qquad=4(2x+1)Q(x)+(2x+1)^2Q'(x)$ $\qquad$ ··· ㉡

㉠, ㉡에 $x=-\dfrac{1}{2}$을 각각 대입하면

$8\times\left(-\dfrac{1}{2}\right)^5+a\times\left(-\dfrac{1}{2}\right)^2+b=0$에서 $a+4b=1$ $\qquad$ ··· ㉢

$40\times\left(-\dfrac{1}{2}\right)^4+2a\times\left(-\dfrac{1}{2}\right)=0$에서 $a=\dfrac{5}{2}$

$a=\dfrac{5}{2}$를 ㉢에 대입하면 $b=-\dfrac{3}{8}$

$\therefore a+b=\dfrac{5}{2}+\left(-\dfrac{3}{8}\right)=\dfrac{17}{8}$

535 답 -1

단계 1 $f'(x)$ 구하기

$f(x)=\ln|x^3-ax+1|$에서

$f'(x)=\dfrac{(x^3-ax+1)'}{x^3-ax+1}=\dfrac{3x^2-a}{x^3-ax+1}$

단계 2 상수 a의 값 구하기

$f'(0)=-a$이므로 $-a=1$

$\therefore a=-1$

536 답 ④

$f(x)=\log_3|xe^x|$에서

$f'(x)=\dfrac{(xe^x)'}{xe^x\ln3}=\dfrac{e^x+xe^x}{xe^x\ln3}=\dfrac{1+x}{x\ln3}$

$\therefore f'(1)=\dfrac{2}{\ln3}$

537 답 ②

$f(x)=\ln(\sec^2x)$에서

$f'(x)=\dfrac{(\sec^2x)'}{\sec^2x}=\dfrac{2\sec^2x\tan x}{\sec^2x}=2\tan x$

$\therefore f'\left(\dfrac{\pi}{3}\right)=2\tan\dfrac{\pi}{3}=2\sqrt3$

538 답 $-\sqrt2$

$f(x)=\ln\sqrt{\dfrac{1-\sin x}{1+\sin x}}=\dfrac{1}{2}\ln\left(\dfrac{1-\sin x}{1+\sin x}\right)$

$\qquad=\dfrac{1}{2}\{\ln(1-\sin x)-\ln(1+\sin x)\}$

이므로

$f'(x)=\dfrac{1}{2}\left\{\dfrac{(1-\sin x)'}{1-\sin x}-\dfrac{(1+\sin x)'}{1+\sin x}\right\}$

$\qquad=\dfrac{1}{2}\left(\dfrac{-\cos x}{1-\sin x}-\dfrac{\cos x}{1+\sin x}\right)$

$\qquad=\dfrac{-\cos x(1+\sin x)-\cos x(1-\sin x)}{2(1-\sin x)(1+\sin x)}$

$\qquad=\dfrac{-2\cos x}{2\cos^2x}$

$\qquad=-\dfrac{1}{\cos x}$

따라서 $x=\dfrac{\pi}{4}$에서의 미분계수는

$-\dfrac{1}{\cos\dfrac{\pi}{4}}=-\dfrac{1}{\dfrac{\sqrt2}{2}}=-\sqrt2$

539 답 $\dfrac{1}{8}$

단계 1 $f'(x)$ 구하기

주어진 식의 양변의 절댓값에 자연로그를 취하면

$\ln|f(x)|=2\ln|x|+\ln|x-1|-3\ln|x+1|$

위의 식의 양변을 x에 대하여 미분하면

$\dfrac{f'(x)}{f(x)}=\dfrac{2}{x}+\dfrac{1}{x-1}-\dfrac{3}{x+1}$

$\qquad=\dfrac{2(x-1)(x+1)+x(x+1)-3x(x-1)}{x(x-1)(x+1)}$

$\qquad=\dfrac{4x-2}{x(x-1)(x+1)}$

$\therefore f'(x)=f(x)\times\dfrac{4x-2}{x(x-1)(x+1)}$

$\qquad=\dfrac{x^2(x-1)}{(x+1)^3}\times\dfrac{2(2x-1)}{x(x-1)(x+1)}$

$\qquad=\dfrac{2x(2x-1)}{(x+1)^4}$

단계 2 $f'(1)$의 값 구하기

$f'(1)=\dfrac{2\times(2-1)}{(1+1)^4}=\dfrac{1}{8}$

540 답 1

$f(1)\neq0$이므로 $f(1)g(1)-f'(1)=0$에서

$g(1)=\dfrac{f'(1)}{f(1)}$

$f(x)=\dfrac{(x+1)(x+2)^3}{(x+3)^2}$의 양변의 절댓값에 자연로그를 취하면

$\ln|f(x)|=\ln|x+1|+3\ln|x+2|-2\ln|x+3|$

위의 식의 양변을 x에 대하여 미분하면

$\dfrac{f'(x)}{f(x)}=\dfrac{1}{x+1}+\dfrac{3}{x+2}-\dfrac{2}{x+3}$

$\therefore g(1)=\dfrac{f'(1)}{f(1)}$

$\qquad=\dfrac{1}{2}+\dfrac{3}{3}-\dfrac{2}{4}=1$

541 답 ①

주어진 식의 양변의 절댓값에 자연로그를 취하면

$\ln |f(x)| = 3\ln |x| + 4\ln |x+2| - 2\ln |x-1| - \ln |x-2|$

위의 식의 양변을 x에 대하여 미분하면

$\dfrac{f'(x)}{f(x)} = \dfrac{3}{x} + \dfrac{4}{x+2} - \dfrac{2}{x-1} - \dfrac{1}{x-2}$

$\therefore \lim_{x \to 3} \dfrac{f'(x)}{f(x)} = \lim_{x \to 3} \left(\dfrac{3}{x} + \dfrac{4}{x+2} - \dfrac{2}{x-1} - \dfrac{1}{x-2} \right)$

$\qquad = \dfrac{3}{3} + \dfrac{4}{5} - \dfrac{2}{2} - \dfrac{1}{1} = -\dfrac{1}{5}$

542 답 $4\ln 2 + 5$

주어진 식의 양변에 자연로그를 취하면

$\ln f(x) = \ln x^x = x \ln x$

위의 식의 양변을 x에 대하여 미분하면

$\dfrac{f'(x)}{f(x)} = \ln x + x \times \dfrac{1}{x} = \ln x + 1$

$\therefore f'(x) = f(x)(\ln x + 1) = x^x(1 + \ln x)$

$\therefore f'(1) + f'(2) = 1 + 4(1 + \ln 2) = 4\ln 2 + 5$

543 답 ③

주어진 식의 양변에 자연로그를 취하면

$\ln f(x) = \ln x^{\ln x} = (\ln x)^2$

위의 식의 양변을 x에 대하여 미분하면

$\dfrac{f'(x)}{f(x)} = 2\ln x \times \dfrac{1}{x} = \dfrac{2\ln x}{x}$

$\therefore f'(x) = f(x) \times \dfrac{2\ln x}{x} = x^{\ln x} \times \dfrac{2\ln x}{x}$

따라서 $x = e^2$에서의 미분계수는

$e^{2\ln e^2} \times \dfrac{2\ln e^2}{e^2} = e^4 \times \dfrac{4}{e^2} = 4e^2$

544 답 $-\ln \pi$

$f(\pi) = \pi^{\sin \pi} = 1$이므로

$\lim_{x \to \pi} \dfrac{f(x) - 1}{x - \pi} = \lim_{x \to \pi} \dfrac{f(x) - f(\pi)}{x - \pi} = f'(\pi)$

$f(x) = x^{\sin x}$의 양변에 자연로그를 취하면

$\ln f(x) = \ln x^{\sin x} = \sin x \ln x$

위의 식의 양변을 x에 대하여 미분하면

$\dfrac{f'(x)}{f(x)} = \cos x \ln x + \sin x \times \dfrac{1}{x}$

$\therefore f'(x) = f(x)\left(\cos x \ln x + \dfrac{\sin x}{x} \right)$

$\qquad = x^{\sin x}\left(\cos x \ln x + \dfrac{\sin x}{x} \right)$

$\therefore f'(\pi) = \pi^{\sin \pi}\left(\cos \pi \ln \pi + \dfrac{\sin \pi}{\pi} \right) = -\ln \pi$

545 답 4

단계 1 $f'(x)$ 구하기

$f(x) = \sqrt{x^3 + ax + 1} = (x^3 + ax + 1)^{\frac{1}{2}}$에서

$f'(x) = \dfrac{1}{2}(x^3 + ax + 1)^{-\frac{1}{2}}(x^3 + ax + 1)'$

$\qquad = \dfrac{3x^2 + a}{2\sqrt{x^3 + ax + 1}}$

단계 2 $f(3)$의 값 구하기

$f'(0) = \dfrac{a}{2}$에서 $\dfrac{a}{2} = -2$이므로 $a = -4$

따라서 $f(x) = \sqrt{x^3 - 4x + 1}$이므로

$f(3) = \sqrt{27 - 12 + 1} = 4$

546 답 $\dfrac{1}{6}$

$f\left(\dfrac{\pi}{4}\right) = \dfrac{1}{\sqrt[3]{2 - \tan\dfrac{\pi}{4}}} = 1$이므로

$\lim_{x \to \frac{\pi}{4}} \dfrac{f(x) - 1}{4x - \pi} = \dfrac{1}{4} \lim_{x \to \frac{\pi}{4}} \dfrac{f(x) - f\left(\dfrac{\pi}{4}\right)}{x - \dfrac{\pi}{4}}$

$\qquad = \dfrac{1}{4}f'\left(\dfrac{\pi}{4}\right)$

$f(x) = \dfrac{1}{\sqrt[3]{2 - \tan x}} = (2 - \tan x)^{-\frac{1}{3}}$이므로

$f'(x) = -\dfrac{1}{3}(2 - \tan x)^{-\frac{4}{3}}(2 - \tan x)'$

$\qquad = \dfrac{\sec^2 x}{3(2 - \tan x)\sqrt[3]{2 - \tan x}}$

$\therefore \dfrac{1}{4}f'\left(\dfrac{\pi}{4}\right) = \dfrac{1}{4} \times \left\{ \dfrac{(\sqrt{2})^2}{3 \times 1 \times 1} \right\} = \dfrac{1}{6}$

547 답 $\sqrt{7}$

$f(x) = \ln(x + \sqrt{x^2 - 3})$에서

$f'(x) = \dfrac{(x + \sqrt{x^2 - 3})'}{x + \sqrt{x^2 - 3}}$

$\qquad = \dfrac{1 + \dfrac{2x}{2\sqrt{x^2 - 3}}}{x + \sqrt{x^2 - 3}}$

$\qquad = \dfrac{\dfrac{x + \sqrt{x^2 - 3}}{\sqrt{x^2 - 3}}}{x + \sqrt{x^2 - 3}}$

$\qquad = \dfrac{1}{\sqrt{x^2 - 3}}$

$2f'(a) = 1$에서 $f'(a) = \dfrac{1}{2}$이므로

$\dfrac{1}{\sqrt{a^2 - 3}} = \dfrac{1}{2}$, $\sqrt{a^2 - 3} = 2$, $a^2 - 3 = 4$, $a^2 = 7$

$\therefore a = \sqrt{7}$ ($\because a > 0$)

548 답 ③

단계 1 $\dfrac{dy}{dx}$ 구하기

$x^2-\cos x-xy=1$의 각 항을 x에 대하여 미분하면

$2x+\sin x-y-x\dfrac{dy}{dx}=0$

$\therefore \dfrac{dy}{dx}=\dfrac{2x+\sin x-y}{x}$ (단, $x\neq0$)

단계 2 $x=\pi$, $y=\pi$일 때 $\dfrac{dy}{dx}$의 값 구하기

위의 식에 $x=\pi$, $y=\pi$를 대입하면

$\dfrac{dy}{dx}=\dfrac{2\pi+\sin\pi-\pi}{\pi}=1$

549 답 -1

$\sqrt{x}+\sqrt{2y}=3$의 각 항을 x에 대하여 미분하면

$\dfrac{1}{2\sqrt{x}}+\dfrac{\sqrt{2}}{2\sqrt{y}}\times\dfrac{dy}{dx}=0$

$\therefore \dfrac{dy}{dx}=-\sqrt{\dfrac{y}{2x}}$ (단, $x\neq0$)

위의 식에 $x=1$, $y=2$를 대입하면

$\dfrac{dy}{dx}=-\sqrt{\dfrac{2}{2\times1}}=-1$

550 답 ④

점 $(1, -1)$이 곡선 $x^2+axy+by^2=4$ 위의 점이므로

$1-a+b=4$

$\therefore a-b=-3$ $\cdots$ ㉠

$x^2+axy+by^2=4$의 각 항을 x에 대하여 미분하면

$2x+ay+ax\dfrac{dy}{dx}+2by\dfrac{dy}{dx}=0$

$(ax+2by)\dfrac{dy}{dx}=-2x-ay$

$\therefore \dfrac{dy}{dx}=-\dfrac{2x+ay}{ax+2by}$ (단, $ax+2by\neq0$)

이때 점 $(1, -1)$에서의 접선의 기울기가 $\dfrac{3}{5}$이므로

$-\dfrac{2-a}{a-2b}=\dfrac{3}{5}$, $-10+5a=3a-6b$

$\therefore a+3b=5$ $\cdots$ ㉡

㉠, ㉡을 연립하여 풀면 $a=-1$, $b=2$

$\therefore a+b=-1+2=1$

551 답 ②

단계 1 $\dfrac{dy}{dx}$ 구하기

$x=y\sqrt{2+y}$의 양변을 y에 대하여 미분하면

$\dfrac{dx}{dy}=\sqrt{2+y}+\dfrac{y}{2\sqrt{2+y}}=\dfrac{2(2+y)+y}{2\sqrt{2+y}}=\dfrac{4+3y}{2\sqrt{2+y}}$

$\therefore \dfrac{dy}{dx}=\dfrac{1}{\dfrac{dx}{dy}}=\dfrac{2\sqrt{2+y}}{4+3y}$

단계 2 $y=2$에서의 $\dfrac{dy}{dx}$의 값 구하기

위의 식에 $y=2$를 대입하면

$\dfrac{dy}{dx}=\dfrac{2\sqrt{2+2}}{4+3\times2}=\dfrac{2}{5}$

552 답 1

$x=\ln(\sec y)$의 양변을 y에 대하여 미분하면

$\dfrac{dx}{dy}=\dfrac{(\sec y)'}{\sec y}=\dfrac{\sec y\tan y}{\sec y}=\tan y$

$\therefore \dfrac{dy}{dx}=\dfrac{1}{\dfrac{dx}{dy}}=\dfrac{1}{\tan y}$

위의 식에 $y=\dfrac{\pi}{4}$를 대입하면

$\dfrac{dy}{dx}=\dfrac{1}{\tan\dfrac{\pi}{4}}=1$

553 답 -2

$x=\dfrac{2y}{y^3+1}$의 양변을 y에 대하여 미분하면

$\dfrac{dx}{dy}=\dfrac{(2y)'(y^3+1)-2y(y^3+1)'}{(y^3+1)^2}$

$\quad=\dfrac{2(y^3+1)-2y\times3y^2}{(y^3+1)^2}$

$\quad=\dfrac{-4y^3+2}{(y^3+1)^2}$

$\therefore \dfrac{dy}{dx}=\dfrac{1}{\dfrac{dx}{dy}}=\dfrac{(y^3+1)^2}{-4y^3+2}$

따라서 $y=1$인 점에서의 접선의 기울기는

$\dfrac{(1+1)^2}{-4+2}=-2$

554 답 ①

단계 1 $g(5)$의 값 구하기

$g(5)=a$라 하면 $f(a)=5$이므로

$a^2-2a-3=5$, $a^2-2a-8=0$

$(a+2)(a-4)=0$

$\therefore a=4$ ($\because a>1$)

단계 2 $g'(5)$의 값 구하기

$f(x)=x^2-2x-3$에서

$f'(x)=2x-2$이므로 $f'(4)=6$

$\therefore g'(5)=\dfrac{1}{f'(4)}=\dfrac{1}{6}$

555 답 7

$g(4)=a$라 하면 $f(a)=4$이므로

$\dfrac{a-3}{2a+1}=4$, $a-3=8a+4$

$\therefore a=-1$

$f(x)=\dfrac{x-3}{2x+1}$에서

$f'(x)=\dfrac{(x-3)'(2x+1)-(x-3)(2x+1)'}{(2x+1)^2}$

$\quad=\dfrac{1\times(2x+1)-(x-3)\times2}{(2x+1)^2}=\dfrac{7}{(2x+1)^2}$

이므로

$f'(-1)=7$

$\therefore \dfrac{1}{g'(4)}=\dfrac{1}{\dfrac{1}{f'(-1)}}=f'(-1)=7$

556 답 $\dfrac{1}{3}$

$g(1)=a$라 하면 $f(a)=1$이므로

$e^{2a}+\ln(a+1)=1$에서 $a=0$

$f(x)=e^{2x}+\ln(x+1)$에서

$f'(x)=2e^{2x}+\dfrac{1}{x+1}$이므로

$f'(0)=3$

$\therefore g'(1)=\dfrac{1}{f'(0)}=\dfrac{1}{3}$

557 답 ①

$\displaystyle\lim_{x\to0}\dfrac{g(x)-1}{x}=4$에서 $x\to0$일 때 (분모)$\to0$이고 극한값이

존재하므로 (분자)$\to0$이다.

즉, $\displaystyle\lim_{x\to0}\{g(x)-1\}=0$이므로 $g(0)=1$

$\therefore f(1)=0$

또 $\displaystyle\lim_{x\to0}\dfrac{g(x)-1}{x}=\lim_{x\to0}\dfrac{g(x)-g(0)}{x}=g'(0)$이므로

$g'(0)=4$

$\therefore f'(1)=\dfrac{1}{g'(0)}=\dfrac{1}{4}$

낯선 특강 **함수의 극한의 성질**

두 함수 $f(x)$, $g(x)$에 대하여 다음이 성립한다.

(1) $\displaystyle\lim_{x\to a}\dfrac{f(x)}{g(x)}=a$ (a는 실수)이고 $\displaystyle\lim_{x\to a}g(x)=0$이면

$\displaystyle\lim_{x\to a}f(x)=0$

(2) $\displaystyle\lim_{x\to a}\dfrac{f(x)}{g(x)}=a$ (a는 0이 아닌 실수)이고 $\displaystyle\lim_{x\to a}f(x)=0$이면

$\displaystyle\lim_{x\to a}g(x)=0$

558 답 -9

단계 1 $\dfrac{dy}{dx}$ 구하기

$\dfrac{dx}{dt}=-\dfrac{1}{(1+t)^2}$

$\dfrac{dy}{dt}=\dfrac{1\times(1-t)-t\times(-1)}{(1-t)^2}=\dfrac{1}{(1-t)^2}$

$\therefore \dfrac{dy}{dx}=\dfrac{\dfrac{dy}{dt}}{\dfrac{dx}{dt}}=\dfrac{\dfrac{1}{(1-t)^2}}{-\dfrac{1}{(1+t)^2}}=-\left(\dfrac{1+t}{1-t}\right)^2$

단계 2 $t=2$일 때 $\dfrac{dy}{dx}$의 값 구하기

위의 식에 $t=2$를 대입하면

$\dfrac{dy}{dx}=-\left(\dfrac{1+2}{1-2}\right)^2=-9$

559 답 ⑤

$\dfrac{dx}{dt}=t^2-1$, $\dfrac{dy}{dt}=2t^3+2t-4$

$\therefore \dfrac{dy}{dx}=\dfrac{\dfrac{dy}{dt}}{\dfrac{dx}{dt}}=\dfrac{2t^3+2t-4}{t^2-1}$

$\quad=\dfrac{2(t-1)(t^2+t+2)}{(t-1)(t+1)}=\dfrac{2(t^2+t+2)}{t+1}$

$\therefore \displaystyle\lim_{t\to1}\dfrac{dy}{dx}=\lim_{t\to1}\dfrac{2(t^2+t+2)}{t+1}=\dfrac{8}{2}=4$

560 답 $\dfrac{1}{e^2}$

단계 1 $f'(x)$, $f''(x)$ 구하기

$f(x)=xe^{ax-b}$에서

$f'(x)=e^{ax-b}+axe^{ax-b}=(1+ax)e^{ax-b}$

$f''(x)=ae^{ax-b}+a(1+ax)e^{ax-b}=a(2+ax)e^{ax-b}$

단계 2 상수 a, b의 값 구하기

$f'(0)=e^{-b}$이므로 $e^{-b}=e$

$\therefore b=-1$

$f''(0)=2ae^{-b}$이므로 $2ae=-6e$

$\therefore a=-3$

단계 3 $f(1)$의 값 구하기

$f(x)=xe^{-3x+1}$이므로

$f(1)=\dfrac{1}{e^2}$

561 답 $-\dfrac{4}{3}$

$f(x)=\ln(\sin x)$에서

$f'(x)=\dfrac{\cos x}{\sin x}=\cot x$

$$f''(x) = -\csc^2 x$$

$$\therefore f''\left(\frac{\pi}{3}\right) = -\frac{1}{\left(\frac{\sqrt{3}}{2}\right)^2} = -\frac{4}{3}$$

562 답 ③

$f(x) = 2x^2 \ln x$에서

$$f'(x) = 4x \ln x + 2x^2 \times \frac{1}{x} = 4x \ln x + 2x$$

$$\therefore f'(1) = 2$$

또 $f''(x) = 4\ln x + 4x \times \frac{1}{x} + 2 = 4\ln x + 6$이므로

$$f''(1) = 6$$

$$\therefore \lim_{x \to 1} \frac{f'(x)\{f'(x)-2\}}{x-1}$$

$$= \lim_{x \to 1} f'(x) \times \frac{f'(x) - f'(1)}{x-1}$$

$$= f'(1) \times f''(1)$$

$$= 2 \times 6 = 12$$

563 답 5

$y = e^{2x} \cos x$에서

$$y' = 2e^{2x} \cos x - e^{2x} \sin x = e^{2x}(2\cos x - \sin x)$$

$$y'' = 2e^{2x}(2\cos x - \sin x) + e^{2x}(-2\sin x - \cos x)$$

$$= e^{2x}(3\cos x - 4\sin x)$$

$y'' + ky = 4y'$에서 $y'' + ky - 4y' = 0$이므로

$$e^{2x}(3\cos x - 4\sin x) + ke^{2x}\cos x - 4e^{2x}(2\cos x - \sin x) = 0$$

$$\therefore (k-5)e^{2x}\cos x = 0$$

이때 위의 등식이 x의 값에 관계없이 항상 성립하므로

$$k - 5 = 0 \qquad \therefore k = 5$$

564 답 3

$\lim\limits_{x \to 0} \dfrac{f'(f(x))-1}{x} = 6$에서 $x \to 0$일 때 (분모) $\to 0$이고 극한

값이 존재하므로 (분자) $\to 0$이다.

즉, $\lim\limits_{x \to 0}\{f'(f(x))-1\} = 0$이므로 $f'(f(0)) = 1$

$$\therefore \lim_{x \to 0} \frac{f'(f(x))-1}{x}$$

$$= \lim_{x \to 0} \frac{f'(f(x))-f'(f(0))}{x}$$

$$= \lim_{x \to 0} \frac{f'(f(x))-f'(f(0))}{f(x)-f(0)} \times \frac{f(x)-f(0)}{x-0}$$

$$= f''(f(0)) \times f'(0)$$

$$= f''(1) \times 2$$

따라서 $2f''(1) = 6$이므로

$$f''(1) = 3$$

565 답 ⑤

$f(x) = \dfrac{3x}{x^2+4}$에서

$$f'(x) = \frac{3(x^2+4) - 3x \times 2x}{(x^2+4)^2} = \frac{-3x^2+12}{(x^2+4)^2}$$

$f'(x) \geq 0$에서 $\dfrac{-3x^2+12}{(x^2+4)^2} \geq 0$이고 $(x^2+4)^2 > 0$이므로

$$-3x^2 + 12 \geq 0$$

$x^2 - 4 \leq 0$, $(x+2)(x-2) \leq 0$ $\therefore -2 \leq x \leq 2$

따라서 구하는 정수 x는 -2, -1, 0, 1, 2의 5개이다.

566 답 -3

$\lim\limits_{x \to 1} \dfrac{f(x)+1}{x-1} = 4$에서 $x \to 1$일 때 (분모) $\to 0$이고 극한값이

존재하므로 (분자) $\to 0$이다.

즉, $\lim\limits_{x \to 1}\{f(x)+1\} = 0$이므로 $f(1) = -1$

$$\therefore \lim_{x \to 1} \frac{f(x)+1}{x-1} = \lim_{x \to 1} \frac{f(x)-f(1)}{x-1} = f'(1) = 4$$

따라서 함수 $y = \dfrac{1}{xf(x)}$에서 $y' = -\dfrac{f(x)+xf'(x)}{\{xf(x)\}^2}$이므로

$x = 1$에서의 미분계수는

$$-\frac{f(1)+f'(1)}{\{f(1)\}^2} = -\frac{-1+4}{(-1)^2} = -3$$

567 답 ②

$\lim\limits_{x \to 2} \dfrac{f(x)-3}{x-2} = 5$에서 $x \to 2$일 때 (분모) $\to 0$이고 극한값이

존재하므로 (분자) $\to 0$이다.

즉, $\lim\limits_{x \to 2}\{f(x)-3\} = 0$이므로 $f(2) = 3$

$$\therefore \lim_{x \to 2} \frac{f(x)-3}{x-2} = \lim_{x \to 2} \frac{f(x)-f(2)}{x-2} = f'(2) = 5$$

따라서 함수 $g(x) = \dfrac{f(x)}{e^{x-2}}$에서

$$g'(x) = \frac{f'(x)e^{x-2} - f(x)e^{x-2}}{(e^{x-2})^2} = \frac{f'(x)-f(x)}{e^{x-2}}$$이므로

$$g'(2) = \frac{f'(2)-f(2)}{e^0} = \frac{5-3}{1} = 2$$

568 답 ②

삼각형 ABC에 내접하는 원의 중심을 O라 하고, 점 O에서 변 BC에 내린 수선의 발을 H라 하자.

점 O는 삼각형 ABC의 내심이므로

$\angle OBH = \dfrac{\pi}{6}$, $\angle OCH = \theta$

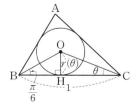

△OBH에서

$\dfrac{r(\theta)}{\overline{BH}}=\tan\dfrac{\pi}{6}$이므로 $\overline{BH}=\sqrt{3}r(\theta)$

△OCH에서

$\dfrac{r(\theta)}{\overline{CH}}=\tan\theta$이므로 $\overline{CH}=\dfrac{r(\theta)}{\tan\theta}$

$\overline{BH}+\overline{HC}=\overline{BC}$이므로 $\sqrt{3}r(\theta)+\dfrac{r(\theta)}{\tan\theta}=1$

$r(\theta)\left(\sqrt{3}+\dfrac{1}{\tan\theta}\right)=1$

$\therefore r(\theta)=\dfrac{\tan\theta}{1+\sqrt{3}\tan\theta}$

$h(\theta)=\dfrac{r(\theta)}{\tan\theta}=\dfrac{1}{1+\sqrt{3}\tan\theta}$이므로

$h'(\theta)=-\dfrac{\sqrt{3}\sec^2\theta}{(1+\sqrt{3}\tan\theta)^2}$

$\therefore h'\left(\dfrac{\pi}{6}\right)=-\dfrac{\sqrt{3}\times\left(\dfrac{2}{\sqrt{3}}\right)^2}{\left(1+\sqrt{3}\times\dfrac{1}{\sqrt{3}}\right)^2}$

$\qquad\qquad =-\dfrac{\sqrt{3}}{3}$

569 답 $-2\sqrt{3}$

$f(\cos x)=\sin 2x+\tan x$에서

$f'(\cos x)\times(-\sin x)=2\cos 2x+\sec^2 x$

$\therefore f'(\cos x)=-\dfrac{2\cos 2x+\sec^2 x}{\sin x}$

이때 $\cos x=\dfrac{1}{2}$에서 $x=\dfrac{\pi}{3}$이므로

$f'\left(\dfrac{1}{2}\right)=-\dfrac{2}{\sqrt{3}}\times\left\{2\times\left(-\dfrac{1}{2}\right)+4\right\}$

$\qquad\quad =-2\sqrt{3}$

570 답 8

$h(x)=(g\circ f)(x)=g(f(x))$이므로

$h'(x)=g'(f(x))f'(x)$

이때 $f(0)=1$이므로

$h'(0)=g'(f(0))f'(0)=g'(1)f'(0)$　$\cdots\ \bigcirc$

$f(x)=(x+1)^2\sqrt[3]{x+1}=(x+1)^{\frac{5}{2}}$이므로

$f'(x)=\dfrac{5}{2}(x+1)^{\frac{3}{2}}=\dfrac{5}{2}(x+1)\sqrt{x+1}$

$\therefore f'(0)=\dfrac{5}{2}$

$\bigcirc$에서 $g'(1)=h'(0)\times\dfrac{1}{f'(0)}$이고 $h'(0)=20$이므로

$g'(1)=20\times\dfrac{2}{5}=8$

571 답 11

$f(x)=\ln(e^x+e^{2x}+e^{3x}+\cdots+e^{10x})$이라 하면

$f(0)=\ln 10$이므로

$\displaystyle\lim_{x\to 0}\dfrac{2}{x}\ln\dfrac{e^x+e^{2x}+e^{3x}+\cdots+e^{10x}}{10}$

$=2\displaystyle\lim_{x\to 0}\dfrac{\ln(e^x+e^{2x}+e^{3x}+\cdots+e^{10x})-\ln 10}{x}$

$=2\displaystyle\lim_{x\to 0}\dfrac{f(x)-f(0)}{x}=2f'(0)$

또 $f'(x)=\dfrac{e^x+2e^{2x}+3e^{3x}+\cdots+10e^{10x}}{e^x+e^{2x}+e^{3x}+\cdots+e^{10x}}$이므로

$f'(0)=\dfrac{1+2+3+\cdots+10}{1+1+1+\cdots+1}=\dfrac{55}{10}=\dfrac{11}{2}$

$\therefore 2f'(0)=2\times\dfrac{11}{2}=11$

572 답 $\dfrac{3}{2}$

$f(x)=\ln|x^2+2x|$에서

$f'(x)=\dfrac{2x+2}{x^2+2x}$이므로 $f'(n)=\dfrac{2(n+1)}{n(n+2)}$

$\therefore\displaystyle\sum_{n=1}^{\infty}\dfrac{f'(n)}{n+1}$

$=\displaystyle\sum_{n=1}^{\infty}\left\{\dfrac{2(n+1)}{n(n+2)}\times\dfrac{1}{n+1}\right\}=\sum_{n=1}^{\infty}\dfrac{2}{n(n+2)}$

$=\displaystyle\sum_{n=1}^{\infty}\left(\dfrac{1}{n}-\dfrac{1}{n+2}\right)=\lim_{n\to\infty}\sum_{k=1}^{n}\left(\dfrac{1}{k}-\dfrac{1}{k+2}\right)$

$=\displaystyle\lim_{n\to\infty}\left\{\left(1-\dfrac{1}{3}\right)+\left(\dfrac{1}{2}-\dfrac{1}{4}\right)+\cdots+\left(\dfrac{1}{n-1}-\dfrac{1}{n+1}\right)\right.$

$\qquad\qquad\qquad\qquad\qquad\left.+\left(\dfrac{1}{n}-\dfrac{1}{n+2}\right)\right\}$

$=\displaystyle\lim_{n\to\infty}\left(1+\dfrac{1}{2}-\dfrac{1}{n+1}-\dfrac{1}{n+2}\right)=\dfrac{3}{2}$

573 답 ①

점 $(a,\ b)$가 곡선 위의 점이므로

$e^a-e^b=b$　$\cdots\ \bigcirc$

$e^x-e^y=y$의 양변을 x에 대하여 미분하면

$e^x-e^y\dfrac{dy}{dx}=\dfrac{dy}{dx}$

$\therefore\dfrac{dy}{dx}=\dfrac{e^x}{e^y+1}$

이때 점 $(a,\ b)$에서의 접선의 기울기가 1이므로

$\dfrac{e^a}{e^b+1}=1,\ e^a=e^b+1$

$\therefore e^a-e^b=1$　$\cdots\ \bigcirc\!\bigcirc$

$\bigcirc$, $\bigcirc\!\bigcirc$에서 $b=1$

$e^a=e^b+1=e+1$에서 $a=\ln(e+1)$

$\therefore a+b=\ln(e+1)+1$

574 답 ③

$f(1)=2$이므로 $g(2)=1$

$f'(1)=3$이므로

$g'(2)=\dfrac{1}{f'(g(2))}=\dfrac{1}{f'(1)}=\dfrac{1}{3}$

따라서 함수 $h(x)=xg(x)$에서

$h'(x)=g(x)+xg'(x)$이므로

$h'(2)=g(2)+2g'(2)=1+2\times\dfrac{1}{3}=\dfrac{5}{3}$

575 답 ④

$x=t^2+at$, $y=\sqrt[3]{t}-2$에서

$\dfrac{dx}{dt}=2t+a$, $\dfrac{dy}{dt}=\dfrac{1}{3\sqrt[3]{t^2}}$이므로

$\dfrac{dy}{dx}=\dfrac{\dfrac{dy}{dt}}{\dfrac{dx}{dt}}=\dfrac{\dfrac{1}{3\sqrt[3]{t^2}}}{2t+a}=\dfrac{1}{3(2t+a)\sqrt[3]{t^2}}\left(t\neq 0,\ t\neq-\dfrac{a}{2}\right)$

$t=1$일 때 $\dfrac{dy}{dx}=\dfrac{1}{6+3a}$이므로

$\dfrac{1}{6+3a}=\dfrac{1}{12}$ $\quad\therefore a=2$

576 답 ⑤

$\lim\limits_{x\to 1}\dfrac{f'(x)-a}{x-1}=b$에서 $x\to 1$일 때 (분모)$\to 0$이고 극한값이

존재하므로 (분자)$\to 0$이다.

즉, $\lim\limits_{x\to 1}\{f'(x)-a\}=0$이므로 $f'(1)=a$

$\therefore \lim\limits_{x\to 1}\dfrac{f'(x)-a}{x-1}=\lim\limits_{x\to 1}\dfrac{f'(x)-f'(1)}{x-1}=f''(1)=b$

$f(x)=x(1+2\ln x)$에서

$f'(x)=1+2\ln x+x\times\dfrac{2}{x}=3+2\ln x$

이므로 $f'(1)=3$ $\quad\therefore a=3$

$f''(x)=\dfrac{2}{x}$이므로 $f''(1)=2$ $\quad\therefore b=2$

$\therefore a+b=3+2=5$

577 답 -20

단계 1 $x=2$에서 연속임을 이용하기

$f(x)$가 $x=2$에서 미분가능하려면 $x=2$에서 연속이어야 하므로

$\lim\limits_{x\to 2-}\dfrac{ax+b}{x^2+1}=\lim\limits_{x\to 2+}\ln|x^2-3|=f(2)$

$\dfrac{2a+b}{5}=0$

$\therefore b=-2a$ $\qquad\cdots$ ㉠ $\qquad\qquad$ 30%

단계 2 $x=2$에서 미분계수가 존재함을 이용하기

$f'(2)$의 값이 존재해야 하므로

$f'(x)=\begin{cases}\dfrac{-ax^2-2bx+a}{(x^2+1)^2} & (x<2)\\[3mm]\dfrac{2x}{x^2-3} & (x>2)\end{cases}$

에서 $\lim\limits_{x\to 2-}\dfrac{-ax^2-2bx+a}{(x^2+1)^2}=\lim\limits_{x\to 2+}\dfrac{2x}{x^2-3}$

$\dfrac{-4a-4b+a}{25}=4$

$\therefore 3a+4b=-100$ $\qquad\cdots$ ㉡ $\qquad\qquad$ 50%

단계 3 $a+b$의 값 구하기

㉠, ㉡을 연립하여 풀면 $a=20$, $b=-40$

$\therefore a+b=20+(-40)=-20$ $\qquad\qquad$ 20%

578 답 1

단계 1 주어진 식 변형하기

$f(1)=2$이므로 $g(2)=1$

$\therefore \lim\limits_{h\to 0}\dfrac{g(2+5h)-1}{h}=\lim\limits_{h\to 0}\dfrac{g(2+5h)-g(2)}{h}$

$\qquad\qquad\qquad\qquad=5\lim\limits_{h\to 0}\dfrac{g(2+5h)-g(2)}{5h}$

$\qquad\qquad\qquad\qquad=5g'(2)$ $\qquad\qquad$ 50%

단계 2 역함수의 미분법을 이용하여 $g'(2)$의 값 구하기

$f'(x)=4x+\dfrac{1}{x}$이므로 $f'(1)=5$

$\therefore g'(2)=\dfrac{1}{f'(1)}=\dfrac{1}{5}$ $\qquad\qquad$ 40%

단계 3 $\lim\limits_{h\to 0}\dfrac{g(2+5h)-1}{h}$의 값 구하기

$5g'(2)=5\times\dfrac{1}{5}=1$ $\qquad\qquad$ 10%

4 도함수의 활용 (1)

➡ 본책 90쪽~92쪽

579 답 $-\dfrac{1}{4}$

$f(x)=\dfrac{1}{x+2}$ 로 놓으면 $f'(x)=-\dfrac{1}{(x+2)^2}$

점 $\left(0,\dfrac{1}{2}\right)$ 에서의 접선의 기울기는

$f'(0)=-\dfrac{1}{4}$

580 답 e^2

$f(x)=e^{x+3}$ 으로 놓으면 $f'(x)=e^{x+3}$

점 $(-1,e^2)$ 에서의 접선의 기울기는

$f'(-1)=e^2$

581 답 $y=\dfrac{3}{2}x-\dfrac{1}{2}$

$f(x)=x\sqrt{x}$ 로 놓으면 $f(x)=x^{\frac{3}{2}}$ 이므로

$f'(x)=\dfrac{3}{2}x^{\frac{1}{2}}=\dfrac{3\sqrt{x}}{2}$

점 $(1,1)$ 에서의 접선의 기울기는

$f'(1)=\dfrac{3}{2}$

따라서 구하는 접선의 방정식은

$y-1=\dfrac{3}{2}(x-1)$ $\therefore y=\dfrac{3}{2}x-\dfrac{1}{2}$

582 답 $y=-x+\pi$

$f(x)=\sin x$ 로 놓으면 $f'(x)=\cos x$

점 $(\pi,0)$ 에서의 접선의 기울기는

$f'(\pi)=\cos\pi=-1$

따라서 구하는 접선의 방정식은

$y-0=-(x-\pi)$ $\therefore y=-x+\pi$

583 답 $y=x-2$

$f(x)=\ln(x-1)$ 로 놓으면 $f'(x)=\dfrac{1}{x-1}$

점 $(2,0)$ 에서의 접선의 기울기는

$f'(2)=1$

따라서 구하는 접선의 방정식은

$y-0=x-2$ $\therefore y=x-2$

584 답 $(2,1)$

$f(x)=\sqrt{x-1}$ 로 놓으면 $f'(x)=\dfrac{1}{2\sqrt{x-1}}$

접점의 좌표를 $(t,\sqrt{t-1})$ 이라 하면

$f'(t)=\dfrac{1}{2}$ 에서 $\dfrac{1}{2\sqrt{t-1}}=\dfrac{1}{2}$, $\sqrt{t-1}=1$

$\therefore t=2$

$f(2)=\sqrt{2-1}=1$

따라서 구하는 접점의 좌표는 $(2,1)$ 이다.

585 답 $y=\dfrac{1}{2}x$

접점의 좌표가 $(2,1)$ 이므로 접선의 방정식은

$y-1=\dfrac{1}{2}(x-2)$ $\therefore y=\dfrac{1}{2}x$

586 답 $(1,2e)$

$f(x)=2e^x$ 으로 놓으면 $f'(x)=2e^x$

접점의 좌표를 $(t,2e^t)$ 이라 하면 이 점에서의 접선의 기울기가

$f'(t)=2e^t$ 이므로 접선의 방정식은

$y-2e^t=2e^t(x-t)$

$\therefore y=2e^t x-2e^t(t-1)$

이때 이 직선은 점 $(0,0)$ 을 지나므로

$0=-2e^t(t-1)$

$\therefore t=1 \ (\because -2e^t<0)$

따라서 $f(1)=2e$ 이므로 구하는 접점의 좌표는 $(1,2e)$ 이다.

587 답 $y=2ex$

접점의 좌표가 $(1,2e)$ 이고 접선의 기울기가

$f'(1)=2e$ 이므로 접선의 방정식은

$y-2e=2e(x-1)$ $\therefore y=2ex$

588 답 (가) : 1, (나) : $+$, (다) : 감소, (라) : 증가

$f(x)=x-\ln x$ 에서

$f'(x)=1-\dfrac{1}{x}=\dfrac{x-1}{x}$

$f'(x)=0$ 에서 $x=1$

함수 $f(x)$ 의 증가와 감소를 표로 나타내면 다음과 같다.

x	0	$\cdots$	$\boxed{1}$	$\cdots$
$f'(x)$		$-$	0	$\boxed{+}$
$f(x)$		↘		↗

따라서 $x>0$ 에서 함수 $f(x)$ 는 구간 $(0,1]$ 에서 $\boxed{감소}$ 하고, 구간 $[1,\infty)$ 에서 $\boxed{증가}$ 한다.

589 답 풀이 참조

$f(x)=x+\dfrac{1}{x}$ 에서

$f'(x)=1-\dfrac{1}{x^2}$

$f'(x)=0$ 에서 $x=-1 \ (\because x<0)$

함수 $f(x)$의 증가와 감소를 표로 나타내면 다음과 같다.

x	$\cdots$	-1	$\cdots$	0
$f'(x)$	$+$	0	$-$	
$f(x)$	↗		↘	

따라서 $x<0$에서 함수 $f(x)$는 구간 $(-\infty, -1]$에서 증가하고, 구간 $[-1, 0)$에서 감소한다.

590 답 풀이 참조

$f(x)=\sqrt{x^2+1}$에서

$f'(x)=\dfrac{x}{\sqrt{x^2+1}}$

$f'(x)=0$에서 $x=0$

함수 $f(x)$의 증가와 감소를 표로 나타내면 다음과 같다.

x	$\cdots$	0	$\cdots$
$f'(x)$	$-$	0	$+$
$f(x)$	↘		↗

따라서 함수 $f(x)$는 구간 $(-\infty, 0]$에서 감소하고, 구간 $[0, \infty)$에서 증가한다.

591 답 풀이 참조

$f(x)=e^x-x$에서

$f'(x)=e^x-1$

$f'(x)=0$에서 $x=0$

함수 $f(x)$의 증가와 감소를 표로 나타내면 다음과 같다.

x	$\cdots$	0	$\cdots$
$f'(x)$	$-$	0	$+$
$f(x)$	↘		↗

따라서 함수 $f(x)$는 구간 $(-\infty, 0]$에서 감소하고, 구간 $[0, \infty)$에서 증가한다.

592 답 풀이 참조

$f(x)=xe^x$에서

$f'(x)=e^x+xe^x=(1+x)e^x$

$f'(x)=0$에서 $x=-1$ $(\because e^x>0)$

함수 $f(x)$의 증가와 감소를 표로 나타내면 다음과 같다.

x	$\cdots$	-1	$\cdots$
$f'(x)$	$-$	0	$+$
$f(x)$	↘		↗

따라서 함수 $f(x)$는 구간 $(-\infty, -1]$에서 감소하고, 구간 $[-1, \infty)$에서 증가한다.

593 답 풀이 참조

$f(x)=x+2\cos x$에서

$f'(x)=1-2\sin x$

$f'(x)=0$에서 $\sin x=\dfrac{1}{2}$

$\therefore x=\dfrac{\pi}{6}$ 또는 $x=\dfrac{5}{6}\pi$ $(\because 0<x<\pi)$

함수 $f(x)$의 증가와 감소를 표로 나타내면 다음과 같다.

x	0	$\cdots$	$\dfrac{\pi}{6}$	$\cdots$	$\dfrac{5}{6}\pi$	$\cdots$	π
$f'(x)$		$+$	0	$-$	0	$+$	
$f(x)$		↗		↘		↗	

따라서 $0<x<\pi$에서 함수 $f(x)$는 구간 $\left(0, \dfrac{\pi}{6}\right]$, $\left[\dfrac{5}{6}\pi, \pi\right)$에서 증가하고, 구간 $\left[\dfrac{\pi}{6}, \dfrac{5}{6}\pi\right]$에서 감소한다.

594 답 풀이 참조

$f(x)=\sin x+\cos x$에서

$f'(x)=\cos x-\sin x$

$f'(x)=0$에서 $x=\dfrac{\pi}{4}$ $(\because 0<x<\pi)$

함수 $f(x)$의 증가와 감소를 표로 나타내면 다음과 같다.

x	0	$\cdots$	$\dfrac{\pi}{4}$	$\cdots$	π
$f'(x)$		$+$	0	$-$	
$f(x)$		↗		↘	

따라서 $0<x<\pi$에서 함수 $f(x)$는 구간 $\left(0, \dfrac{\pi}{4}\right]$에서 증가하고, 구간 $\left[\dfrac{\pi}{4}, \pi\right)$에서 감소한다.

595 답 (가) : $\dfrac{4}{e^2}$, (나) : 0, (다) : -2, (라) : 0

$f(x)=x^2e^x$에서

$f'(x)=2xe^x+x^2e^x=x(x+2)e^x$

$f'(x)=0$에서 $x=-2$ 또는 $x=0$

함수 $f(x)$의 증가와 감소를 표로 나타내면 다음과 같다.

x	$\cdots$	-2	$\cdots$	0	$\cdots$
$f'(x)$	$+$	0	$-$	0	$+$
$f(x)$	↗	$\boxed{\dfrac{4}{e^2}}$	↘	$\boxed{0}$	↗

따라서 함수 $f(x)$는 $x=\boxed{-2}$에서 극대이고 극댓값은 $\boxed{\dfrac{4}{e^2}}$, $x=\boxed{0}$에서 극소이고 극솟값은 $\boxed{0}$이다.

596 답 극댓값 : $\dfrac{1}{2}$, 극솟값 : $-\dfrac{1}{2}$

$f(x)=\dfrac{x}{x^2+1}$에서

$f'(x)=\dfrac{(x^2+1)-x\times 2x}{(x^2+1)^2}$

$=\dfrac{-x^2+1}{(x^2+1)^2}$

$=\dfrac{-(x+1)(x-1)}{(x^2+1)^2}$

$f'(x)=0$에서 $x=-1$ 또는 $x=1$

함수 $f(x)$의 증가와 감소를 표로 나타내면 다음과 같다.

x	$\cdots$	-1	$\cdots$	1	$\cdots$
$f'(x)$	$-$	0	$+$	0	$-$
$f(x)$	$\searrow$	$-\dfrac{1}{2}$	$\nearrow$	$\dfrac{1}{2}$	$\searrow$

따라서 함수 $f(x)$는 $x=1$에서 극대이고 극댓값은 $\dfrac{1}{2}$, $x=-1$

에서 극소이고 극솟값은 $-\dfrac{1}{2}$이다.

597 답 극댓값 : $\dfrac{5}{3}\pi+\sqrt{3}$, 극솟값 : $\dfrac{\pi}{3}-\sqrt{3}$

$f(x)=x-2\sin x$에서

$f'(x)=1-2\cos x$

$f'(x)=0$에서 $\cos x=\dfrac{1}{2}$

$\therefore x=\dfrac{\pi}{3}$ 또는 $x=\dfrac{5}{3}\pi$

함수 $f(x)$의 증가와 감소를 표로 나타내면 다음과 같다.

x	0	$\cdots$	$\dfrac{\pi}{3}$	$\cdots$	$\dfrac{5}{3}\pi$	$\cdots$	2π
$f'(x)$		$-$	0	$+$	0	$-$	
$f(x)$		$\searrow$	$\dfrac{\pi}{3}-\sqrt{3}$	$\nearrow$	$\dfrac{5}{3}\pi+\sqrt{3}$	$\searrow$	

따라서 $0<x<2\pi$에서 함수 $f(x)$는 $x=\dfrac{5}{3}\pi$에서 극대이고 극

댓값은 $\dfrac{5}{3}\pi+\sqrt{3}$, $x=\dfrac{\pi}{3}$에서 극소이고 극솟값은 $\dfrac{\pi}{3}-\sqrt{3}$이다.

598 답 (가) : -2, (나) : $\dfrac{4}{e^2}$, (다) : 0, (라) : 0

$f(x)=x^2e^x$에서

$f'(x)=2xe^x+x^2e^x$
$\quad\ =x(x+2)e^x$

$f''(x)=(x+2)e^x+xe^x+x(x+2)e^x$
$\qquad\ =(x^2+4x+2)e^x$

$f'(x)=0$에서 $x=-2$ 또는 $x=0$

이때 $f''(-2)<0$, $f''(0)>0$이므로 함수 $f(x)$는

$x=\boxed{-2}$에서 극대이고 극댓값은 $\boxed{\dfrac{4}{e^2}}$,

$x=\boxed{0}$에서 극소이고 극솟값은 $\boxed{0}$이다.

599 답 극댓값 : -4, 극솟값 : 4

$f(x)=x+\dfrac{4}{x}$에서

$f'(x)=1-\dfrac{4}{x^2}$

$f''(x)=\dfrac{8}{x^3}$

$f'(x)=0$에서 $x=-2$ 또는 $x=2$

이때 $f''(-2)=-1<0$, $f''(2)=1>0$이므로 함수 $f(x)$는

$x=-2$에서 극대이고 극댓값은 $f(-2)=-4$,

$x=2$에서 극소이고 극솟값은 $f(2)=4$이다.

600 답 극솟값 : $-\dfrac{1}{2e}$

$f(x)=x^2\ln x$에서 $x>0$이고

$f'(x)=2x\ln x+x^2\times\dfrac{1}{x}=x(2\ln x+1)$

$f''(x)=2\ln x+1+x\times\dfrac{2}{x}=2\ln x+3$

$f'(x)=0$에서 $\ln x=-\dfrac{1}{2}$ ($\because x>0$)

$\therefore x=\dfrac{1}{\sqrt{e}}$

이때 $f''\left(\dfrac{1}{\sqrt{e}}\right)=2>0$이므로 함수 $f(x)$는 $x=\dfrac{1}{\sqrt{e}}$에서 극소이

고 극솟값은 $f\left(\dfrac{1}{\sqrt{e}}\right)=-\dfrac{1}{2e}$이다.

도전! 유형 연습하기

➜ 본책 93쪽~100쪽

601 답 ③

단계 1 $f'(x)$ 구하기

$f(x)=\dfrac{x-1}{2x+1}$로 놓으면

$f'(x)=\dfrac{(2x+1)-(x-1)\times 2}{(2x+1)^2}=\dfrac{3}{(2x+1)^2}$

단계 2 점 $(-1, 2)$에서의 접선의 방정식 구하기

점 $(-1, 2)$에서의 접선의 기울기는 $f'(-1)=3$

따라서 구하는 접선의 방정식은

$y-2=3\{x-(-1)\}$ $\quad\therefore y=3x+5$

단계 3 $a+b$의 값 구하기

$a=3$, $b=5$이므로 $a+b=3+5=8$

602 답 $y=\dfrac{1}{2}x+1$

$f(x)=2\sqrt{x+4}-3$으로 놓으면

$f'(x)=\dfrac{1}{\sqrt{x+4}}$

점 $(0, 1)$에서의 접선의 기울기는 $f'(0)=\dfrac{1}{\sqrt{4}}=\dfrac{1}{2}$

따라서 구하는 접선의 방정식은

$y-1=\dfrac{1}{2}(x-0)$ $\therefore y=\dfrac{1}{2}x+1$

603 답 ③

$f(x)=2x+x\ln x$로 놓으면

$f'(x)=2+\ln x+x\times \dfrac{1}{x}=3+\ln x$

x좌표가 e인 점에서의 접선의 기울기는 $f'(e)=3+\ln e=4$

이때 $f(e)=2e+e\ln e=3e$이므로 점 $(e, 3e)$에서의 접선의 방정식은

$y-3e=4(x-e)$ $\therefore y=4x-e$

이 직선이 점 (a, e)를 지나므로

$e=4a-e,\ 4a=2e$ $\therefore a=\dfrac{e}{2}$

604 답 ①

$f(x)=\sin x+a\cos x$로 놓으면

$f'(x)=\cos x-a\sin x$

곡선 $y=f(x)$가 점 (π, b)를 지나므로

$f(\pi)=b$에서 $\sin \pi+a\cos \pi=-a$

$\therefore -a=b$ $\cdots$ ㉠

또 점 (π, b)에서의 접선의 기울기는

$f'(\pi)=\cos \pi-a\sin \pi=-1$

따라서 점 (π, b)에서의 접선의 방정식은

$y-b=-1(x-\pi)$, 즉 $y=-x+\pi+b$이므로

$\pi+b=3\pi$에서 $b=2\pi$

이것을 ㉠에 대입하면 $-a=2\pi$ $\therefore a=-2\pi$

$\therefore a-b=-2\pi-2\pi=-4\pi$

605 답 $a=1,\ b=3$

단계 1 점 $(2, 2)$에서의 접선의 기울기 구하기

$f(x)=xe^{x-2}$으로 놓으면

$f'(x)=e^{x-2}+xe^{x-2}=(x+1)e^{x-2}$

점 $(2, 2)$에서의 접선의 기울기는

$f'(2)=3e^{0}=3$

단계 2 접선과 수직인 직선의 방정식 구하기

이 점에서의 접선과 수직인 직선의 기울기는 $-\dfrac{1}{3}$이다.

따라서 구하는 직선의 방정식은

$y-2=-\dfrac{1}{3}(x-2)$ $\therefore x+3y=8$

단계 3 상수 a, b의 값 구하기

$a=1,\ b=3$

날선특강 **수직인 두 직선의 기울기**

두 직선 $y=mx+n$, $y=m'x+n'$이 수직이면
→ $mm'=-1$

606 답 ②

$f(x)=\sqrt{2x^2-1}$로 놓으면

$f(1)=a$에서 $a=1$

$f'(x)=\dfrac{4x}{2\sqrt{2x^2-1}}=\dfrac{2x}{\sqrt{2x^2-1}}$

점 $(1, 1)$에서의 접선의 기울기는 $f'(1)=\dfrac{2}{\sqrt{2-1}}=2$이므로

이 점에서의 접선과 수직인 직선의 기울기는 $-\dfrac{1}{2}$이고 직선의

방정식은 $y-1=-\dfrac{1}{2}(x-1)$

$\therefore y=-\dfrac{1}{2}x+\dfrac{3}{2}$

이 직선이 점 $(b, 3)$을 지나므로

$3=-\dfrac{1}{2}b+\dfrac{3}{2}$ $\therefore b=-3$

$\therefore a+b=1+(-3)=-2$

607 답 ⑤

단계 1 접점의 좌표 구하기

$f(x)=2x+e^x$으로 놓으면

$f'(x)=2+e^x$

접점의 좌표를 $(t, 2t+e^t)$이라 하면 직선 $y=3x$에 평행한 직선의 기울기는 3이므로 $f'(t)=3$에서

$2+e^t=3,\ e^t=1$ $\therefore t=0$

따라서 접점의 좌표는 $(0, 1)$이다.

단계 2 접선의 방정식 구하기

점 $(0, 1)$에서의 접선의 방정식은

$y-1=3(x-0)$ $\therefore y=3x+1$

단계 3 a의 값 구하기

이 직선이 점 $(3, a)$를 지나므로

$a=3\times 3+1=10$

608 답 ②

$f(x)=\ln (x^2+1)$로 놓으면

$f'(x)=\dfrac{2x}{x^2+1}$

접점의 좌표를 $(t, \ln (t^2+1))$이라 하면 직선 $x-y+4=0$에 수직인 직선의 기울기는 -1이므로 $f'(t)=-1$에서

$\dfrac{2t}{t^2+1}=-1,\ t^2+2t+1=0,\ (t+1)^2=0$

$\therefore t=-1$

따라서 접점의 좌표가 $(-1, \ln 2)$이므로 접선의 방정식은
$$y-\ln 2=-\{x-(-1)\}$$
$$\therefore y=-x-1+\ln 2$$
즉, 구하는 y절편은 $-1+\ln 2$이다.

609 답 2

$f(x)=-3x+\sin x$로 놓으면
$$f'(x)=-3+\cos x$$
접점의 좌표를 $(t, -3t+\sin t)$라 하면 접선의 기울기가 -3이
므로 $f'(t)=-3$에서 $-3+\cos t=-3$, $\cos t=0$
$$\therefore t=\frac{\pi}{2} \text{ 또는 } t=\frac{3}{2}\pi \ (\because 0\le x\le 2\pi)$$
따라서 접점의 좌표는 $\left(\frac{\pi}{2}, -\frac{3}{2}\pi+1\right)$ 또는
$\left(\frac{3}{2}\pi, -\frac{9}{2}\pi-1\right)$이므로 접선의 방정식은
$$y-\left(-\frac{3}{2}\pi+1\right)=-3\left(x-\frac{\pi}{2}\right) \text{ 또는}$$
$$y-\left(-\frac{9}{2}\pi-1\right)=-3\left(x-\frac{3}{2}\pi\right)$$
$$\therefore y=-3x+1 \text{ 또는 } y=-3x-1$$
그러므로 $a=1$, $b=-1$이므로
$$a-b=1-(-1)=2$$

610 답 ②

단계 1 접점의 좌표를 (t, e^{t-1})으로 놓고, 접선의 방정식 세우기

$f(x)=e^{x-1}$으로 놓으면
$$f'(x)=e^{x-1}$$
접점의 좌표를 (t, e^{t-1})이라 하면 이 점에서의 접선의 기울기는
$f'(t)=e^{t-1}$이므로 접선의 방정식은
$$y-e^{t-1}=e^{t-1}(x-t)$$
$$\therefore y=e^{t-1}x-e^{t-1}(t-1) \quad \cdots \text{㉠}$$

단계 2 t의 값 구하기

이 직선이 점 $(1, 0)$을 지나므로
$$0=e^{t-1}-e^{t-1}(t-1), \ 0=e^{t-1}(2-t)$$
$$\therefore t=2 \ (\because e^{t-1}>0)$$

단계 3 $a-b$의 값 구하기

이것을 ㉠에 대입하면 $y=ex-e$
따라서 $a=e$, $b=-e$이므로
$$a-b=e-(-e)=2e$$

611 답 1

$f(x)=2\ln x$로 놓으면
$$f'(x)=\frac{2}{x}$$
$f(1)=0$이므로 점 A의 좌표는 $(1, 0)$이다.

접점 B의 좌표를 $(t, 2\ln t)$라 하면 이 점에서의 접선의 기울기는
$f'(t)=\frac{2}{t}$이므로 접선의 방정식은
$$y-2\ln t=\frac{2}{t}(x-t)$$
$$\therefore y=\frac{2}{t}x-2+2\ln t$$
이 직선이 원점 O를 지나므로
$$0=0-2+2\ln t, \ \ln t=1 \quad \therefore t=e$$
즉, 점 B의 좌표는 $(e, 2)$이다.
따라서 삼각형 OAB의 넓이는
$$\frac{1}{2}\times 1\times 2=1$$

612 답 e

$f(x)=xe^x$으로 놓으면
$$f'(x)=e^x+xe^x=(x+1)e^x$$
접점의 좌표를 (t, te^t)이라 하면 이 점에서의 접선의 기울기는
$f'(t)=(t+1)e^t$이므로 접선의 방정식은
$$y-te^t=(t+1)e^t(x-t)$$
$$\therefore y=(t+1)e^t x-t^2 e^t$$
이 직선이 점 $(1, 0)$을 지나므로
$$0=(t+1)e^t-t^2 e^t, \ (-t^2+t+1)e^t=0$$
$$\therefore t^2-t-1=0 \ (\because e^t>0)$$
이차방정식 $t^2-t-1=0$의 두 근을 α, β라 하면
$$\alpha+\beta=1, \ \alpha\beta=-1$$
$x=\alpha$, $x=\beta$에서의 접선의 기울기를 각각 m, n이라 하면
$$m=(\alpha+1)e^\alpha, \ n=(\beta+1)e^\beta$$
$$\therefore mn=(\alpha+1)e^\alpha\times(\beta+1)e^\beta$$
$$=(\alpha\beta+\alpha+\beta+1)e^{\alpha+\beta}$$
$$=(-1+1+1)e^1$$
$$=e$$

613 답 1

단계 1 접점의 좌표를 $\left(t, 1+\frac{1}{t}\right)$로 놓고, 접선의 방정식 세우기

$f(x)=\dfrac{x+1}{x}=1+\dfrac{1}{x}$로 놓으면
$$f'(x)=-\frac{1}{x^2}$$
접점의 좌표를 $\left(t, 1+\dfrac{1}{t}\right)$이라 하면 이 점에서의 접선의 기울기는 $f'(t)=-\dfrac{1}{t^2}$이므로 접선의 방정식은
$$y-\left(1+\frac{1}{t}\right)=-\frac{1}{t^2}(x-t)$$
$$\therefore y=-\frac{1}{t^2}x+1+\frac{2}{t}$$

단계 2 t의 값을 구해 접선의 개수 구하기

이 직선이 점 $(-1, 1)$을 지나므로

$1=\dfrac{1}{t^2}+1+\dfrac{2}{t}$, $1+2t=0$

$\therefore t=-\dfrac{1}{2}$

따라서 점 $(-1, 1)$에서 곡선 $y=\dfrac{x+1}{x}$에 그을 수 있는 접선의 개수는 1이다.

614 답 $a<-4$ 또는 $a>0$

$f(x)=xe^{x-1}$으로 놓으면 $f'(x)=e^{x-1}+xe^{x-1}=(x+1)e^{x-1}$

접점의 좌표를 (t, te^{t-1})이라 하면 이 점에서의 접선의 기울기는 $f'(t)=(t+1)e^{t-1}$이므로 접선의 방정식은

$y-te^{t-1}=(t+1)e^{t-1}(x-t)$

$\therefore y=(t+1)e^{t-1}x-t^2e^{t-1}$

이 직선이 점 $(a, 0)$을 지나므로

$0=a(t+1)e^{t-1}-t^2e^{t-1}$, $(-t^2+at+a)e^{t-1}=0$

$\therefore t^2-at-a=0$ $(\because e^{t-1}>0)$ $\cdots$ ㉠

점 $(a, 0)$에서 곡선 $y=xe^{x-1}$에 서로 다른 두 개의 접선을 그을 수 있으려면 이차방정식 ㉠이 서로 다른 두 실근을 가져야 하므로 ㉠의 판별식을 D라 하면

$D=a^2+4a>0$, $a(a+4)>0$

$\therefore a<-4$ 또는 $a>0$

615 답 ④

$f(x)=(x+a)e^{-x}$으로 놓으면

$f'(x)=e^{-x}-(x+a)e^{-x}=(-x-a+1)e^{-x}$

접점의 좌표를 $(t, (t+a)e^{-t})$이라 하면 이 점에서의 접선의 기울기는 $f'(t)=(-t-a+1)e^{-t}$이므로 접선의 방정식은

$y-(t+a)e^{-t}=(-t-a+1)e^{-t}(x-t)$

$\therefore y=(-t-a+1)e^{-t}x+(t^2+at+a)e^{-t}$

이 직선이 원점을 지나므로

$0=(t^2+at+a)e^{-t}$

$\therefore t^2+at+a=0$ $(\because e^{-t}>0)$ $\cdots$ ㉠

원점에서 곡선 $y=(x+a)e^{-x}$에 오직 하나의 접선을 그을 수 있으려면 이차방정식 ㉠이 중근을 가져야 하므로 ㉠의 판별식을 D라 하면

$D=a^2-4a=0$, $a(a-4)=0$

$\therefore a=4$ $(\because a\neq0)$

616 답 ②

단계 1 점 $(0, 4)$에서의 접선의 방정식 구하기

$f(x)=e^x+3e^{-x}$으로 놓으면

$f'(x)=e^x-3e^{-x}$

점 $(0, 4)$에서의 접선의 기울기는 $f'(0)=1-3=-2$이므로 접선의 방정식은

$y-4=-2(x-0)$ $\therefore y=-2x+4$

단계 2 x절편과 y절편을 구해 삼각형의 넓이 구하기

접선의 x절편과 y절편이 각각 2, 4이므로 구하는 삼각형의 넓이는

$\dfrac{1}{2}\times2\times4=4$

617 답 $\dfrac{1}{e}$

$f(x)=ex+\ln x$로 놓으면

$f'(x)=e+\dfrac{1}{x}$

접점의 좌표를 $(t, et+\ln t)$라 하면 접선의 기울기가 $2e$이므로 $f'(t)=2e$에서

$e+\dfrac{1}{t}=2e$ $\therefore t=\dfrac{1}{e}$

즉, 접점의 좌표는 $\left(\dfrac{1}{e}, 0\right)$이므로 접선의 방정식은

$y-0=2e\left(x-\dfrac{1}{e}\right)$

$\therefore y=2ex-2$

접선의 x절편과 y절편이 각각 $\dfrac{1}{e}$, -2이므로

$P\left(\dfrac{1}{e}, 0\right)$, $Q(0, -2)$

따라서 삼각형 OPQ의 넓이는

$\dfrac{1}{2}\times\dfrac{1}{e}\times2=\dfrac{1}{e}$

618 답 ②

단계 1 상수 a, b의 값 구하기

$f(x)=\dfrac{ax+b}{x}=a+\dfrac{b}{x}$, $g(x)=e^x$으로 놓으면

$f'(x)=-\dfrac{b}{x^2}$, $g'(x)=e^x$

두 곡선이 $x=2$인 점에서 공통인 접선을 가지므로

$f(2)=g(2)$에서 $a+\dfrac{b}{2}=e^2$ $\cdots$ ㉠

$f'(2)=g'(2)$에서 $-\dfrac{b}{4}=e^2$ $\cdots$ ㉡

㉡에서 $b=-4e^2$이고 이것을 ㉠에 대입하면

$a-2e^2=e^2$ $\therefore a=3e^2$

단계 2 $a+b$의 값 구하기

$a+b=3e^2+(-4e^2)=-e^2$

619 답 $\dfrac{1}{2e}$

$f(x)=ax^2$, $g(x)=\ln x$로 놓으면

$f'(x)=2ax$, $g(x)=\dfrac{1}{x}$

두 곡선이 $x=t$인 점에서 접한다고 하면

$f(t)=g(t)$에서 $at^2=\ln t$ $\qquad\cdots$ ㉠

$f'(t)=g'(t)$에서 $2at=\dfrac{1}{t}$ $\qquad\cdots$ ㉡

㉡을 ㉠에 대입하면 $t=\sqrt{e}$, $a=\dfrac{1}{2e}$

620 답 ⑤

$f(x)=a-\sin x$, $g(x)=\cos^2 x$에서

$f'(x)=-\cos x$, $g'(x)=-2\cos x\sin x$

두 함수의 그래프의 교점의 x좌표를 t라 하면

$f(t)=g(t)$에서 $a-\sin t=\cos^2 t$

$\therefore a=\sin t+\cos^2 t$ $\qquad\cdots$ ㉠

$f'(t)=g'(t)$에서

$-\cos t=-2\cos t\sin t$

$\cos t(2\sin t-1)=0$

$\therefore \cos t=0$ 또는 $\sin t=\dfrac{1}{2}$

(i) $\cos t=0$일 때, $t=\dfrac{\pi}{2}$이므로 $\sin t=1$

　이것을 ㉠에 대입하면 $a=1+0=1$

(ii) $\sin t=\dfrac{1}{2}$일 때, $t=\dfrac{\pi}{6}$ 또는 $t=\dfrac{5}{6}\pi$이므로 $\cos t=\pm\dfrac{\sqrt{3}}{2}$

　이것을 ㉠에 대입하면 $a=\dfrac{1}{2}+\dfrac{3}{4}=\dfrac{5}{4}$

(i), (ii)에서 모든 실수 a의 값의 합은

$1+\dfrac{5}{4}=\dfrac{9}{4}$

621 답 -1

단계 1 $\dfrac{dy}{dx}$ 구하기

$x=e^t+e^{-t}$, $y=e^t-e^{-t}$에서

$\dfrac{dx}{dt}=e^t-e^{-t}$, $\dfrac{dy}{dt}=e^t+e^{-t}$이므로

$\dfrac{dy}{dx}=\dfrac{\dfrac{dy}{dt}}{\dfrac{dx}{dt}}=\dfrac{e^t+e^{-t}}{e^t-e^{-t}}$ (단, $t\neq0$)

단계 2 접선의 방정식 구하기

$t=\ln 2$일 때

$x=e^{\ln 2}+e^{-\ln 2}=2+\dfrac{1}{2}=\dfrac{5}{2}$

$y=e^{\ln 2}-e^{-\ln 2}=2-\dfrac{1}{2}=\dfrac{3}{2}$

$\dfrac{dy}{dx}=\dfrac{e^{\ln 2}+e^{-\ln 2}}{e^{\ln 2}-e^{-\ln 2}}=\dfrac{\dfrac{5}{2}}{\dfrac{3}{2}}=\dfrac{5}{3}$

이므로 접선의 방정식은

$y-\dfrac{3}{2}=\dfrac{5}{3}\left(x-\dfrac{5}{2}\right)$ $\qquad\therefore y=\dfrac{5}{3}x-\dfrac{8}{3}$

단계 3 a의 값 구하기

이 직선이 점 $(1,\ a)$를 지나므로

$a=\dfrac{5}{3}-\dfrac{8}{3}=-1$

622 답 9

$x=t^2-3$, $y=t^3+1$에서

$\dfrac{dx}{dt}=2t$, $\dfrac{dy}{dt}=3t^2$이므로

$\dfrac{dy}{dx}=\dfrac{\dfrac{dy}{dt}}{\dfrac{dx}{dt}}=\dfrac{3t^2}{2t}=\dfrac{3}{2}t$

$t=2$일 때

$x=2^2-3=1$, $y=2^3+1=9$, $\dfrac{dy}{dx}=\dfrac{3}{2}\times2=3$

이므로 접선의 방정식은

$y-9=3(x-1)$ $\qquad\therefore y=3x+6$

따라서 $a=3$, $b=6$이므로

$a+b=3+6=9$

623 답 5

$x=4\sin t$, $y=1+2\cos t$에서

$\dfrac{dx}{dt}=4\cos t$, $\dfrac{dy}{dt}=-2\sin t$이므로

$\dfrac{dy}{dx}=\dfrac{\dfrac{dy}{dt}}{\dfrac{dx}{dt}}=\dfrac{-2\sin t}{4\cos t}=-\dfrac{\sin t}{2\cos t}$ (단, $\cos t\neq0$)

$t=\dfrac{\pi}{3}$일 때

$x=4\sin\dfrac{\pi}{3}=2\sqrt{3}$, $y=1+2\cos\dfrac{\pi}{3}=2$

$\dfrac{dy}{dx}=-\dfrac{\sin\dfrac{\pi}{3}}{2\cos\dfrac{\pi}{3}}=-\dfrac{\sqrt{3}}{2}$

이므로 접선의 방정식은

$y-2=-\dfrac{\sqrt{3}}{2}(x-2\sqrt{3})$

$\therefore y=-\dfrac{\sqrt{3}}{2}x+5$

따라서 구하는 y절편은 5이다.

624 답 $y=x-2$

단계 1 $\dfrac{dy}{dx}$ 구하기

$x^2+xy+y^2=1$의 각 항을 x에 대하여 미분하면

$$2x+y+x\dfrac{dy}{dx}+2y\dfrac{dy}{dx}=0$$

$$\therefore \dfrac{dy}{dx}=\dfrac{-2x-y}{x+2y} \ (단, \ x+2y\neq0)$$

단계 2 점 $(1, -1)$에서의 접선의 방정식 구하기

점 $(1, -1)$에서의 접선의 기울기는

$$\dfrac{dy}{dx}=\dfrac{-2-(-1)}{1+2\times(-1)}=1$$

따라서 구하는 접선의 방정식은

$$y-(-1)=x-1 \qquad \therefore y=x-2$$

625 답 $-\dfrac{3}{2}$

$x-xy+e^y=0$의 각 항을 x에 대하여 미분하면

$$1-y-x\dfrac{dy}{dx}+e^y\dfrac{dy}{dx}=0$$

$$(x-e^y)\dfrac{dy}{dx}=1-y$$

$$\therefore \dfrac{dy}{dx}=\dfrac{1-y}{x-e^y} \ (단, \ x\neq e^y)$$

점 $(-1, 0)$에서의 접선의 기울기는

$$\dfrac{dy}{dx}=\dfrac{1-0}{-1-e^0}=-\dfrac{1}{2}$$

따라서 점 $(-1, 0)$에서의 접선의 방정식은

$$y-0=-\dfrac{1}{2}\{x-(-1)\}$$

$$\therefore y=-\dfrac{1}{2}x-\dfrac{1}{2}$$

이 직선이 점 $(2, a)$를 지나므로

$$a=-\dfrac{1}{2}\times2-\dfrac{1}{2}=-\dfrac{3}{2}$$

626 답 $y=\dfrac{1}{5}x+\dfrac{2}{5}$

단계 1 $g(3)$의 값 구하기

$g(3)=k$로 놓으면 $f(k)=3$이므로

$$k^3+2k=3, \ k^3+2k-3=0$$

$$(k-1)(k^2+k+3)=0 \qquad \therefore k=1 \ (\because k^2+k+3>0)$$

$$\therefore g(3)=1$$

단계 2 $f'(1)$, $g'(3)$의 값 구하기

$f(x)=x^3+2x$이므로 $f'(x)=3x^2+2$

$$\therefore f'(1)=5, \ g'(3)=\dfrac{1}{f'(g(3))}=\dfrac{1}{f'(1)}=\dfrac{1}{5}$$

단계 3 접선의 방정식 구하기

곡선 $y=g(x)$ 위의 점 $(3, 1)$에서의 접선의 방정식은

$$y-1=\dfrac{1}{5}(x-3) \qquad \therefore y=\dfrac{1}{5}x+\dfrac{2}{5}$$

627 답 ①

$g(0)=k$로 놓으면 $f(k)=0$이므로

$$\ln(2k+3)=0, \ 2k+3=1 \qquad \therefore k=-1$$

$$\therefore g(0)=-1$$

이때 $f(x)=\ln(2x+3)$이므로 $f'(x)=\dfrac{2}{2x+3}$

$$\therefore f'(-1)=2, \ g'(0)=\dfrac{1}{f'(g(0))}=\dfrac{1}{f'(-1)}=\dfrac{1}{2}$$

따라서 곡선 $y=g(x)$ 위의 점 $(0, -1)$에서의 접선의 방정식은

$$y-(-1)=\dfrac{1}{2}(x-0) \qquad \therefore y=\dfrac{1}{2}x-1$$

628 답 ④

단계 1 $f'(x)=0$인 x의 값 구하기

$f(x)=\dfrac{x-1}{x^2+3}$에서

$$f'(x)=\dfrac{(x^2+3)-(x-1)\times2x}{(x^2+3)^2}$$

$$=\dfrac{-x^2+2x+3}{(x^2+3)^2}$$

$$=-\dfrac{(x+1)(x-3)}{(x^2+3)^2}$$

$f'(x)=0$에서 $x=-1$ 또는 $x=3$

단계 2 함수 $f(x)$가 증가하는 구간 찾기

함수 $f(x)$의 증가와 감소를 표로 나타내면 다음과 같다.

x	$\cdots$	-1	$\cdots$	3	$\cdots$
$f'(x)$	$-$	0	$+$	0	$-$
$f(x)$	$\searrow$		$\nearrow$		$\searrow$

따라서 함수 $f(x)$가 증가하는 구간은 $[-1, 3]$이다.

629 답 -1

$f(x)=e^{x+1}-x$에서

$$f'(x)=e^{x+1}-1$$

$f'(x)=0$에서 $e^{x+1}=1, \ x+1=0$

$$\therefore x=-1$$

함수 $f(x)$의 증가와 감소를 표로 나타내면 다음과 같다.

x	$\cdots$	-1	$\cdots$
$f'(x)$	$-$	0	$+$
$f(x)$	$\searrow$		$\nearrow$

따라서 함수 $f(x)$는 구간 $(-\infty, -1]$에서 감소하고 구간 $[-1, \infty)$에서 증가하므로 $a=-1$

630 답 ③

$f(x)=x^2-x-6\ln x$에서 $x>0$이고

$$f'(x)=2x-1-\dfrac{6}{x}=\dfrac{2x^2-x-6}{x}=\dfrac{(2x+3)(x-2)}{x}$$

$f'(x)=0$에서 $x=2 \ (\because x>0)$

함수 $f(x)$의 증가와 감소를 표로 나타내면 다음과 같다.

x	0	$\cdots$	2	$\cdots$
$f'(x)$		$-$	0	$+$
$f(x)$		$\searrow$		$\nearrow$

따라서 함수 $f(x)$는 구간 $(0, 2]$에서 감소하고 구간 $[2, \infty)$에서 증가하므로 $a=2$

631 답 ④

$f(x)=x+\sqrt{20-x^2}$에서

$20-x^2 \geq 0$이고 $x>0$이므로

$0<x\leq 2\sqrt{5}$

$f'(x)=1+\dfrac{-2x}{2\sqrt{20-x^2}}=\dfrac{\sqrt{20-x^2}-x}{\sqrt{20-x^2}}$

$f'(x)=0$에서 $\sqrt{20-x^2}=x$

$20-x^2=x^2$, $x^2=10$ $\therefore x=\sqrt{10}$ ($\because x>0$)

함수 $f(x)$의 증가와 감소를 표로 나타내면 다음과 같다.

x	0	$\cdots$	$\sqrt{10}$	$\cdots$	$2\sqrt{5}$
$f'(x)$		$+$	0	$-$	
$f(x)$		$\nearrow$		$\searrow$	

따라서 함수 $f(x)$가 증가하는 구간은 $(0, \sqrt{10}]$이고 이 구간에 속하는 모든 정수 x의 값은 1, 2, 3이므로 구하는 합은

$1+2+3=6$

632 답 ③

단계 1 함수 $f(x)$가 증가하도록 하는 조건 구하기

$f(x)=(x^2-ax+3)e^x$에서

$f'(x)=(2x-a)e^x+(x^2-ax+3)e^x$
$\quad\ =\{x^2+(2-a)x-a+3\}e^x$

함수 $f(x)$가 구간 $(-\infty, \infty)$에서 증가하려면 모든 실수 x에 대하여 $f'(x)\geq 0$이어야 하므로

$\{x^2+(2-a)x-a+3\}e^x\geq 0$

이때 $e^x>0$이므로 $x^2+(2-a)x-a+3\geq 0$

단계 2 a의 값의 범위 구하기

이차방정식 $x^2+(2-a)x-a+3=0$의 판별식을 D라 하면

$D=(2-a)^2-4(-a+3)\leq 0$

$a^2-8\leq 0$

$\therefore -2\sqrt{2}\leq a\leq 2\sqrt{2}$

단계 3 정수 a의 개수 구하기

정수 a는 -2, -1, 0, 1, 2의 5개이다.

633 답 $a\leq -2$

$f(x)=ax+\sin 2x$에서

$f'(x)=a+2\cos 2x$

함수 $f(x)$가 모든 실수 x에서 감소하려면 $f'(x)\leq 0$이어야 한다.

이때 $-1\leq \cos 2x\leq 1$이므로 $-2\leq 2\cos 2x\leq 2$에서

$a-2\leq a+2\cos 2x\leq a+2$

즉, $a-2\leq f'(x)\leq a+2$에서 $a+2\leq 0$이어야 하므로

$a\leq -2$

634 답 ②

$f(x)=ax-\ln x$에서 $x>0$이고

$f'(x)=a-\dfrac{1}{x}$

함수 $f(x)$가 구간 $[2, 3]$에서 감소하려면 $2\leq x\leq 3$일 때

$f'(x)\leq 0$이어야 하므로 오른쪽 그림에서

$f'(3)\leq 0$, $a-\dfrac{1}{3}\leq 0$

$\therefore a\leq \dfrac{1}{3}$

따라서 실수 a의 최댓값은 $\dfrac{1}{3}$이다.

635 답 $0<a\leq \dfrac{1}{3}$

$f(x)=(ax^2-1)e^{-x}$에서

$f'(x)=2axe^{-x}-(ax^2-1)e^{-x}$
$\quad\ =(-ax^2+2ax+1)e^{-x}$

함수 $f(x)$가 구간 $[-1, 1]$에서 증가하려면 $-1\leq x\leq 1$일 때

$f'(x)\geq 0$이어야 하므로

$(-ax^2+2ax+1)e^{-x}\geq 0$

이때 $e^{-x}>0$이므로 $-ax^2+2ax+1\geq 0$

$\therefore ax^2-2ax-1\leq 0$

$g(x)=ax^2-2ax-1$ $(a>0)$이라 하면

$g(x)=a(x-1)^2-a-1$

구간 $[-1, 1]$에서 $g(x)\leq 0$이어야 하므로 오른쪽 그림에서 $g(-1)\leq 0$

$a+2a-1\leq 0$

$\therefore a\leq \dfrac{1}{3}$

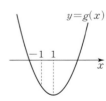

그런데 $a>0$이므로 $0<a\leq \dfrac{1}{3}$

636 답 ⑤

단계 1 $f'(x)=0$인 x의 값 구하기

$f(x)=\dfrac{3x}{x^2+4}$에서

$f'(x)=\dfrac{3(x^2+4)-3x\times 2x}{(x^2+4)^2}=\dfrac{-3x^2+12}{(x^2+4)^2}$
$\quad\ =\dfrac{-3(x^2-4)}{(x^2+4)^2}=\dfrac{-3(x+2)(x-2)}{(x^2+4)^2}$

$f'(x)=0$에서 $x=-2$ 또는 $x=2$

단계 2 $\alpha-\beta$의 값 구하기

함수 $f(x)$의 증가와 감소를 표로 나타내면 다음과 같다.

x	$\cdots$	-2	$\cdots$	2	$\cdots$
$f'(x)$	$-$	0	$+$	0	$-$
$f(x)$	$\searrow$	$-\dfrac{3}{4}$ (극소)	$\nearrow$	$\dfrac{3}{4}$ (극대)	$\searrow$

따라서 함수 $f(x)$는 $x=2$에서 극대이고, $x=-2$에서 극소이므로 $\alpha=2$, $\beta=-2$

$\therefore \alpha-\beta=2-(-2)=4$

다른 풀이

$f'(x)=\dfrac{-3x^2+12}{(x^2+4)^2}$에서

$f''(x)=\dfrac{-6x(x^2+4)^2-(-3x^2+12)\times 2(x^2+4)\times 2x}{(x^2+4)^4}$

$\qquad =\dfrac{6x(x^2-12)}{(x^2+4)^3}$

$f'(x)=0$에서 $x=-2$ 또는 $x=2$이므로

$f''(-2)=\dfrac{3}{16}>0$, $f''(2)=-\dfrac{3}{16}<0$

따라서 함수 $f(x)$는 $x=2$에서 극대이고, $x=-2$에서 극소이므로 $\alpha=2$, $\beta=-2$

$\therefore \alpha-\beta=2-(-2)=4$

---

637 답 2

$f(x)=x+\sqrt{3-2x}$에서 $3-2x\geq 0$

$\therefore x\leq\dfrac{3}{2}$

$f'(x)=1+\dfrac{-2}{2\sqrt{3-2x}}=\dfrac{\sqrt{3-2x}-1}{\sqrt{3-2x}}$

$f'(x)=0$에서 $\sqrt{3-2x}=1$, $3-2x=1$

$\therefore x=1$

$x\leq\dfrac{3}{2}$에서 함수 $f(x)$의 증가와 감소를 표로 나타내면 다음과 같다.

x	$\cdots$	1	$\cdots$	$\dfrac{3}{2}$
$f'(x)$	$+$	0	$-$	
$f(x)$	$\nearrow$	2 (극대)	$\searrow$	

따라서 함수 $f(x)$는 $x=1$에서 극대이고 극댓값은 2이다.

---

638 답 $-\dfrac{1}{e^2}$

$f(x)=\dfrac{1-x}{e^x}$에서

$f'(x)=\dfrac{-e^x-(1-x)e^x}{(e^x)^2}=\dfrac{x-2}{e^x}$

$f'(x)=0$에서 $x=2$

함수 $f(x)$의 증가와 감소를 표로 나타내면 다음과 같다.

x	$\cdots$	2	$\cdots$
$f'(x)$	$-$	0	$+$
$f(x)$	$\searrow$	$-\dfrac{1}{e^2}$ (극소)	$\nearrow$

따라서 함수 $f(x)$는 $x=2$에서 극소이고 극솟값은 $-\dfrac{1}{e^2}$이다.

---

639 답 ④

$f(x)=2x^2-\ln x$에서 $x>0$이고

$f'(x)=4x-\dfrac{1}{x}=\dfrac{4x^2-1}{x}=\dfrac{(2x+1)(2x-1)}{x}$

$f'(x)=0$에서 $x=\dfrac{1}{2}$ ($\because x>0$)

함수 $f(x)$의 증가와 감소를 표로 나타내면 다음과 같다.

x	0	$\cdots$	$\dfrac{1}{2}$	$\cdots$
$f'(x)$		$-$	0	$+$
$f(x)$		$\searrow$	$\dfrac{1}{2}+\ln 2$ (극소)	$\nearrow$

따라서 $x>0$일 때 함수 $f(x)$는 $x=\dfrac{1}{2}$에서 극소이고 극솟값은 $\dfrac{1}{2}+\ln 2$이다.

---

640 답 ③

$f(x)=\sqrt{x}+1-\ln x$에서 $x>0$이고

$f'(x)=\dfrac{1}{2\sqrt{x}}-\dfrac{1}{x}=\dfrac{\sqrt{x}-2}{2x}$

$f'(x)=0$에서 $\sqrt{x}=2$ $\quad\therefore x=4$

함수 $f(x)$의 증가와 감소를 표로 나타내면 다음과 같다.

x	0	$\cdots$	4	$\cdots$
$f'(x)$		$-$	0	$+$
$f(x)$		$\searrow$	$3-2\ln 2$ (극소)	$\nearrow$

ㄱ. 함수 $f(x)$가 구간 $(0, 4]$에서 감소하므로
$\quad f(1)>f(2)$ (참)

ㄴ. 극솟값은 $f(4)=3-2\ln 2$이다. (거짓)

ㄷ. 구간 $[4, \infty)$에서 증가한다. (참)

따라서 옳은 것은 ㄱ, ㄷ이다.

---

641 답 $\dfrac{4}{e^2}$

$f(x)=x(\ln x)^2$에서 $x>0$이고

$f'(x)=(\ln x)^2+x\times 2\ln x\times\dfrac{1}{x}=(2+\ln x)\ln x$

$f'(x)=0$에서 $\ln x=-2$ 또는 $\ln x=0$

$\therefore x=\dfrac{1}{e^2}$ 또는 $x=1$

함수 $f(x)$의 증가와 감소를 표로 나타내면 다음과 같다.

x	0	$\cdots$	$\dfrac{1}{e^2}$	$\cdots$	1	$\cdots$
$f'(x)$		$+$	0	$-$	0	$+$
$f(x)$		$\nearrow$	$\dfrac{4}{e^2}$ (극대)	$\searrow$	0 (극소)	$\nearrow$

따라서 $x>0$에서 함수 $f(x)$는 $x=\dfrac{1}{e^2}$에서 극대이고 극댓값은 $\dfrac{4}{e^2}$, $x=1$에서 극소이고 극솟값은 0이므로 구하는 합은 $\dfrac{4}{e^2}$이다.

642 답 ①

$f(x)=2\sin x+\cos 2x$에서 $0<x<\pi$이고

$f'(x)=2\cos x-2\sin 2x$

$f'(x)=0$에서 $2\cos x-2\sin 2x=0$

$2\cos x-4\sin x\cos x=0$, $2\cos x(1-2\sin x)=0$

$\therefore \cos x=0$ 또는 $\sin x=\dfrac{1}{2}$

$0<x<\pi$이므로 $\cos x=0$에서 $x=\dfrac{\pi}{2}$

$\sin x=\dfrac{1}{2}$에서 $x=\dfrac{\pi}{6}$ 또는 $x=\dfrac{5}{6}\pi$

함수 $f(x)$의 증가와 감소를 표로 나타내면 다음과 같다.

x	0	$\cdots$	$\dfrac{\pi}{6}$	$\cdots$	$\dfrac{\pi}{2}$	$\cdots$	$\dfrac{5}{6}\pi$	$\cdots$	π
$f'(x)$		$+$	0	$-$	0	$+$	0	$-$	
$f(x)$		$\nearrow$	$\dfrac{3}{2}$ (극대)	$\searrow$	1 (극소)	$\nearrow$	$\dfrac{3}{2}$ (극대)	$\searrow$	

따라서 $0<x<\pi$일 때 함수 $f(x)$는 $x=\dfrac{\pi}{2}$에서 극소이고 극솟값은 1이므로

$a=\dfrac{\pi}{2}$, $b=1$ $\therefore ab=\dfrac{\pi}{2}\times 1=\dfrac{\pi}{2}$

643 답 $-\dfrac{1}{2}e^{\frac{3}{2}\pi}$

$f(x)=e^x\cos x$에서 $0<x<2\pi$이고

$f'(x)=e^x\cos x-e^x\sin x=e^x(\cos x-\sin x)$

$f'(x)=0$에서 $\cos x=\sin x$ ($\because e^x>0$)

$\therefore x=\dfrac{\pi}{4}$ 또는 $x=\dfrac{5}{4}\pi$

함수 $f(x)$의 증가와 감소를 표로 나타내면 다음과 같다.

x	0	$\cdots$	$\dfrac{\pi}{4}$	$\cdots$	$\dfrac{5}{4}\pi$	$\cdots$	2π
$f'(x)$		$+$	0	$-$	0	$+$	
$f(x)$		$\nearrow$	$\dfrac{\sqrt{2}}{2}e^{\frac{\pi}{4}}$ (극대)	$\searrow$	$-\dfrac{\sqrt{2}}{2}e^{\frac{5}{4}\pi}$ (극소)	$\nearrow$	

따라서 $0<x<2\pi$에서 함수 $f(x)$는 $x=\dfrac{\pi}{4}$에서 극대이고 극댓값은 $\dfrac{\sqrt{2}}{2}e^{\frac{\pi}{4}}$, $x=\dfrac{5}{4}\pi$에서 극소이고 극솟값은 $-\dfrac{\sqrt{2}}{2}e^{\frac{5}{4}\pi}$이므로 구하는 곱은

$\dfrac{\sqrt{2}}{2}e^{\frac{\pi}{4}}\times\left(-\dfrac{\sqrt{2}}{2}e^{\frac{5}{4}\pi}\right)=-\dfrac{1}{2}e^{\frac{3}{2}\pi}$

644 답 ④

단계 1 a, b에 대한 연립방정식 만들기

$f(x)=\dfrac{x^2+ax+b}{x-1}$에서

$f'(x)=\dfrac{(2x+a)(x-1)-(x^2+ax+b)}{(x-1)^2}$

$=\dfrac{x^2-2x-a-b}{(x-1)^2}$

함수 $f(x)$가 $x=-1$에서 극댓값 -4를 가지므로

$f(-1)=-4$에서 $\dfrac{1-a+b}{-2}=-4$

$\therefore -a+b=7$ $\cdots$ ㉠

$f'(-1)=0$에서 $\dfrac{3-a-b}{4}=0$

$\therefore a+b=3$ $\cdots$ ㉡

단계 2 ab의 값 구하기

㉠, ㉡을 연립하여 풀면 $a=-2$, $b=5$

$\therefore ab=-2\times 5=-10$

645 답 $-\dfrac{5}{4}-\ln 2$

$f(x)=ax^2+bx+\ln x$에서 $x>0$이고

$f'(x)=2ax+b+\dfrac{1}{x}$

함수 $f(x)$가 $x=1$에서 극솟값 -2를 가지므로

$f(1)=-2$에서 $a+b=-2$ $\cdots$ ㉠

$f'(1)=0$에서 $2a+b+1=0$ $\cdots$ ㉡

㉠, ㉡을 연립하여 풀면 $a=1$, $b=-3$

즉, $f(x)=x^2-3x+\ln x$이고

$f'(x)=2x-3+\dfrac{1}{x}=\dfrac{2x^2-3x+1}{x}=\dfrac{(2x-1)(x-1)}{x}$이므로

$f'(x)=0$에서 $x=\dfrac{1}{2}$ 또는 $x=1$

따라서 함수 $f(x)$는 $x=\dfrac{1}{2}$에서 극대이고 극댓값은 $-\dfrac{5}{4}-\ln 2$이다.

646 답 $\sqrt{3}$

$f(x)=a\sin x+b\cos x$에서 $f'(x)=a\cos x-b\sin x$

함수 $f(x)$가 $x=\dfrac{\pi}{6}$에서 극솟값 -2를 가지므로

$f\left(\dfrac{\pi}{6}\right)=-2$에서 $\dfrac{1}{2}a+\dfrac{\sqrt{3}}{2}b=-2$

$$\therefore a+\sqrt{3}b=-4 \quad \cdots \text{㉠}$$

$f'\left(\dfrac{\pi}{6}\right)=0$에서 $\dfrac{\sqrt{3}}{2}a-\dfrac{1}{2}b=0$

$$\therefore b=\sqrt{3}a \quad \cdots \text{㉡}$$

㉡을 ㉠에 대입하면 $a=-1$, $b=-\sqrt{3}$

$$\therefore ab=-1\times(-\sqrt{3})=\sqrt{3}$$

647 답 ③

단계 1 함수 $f(x)$가 극댓값과 극솟값을 모두 가질 조건 구하기

$f(x)=6\ln x+\dfrac{a}{x}-x$에서 $x>0$이고

$$f'(x)=\dfrac{6}{x}-\dfrac{a}{x^2}-1=\dfrac{-x^2+6x-a}{x^2}$$

함수 $f(x)$가 극댓값과 극솟값을 모두 가지려면 $x>0$에서 이차방정식 $-x^2+6x-a=0$이 서로 다른 두 실근을 가져야 한다.

단계 2 정수 a의 최댓값 구하기

(ⅰ) 이차방정식 $-x^2+6x-a=0$의 판별식을 D라 하면

$$\dfrac{D}{4}=9-a>0 \quad \therefore a<9$$

(ⅱ) (두 근의 합)$=6>0$, (두 근의 곱)$=a>0$

(ⅰ), (ⅱ)에서 $0<a<9$이므로 구하는 정수 a의 최댓값은 8이다.

648 답 ⑤

$f(x)=(x^2+ax+5)e^x$에서

$$\begin{aligned}
f'(x)&=(2x+a)e^x+(x^2+ax+5)e^x\\
&=\{x^2+(a+2)x+a+5\}e^x
\end{aligned}$$

함수 $f(x)$가 극값을 갖지 않으려면 모든 실수 x에서

$x^2+(a+2)x+a+5\geq0$ $(\because e^x>0)$

이차방정식 $x^2+(a+2)x+a+5=0$이 중근 또는 허근을 가져야 하므로 이차방정식의 판별식을 D라 하면

$$D=(a+2)^2-4(a+5)\leq0$$

$$a^2-16\leq0, \ (a+4)(a-4)\leq0$$

$$\therefore -4\leq a\leq4$$

따라서 정수 a는 -4, -3, -2, -1, 0, 1, 2, 3, 4의 9개이다.

649 답 $a\leq-2$ 또는 $a\geq2$

$f(x)=ax-2\sin x$에서

$$f'(x)=a-2\cos x$$

함수 $f(x)$가 극값을 갖지 않으려면 모든 실수 x에 대하여 $f'(x)\leq0$ 또는 $f'(x)\geq0$이어야 한다.

$a-2\cos x\leq0$ 또는 $a-2\cos x\geq0$

$$\therefore \cos x\geq\dfrac{a}{2} \text{ 또는 } \cos x\leq\dfrac{a}{2}$$

$-1\leq\cos x\leq1$이므로 $\dfrac{a}{2}\leq-1$ 또는 $\dfrac{a}{2}\geq1$

$$\therefore a\leq-2 \text{ 또는 } a\geq2$$

낯선특강 함수가 극값을 가질 조건

미분가능한 함수 $f(x)$에 대하여

(1) 함수 $f(x)$가 극값을 가지면

➡ $f'(x)=0$이 실근을 갖고 $f'(x)=0$의 실근의 좌우에서 $f'(x)$의 부호가 바뀐다.

(2) 함수 $f(x)$가 극값을 갖지 않으면

➡ 정의역의 모든 실수 x에 대하여 $f'(x)\leq0$ 또는 $f'(x)\geq0$이다.

실전! 기출 문제 정복하기

➡ 본책 101쪽~103쪽

650 답 ③

$f(x)=e^x$으로 놓으면 $f'(x)=e^x$

점 $(1, e)$에서의 접선의 기울기는 $f'(1)=e$이므로 접선의 방정식은

$$y-e=e(x-1) \quad \therefore y=ex$$

이 접선이 곡선 $y=\sqrt{2x-k}$에 접하므로 방정식 $ex=\sqrt{2x-k}$는 중근을 갖는다.

이차방정식 $e^2x^2-2x+k=0$의 판별식을 D라 하면

$$\dfrac{D}{4}=1-e^2k=0 \quad \therefore k=\dfrac{1}{e^2}$$

651 답 $y=2x-\dfrac{\pi}{2}$

$f(x)=\ln(\tan x)$에서 $f'(x)=\dfrac{\sec^2 x}{\tan x}$

$f(x)=0$에서 $\tan x=1$이므로 $x=\dfrac{\pi}{4}$ $\left(\because 0<x<\dfrac{\pi}{2}\right)$

즉, 점 P의 좌표는 $\left(\dfrac{\pi}{4}, 0\right)$이고 점 P에서의 접선의 기울기는

$$f'\left(\dfrac{\pi}{4}\right)=\dfrac{\sec^2\dfrac{\pi}{4}}{\tan\dfrac{\pi}{4}}=\dfrac{(\sqrt{2})^2}{1}=2$$

따라서 구하는 접선의 방정식은

$$y-0=2\left(x-\dfrac{\pi}{4}\right) \quad \therefore y=2x-\dfrac{\pi}{2}$$

652 답 ④

$f(x)=3^x$으로 놓으면 $f'(x)=3^x\ln3$

곡선 $y=f(x)$ 위의 점 $\text{P}(k, 3^k)$에서의 접선의 기울기는

$f'(k)=3^k\ln3$이므로 접선의 방정식은

$y-3^k=3^k \ln 3(x-k)$ $\cdots$ ㉠

$y=0$을 ㉠에 대입하면 $x=k-\dfrac{1}{\ln 3}$이므로 점 A의 좌표는

$\left(k-\dfrac{1}{\ln 3},\ 0\right)$

$g(x)=a^{x-1}$으로 놓으면 $g'(x)=a^{x-1}\ln a$

곡선 $y=g(x)$ 위의 점 $P(k,\ a^{k-1})$에서의 접선의 기울기는

$g'(k)=a^{k-1}\ln a$이므로 접선의 방정식은

$y-a^{k-1}=a^{k-1}\ln a(x-k)$ $\cdots$ ㉡

$y=0$을 ㉡에 대입하면 $x=k-\dfrac{1}{\ln a}$이므로 점 B의 좌표는

$\left(k-\dfrac{1}{\ln a},\ 0\right)$

따라서 $\overline{AH}=\dfrac{1}{\ln 3}$, $\overline{BH}=\dfrac{1}{\ln a}$이므로

$\overline{AH}=2\overline{BH}$에서 $\dfrac{1}{\ln 3}=\dfrac{2}{\ln a}$

$\ln a=2\ln 3$, $\ln a=\ln 9$

$\therefore a=9$

653 답 ⑤

$f(x)=e^x$으로 놓으면 $f'(x)=e^x$

접점 A의 좌표를 $(t,\ e^t)$이라 하면 접선의 기울기가 $f'(t)=e^t$

이므로 접선의 방정식은

$y-e^t=e^t(x-t)$

$\therefore y=e^t x+e^t(1-t)$ $\cdots$ ㉠

㉠은 원점 O를 지나므로

$0=e^t(1-t)$ $\therefore t=1\ (\because e^t>0)$

$t=1$을 ㉠에 대입하면 $y=ex$

또 점 $A(1,\ e)$를 지나고 직선 $y=ex$에 수직인 직선의 방정식은

$y-e=-\dfrac{1}{e}(x-1)$

$\therefore y=-\dfrac{1}{e}x+\dfrac{1}{e}+e$ $\cdots$ ㉡

$y=0$을 ㉡에 대입하면 $x=e^2+1$이므로 점 B의 좌표는 $(e^2+1,\ 0)$

따라서 삼각형 OAB의 넓이는

$\dfrac{1}{2}\times(e^2+1)\times e=\dfrac{e(e^2+1)}{2}$

낱선 특강 접선과 수직인 직선의 방정식 구하기

곡선 $y=f(x)$ 위의 점 $(a,\ f(a))$에서의 접선과 수직인 직선의 방정식은

➡ $y-f(a)=-\dfrac{1}{f'(a)}(x-a)$

654 답 $\dfrac{1}{e}$

함수 $f(x)=e^{ax}$과 그 역함수의 그래프는 직선 $y=x$에 대하여 대칭이다.

이때 함수 $f(x)=e^{ax}$과 그 역함수의 그래프가 서로 접하므로 공통인 접선의 방정식은 $y=x$이다.

두 함수의 그래프의 접점의 좌표를 $(t,\ e^{at})$이라 하면

점 $(t,\ e^{at})$은 직선 $y=x$ 위에 있으므로

$t=e^{at}$ $\cdots$ ㉠

또 점 $(t,\ e^{at})$에서의 접선의 기울기가 1이므로

$f'(x)=ae^{ax}$에서

$f'(t)=ae^{at}=1$ $\cdots$ ㉡

㉠, ㉡에서 $at=1$, $t=e$

$\therefore a=\dfrac{1}{e}$

655 답 $-\dfrac{1}{e}$

주어진 식의 양변을 x에 대하여 미분하면

$e^y \dfrac{dy}{dx}\ln x+e^y\times\dfrac{1}{x}=2y\dfrac{dy}{dx}$

$\therefore \dfrac{dy}{dx}=-\dfrac{e^y}{x(e^y\ln x-2y)}$ (단, $e^y\ln x-2y\neq0$)

점 $(e,\ 0)$에서의 접선의 기울기는

$\dfrac{dy}{dx}=-\dfrac{1}{e}$

즉, 점 $(e,\ 0)$에서의 접선의 방정식은

$y-0=-\dfrac{1}{e}(x-e)$ $\therefore y=-\dfrac{1}{e}x+1$

따라서 $a=-\dfrac{1}{e}$, $b=1$이므로

$ab=-\dfrac{1}{e}\times1=-\dfrac{1}{e}$

656 답 ③

함수 $f(x)$가 열린구간 $(0,\ \infty)$에서 증가하므로

$f'(x)=x-3+\dfrac{k}{x^2}\geq0$

$x^2>0$이므로 양변에 x^2을 곱하면

$x^3-3x^2+k\geq0$ $\therefore k\geq-x^3+3x^2$

$g(x)=-x^3+3x^2$으로 놓으면

$g'(x)=-3x^2+6x=-3x(x-2)$

$g'(x)=0$에서 $x=2\ (\because x>0)$

$x>0$에서 함수 $g(x)$의 증가와 감소를 표로 나타내면 다음과 같다.

x	0	$\cdots$	2	$\cdots$
$g'(x)$		+	0	−
$g(x)$		↗	4 (극대)	↘

$x>0$일 때 함수 $g(x)$는 $x=2$에서 극대이면서 최대이므로 최댓값 4를 갖는다.

따라서 $k\geq4$이므로 실수 k의 최솟값은 4이다.

657 답 $-\dfrac{\sqrt{5}}{5}$

$f(x)=\dfrac{\sin x}{e^{2x}}=e^{-2x}\sin x$ 에서

$f'(x)=-2e^{-2x}\sin x+e^{-2x}\cos x$
$\quad\ =e^{-2x}(-2\sin x+\cos x)$

$f''(x)=-2e^{-2x}(-2\sin x+\cos x)+e^{-2x}(-2\cos x-\sin x)$
$\quad\ =e^{-2x}(3\sin x-4\cos x)$

함수 $f(x)$가 $x=a$에서 극솟값을 가지므로

$f'(a)=0,\ f''(a)>0$

이때 $e^{-2x}>0$이므로

$-2\sin a+\cos a=0$ $\cdots$ ㉠

$3\sin a-4\cos a>0$ $\cdots$ ㉡

㉠에서 $\dfrac{\cos a}{\sin a}=2$이므로 $\cot a=2$

$\cos a=2\sin a$를 ㉡에 대입하면

$-5\sin a>0$에서 $\sin a<0$

즉, $\tan a>0$, $\sin a<0$이므로 $\pi<a<\dfrac{3}{2}\pi$

$\csc^2 a=1+\cot^2 a=1+2^2=5$

$\therefore\ \csc a=-\sqrt{5}\ \left(\because\ \pi<a<\dfrac{3}{2}\pi\right)$

$\therefore\ \sin a=-\dfrac{\sqrt{5}}{5}$

참고 $\csc^2\theta=1+\cot^2\theta$

658 답 ②

$f(x)=(x^2-8)e^{-x+1}$에서

$f'(x)=2xe^{-x+1}-(x^2-8)e^{-x+1}$
$\quad\ =(-x^2+2x+8)e^{-x+1}$
$\quad\ =-(x+2)(x-4)e^{-x+1}$

$f'(x)=0$에서 $x=-2$ 또는 $x=4$

함수 $f(x)$의 증가와 감소를 표로 나타내면 다음과 같다.

x	$\cdots$	-2	$\cdots$	4	$\cdots$
$f'(x)$	$-$	0	$+$	0	$-$
$f(x)$	↘	$-4e^3$ (극소)	↗	$8e^{-3}$ (극대)	↘

함수 $f(x)$는 $x=4$에서 극대이고 극댓값은 $8e^{-3}$, $x=-2$에서 극소이고 극솟값은 $-4e^3$이다.

따라서 $a=-4e^3$, $b=8e^{-3}$이므로 $ab=-4e^3\times 8e^{-3}=-32$

659 답 ③

$g(x)=\ln x$로 놓으면 $g'(x)=\dfrac{1}{x}$

점 P$(t,\ \ln t)$에서의 접선의 기울기는 $g'(t)=\dfrac{1}{t}$이므로 접선의 방정식은

$y-\ln t=\dfrac{1}{t}(x-t)$ $\therefore\ r(t)=t-t\ln t$

점 Q$(2t,\ \ln 2t)$에서의 접선의 기울기는 $g'(2t)=\dfrac{1}{2t}$이므로 접선의 방정식은

$y-\ln 2t=\dfrac{1}{2t}(x-2t)$ $\therefore\ s(t)=2t-2t\ln 2t$

$\therefore\ f(t)=r(t)-s(t)=(2\ln 2-1)t+t\ln t$

$f'(t)=(2\ln 2-1)+\ln t+t\times\dfrac{1}{t}=2\ln 2+\ln t$

$f'(t)=0$에서 $\ln t=-2\ln 2$ $\therefore\ t=\dfrac{1}{4}$

함수 $f(t)$의 증가와 감소를 표로 나타내면 다음과 같다.

t	0	$\cdots$	$\dfrac{1}{4}$	$\cdots$
$f'(t)$		$-$	0	$+$
$f(t)$		↘	$-\dfrac{1}{4}$ (극소)	↗

함수 $f(t)$는 $t=\dfrac{1}{4}$에서 극소이므로 극솟값은 $-\dfrac{1}{4}$이다.

660 답 $\dfrac{1}{e}$

$f_n(x)=\dfrac{\ln x}{(n+1)x^n}$에서

$f_n'(x)=\dfrac{\dfrac{1}{x}\times(n+1)x^n-\ln x\times n(n+1)x^{n-1}}{\{(n+1)x^n\}^2}$

$\quad\ =\dfrac{(n+1)x^{n-1}-n(n+1)x^{n-1}\ln x}{(n+1)^2 x^{2n}}$

$f_n'(x)=0$에서 $(n+1)x^{n-1}-n(n+1)x^{n-1}\ln x=0$

$(n+1)x^{n-1}(1-n\ln x)=0$, $\ln x=\dfrac{1}{n}$ $\therefore\ x=e^{\frac{1}{n}}$

따라서 함수 $f_n(x)$는 $x=e^{\frac{1}{n}}$에서 극값을 가지므로 $a_n=e^{\frac{1}{n}}$

$\therefore\ f_n(a_n)=f_n(e^{\frac{1}{n}})=\dfrac{\dfrac{1}{n}}{(n+1)e}=\dfrac{1}{en(n+1)}$

$\therefore\ \lim\limits_{n\to\infty}\{f_1(a_1)+f_2(a_2)+\cdots+f_n(a_n)\}$

$=\lim\limits_{n\to\infty}\sum\limits_{k=1}^{n}f_k(a_k)$

$=\lim\limits_{n\to\infty}\sum\limits_{k=1}^{n}\dfrac{1}{ek(k+1)}$

$=\lim\limits_{n\to\infty}\sum\limits_{k=1}^{n}\dfrac{1}{e}\left(\dfrac{1}{k}-\dfrac{1}{k+1}\right)$

$=\lim\limits_{n\to\infty}\dfrac{1}{e}\left\{\left(1-\dfrac{1}{2}\right)+\left(\dfrac{1}{2}-\dfrac{1}{3}\right)+\cdots\right.$
$\qquad\qquad\left.+\left(\dfrac{1}{n-1}-\dfrac{1}{n}\right)+\left(\dfrac{1}{n}-\dfrac{1}{n+1}\right)\right\}$

$=\lim\limits_{n\to\infty}\dfrac{1}{e}\left(1-\dfrac{1}{n+1}\right)$

$=\dfrac{1}{e}$

661 답 ①

$a=-1$일 때 구간 $[0, 2)$에서 $f(x)=\dfrac{(x+1)^2}{x+1}=x+1$이므로

$x=0$에서 극댓값을 갖지 않는다.

즉, 모순이므로 $a\neq-1$

$f(x)=\dfrac{(x-a)^2}{x+1}$에서

$f'(x)=\dfrac{2(x-a)(x+1)-(x-a)^2}{(x+1)^2}$

$\qquad=\dfrac{(x-a)(x+2+a)}{(x+1)^2}$

$f'(x)=0$에서 $x=a$ 또는 $x=-a-2$

(ⅰ) $a<-a-2$일 때

$f'(x)$의 부호는 $x=a$의 좌우에서 양에서 음으로, $x=-a-2$의 좌우에서 음에서 양으로 바뀐다.

따라서 $x=-a-2$에서 함수 $f(x)$가 극솟값을 갖는다.

이때 함수 $f(x)$가 구간 $(0, 2)$에서 극솟값을 가져야 하므로

$0<-a-2<2$, $-4<a<-2$

$\therefore a=-3$ ($\because a$는 정수)

(ⅱ) $a>-a-2$일 때

$f'(x)$의 부호는 $x=-a-2$의 좌우에서 양에서 음으로, $x=a$의 좌우에서 음에서 양으로 바뀐다.

따라서 $x=a$에서 함수 $f(x)$는 극솟값을 갖는다.

이때 함수 $f(x)$가 구간 $(0, 2)$에서 극솟값을 가져야 하므로

$0<a<2$ $\therefore a=1$ ($\because a$는 정수)

(ⅰ), (ⅱ)에서 정수 a의 값은 -3 또는 1이므로 모든 정수 a의 값의 곱은 $(-3)\times1=-3$

662 답 4

단계 1 접점의 x좌표가 t일 때 접선의 방정식 구하기

$f(x)=\dfrac{3}{x+a}$으로 놓으면 $f'(x)=-\dfrac{3}{(x+a)^2}$

접점의 좌표를 $\left(t, \dfrac{3}{t+a}\right)$ $(t\neq-a)$이라 하면 접선의 기울기는

$f'(t)=-\dfrac{3}{(t+a)^2}$이므로

접선의 방정식은

$y-\dfrac{3}{t+a}=-\dfrac{3}{(t+a)^2}(x-t)$

$\therefore y=-\dfrac{3}{(t+a)^2}x+\dfrac{3t}{(t+a)^2}+\dfrac{3}{t+a}$ ······40%

단계 2 t에 대한 방정식 세우기

이 접선이 점 $(-1, 1)$을 지나므로

$\dfrac{3}{(t+a)^2}+\dfrac{3t}{(t+a)^2}+\dfrac{3}{t+a}=1$,

$\dfrac{-t^2+2(3-a)t-a^2+3a+3}{(t+a)^2}=0$

$\therefore t^2+2(a-3)t+a^2-3a-3=0$ ··· ㉠ ······30%

단계 3 a의 값 구하기

접선이 한 개뿐이므로 이차방정식 ㉠이 중근을 가져야 한다.

이차방정식 ㉠의 판별식을 D라 하면

$\dfrac{D}{4}=(a-3)^2-(a^2-3a-3)=0$

$-3a+12=0$ $\therefore a=4$ ······30%

663 답 $-\dfrac{1}{2}<a<0$ 또는 $0<a<\dfrac{1}{2}$

단계 1 $f'(x)$ 구하기

$f(x)=ax-\ln(x^2+4)$에서

$f'(x)=a-\dfrac{2x}{x^2+4}=\dfrac{ax^2-2x+4a}{x^2+4}$ ······20%

단계 2 $f'(x)=0$이 서로 다른 두 실근을 가질 조건을 이용하여 식 세우기

$x^2+4>0$이므로

$f'(x)=0$에서 $ax^2-2x+4a=0$ ··· ㉠

(ⅰ) $a=0$일 때, 방정식 ㉠은 한 개의 실근을 가지므로 함수 $f(x)$는 극댓값과 극솟값을 모두 가질 수 없다.

$\therefore a\neq0$

(ⅱ) $a\neq0$일 때, 이차방정식 ㉠이 서로 다른 두 실근을 가져야 하므로 판별식을 D라 하면

$\dfrac{D}{4}=(-1)^2-4a^2>0$

$\therefore -\dfrac{1}{2}<a<\dfrac{1}{2}$ ······60%

단계 3 a의 값의 범위 구하기

(ⅰ), (ⅱ)에서 실수 a의 값의 범위는

$-\dfrac{1}{2}<a<0$ 또는 $0<a<\dfrac{1}{2}$ ······20%

5 도함수의 활용 (2)

➡ 본책 104쪽~107쪽

664 답 풀이 참조

$f(x)=x^3-6x^2$으로 놓으면

$f'(x)=3x^2-12x$, $f''(x)=6x-12=6(x-2)$

$f''(x)=0$에서 $x=2$

$f''(x)$의 부호를 조사하여 표로 나타내면 다음과 같다.

x	$\cdots$	2	$\cdots$
$f''(x)$	$-$	0	$+$
$f(x)$	위로 볼록	-16	아래로 볼록

따라서 곡선 $y=f(x)$는 구간 $(-\infty, 2)$에서 위로 볼록하고, 구간 $(2, \infty)$에서 아래로 볼록하다.

665 답 풀이 참조

$f(x)=e^{2x}$으로 놓으면 $f'(x)=2e^{2x}$, $f''(x)=4e^{2x}$

모든 실수 x에서 $f''(x)>0$이므로 곡선 $y=f(x)$는 아래로 볼록하다.

666 답 풀이 참조

$f(x)=x^2+2\ln x$로 놓으면 $x>0$이고

$f'(x)=2x+\dfrac{2}{x}$, $f''(x)=2-\dfrac{2}{x^2}$

$f''(x)=0$에서 $x=1$ $(\because x>0)$

$f''(x)$의 부호를 조사하여 표로 나타내면 다음과 같다.

x	0	$\cdots$	1	$\cdots$
$f''(x)$		$-$	0	$+$
$f(x)$		위로 볼록	1	아래로 볼록

따라서 곡선 $y=f(x)$는 구간 $(0, 1)$에서 위로 볼록하고, 구간 $(1, \infty)$에서 아래로 볼록하다.

667 답 풀이 참조

$f(x)=\sin x-\cos x\,(0<x<\pi)$로 놓으면

$f'(x)=\cos x+\sin x$, $f''(x)=-\sin x+\cos x$

$f''(x)=0$에서 $x=\dfrac{\pi}{4}$ $(\because 0<x<\pi)$

$f''(x)$의 부호를 조사하여 표로 나타내면 다음과 같다.

x	0	$\cdots$	$\dfrac{\pi}{4}$	$\cdots$	π
$f''(x)$		$+$	0	$-$	
$f(x)$		아래로 볼록	0	위로 볼록	

따라서 곡선 $y=f(x)$는 구간 $\left(0, \dfrac{\pi}{4}\right)$에서 아래로 볼록하고, 구간 $\left(\dfrac{\pi}{4}, \pi\right)$에서 위로 볼록하다.

668 답 $(1, 0)$

$f(x)=x^3-3x^2+2$로 놓으면

$f'(x)=3x^2-6x$

$f''(x)=6x-6=6(x-1)$

$f''(x)=0$에서 $x=1$

$f''(x)$의 부호를 조사하여 표로 나타내면 다음과 같다.

x	$\cdots$	1	$\cdots$
$f''(x)$	$-$	0	$+$
$f(x)$	위로 볼록	0 (변곡점)	아래로 볼록

따라서 $x=1$의 좌우에서 $f''(x)$의 부호가 음에서 양으로 바뀌므로 변곡점의 좌표는 $(1, 0)$이다.

669 답 $(0, 0)$

$f(x)=e^x-e^{-x}$으로 놓으면

$f'(x)=e^x+e^{-x}$, $f''(x)=e^x-e^{-x}$

$f''(x)=0$에서 $x=0$

$f''(x)$의 부호를 조사하여 표로 나타내면 다음과 같다.

x	$\cdots$	0	$\cdots$
$f''(x)$	$-$	0	$+$
$f(x)$	위로 볼록	0 (변곡점)	아래로 볼록

따라서 $x=0$의 좌우에서 $f''(x)$의 부호가 음에서 양으로 바뀌므로 변곡점의 좌표는 $(0, 0)$이다.

670 답 $(e, 1)$

$f(x)=(\ln x)^2$으로 놓으면 $x>0$이고

$f'(x)=2\ln x\times\dfrac{1}{x}=\dfrac{2\ln x}{x}$

$f''(x)=\dfrac{\dfrac{2}{x}\times x-2\ln x}{x^2}=\dfrac{2(1-\ln x)}{x^2}$

$f''(x)=0$에서 $x=e$

$f''(x)$의 부호를 조사하여 표로 나타내면 다음과 같다.

x	0	$\cdots$	e	$\cdots$
$f''(x)$		$+$	0	$-$
$f(x)$		아래로 볼록	1 (변곡점)	위로 볼록

따라서 $x=e$의 좌우에서 $f''(x)$의 부호가 양에서 음으로 바뀌므로 변곡점의 좌표는 $(e, 1)$이다.

671 답 $\left(\dfrac{\pi}{2}, \dfrac{\pi}{2}\right)$

$f(x)=x-\cos x\,(0<x<\pi)$로 놓으면

$f'(x)=1+\sin x$, $f''(x)=\cos x$

$f''(x)=0$에서 $x=\dfrac{\pi}{2}$ $(\because 0<x<\pi)$

$f''(x)$의 부호를 조사하여 표로 나타내면 다음과 같다.

x	0	$\cdots$	$\dfrac{\pi}{2}$	$\cdots$	π
$f''(x)$		$+$	0	$-$	
$f(x)$		아래로 볼록	$\dfrac{\pi}{2}$ (변곡점)	위로 볼록	

따라서 $x=\dfrac{\pi}{2}$의 좌우에서 $f''(x)$의 부호가 양에서 음으로 바뀌므로 변곡점의 좌표는 $\left(\dfrac{\pi}{2},\ \dfrac{\pi}{2}\right)$이다.

672 답 ㈎ : y축, ㈏ : $\ln 2$, ㈐ : $\ln 2$

❶ $x^2+1>0$이므로 함수 $f(x)$의 정의역은 실수 전체의 집합이다.

❷ $f(-x)=f(x)$이므로 함수 $f(x)$의 그래프는 $\boxed{y$축}$에 대하여 대칭이다.

❸ $f(0)=0$이므로 점 $(0,\ 0)$을 지난다.

❹, ❺ $f'(x)=\dfrac{2x}{x^2+1}$이므로 $f'(x)=0$에서 $x=0$

$f''(x)=\dfrac{2(x^2+1)-2x\times 2x}{(x^2+1)^2}=\dfrac{-2(x^2-1)}{(x^2+1)^2}$이므로

$f''(x)=0$에서 $x=-1$ 또는 $x=1$

함수 $f(x)$의 증가와 감소, 오목과 볼록을 표로 나타내면 다음과 같다.

x	$\cdots$	-1	$\cdots$	0	$\cdots$	1	$\cdots$
$f'(x)$	$-$	$-$	$-$	0	$+$	$+$	$+$
$f''(x)$	$-$	0	$+$	$+$	$+$	0	$-$
$f(x)$	↘	$\boxed{\ln 2}$	↘	0	↗	$\boxed{\ln 2}$	↗

❻ $\lim\limits_{x\to\infty}f(x)=\infty$, $\lim\limits_{x\to-\infty}f(x)=\infty$

따라서 함수 $y=f(x)$의 그래프의 개형은 다음 그림과 같다.

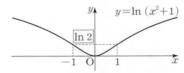

[참고] 아래로 볼록하고 증가하면 ↗, 위로 볼록하고 증가하면 ↗, 아래로 볼록하고 감소하면 ↘, 위로 볼록하고 감소하면 ↘로 나타낸다.

673 답 풀이 참조

$f(x)=\dfrac{2x}{x^2+1}$에서 $x^2+1\neq 0$이므로 정의역은 실수 전체의 집합이다.

$f(-x)=-f(x)$이므로 함수 $f(x)$의 그래프는 원점에 대하여 대칭이다.

$f(0)=0$이므로 점 $(0,\ 0)$을 지난다.

$f'(x)=\dfrac{2(x^2+1)-2x\times 2x}{(x^2+1)^2}=\dfrac{-2x^2+2}{(x^2+1)^2}$

$\qquad =\dfrac{-2(x+1)(x-1)}{(x^2+1)^2}$

$f''(x)=\dfrac{-4x(x^2+1)^2-(-2x^2+2)\times 2(x^2+1)\times 2x}{(x^2+1)^4}$

$\qquad =\dfrac{4x(x^2-3)}{(x^2+1)^3}$

$f'(x)=0$에서 $x=-1$ 또는 $x=1$

$f''(x)=0$에서 $x=-\sqrt{3}$ 또는 $x=0$ 또는 $x=\sqrt{3}$

함수 $f(x)$의 증가와 감소, 오목과 볼록을 표로 나타내면 다음과 같다.

x	$\cdots$	$-\sqrt{3}$	$\cdots$	-1	$\cdots$	0	$\cdots$	1	$\cdots$	$\sqrt{3}$	$\cdots$
$f'(x)$	$-$	$-$	$-$	0	$+$	$+$	$+$	0	$-$	$-$	$-$
$f''(x)$	$-$	0	$+$	$+$	$+$	0	$-$	$-$	$-$	0	$+$
$f(x)$	↘	$-\dfrac{\sqrt{3}}{2}$	↘	-1	↗	0	↗	1	↘	$\dfrac{\sqrt{3}}{2}$	↘

이때 $\lim\limits_{x\to\infty}f(x)=0$, $\lim\limits_{x\to-\infty}f(x)=0$이므로 점근선은 x축이다.

따라서 함수 $y=f(x)$의 그래프의 개형은 다음 그림과 같다.

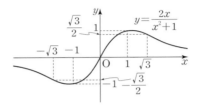

674 답 풀이 참조

$f(x)=xe^x$에서 $f(0)=0$이므로 점 $(0,\ 0)$을 지난다.

$f'(x)=e^x+xe^x=(x+1)e^x$

$f''(x)=e^x+(x+1)e^x=(x+2)e^x$

$f'(x)=0$에서 $x=-1$

$f''(x)=0$에서 $x=-2$

함수 $f(x)$의 증가와 감소, 오목과 볼록을 표로 나타내면 다음과 같다.

x	$\cdots$	-2	$\cdots$	-1	$\cdots$
$f'(x)$	$-$	$-$	$-$	0	$+$
$f''(x)$	$-$	0	$+$	$+$	$+$
$f(x)$	↘	$-\dfrac{2}{e^2}$	↘	$-\dfrac{1}{e}$	↗

이때 $\lim\limits_{x\to\infty}f(x)=\infty$, $\lim\limits_{x\to-\infty}f(x)=0$이므로 점근선은 x축이다.

따라서 함수 $y=f(x)$의 그래프의 개형은 다음 그림과 같다.

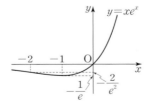

675 답 풀이 참조

$f(x)=\dfrac{\ln x}{x}$에서 $x>0$이고 $f(1)=0$이므로 점 $(1,\ 0)$을 지난다.

$f'(x)=\dfrac{\dfrac{1}{x}\times x-\ln x}{x^2}=\dfrac{1-\ln x}{x^2}$

$$f''(x) = \frac{-\frac{1}{x} \times x^2 - (1 - \ln x) \times 2x}{(x^2)^2}$$

$$= \frac{-3 + 2\ln x}{x^3}$$

$f'(x) = 0$에서 $\ln x = 1$ $\therefore x = e$

$f''(x) = 0$에서 $\ln x = \frac{3}{2}$ $\therefore x = e\sqrt{e}$

함수 $f(x)$의 증가와 감소, 오목과 볼록을 표로 나타내면 다음과 같다.

x	0	$\cdots$	e	$\cdots$	$e\sqrt{e}$	$\cdots$
$f'(x)$		$+$	0	$-$	$-$	$-$
$f''(x)$		$-$	$-$	$-$	0	$+$
$f(x)$		$\nearrow$	$\dfrac{1}{e}$	$\searrow$	$\dfrac{3}{2e\sqrt{e}}$	$\searrow$

이때 $\lim\limits_{x \to \infty} f(x) = 0$, $\lim\limits_{x \to 0+} f(x) = -\infty$이므로 점근선은 y축이다.

따라서 함수 $y = f(x)$의 그래프의 개형은 다음 그림과 같다.

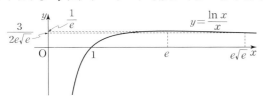

676 답 풀이 참조

$f(x) = x + \sin x$에서 $f(0) = 0$, $f(2\pi) = 2\pi$이므로 두 점 $(0, 0)$, $(2\pi, 2\pi)$를 지난다.

$f'(x) = 1 + \cos x$, $f''(x) = -\sin x$

$f'(x) = 0$에서 $\cos x = -1$이므로 $x = \pi$ $(\because 0 \le x \le 2\pi)$

$f''(x) = 0$에서 $-\sin x = 0$이므로

$x = 0$ 또는 $x = \pi$ 또는 $x = 2\pi$ $(\because 0 \le x \le 2\pi)$

함수 $f(x)$의 증가와 감소, 오목과 볼록을 표로 나타내면 다음과 같다.

x	0	$\cdots$	π	$\cdots$	2π
$f'(x)$		$+$	0	$+$	
$f''(x)$		$-$	0	$+$	
$f(x)$	0	$\curvearrowright$	π	$\nearrow$	2π

따라서 함수 $y = f(x)$의 그래프의 개형은 오른쪽 그림과 같다.

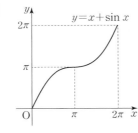

677 답 1

$f(x) = x - 2 - \ln x$에서 $x > 0$이고 $f'(x) = 1 - \frac{1}{x}$

$f'(x) = 0$에서 $x = 1$

678 답 풀이 참조

함수 $f(x)$의 증가와 감소를 표로 나타내면 다음과 같다.

x	0	$\cdots$	1	$\cdots$
$f'(x)$		$-$	0	$+$
$f(x)$		$\searrow$	-1	$\nearrow$

따라서 함수 $y = f(x)$의 그래프의 개형은 오른쪽 그림과 같다.

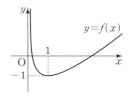

679 답 2

함수 $f(x) = x - 2 - \ln x$의 그래프와 x축의 교점은 2개이므로 주어진 방정식의 서로 다른 실근의 개수는 2이다.

680 답 1

$f(x) = x - \cos x$로 놓으면

$f'(x) = 1 + \sin x$

이때 $-1 \le \sin x \le 1$이므로 $f'(x) \ge 0$

즉, 함수 $f(x)$는 실수 전체의 구간에서 증가한다.

이때 $f(0) = -1$, $f\left(\dfrac{\pi}{2}\right) = \dfrac{\pi}{2}$이므로

함수 $y = f(x)$의 그래프는 오른쪽 그림과 같다.

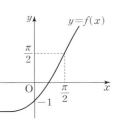

따라서 함수 $f(x) = x - \cos x$의 그래프와 x축의 교점은 1개이므로 주어진 방정식의 서로 다른 실근의 개수는 1이다.

681 답 0

$f(x) = e^x + e^{-x} - 1$로 놓으면

$f'(x) = e^x - e^{-x} = \dfrac{e^{2x} - 1}{e^x}$

$f'(x) = 0$에서 $e^{2x} = 1$이므로 $x = 0$

함수 $f(x)$의 증가와 감소를 표로 나타내면 다음과 같다.

x	$\cdots$	0	$\cdots$
$f'(x)$	$-$	0	$+$
$f(x)$	$\searrow$	1	$\nearrow$

이때 $\lim\limits_{x \to \infty} f(x) = \infty$, $\lim\limits_{x \to -\infty} f(x) = \infty$ 이므로 함수 $y = f(x)$의 그래프는 오른쪽 그림과 같다.

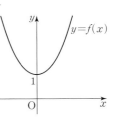

따라서 함수 $f(x) = e^x + e^{-x} - 1$의 그래프와 x축의 교점은 없으므로 주어진 방정식의 서로 다른 실근의 개수는 0이다.

5 도함수의 활용 ⑵

682 답 (개) : e^x-1, (내) : 0, (대) : 0

$f(x)=e^x-x-1$로 놓으면 $f'(x)=\boxed{e^x-1}$

$f'(x)=0$에서 $x=\boxed{0}$

함수 $f(x)$의 증가와 감소를 표로 나타내면 다음과 같다.

x	$\cdots$	0	$\cdots$
$f'(x)$	$-$	0	$+$
$f(x)$	$\searrow$	0	$\nearrow$

함수 $f(x)$는 $x=\boxed{0}$에서 최솟값 $\boxed{0}$을 가지므로

$f(x)=e^x-x-1\geq0$

따라서 모든 실수 x에 대하여 $e^x\geq x+1$이 성립한다.

683 답 풀이 참조

$f(x)=x+1-\ln x$로 놓으면 $x>0$이고 $f'(x)=1-\dfrac{1}{x}$

$f'(x)=0$에서 $x=1$

함수 $f(x)$의 증가와 감소를 표로 나타내면 다음과 같다.

x	0	$\cdots$	1	$\cdots$
$f'(x)$		$-$	0	$+$
$f(x)$		$\searrow$	2	$\nearrow$

함수 $f(x)$는 $x=1$에서 최솟값 2를 가지므로

$f(x)=x+1-\ln x>0$

따라서 $x>0$일 때 $x+1>\ln x$가 성립한다.

684 답 풀이 참조

$f(x)=x\ln x-x+1$로 놓으면 $x>0$이고

$f'(x)=\ln x+x\times\dfrac{1}{x}-1=\ln x$

$f'(x)=0$에서 $x=1$

함수 $f(x)$의 증가와 감소를 표로 나타내면 다음과 같다.

x	0	$\cdots$	1	$\cdots$
$f'(x)$		$-$	0	$+$
$f(x)$		$\searrow$	0	$\nearrow$

함수 $f(x)$는 $x=1$에서 최솟값 0을 가지므로

$f(x)=x\ln x-x+1\geq0$

따라서 $x>0$일 때 $x\ln x\geq x-1$이 성립한다.

685 답 속도 : 4, 가속도 : 1

점 P의 시각 t에서의 속도와 가속도를 각각 $v(t)$, $a(t)$라 하면

$v(t)=\dfrac{dx}{dt}=e^{t-1}+3$, $a(t)=\dfrac{dv}{dt}=e^{t-1}$

따라서 $t=1$에서의 점 P의 속도와 가속도는

$v(1)=e^0+3=4$, $a(1)=e^0=1$

686 답 속도 : $2\pi-1$, 가속도 : 2

점 P의 시각 t에서의 속도와 가속도를 각각 $v(t)$, $a(t)$라 하면

$v(t)=\dfrac{dx}{dt}=2t+\cos t$, $a(t)=\dfrac{dv}{dt}=2-\sin t$

따라서 $t=\pi$에서의 점 P의 속도와 가속도는

$v(\pi)=2\pi+\cos\pi=2\pi-1$

$a(\pi)=2-\sin\pi=2$

687 답 속도 : $(4, 2t)$, 속력 : $2\sqrt{t^2+4}$

$\dfrac{dx}{dt}=4$, $\dfrac{dy}{dt}=2t$이므로 시각 t에서의 점 P의 속도는 $(4, 2t)$,

속력은 $\sqrt{4^2+(2t)^2}=2\sqrt{t^2+4}$

688 답 가속도 : $(0, 2)$, 가속도의 크기 : 2

$\dfrac{d^2x}{dt^2}=0$, $\dfrac{d^2y}{dt^2}=2$이므로 시각 t에서의 점 P의 가속도는

$(0, 2)$, 가속도의 크기는 $\sqrt{0^2+2^2}=2$

689 답 속도 : $(-6\sin2t, 6\cos2t)$, 속력 : 6

$\dfrac{dx}{dt}=-6\sin2t$, $\dfrac{dy}{dt}=6\cos2t$이므로 시각 t에서의

점 P의 속도는 $(-6\sin2t, 6\cos2t)$,

속력은 $\sqrt{(-6\sin2t)^2+(6\cos2t)^2}=6$

690 답 가속도 : $(-12\cos2t, -12\sin2t)$,

가속도의 크기 : 12

$\dfrac{d^2x}{dt^2}=-12\cos2t$, $\dfrac{d^2y}{dt^2}=-12\sin2t$이므로 시각 t에서의

점 P의 가속도는 $(-12\cos2t, -12\sin2t)$,

가속도의 크기는 $\sqrt{(-12\cos2t)^2+(-12\sin2t)^2}=12$

691 답 속도 : $\left(\dfrac{1}{2}, -\dfrac{\sqrt{3}}{2}\right)$, 속력 : 1

$\dfrac{dx}{dt}=1-\sin t$, $\dfrac{dy}{dt}=-\cos t$이므로 시각 t에서의 점 P의 속

도는 $(1-\sin t, -\cos t)$

따라서 $t=\dfrac{\pi}{6}$일 때, $\dfrac{dx}{dt}=1-\dfrac{1}{2}=\dfrac{1}{2}$, $\dfrac{dy}{dt}=-\dfrac{\sqrt{3}}{2}$이므로

$t=\dfrac{\pi}{6}$에서의 점 P의 속도는 $\left(\dfrac{1}{2}, -\dfrac{\sqrt{3}}{2}\right)$,

속력은 $\sqrt{\left(\dfrac{1}{2}\right)^2+\left(-\dfrac{\sqrt{3}}{2}\right)^2}=1$

692 답 가속도 : $\left(-\dfrac{\sqrt{3}}{2}, \dfrac{1}{2}\right)$, 가속도의 크기 : 1

$\dfrac{d^2x}{dt^2}=-\cos t$, $\dfrac{d^2y}{dt^2}=\sin t$이므로 시각 t에서의 점 P의 가속

도는 $(-\cos t, \sin t)$

따라서 $t=\dfrac{\pi}{6}$일 때, $\dfrac{d^2x}{dt^2}=-\dfrac{\sqrt{3}}{2}$, $\dfrac{d^2y}{dt^2}=\dfrac{1}{2}$이므로 $t=\dfrac{\pi}{6}$에

서의 점 P의 가속도는 $\left(-\dfrac{\sqrt{3}}{2}, \dfrac{1}{2}\right)$,

가속도의 크기는 $\sqrt{\left(-\dfrac{\sqrt{3}}{2}\right)^2+\left(\dfrac{1}{2}\right)^2}=1$

➡ 본책 108쪽~116쪽

693 답 ③

단계 1 $f(x)=x^4-4x^3+2$로 놓고 $f''(x)$ 구하기

$f(x)=x^4-4x^3+2$로 놓으면

$f'(x)=4x^3-12x^2$

$f''(x)=12x^2-24x=12x(x-2)$

단계 2 곡선이 위로 볼록한 구간 구하기

곡선 $y=f(x)$가 위로 볼록하려면 $f''(x)<0$이어야 하므로

$12x(x-2)<0$ ∴ $0<x<2$

따라서 곡선 $y=f(x)$가 위로 볼록한 구간은 $(0,\,2)$이다.

694 답 ③

$f(x)=x+2\cos x$로 놓으면

$f'(x)=1-2\sin x$, $f''(x)=-2\cos x$

곡선 $y=f(x)$가 아래로 볼록하려면 $f''(x)>0$이어야 하므로

$-2\cos x>0$, $\cos x<0$

∴ $\dfrac{\pi}{2}<x<\dfrac{3}{2}\pi$ ($\because 0<x<2\pi$)

따라서 곡선 $y=f(x)$가 아래로 볼록한 구간은 $\left(\dfrac{\pi}{2},\,\dfrac{3}{2}\pi\right)$이다.

695 답 2

$f(x)=x\ln x-\dfrac{3}{x}$으로 놓으면 $x>0$이고

$f'(x)=\ln x+x\times\dfrac{1}{x}+\dfrac{3}{x^2}=\ln x+1+\dfrac{3}{x^2}$

$f''(x)=\dfrac{1}{x}-\dfrac{6}{x^3}=\dfrac{x^2-6}{x^3}$

곡선 $y=f(x)$가 위로 볼록하려면 $f''(x)<0$이어야 하므로

$x^2-6<0$ ∴ $0<x<\sqrt{6}$ ($\because x>0$)

따라서 곡선 $y=f(x)$가 위로 볼록한 구간에 속하는 정수 x는 1, 2의 2개이다.

696 답 ㄷ, ㄹ

임의의 서로 다른 두 실수 a, b가 주어진 부등식을 만족시키려면 함수 $y=f(x)$의 그래프는 다음 그림과 같이 위로 볼록해야 한다.

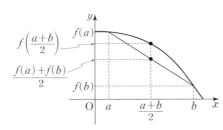

ㄱ. $f'(x)=e^x$, $f''(x)=e^x$

실수 전체의 집합에서 $f''(x)>0$이므로 곡선 $y=f(x)$는 실수 전체의 집합에서 아래로 볼록하다.

ㄴ. $f'(x)=-\dfrac{1}{2\sqrt{x}}$, $f''(x)=\dfrac{1}{4x\sqrt{x}}$

$x>0$에서 $f''(x)>0$이므로 곡선 $y=f(x)$는 $x>0$에서 아래로 볼록하다.

ㄷ. $f'(x)=\dfrac{1}{x}$, $f''(x)=-\dfrac{1}{x^2}$

$x>0$에서 $f''(x)<0$이므로 곡선 $y=f(x)$는 $x>0$에서 위로 볼록하다.

ㄹ. $f'(x)=\cos x$, $f''(x)=-\sin x$

$0\leq x\leq\pi$에서 $f''(x)<0$이므로 곡선 $y=f(x)$는 $0\leq x\leq\pi$에서 위로 볼록하다.

따라서 주어진 부등식을 만족시키는 것은 ㄷ, ㄹ이다.

다른 풀이

보기의 그래프를 직접 그려 위로 볼록한 것을 찾으면 ㄷ, ㄹ이다.

697 답 ③

단계 1 $f(x)=e^x(x^2-x)$로 놓고 $f''(x)=0$인 x의 값 구하기

$f(x)=e^x(x^2-x)$로 놓으면

$f'(x)=e^x(x^2-x)+e^x(2x-1)$

$\quad=e^x(x^2+x-1)$

$f''(x)=e^x(x^2+x-1)+e^x(2x+1)$

$\quad=e^x(x^2+3x)=e^x x(x+3)$

$f''(x)=0$에서 $x=0$ 또는 $x=-3$

단계 2 변곡점의 x좌표의 합 구하기

$x<-3$ 또는 $x>0$일 때 $f''(x)>0$,

$-3<x<0$일 때 $f''(x)<0$

따라서 $x=0$, $x=-3$의 좌우에서 $f''(x)$의 부호가 바뀌므로 모든 변곡점의 x좌표의 합은 $0+(-3)=-3$

698 답 ④

$f(x)=\cos 2x$로 놓으면

$f'(x)=-2\sin 2x$, $f''(x)=-4\cos 2x$

$f''(x)=0$에서 $x=\dfrac{\pi}{4}$ 또는 $x=\dfrac{3}{4}\pi$ 또는 $x=\dfrac{5}{4}\pi$ 또는

$x=\dfrac{7}{4}\pi$ ($\because 0<x<2\pi$)

$0<x<\dfrac{\pi}{4}$ 또는 $\dfrac{3}{4}\pi<x<\dfrac{5}{4}\pi$ 또는 $\dfrac{7}{4}\pi<x<2\pi$일 때

$f''(x)<0$,

$\dfrac{\pi}{4}<x<\dfrac{3}{4}\pi$ 또는 $\dfrac{5}{4}\pi<x<\dfrac{7}{4}\pi$일 때 $f''(x)>0$

따라서 $x=\dfrac{\pi}{4}$, $x=\dfrac{3}{4}\pi$, $x=\dfrac{5}{4}\pi$, $x=\dfrac{7}{4}\pi$의 좌우에서 $f''(x)$의 부호가 바뀌므로 변곡점의 개수는 4이다.

699 답 ②

$f(x)=x^2+\ln x^2$으로 놓으면 $x\neq0$이고

$f'(x)=2x+\dfrac{2x}{x^2}=2x+\dfrac{2}{x}$

$f''(x)=2-\dfrac{2}{x^2}=\dfrac{2x^2-2}{x^2}$

$\qquad\quad=\dfrac{2(x+1)(x-1)}{x^2}$

$f''(x)=0$에서 $x=-1$ 또는 $x=1$

$x<-1$ 또는 $x>1$일 때 $f''(x)>0$,

$-1<x<0$ 또는 $0<x<1$일 때 $f''(x)<0$

따라서 $x=-1$, $x=1$의 좌우에서 $f''(x)$의 부호가 바뀌므로 변곡점의 좌표는 $(-1, 1)$, $(1, 1)$이고 두 변곡점 사이의 거리는 $1-(-1)=2$

700 답 ③

단계 1 주어진 조건을 이용하여 방정식 세우기

$f(x)=x^3+ax^2+bx+c$로 놓으면

$f'(x)=3x^2+2ax+b$, $f''(x)=6x+2a$

$x=2$에서의 접선의 기울기가 -3이므로 $f'(2)=-3$

$12+4a+b=-3$

$\therefore 4a+b=-15 \quad\cdots$ ㉠

또 변곡점의 좌표가 $(2, 2)$이므로 $f(2)=2$, $f''(2)=0$

$f(2)=2$에서 $8+4a+2b+c=2$

$\therefore 4a+2b+c=-6 \quad\cdots$ ㉡

$f''(2)=0$에서 $12+2a=0$

$\therefore a=-6$

단계 2 $a+b+c$의 값 구하기

$a=-6$을 ㉠에 대입하여 풀면 $b=9$

$a=-6$, $b=9$를 ㉡에 대입하여 풀면 $c=0$

$\therefore a+b+c=-6+9+0=3$

701 답 ④

$f(x)=ax^2+bx+\ln x$에서

$f'(x)=2ax+b+\dfrac{1}{x}$, $f''(x)=2a-\dfrac{1}{x^2}$

$x=\dfrac{1}{2}$에서 극대이므로 $f'\left(\dfrac{1}{2}\right)=0$

$a+b+2=0 \quad \therefore a+b=-2 \quad\cdots$ ㉠

또 변곡점의 x좌표가 1이므로 $f''(1)=0$

$2a-1=0 \quad \therefore a=\dfrac{1}{2}$

이것을 ㉠에 대입하여 풀면 $b=-\dfrac{5}{2}$

$\therefore a-b=\dfrac{1}{2}-\left(-\dfrac{5}{2}\right)=3$

참고 모든 실수 x에서 미분가능한 함수 $f(x)$가 $x=a$에서 극값을 가지면 $f'(a)=0$이다.

702 답 ④

$f(x)=\sin x+a\cos x+bx$에서

$f'(x)=\cos x-a\sin x+b$, $f''(x)=-\sin x-a\cos x$

$x=\dfrac{\pi}{6}$에서 극값을 가지므로 $f'\left(\dfrac{\pi}{6}\right)=0$

$\dfrac{\sqrt{3}}{2}-\dfrac{1}{2}a+b=0 \quad \therefore a-2b=\sqrt{3} \quad\cdots$ ㉠

변곡점의 x좌표가 $\dfrac{\pi}{3}$이므로 $f''\left(\dfrac{\pi}{3}\right)=0$

$-\dfrac{\sqrt{3}}{2}-\dfrac{1}{2}a=0 \quad \therefore a=-\sqrt{3}$

이것을 ㉠에 대입하여 풀면 $b=-\sqrt{3}$

$\therefore ab=-\sqrt{3}\times(-\sqrt{3})=3$

703 답 ③

단계 1 $f(x)=(ax^2-1)e^x$으로 놓고 $f'(x)$, $f''(x)$ 구하기

$f(x)=(ax^2-1)e^x$으로 놓으면

$f'(x)=2axe^x+(ax^2-1)e^x=(ax^2+2ax-1)e^x$

$f''(x)=(2ax+2a)e^x+(ax^2+2ax-1)e^x$

$\qquad\quad=(ax^2+4ax+2a-1)e^x$

단계 2 실수 a의 값의 범위 구하기

곡선 $y=f(x)$가 변곡점을 갖지 않으려면 $f''(x)=0$이 실근을 갖지 않거나 $f''(x)=0$의 실근의 좌우에서 $f''(x)$의 부호가 바뀌지 않아야 한다.

(i) $a=0$일 때, $f''(x)=-e^x<0$이므로 $f''(x)=0$이 실근을 갖지 않는다.

(ii) $a\neq0$일 때, $e^x>0$이므로 이차방정식 $ax^2+4ax+2a-1=0$이 중근을 갖거나 허근을 가져야 한다. 이 이차방정식의 판별식을 D라 하면

$\dfrac{D}{4}=(2a)^2-a(2a-1)\leq0$, $2a^2+a\leq0$

$a(2a+1)\leq0$, $-\dfrac{1}{2}\leq a\leq0$

$\therefore -\dfrac{1}{2}\leq a<0 \ (\because a\neq0)$

단계 3 실수 a의 최솟값 구하기

(i), (ii)에서 구하는 a의 값의 범위는 $-\dfrac{1}{2}\leq a\leq0$이므로 실수 a의 최솟값은 $-\dfrac{1}{2}$이다.

704 답 $-2<a<0$ 또는 $0<a<2$

$f(x)=ax^2+4\sin x$로 놓으면

$f'(x)=2ax+4\cos x$, $f''(x)=2a-4\sin x$

곡선 $y=f(x)$가 $0<x<2\pi$에서 두 개의 변곡점을 가지므로 $f''(x)=0$이 $0<x<2\pi$에서 서로 다른 두 실근을 갖고 이 실근의 좌우에서 $f''(x)$의 부호가 바뀌어야 한다.

$f''(x)=0$에서 $2a-4\sin x=0$

$\therefore \sin x=\dfrac{a}{2}$ $\cdots$ ㉠

㉠이 $0<x<2\pi$에서 서로 다른
두 실근을 가지려면 오른쪽 그
림과 같이 곡선 $y=\sin x$와 직
선 $y=\dfrac{a}{2}$가 서로 다른 두 점에
서 만나야 하므로

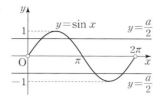

$-1<\dfrac{a}{2}<0$ 또는 $0<\dfrac{a}{2}<1$

$\therefore -2<a<0$ 또는 $0<a<2$

705 답 ③

단계 1 $f''(x)$의 부호를 표로 나타내기

구간 (a, e)에서 $f''(x)$의 부호를 표로 나타내면 다음과 같다.

x	a	$\cdots$	b	$\cdots$	c	$\cdots$	d	$\cdots$	e
$f''(x)$		$+$	0	$-$	$-$	$-$	0		$+$

단계 2 그래프의 모양이 위로 볼록한 구간 구하기

함수 $y=f(x)$의 그래프의 모양이 위로 볼록하려면 $f''(x)<0$
이어야 하므로 구하는 구간은 (b, d)이다.

706 답 6

오른쪽 그림과 같이 a, b, c, d
를 정하면 방정식 $f'(x)=0$은
구간 $(0, c)$와 (d, β)에서 실
근을 각각 한 개씩 갖고 실근의
좌우에서 $f'(x)$의 부호가 양에
서 음으로 바뀌므로 극대인 점
의 개수는 2이다.

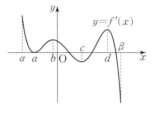

구간 (α, β)에서 $f''(x)$의 부호를 표로 나타내면 다음과 같다.

x	α	$\cdots$	a	$\cdots$	b	$\cdots$	c	$\cdots$	d	$\cdots$	β
$f''(x)$		$-$	0	$+$	0	$-$	0	$+$	0	$-$	

$x=a$, $x=b$, $x=c$, $x=d$의 좌우에서 $f''(x)$의 부호가 바뀌므
로 변곡점의 개수는 4이다.
따라서 $p=2$, $q=4$이므로
$p+q=6$

707 답 A, D

여섯 개의 점 A, B, C, D, E, F의 x좌표를 각각 a, b, c, d, e,
f라 하고 $f'(x)$, $f''(x)$의 부호를 표로 나타내면 다음과 같다.

x	a	b	c	d	e	f
$f'(x)$	$+$	0	$-$	$-$	0	$+$
$f''(x)$	$-$	$-$	0	$+$	$+$	$+$

따라서 $f'(x)\times f''(x)<0$을 만족시키는 점은 A, D이다.

708 답 ⑤

단계 1 함수 $y=f(x)$의 그래프 그리기

$f(x)=\dfrac{4x}{x^2+1}$에서

$f'(x)=\dfrac{4(x^2+1)-4x\times 2x}{(x^2+1)^2}=\dfrac{-4x^2+4}{(x^2+1)^2}$

$f''(x)=\dfrac{-8x(x^2+1)^2-(-4x^2+4)\times 2(x^2+1)\times 2x}{(x^2+1)^4}$

$\qquad =\dfrac{8x(x^2-3)}{(x^2+1)^3}$

$f'(x)=0$에서 $x=-1$ 또는 $x=1$

$f''(x)=0$에서 $x=-\sqrt{3}$ 또는 $x=0$ 또는 $x=\sqrt{3}$

함수 $f(x)$의 증가와 감소, 오목과 볼록을 표로 나타내면 다음
과 같다.

x	$\cdots$	$-\sqrt{3}$	$\cdots$	-1	$\cdots$	0	$\cdots$	1	$\cdots$	$\sqrt{3}$	$\cdots$
$f'(x)$	$-$	$-$	$-$	0	$+$	$+$	$+$	0	$-$	$-$	$-$
$f''(x)$	$-$	0	$+$	$+$	$+$	0	$-$	$-$	$-$	0	$+$
$f(x)$	$\searrow$	$-\sqrt{3}$ (변곡점)	$\searrow$	-2 (극소)	$\nearrow$	0 (변곡점)	$\nearrow$	2 (극대)	$\searrow$	$\sqrt{3}$ (변곡점)	$\searrow$

이때 $\displaystyle\lim_{x\to\infty}f(x)=0$,

$\displaystyle\lim_{x\to-\infty}f(x)=0$이므로 점근선은
x축이다.
따라서 함수 $y=f(x)$의 그래프
는 오른쪽 그림과 같다.

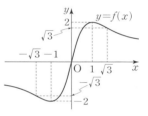

단계 2 참, 거짓 판별하기

ㄱ. $f'(x)=\dfrac{-4x^2+4}{(x^2+1)^2}$이므로 $f'(0)=4$ (참)

ㄴ. $x=1$에서 극대이고 극댓값은 2, $x=-1$에서 극소이고 극
솟값은 -2이다. (참)

ㄷ. $y=f(x)$의 그래프에서 변곡점은 점 $(-\sqrt{3}, -\sqrt{3})$,
$(0, 0)$, $(\sqrt{3}, \sqrt{3})$의 3개이다. (참)

따라서 옳은 것은 ㄱ, ㄴ, ㄷ이다.

709 답 ④

$f(x)=e^{-2x^2}$에서

$f'(x)=e^{-2x^2}\times(-4x)=-4xe^{-2x^2}$

$f''(x)=-4\times e^{-2x^2}+(-4x)\times(-4xe^{-2x^2})=4(4x^2-1)e^{-2x^2}$

$\qquad =4(2x+1)(2x-1)e^{-2x^2}$

$f'(x)=0$에서 $x=0$, $f''(x)=0$에서 $x=-\dfrac{1}{2}$ 또는 $x=\dfrac{1}{2}$

함수 $f(x)$의 증가와 감소, 오목과 볼록을 표로 나타내면 다음
과 같다.

x	$\cdots$	$-\dfrac{1}{2}$	$\cdots$	0	$\cdots$	$\dfrac{1}{2}$	$\cdots$
$f'(x)$	$+$	$+$	$+$	0	$-$	$-$	$-$
$f''(x)$	$+$	0	$-$	$-$	$-$	0	$+$
$f(x)$	$\nearrow$	$\dfrac{1}{\sqrt{e}}$ (변곡점)	$\nearrow$	1 (극대)	$\searrow$	$\dfrac{1}{\sqrt{e}}$ (변곡점)	$\searrow$

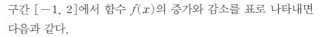
이때 $\lim\limits_{x\to\infty} f(x)=0$, $\lim\limits_{x\to-\infty} f(x)=0$

이므로 점근선은 x축이다.

따라서 함수 $y=f(x)$의 그래프는 오른쪽 그림과 같다.

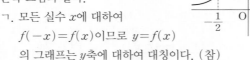

ㄱ. 모든 실수 x에 대하여
$f(-x)=f(x)$이므로 $y=f(x)$
의 그래프는 y축에 대하여 대칭이다. (참)

ㄴ. $x\geq 1$에서 $f'(x)<0$이므로 $y=f(x)$의 그래프는 구간 $[1, \infty)$에서 감소한다. (참)

ㄷ. 변곡점은 점 $\left(-\dfrac{1}{2}, \dfrac{1}{\sqrt{e}}\right)$, $\left(\dfrac{1}{2}, \dfrac{1}{\sqrt{e}}\right)$의 2개이다. (참)

ㄹ. 구간 $\left(-\dfrac{1}{2}, \dfrac{1}{2}\right)$에서 $f''(x)<0$이므로 $y=f(x)$의 그래프는 위로 볼록하다. (거짓)

따라서 옳은 것은 ㄱ, ㄴ, ㄷ이다.

710 답 ④

단계 1 $f'(x)=0$인 x의 값 구하기

$f(x)=\dfrac{3x}{x^2+x+4}$에서

$f'(x)=\dfrac{3(x^2+x+4)-3x(2x+1)}{(x^2+x+4)^2}$

$=\dfrac{-3x^2+12}{(x^2+x+4)^2}$

$=\dfrac{-3(x+2)(x-2)}{(x^2+x+4)^2}$

$f'(x)=0$에서 $x=-2$ 또는 $x=2$

단계 2 함수 $f(x)$의 증가와 감소를 표로 나타내기

$-3\leq x\leq 3$에서 함수 $f(x)$의 증가와 감소를 표로 나타내면 다음과 같다.

x	-3	$\cdots$	-2	$\cdots$	2	$\cdots$	3
$f'(x)$		$-$	0	$+$	0	$-$	
$f(x)$	$-\dfrac{9}{10}$	$\searrow$	-1	$\nearrow$	$\dfrac{3}{5}$	$\searrow$	$\dfrac{9}{16}$

단계 3 최댓값과 최솟값의 차 구하기

함수 $f(x)$는 $x=2$에서 최댓값 $\dfrac{3}{5}$, $x=-2$에서 최솟값 -1이므로 $M=\dfrac{3}{5}$, $m=-1$ $\therefore M-m=\dfrac{3}{5}-(-1)=\dfrac{8}{5}$

711 답 $3-\sqrt{5}$

$f(x)=x\sqrt{6-x^2}$에서

$f'(x)=\sqrt{6-x^2}+x\times\dfrac{-2x}{2\sqrt{6-x^2}}$

$=\dfrac{6-x^2-x^2}{\sqrt{6-x^2}}=\dfrac{6-2x^2}{\sqrt{6-x^2}}$

$=\dfrac{-2(x^2-3)}{\sqrt{6-x^2}}$

$f'(x)=0$에서 $x=\sqrt{3}$ $(\because -1\leq x\leq 2)$

구간 $[-1, 2]$에서 함수 $f(x)$의 증가와 감소를 표로 나타내면 다음과 같다.

x	-1	$\cdots$	$\sqrt{3}$	$\cdots$	2
$f'(x)$		$+$	0	$-$	
$f(x)$	$-\sqrt{5}$	$\nearrow$	3	$\searrow$	$2\sqrt{2}$

따라서 함수 $f(x)$는 $x=\sqrt{3}$에서 최댓값 3, $x=-1$에서 최솟값 $-\sqrt{5}$를 가지므로 구하는 합은 $3-\sqrt{5}$

712 답 e

$f(x)=\dfrac{e^x}{x}$ $(x>0)$에서

$f'(x)=\dfrac{e^x\times x-e^x\times 1}{x^2}=\dfrac{(x-1)e^x}{x^2}$

$f'(x)=0$에서 $x=1$

$x>0$에서 함수 $f(x)$의 증가와 감소를 표로 나타내면 다음과 같다.

x	0	$\cdots$	1	$\cdots$
$f'(x)$		$-$	0	$+$
$f(x)$		$\searrow$	e	$\nearrow$

따라서 함수 $f(x)$는 $x=1$에서 최솟값 e를 가지므로

$a=1$, $m=e$

$\therefore am=1\times e=e$

713 답 $\dfrac{1}{2e}$

$f(x)=\dfrac{\ln x}{x^2}$에서 $x>0$이고

$f'(x)=\dfrac{\dfrac{1}{x}\times x^2-\ln x\times 2x}{(x^2)^2}$

$=\dfrac{x-2x\ln x}{x^4}=\dfrac{1-2\ln x}{x^3}$

$f'(x)=0$에서 $1-2\ln x=0$, $\ln x=\dfrac{1}{2}$ $\therefore x=\sqrt{e}$

$x>0$에서 함수 $f(x)$의 증가와 감소를 표로 나타내면 다음과 같다.

x	0	$\cdots$	$\sqrt{e}$	$\cdots$
$f'(x)$		$+$	0	$-$
$f(x)$		$\nearrow$	$\dfrac{1}{2e}$	$\searrow$

따라서 함수 $f(x)$는 $x=\sqrt{e}$에서 최댓값 $\dfrac{1}{2e}$을 갖는다.

714 답 π

$f(x)=x\sin x+\cos x$에서

$f'(x)=\sin x+x\cos x-\sin x=x\cos x$

$f'(x)=0$에서 $x=0$ 또는 $\cos x=0$

$\therefore x=0$ 또는 $x=\dfrac{\pi}{2}$ 또는 $x=\dfrac{3}{2}\pi$ $(\because 0\leq x\leq 2\pi)$

구간 $[0, 2\pi]$에서 함수 $f(x)$의 증가와 감소를 표로 나타내면 다음과 같다.

x	0	$\cdots$	$\dfrac{\pi}{2}$	$\cdots$	$\dfrac{3}{2}\pi$	$\cdots$	2π
$f'(x)$	0	$+$	0	$-$	0	$+$	
$f(x)$	1	$\nearrow$	$\dfrac{\pi}{2}$	$\searrow$	$-\dfrac{3}{2}\pi$	$\nearrow$	1

따라서 함수 $f(x)$는 $x=\dfrac{\pi}{2}$에서 최댓값 $\dfrac{\pi}{2}$를 가지므로

$a=\dfrac{\pi}{2}$, $M=\dfrac{\pi}{2}$

$\therefore a+M=\dfrac{\pi}{2}+\dfrac{\pi}{2}=\pi$

715 답 ⑤

$f(x)=2x-x\ln x$에서 $x>0$이고

$f'(x)=2-\left(\ln x+x\times\dfrac{1}{x}\right)=1-\ln x$

$f'(x)=0$에서 $\ln x=1$ $\therefore x=e$

구간 $[1, e^2]$에서 함수 $f(x)$의 증가와 감소를 표로 나타내면 다음과 같다.

x	1	$\cdots$	e	$\cdots$	e^2
$f'(x)$		$+$	0	$-$	
$f(x)$	2	$\nearrow$	e	$\searrow$	0

따라서 함수 $f(x)$는 $x=e$에서 최댓값 e, $x=e^2$에서 최솟값 0을 가지므로

$\alpha=e$, $\beta=e^2$

$\therefore \alpha\beta=e\times e^2=e^3$

716 답 ②

단계 1 공통부분을 t로 치환하기

$f(x)=\sin^3 x-2\cos^2 x=\sin^3 x-2(1-\sin^2 x)$
$\qquad=\sin^3 x+2\sin^2 x-2$

$\sin x=t$로 놓으면 $-\dfrac{\pi}{2}\le x\le\dfrac{\pi}{2}$에서 $-1\le t\le 1$이고 주어진 함수 $f(x)$를 t에 대한 함수 $g(t)$로 나타내면

$g(t)=t^3+2t^2-2$

$g'(t)=3t^2+4t=t(3t+4)$

$g'(t)=0$에서 $t=0$ $(\because -1\le t\le 1)$

단계 2 함수 $g(t)$의 증가와 감소를 표로 나타내기

함수 $g(t)$의 증가와 감소를 표로 나타내면 다음과 같다.

t	-1	$\cdots$	0	$\cdots$	1
$g'(t)$		$-$	0	$+$	
$g(t)$	-1	$\searrow$	-2	$\nearrow$	1

단계 3 최댓값과 최솟값의 합 구하기

함수 $g(t)$는 $t=1$에서 최댓값 1, $t=0$에서 최솟값 -2를 가지므로 구하는 합은 $1+(-2)=-1$

717 답 ③

$f(x)=8^x-4^x-2^{x+3}=(2^x)^3-(2^x)^2-8\times 2^x$

$2^x=t$로 놓으면 $t>0$이고 주어진 함수 $f(x)$를 t에 대한 함수 $g(t)$로 나타내면

$g(t)=t^3-t^2-8t$

$g'(t)=3t^2-2t-8=(3t+4)(t-2)$

$g'(t)=0$에서 $t=2$ $(\because t>0)$

함수 $g(t)$의 증가와 감소를 표로 나타내면 다음과 같다.

t	0	$\cdots$	2	$\cdots$
$g'(t)$		$-$	0	$+$
$g(t)$		$\searrow$	-12	$\nearrow$

따라서 함수 $g(t)$는 $t=2$에서 최솟값 -12를 갖는다.

718 답 2

단계 1 $f'(x)=0$인 x의 값 구하기

$f(x)=axe^x$에서

$f'(x)=ae^x+axe^x=ae^x(x+1)$

$f'(x)=0$에서 $x=-1$

단계 2 함수 $f(x)$의 최댓값과 최솟값 구하기

구간 $[-2, 1]$에서 함수 $f(x)$의 증가와 감소를 표로 나타내면 다음과 같다.

x	-2	$\cdots$	-1	$\cdots$	1
$f'(x)$		$-$	0	$+$	
$f(x)$	$-\dfrac{2a}{e^2}$	$\searrow$	$-\dfrac{a}{e}$	$\nearrow$	ae

$a>0$이므로 함수 $f(x)$는 $x=1$에서 최댓값 ae, $x=-1$에서 최솟값 $-\dfrac{a}{e}$를 갖는다.

단계 3 양수 a의 값 구하기

최댓값과 최솟값의 곱이 -4이므로

$ae\times\left(-\dfrac{a}{e}\right)=-4$, $a^2=4$

$\therefore a=2$ $(\because a>0)$

719 답 $\dfrac{\pi}{3}-\sqrt{3}$

$f(x)=ax-2a\sin x$에서

$f'(x)=a-2a\cos x=a(1-2\cos x)$

$f'(x)=0$에서 $\cos x=\dfrac{1}{2}$이므로 $x=\dfrac{\pi}{3}$ $(\because 0\le x\le\pi)$

구간 $[0, \pi]$에서 함수 $f(x)$의 증가와 감소를 표로 나타내면 다음과 같다.

x	0	$\cdots$	$\dfrac{\pi}{3}$	$\cdots$	π
$f'(x)$		$-$	0	$+$	
$f(x)$	0	$\searrow$	$\dfrac{a}{3}\pi-\sqrt{3}a$	$\nearrow$	$a\pi$

따라서 $a>0$이므로 함수 $f(x)$는 $x=\pi$에서 최댓값 $a\pi$를 가지므로 $a\pi=\pi$에서 $a=1$

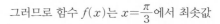

그러므로 함수 $f(x)$는 $x=\dfrac{\pi}{3}$에서 최솟값

$$\dfrac{a}{3}\pi-\sqrt{3}a=\dfrac{\pi}{3}-\sqrt{3}$$

을 갖는다.

720 답 ④

단계 1 선분 PQ의 길이를 t에 대한 함수로 나타내기

$P(t,\ e^t+1)$, $Q(t,\ t)$이므로

$\overline{PQ}=e^t+1-t$

단계 2 $l(t)=e^t+1-t$로 놓고 $l'(t)=0$인 t의 값 구하기

$l(t)=e^t+1-t$로 놓으면

$l'(t)=e^t-1$

$l'(t)=0$에서 $e^t=1$ $\therefore t=0$

단계 3 함수 $l(t)$의 최솟값 구하기

함수 $l(t)$의 증가와 감소를 표로 나타내면 다음과 같다.

t	$\cdots$	0	$\cdots$
$l'(t)$	$-$	0	$+$
$l(t)$	$\searrow$	2	$\nearrow$

따라서 함수 $l(t)$는 $t=0$에서 최솟값 2를 가지므로 선분 PQ의 길이의 최솟값은 2이다.

721 답 3

점 P의 좌표를 $\left(t,\ \dfrac{2}{\sqrt{t^2+1}}\right)(t>0)$라 하면

$l^2=t^2+\left(\dfrac{2}{\sqrt{t^2+1}}\right)^2=t^2+\dfrac{4}{t^2+1}$

$f(t)=t^2+\dfrac{4}{t^2+1}$로 놓으면

$f'(t)=2t+\dfrac{-4\times2t}{(t^2+1)^2}=2t-\dfrac{8t}{(t^2+1)^2}$

$\qquad=\dfrac{2t(t^4+2t^2-3)}{(t^2+1)^2}$

$\qquad=\dfrac{2t(t^2+3)(t+1)(t-1)}{(t^2+1)^2}$

$f'(t)=0$에서 $t=1$ $(\because t>0)$

함수 $f(t)$의 증가와 감소를 표로 나타내면 다음과 같다.

t	0	$\cdots$	1	$\cdots$
$f'(t)$		$-$	0	$+$
$f(t)$		$\searrow$	3	$\nearrow$

따라서 함수 $f(t)$는 $t=1$에서 최솟값 3을 가지므로 l^2의 최솟값은 3이다.

722 답 $\dfrac{2}{e}$

단계 1 직사각형 ABCD의 넓이를 t에 대한 함수로 나타내기

두 점 A, B의 x좌표를 $t\ (0<t<1)$라 하면

점 A의 좌표는 $(t,\ \ln t)$, 점 B의 좌표는 $(t,\ -\ln t)$이다.

직사각형 ABCD의 넓이를 $S(t)$라 하면

$S(t)=\overline{AD}\times\overline{AB}=t\times(-\ln t-\ln t)$

$\qquad=-2t\ln t$

단계 2 $S'(t)=0$인 t의 값 구하기

$S'(t)=-2\ln t-2t\times\dfrac{1}{t}$

$\qquad=-2(1+\ln t)$

$S'(t)=0$에서 $\ln t=-1$ $\therefore t=\dfrac{1}{e}$

단계 3 함수 $S(t)$의 최댓값 구하기

함수 $S(t)$의 증가와 감소를 표로 나타내면 다음과 같다.

t	0	$\cdots$	$\dfrac{1}{e}$	$\cdots$	1
$S'(t)$		$+$	0	$-$	
$S(t)$		$\nearrow$	$\dfrac{2}{e}$	$\searrow$	

따라서 함수 $S(t)$는 $t=\dfrac{1}{e}$에서 최댓값 $\dfrac{2}{e}$를 가지므로 직사각형 ABCD의 넓이의 최댓값은 $\dfrac{2}{e}$이다.

723 답 ③

$\angle AOD=\theta$, 점 D에서 선분 AB에 내린 수선의 발을 E라 하고, 등변사다리꼴 ABCD의 넓이를 $S(\theta)$라 하면

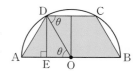

$S(\theta)=\dfrac{1}{2}\times(\overline{AB}+\overline{CD})\times\overline{DE}$

$\qquad=\dfrac{1}{2}(4+2\cos\theta\times2)\times2\sin\theta$

$\qquad=4\sin\theta(1+\cos\theta)$

$S'(\theta)=4\cos\theta(1+\cos\theta)+4\sin\theta\times(-\sin\theta)$

$\qquad=4(\cos^2\theta+\cos\theta-\sin^2\theta)$

$\qquad=4\{\cos^2\theta+\cos\theta-(1-\cos^2\theta)\}$

$\qquad=4(2\cos^2\theta+\cos\theta-1)$

$\qquad=4(2\cos\theta-1)(\cos\theta+1)$

$S'(\theta)=0$에서 $\cos\theta=\dfrac{1}{2}$ 또는 $\cos\theta=-1$

$\therefore \theta=\dfrac{\pi}{3}\left(\because 0<\theta<\dfrac{\pi}{2}\right)$

함수 $S(\theta)$의 증가와 감소를 표로 나타내면 다음과 같다.

θ	0	$\cdots$	$\dfrac{\pi}{3}$	$\cdots$	$\dfrac{\pi}{2}$
$S'(\theta)$		$+$	0	$-$	
$S(\theta)$		$\nearrow$	$3\sqrt{3}$	$\searrow$	

따라서 함수 $S(\theta)$는 $\theta=\dfrac{\pi}{3}$에서 최댓값 $3\sqrt{3}$을 가지므로 등변사다리꼴 ABCD의 넓이의 최댓값은 $3\sqrt{3}$이다.

참고 사다리꼴 중에서 서로 평행이 아닌 두 변의 길이가 같은 사다리꼴을 등변사다리꼴이라 한다.

724 답 $\dfrac{\sqrt{6}}{3}$

원기둥의 밑면의 반지름의 길이를 $r\ (0<r<1)$, 높이를 h라 하면 오른쪽 그림과 같이 구의 중심을 지나고 원기둥의 밑면에 수직인 평면으로 자른 단면에서 $h=2\sqrt{1-r^2}$

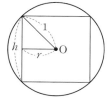

원기둥의 부피를 $V(r)$라 하면

$V(r)=\pi r^2 h=2\pi r^2\sqrt{1-r^2}$

$V'(r)=4\pi r\sqrt{1-r^2}+2\pi r^2\times\dfrac{-2r}{2\sqrt{1-r^2}}=\dfrac{4\pi r(1-r^2)-2\pi r^3}{\sqrt{1-r^2}}$

$\qquad\ =\dfrac{2\pi r(2-3r^2)}{\sqrt{1-r^2}}$

$V'(r)=0$에서 $r^2=\dfrac{2}{3}$ $\quad\therefore r=\dfrac{\sqrt{6}}{3}\ (\because 0<r<1)$

함수 $V(r)$의 증가와 감소를 표로 나타내면 다음과 같다.

r	0	$\cdots$	$\dfrac{\sqrt{6}}{3}$	$\cdots$	1
$V'(r)$		$+$	0	$-$	
$V(r)$		↗	극대	↘	

따라서 함수 $V(r)$는 $r=\dfrac{\sqrt{6}}{3}$에서 최대이므로 구하는 밑면의 반지름의 길이는 $\dfrac{\sqrt{6}}{3}$이다.

725 답 ③

단계 1 $f(x)=e^x+e^{-x}$으로 놓고 함수 $y=f(x)$의 그래프 그리기

$f(x)=e^x+e^{-x}$으로 놓으면 $f'(x)=e^x-e^{-x}$

$f'(x)=0$에서 $e^x=e^{-x}$ $\quad\therefore x=0$

함수 $f(x)$의 증가와 감소를 표로 나타내면 다음과 같다.

x	$\cdots$	0	$\cdots$
$f'(x)$	$-$	0	$+$
$f(x)$	↘	2	↗

단계 2 서로 다른 두 실근을 갖도록 하는 k의 값의 범위 구하기

함수 $y=f(x)$의 그래프는 오른쪽 그림과 같으므로 함수 $y=f(x)$의 그래프와 직선 $y=k$가 서로 다른 두 점에서 만나려면 $k>2$이어야 한다.

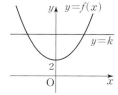

단계 3 자연수 k의 최솟값 구하기

자연수 k의 최솟값은 3이다.

726 답 4

$f(x)=\ln x+\dfrac{1}{x}+3$으로 놓으면 $x>0$이고

$f'(x)=\dfrac{1}{x}-\dfrac{1}{x^2}=\dfrac{x-1}{x^2}$

$f'(x)=0$에서 $x=1$

함수 $f(x)$의 증가와 감소를 표로 나타내면 다음과 같다.

x	0	$\cdots$	1	$\cdots$
$f'(x)$		$-$	0	$+$
$f(x)$		↘	4	↗

함수 $y=f(x)$의 그래프는 오른쪽 그림과 같다.

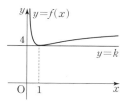

따라서 함수 $y=f(x)$의 그래프와 직선 $y=k$가 한 점에서만 만나려면 $k=4$이어야 한다.

727 답 $0<k<\dfrac{1}{2}$

$f(x)=\dfrac{1}{x^2-2x+3}$로 놓으면 $f'(x)=-\dfrac{2x-2}{(x^2-2x+3)^2}$

$f'(x)=0$에서 $x=1$

함수 $f(x)$의 증가와 감소를 표로 나타내면 다음과 같다.

x	$\cdots$	1	$\cdots$
$f'(x)$	$+$	0	$-$
$f(x)$	↗	$\dfrac{1}{2}$	↘

이때 $\lim\limits_{x\to\infty}f(x)=0$, $\lim\limits_{x\to-\infty}f(x)=0$이므로 점근선은 x축이고 함수 $y=f(x)$의 그래프는 다음 그림과 같다.

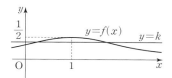

따라서 함수 $y=f(x)$의 그래프와 직선 $y=k$가 서로 다른 두 점에서 만나려면 $0<k<\dfrac{1}{2}$이어야 한다.

728 답 $0<k<\dfrac{4}{e^2}$

$x^2-ke^x=0$에서 $x^2=ke^x$ $\quad\therefore\dfrac{x^2}{e^x}=k\ (\because e^x>0)$

$f(x)=\dfrac{x^2}{e^x}=x^2e^{-x}$으로 놓으면 $f'(x)=-xe^{-x}(x-2)$

$f'(x)=0$에서 $x=0$ 또는 $x=2$

함수 $f(x)$의 증가와 감소를 표로 나타내면 다음과 같다.

x	$\cdots$	0	$\cdots$	2	$\cdots$
$f'(x)$	$-$	0	$+$	0	$-$
$f(x)$	↘	0	↗	$\dfrac{4}{e^2}$	↘

$\lim\limits_{x\to\infty}\dfrac{x^2}{e^x}=0$이므로 함수 $y=f(x)$의 그래프는 다음 그림과 같다.

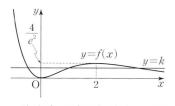

따라서 함수 $y=f(x)$의 그래프와 직선 $y=k$가 서로 다른 세 점에서 만나려면 $0<k<\dfrac{4}{e^2}$이어야 한다.

729 답 $0 \leq k < 1$

단계 1 주어진 방정식이 서로 다른 세 실근을 가질 조건 구하기

$-\pi \leq x \leq \pi$에서 방정식 $\sin x = kx$가 서로 다른 세 실근을 가지려면 오른쪽 그림과 같이 $-\pi \leq x \leq \pi$에서 곡선 $y = \sin x$와 직선 $y = kx$가 서로 다른 세 점에서 만나야 한다.

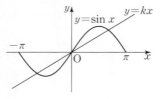

단계 2 실수 k의 값의 범위 구하기

$y = \sin x$에서 $y' = \cos x$이므로 곡선 위의 점 $(0, 0)$에서의 접선의 기울기는 $\cos 0 = 1$이고 접선의 방정식은

$$y - 0 = 1 \times (x - 0) \qquad \therefore y = x$$

따라서 곡선 $y = \sin x$와 직선 $y = kx$가 서로 다른 세 점에서 만나려면 $0 \leq k < 1$이어야 한다.

730 답 $a > 0$

$\dfrac{e^x - 2}{x} = a$에서 $e^x = ax + 2$

방정식 $e^x = ax + 2$가 서로 다른 두 실근을 가지려면 오른쪽 그림과 같이 곡선 $y = e^x$과 직선 $y = ax + 2$가 서로 다른 두 점에서 만나야 하므로 $a > 0$이다.

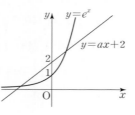

731 답 $0 \leq a < 2e$

방정식 $e^{2x} = ax$가 실근을 갖지 않으려면 곡선 $y = e^{2x}$과 직선 $y = ax$가 만나지 않아야 한다.

$f(x) = e^{2x}$, $g(x) = ax$로 놓으면

$f'(x) = 2e^{2x}$, $g'(x) = a$

곡선 $y = f(x)$와 직선 $y = g(x)$가 접할 때, 접점의 x좌표를 t라 하면

$f(t) = g(t)$에서 $e^{2t} = at$ $\qquad \cdots$ ㉠

$f'(t) = g'(t)$에서 $2e^{2t} = a$ $\qquad \cdots$ ㉡

㉠, ㉡을 연립하여 풀면

$t = \dfrac{1}{2}$, $a = 2e$

따라서 $y = f(x)$와 직선 $y = g(x)$가 만나지 않으려면 $0 \leq a < 2e$이어야 한다.

732 답 ③

방정식 $\ln x = x + a$의 실근의 개수는 오른쪽 그림과 같이 곡선 $y = \ln x$와 직선 $y = x + a$의 서로 다른 교점의 개수와 같다.

$f(x) = \ln x$, $g(x) = x + a$로 놓으면

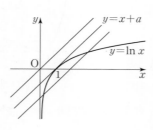

$$f'(x) = \frac{1}{x}, \quad g'(x) = 1$$

곡선 $y = \ln x$와 직선 $y = x + a$가 접할 때, 접점의 x좌표를 t라 하면

$f(t) = g(t)$에서 $\ln t = t + a$ $\qquad \cdots$ ㉠

$f'(t) = g'(t)$에서 $\dfrac{1}{t} = 1$

$\therefore t = 1$

$t = 1$을 ㉠에 대입하면 $0 = 1 + a$

$\therefore a = -1$

즉, 곡선 $y = \ln x$와 직선 $y = x + a$는 $a = -1$일 때 한 점에서 만나고, $a < -1$일 때 서로 다른 두 점에서 만나고, $a > -1$일 때 만나지 않는다.

ㄱ. $a = -2$일 때, 서로 다른 두 실근을 갖는다. (참)

ㄴ. $a = 0$일 때, 실근을 갖지 않는다. (참)

ㄷ. $a = 1$일 때, 실근을 갖지 않는다. (거짓)

따라서 옳은 것은 ㄱ, ㄴ이다.

733 답 $a > -e$

단계 1 $f(x) = e^x - e \ln x + a$로 놓고 $f'(x) = 0$인 x의 값 구하기

$f(x) = e^x - e \ln x + a$로 놓으면

$$f'(x) = e^x - \frac{e}{x}$$

$f'(x) = 0$에서 $x = 1$

단계 2 실수 a의 값의 범위 구하기

$x > 0$에서 함수 $f(x)$의 증가와 감소를 표로 나타내면 다음과 같다.

x	0	$\cdots$	1	$\cdots$
$f'(x)$		$-$	0	$+$
$f(x)$		$\searrow$	$e+a$	$\nearrow$

$x > 0$일 때 $f(x) > 0$이 성립하려면 $e + a > 0$이어야 한다.

$\therefore a > -e$

734 답 $-\dfrac{1}{2e}$

$f(x) = x^2 \ln x - k$로 놓으면

$$f'(x) = 2x \ln x + x^2 \times \frac{1}{x} = x(1 + 2\ln x)$$

$f'(x) = 0$에서 $\ln x = -\dfrac{1}{2}$

$\therefore x = \dfrac{1}{\sqrt{e}}$ $(\because x > 0)$

함수 $f(x)$의 증가와 감소를 표로 나타내면 다음과 같다.

x	0	$\cdots$	$\dfrac{1}{\sqrt{e}}$	$\cdots$
$f'(x)$		$-$	0	$+$
$f(x)$		$\searrow$	$-\dfrac{1}{2e} - k$	$\nearrow$

함수 $f(x)$는 $x=\dfrac{1}{\sqrt{e}}$에서 최솟값 $-\dfrac{1}{2e}-k$를 가지므로 부등식

$f(x)\geq 0$이 성립하려면 $-\dfrac{1}{2e}-k\geq 0$

$\therefore k\leq -\dfrac{1}{2e}$

따라서 실수 k의 최댓값은 $-\dfrac{1}{2e}$이다.

735 답 ①

$f(x)=\cos x-k+x^2$으로 놓으면

$f'(x)=-\sin x+2x$, $f''(x)=-\cos x+2$

이때 $-1\leq\cos x\leq 1$이므로 $1\leq -\cos x+2\leq 3$

즉, $f''(x)>0$이므로 함수 $f'(x)$는 증가한다.

또 $f'(0)=0$이고 함수 $f'(x)$가 증가하므로 $x>0$에서

$f'(x)>0$이다.

따라서 $x>0$에서 함수 $f(x)$는 증가하므로 $x>0$인 모든 실수

x에 대하여 $f(x)>0$이 성립하려면

$f(0)=1-k\geq 0$

$\therefore k\leq 1$

736 답 ④

$x>0$인 모든 실수 x에 대하여 부등식 $k\sqrt{x}\geq\ln x$가 성립하려면 오른쪽 그림과 같이 곡선 $y=k\sqrt{x}$가 곡선 $y=\ln x$보다 위쪽에 있거나 두 곡선이 접해야 한다.

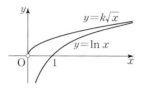

$f(x)=k\sqrt{x}$, $g(x)=\ln x$로 놓으면

$f'(x)=\dfrac{k}{2\sqrt{x}}$, $g'(x)=\dfrac{1}{x}$

두 곡선 $y=k\sqrt{x}$, $y=\ln x$의 접점의 x좌표를 t $(t>0)$라 하면

$f(t)=g(t)$에서 $k\sqrt{t}=\ln t$ $\qquad\cdots\cdots$ ㉠

$f'(t)=g'(t)$에서 $\dfrac{k}{2\sqrt{t}}=\dfrac{1}{t}$ $\quad\therefore k=\dfrac{2}{\sqrt{t}}$ $\quad\cdots\cdots$ ㉡

㉠, ㉡을 연립하여 풀면

$\ln t=2$, $t=e^2$

$\therefore k=\dfrac{2}{e}$

따라서 $k\geq\dfrac{2}{e}$이므로 k의 최솟값은 $\dfrac{2}{e}$이다.

737 답 ②

$f(x)=\dfrac{x-1}{x^2-2x+5}$로 놓으면

$f'(x)=\dfrac{(x^2-2x+5)-(x-1)(2x-2)}{(x^2-2x+5)^2}$

$\quad=\dfrac{-x^2+2x+3}{(x^2-2x+5)^2}$

$\quad=\dfrac{-(x+1)(x-3)}{(x^2-2x+5)^2}$

$f'(x)=0$에서 $x=-1$ 또는 $x=3$

함수 $f(x)$의 증가와 감소를 표로 나타내면 다음과 같다.

x	$\cdots$	-1	$\cdots$	3	$\cdots$
$f'(x)$	$-$	0	$+$	0	$-$
$f(x)$	$\searrow$	$-\dfrac{1}{4}$	$\nearrow$	$\dfrac{1}{4}$	$\searrow$

이때 $\lim\limits_{x\to\infty}f(x)=0$, $\lim\limits_{x\to-\infty}f(x)=0$이므로 점근선은 x축이고 함수 $y=f(x)$의 그래프는 다음 그림과 같다.

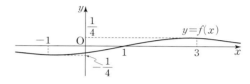

따라서 함수 $f(x)$는 $x=3$에서 최댓값 $\dfrac{1}{4}$, $x=-1$에서 최솟값

$-\dfrac{1}{4}$을 가지므로 $-\dfrac{1}{4}\leq f(x)\leq\dfrac{1}{4}$

즉, $\beta\geq\dfrac{1}{4}$, $\alpha\leq -\dfrac{1}{4}$에서 $\beta-\alpha\geq\dfrac{1}{4}-\left(-\dfrac{1}{4}\right)=\dfrac{1}{2}$이므로

$\beta-\alpha$의 최솟값은 $\dfrac{1}{2}$이다.

738 답 ⑤

단계 1 시각 t에서의 점 P의 속도 구하기

점 P의 시각 t에서의 속도를 v라 하면

$x=kt-3\sin t$에서

$v=\dfrac{dx}{dt}=k-3\cos t$

단계 2 상수 k의 값 구하기

$t=\dfrac{\pi}{3}$에서의 점 P의 속도가 1이므로

$k-3\cos\dfrac{\pi}{3}=1$, $k-\dfrac{3}{2}=1$

$\therefore k=\dfrac{5}{2}$

739 답 -4

점 P의 시각 t에서의 속도를 v, 가속도를 a라 하면

$x=\sin 2t+k\cos t$에서

$v=\dfrac{dx}{dt}=2\cos 2t-k\sin t$

$a=\dfrac{dv}{dt}=-4\sin 2t-k\cos t$

$t=\dfrac{\pi}{2}$에서의 점 P의 속도가 2이므로

$2\cos\pi-k\sin\dfrac{\pi}{2}=2$

$-2-k=2$ $\quad\therefore k=-4$

따라서 $t=\pi$에서의 점 P의 가속도는

$-4\sin 2\pi+4\cos\pi=-4$

740 답 25

점 P의 시각 t에서의 속도를 v, 가속도를 a라 하면

$x=\ln(t^2+k)$에서

$v=\dfrac{dx}{dt}=\dfrac{2t}{t^2+k}$

$a=\dfrac{dv}{dt}=\dfrac{2\times(t^2+k)-2t\times 2t}{(t^2+k)^2}=\dfrac{2(k-t^2)}{(t^2+k)^2}$

$t=5$에서의 점 P의 가속도가 0이므로

$\dfrac{2(k-25)}{(25+k)^2}=0$, $k-25=0$

$\therefore k=25$

741 답 20

단계 1 시각 t에서의 야구공의 속도 구하기

$x=10t$, $y=-5t^2+10\sqrt{3}t$에서

$\dfrac{dx}{dt}=10$, $\dfrac{dy}{dt}=-10t+10\sqrt{3}$이므로 시각 t에서의 야구공의

속도는 $(10, -10t+10\sqrt{3})$

단계 2 야구공이 지면에 떨어질 때의 시간 구하기

야구공이 지면에 떨어질 때 $y=0$이므로

$-5t^2+10\sqrt{3}t=0$, $-5t(t-2\sqrt{3})=0$

$\therefore t=2\sqrt{3}$ $(\because t>0)$

단계 3 야구공이 지면에 떨어질 때의 속력 구하기

$t=2\sqrt{3}$에서의 야구공의 속도는 $(10, -10\sqrt{3})$이므로 구하는

속력은 $\sqrt{10^2+(-10\sqrt{3})^2}=\sqrt{400}=20$

742 답 2

$x=t-\sin t$, $y=1-\cos t$에서

$\dfrac{dx}{dt}=1-\cos t$, $\dfrac{dy}{dt}=\sin t$

점 P의 시각 t에서의 속력은

$\sqrt{(1-\cos t)^2+\sin^2 t}=\sqrt{1-2\cos t+\cos^2 t+\sin^2 t}$
$\qquad =\sqrt{2-2\cos t}$

$0\le t\le 2\pi$에서 $-1\le\cos t\le 1$이므로

$0\le 2-2\cos t\le 4$

따라서 점 P의 속력의 최댓값은 $\sqrt{4}=2$이다.

743 답 2

$x=2t+3$, $y=\dfrac{1}{2}t^2-\ln t$에서

$\dfrac{dx}{dt}=2$, $\dfrac{dy}{dt}=t-\dfrac{1}{t}$

점 P의 시각 t에서의 속력은

$\sqrt{2^2+\left(t-\dfrac{1}{t}\right)^2}=\sqrt{t^2+2+\dfrac{1}{t^2}}=\sqrt{\left(t+\dfrac{1}{t}\right)^2}=t+\dfrac{1}{t}$

이때 $t>0$이므로 산술평균과 기하평균의 관계에 의하여

$t+\dfrac{1}{t}\ge 2\sqrt{t\times\dfrac{1}{t}}=2$

즉, 점 P의 속력은 $t=1$일 때 최소이므로

$\dfrac{d^2x}{dt^2}=0$, $\dfrac{d^2y}{dt^2}=1+\dfrac{1}{t^2}$

따라서 $t=1$에서의 점 P의 가속도는 $(0, 2)$이므로 구하는 가속도의 크기는

$\sqrt{0^2+2^2}=2$

744 답 $\sqrt{13}$

원점을 출발한 지 t초 후의 두 점 A, B의 좌표는 각각

A$(3t, 0)$, B$(0, 9t)$

선분 AB를 $1:2$로 내분하는 점 P의 좌표를 (x, y)라 하면

$x=\dfrac{1\times 0+2\times 3t}{1+2}=2t$, $y=\dfrac{1\times 9t+2\times 0}{1+2}=3t$

$\therefore$ P$(2t, 3t)$

따라서 $\dfrac{dx}{dt}=2$, $\dfrac{dy}{dt}=3$이므로 시각 t에서의 점 P의 속력은

$\sqrt{2^2+3^2}=\sqrt{13}$

745 답 $(2, 6\sqrt{3})$

$x=2t$, $y=4t^2-2\sqrt{3}t$에서

$\dfrac{dx}{dt}=2$, $\dfrac{dy}{dt}=8t-2\sqrt{3}$

점 P의 시각 t에서의 속도는 $(2, 8t-2\sqrt{3})$이다.

점 P가 직선 l과 만나려면 직선 OP의 기울기가 직선 l의 기울기와 같아야 하므로

$\dfrac{4t^2-2\sqrt{3}t}{2t}=\tan\dfrac{\pi}{3}$, $\dfrac{4t^2-2\sqrt{3}t}{2t}=\sqrt{3}$

$4t^2-2\sqrt{3}t=2\sqrt{3}t$, $4t(t-\sqrt{3})=0$

$\therefore t=\sqrt{3}$ $(\because t>0)$

따라서 점 P가 원점에서 출발한 후 $t=\sqrt{3}$에서 처음으로 직선 l과 만나므로 이때의 속도는 $(2, 6\sqrt{3})$이다.

실전! 기출 문제 정복하기

➔ 본책 117쪽~119쪽

746 답 ②

$f(x)=(ax^2+1)e^x$으로 놓으면

$f'(x)=2axe^x+(ax^2+1)e^x=(ax^2+2ax+1)e^x$

$f''(x)=(2ax+2a)e^x+(ax^2+2ax+1)e^x$
$\qquad =(ax^2+4ax+2a+1)e^x$

구간 $(-\infty, \infty)$에서 곡선이 아래로 볼록하므로 모든 실수 x에 대하여 $(ax^2+4ax+2a+1)e^x \geq 0$

이때 $e^x > 0$이므로 $ax^2+4ax+2a+1 \geq 0$

(i) $a=0$인 경우

$ax^2+4ax+2a+1 \geq 0$에서 $1 \geq 0$이므로 $a=0$일 때 곡선은 항상 아래로 볼록하다.

(ii) $a>0$인 경우

이차방정식 $ax^2+4ax+2a+1=0$의 판별식을 D라 하면

$$\frac{D}{4}=(2a)^2-a \times (2a+1) \leq 0$$

$2a^2-a \leq 0$, $a(2a-1) \leq 0$

$$\therefore 0 < a \leq \frac{1}{2} \ (\because a>0)$$

(i), (ii)에서 $0 \leq a \leq \frac{1}{2}$

따라서 실수 a의 최댓값은 $\frac{1}{2}$이다.

747 답 8

$f(x)=x^4+4x^2+k\cos x$에서

$f'(x)=4x^3+8x-k\sin x$

$f''(x)=12x^2+8-k\cos x$

$f''(x)=0$에서 $12x^2+8-k\cos x=0$

$$\therefore \cos x = \frac{12}{k}x^2 + \frac{8}{k} \quad \cdots \ \bigcirc$$

(i) 방정식 $\bigcirc$이 실근을 갖지 않으려면 두 곡선 $y=\cos x$와 $y=\frac{12}{k}x^2+\frac{8}{k}$이 만나지 않아야 한다.

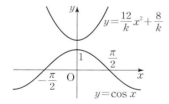

함수 $y=\cos x$는 $x=0$에서 최댓값 1을 갖고,

함수 $y=\frac{12}{k}x^2+\frac{8}{k}$은 $x=0$에서 최솟값 $\frac{8}{k}$을 가지므로

$$\frac{8}{k} > 1 \quad \therefore k < 8$$

(ii) $k=8$이면 $f''(x)=12x^2+8-8\cos x$에서 $f''(x) \geq 0$이고 $f''(0)=0$이므로 $x=0$의 좌우에서 $f''(x)$의 부호가 바뀌지 않는다.

따라서 $k=8$일 때 함수 $y=f(x)$의 그래프는 변곡점을 갖지 않는다.

(i), (ii)에서 $k \leq 8$이므로 자연수 k의 최댓값은 8이다.

748 답 21

$f(x)=x^n e^x$으로 놓으면

$f'(x)=nx^{n-1}e^x+x^n e^x=(nx^{n-1}+x^n)e^x$

$f''(x)=\{n(n-1)x^{n-2}+nx^{n-1}\}e^x+(nx^{n-1}+x^n)e^x$

$\quad\quad=\{n(n-1)x^{n-2}+2nx^{n-1}+x^n\}e^x$

$\quad\quad=x^{n-2}\{n(n-1)+2nx+x^2\}e^x$

$f''(x)=0$에서

$x^{n-2}=0$ 또는 $x^2+2nx+n(n-1)=0 \ (\because e^x>0)$

방정식 $x^2+2nx+n(n-1)=0$의 판별식을 D라 하면

$$\frac{D}{4}=n^2-n(n-1)=n>0$$이고 두 근의 곱이 $n(n-1)>0$이므로 0이 아닌 서로 다른 두 실근을 가진다.

방정식 $x^2+2nx+n(n-1)=0$의 서로 다른 두 실근을 α_n, β_n이라 하면 주어진 곡선의 변곡점은 $(\alpha_n, f(\alpha_n))$, $(\beta_n, f(\beta_n))$이다.

조건 ㈎에서 변곡점의 개수가 3이 되려면 $x=0$에서 변곡점을 가져야 한다.

n이 홀수일 때는 $x=0$의 좌우에서 $f''(x)$의 부호가 바뀌지만 n이 짝수일 때는 $x=0$의 좌우에서 $f''(x)$의 부호가 바뀌지 않으므로 n은 홀수이어야 한다. $\quad \cdots \ \bigcirc$

이차방정식의 근과 계수의 관계에 의해

$\alpha_n+\beta_n=-2n$이므로

$h(n)=0+\alpha_n+\beta_n=-2n$

조건 ㈏에서 $-20 \leq -2n \leq -10$

$\therefore 5 \leq n \leq 10 \quad \cdots \ \bigcirc$

$\bigcirc$, $\bigcirc$에 의하여 주어진 조건을 만족시키는 자연수 n의 값의 합은 $5+7+9=21$

749 답 5

$f'(x) \times f''(x)=0$에서 $f'(x)=0$ 또는 $f''(x)=0$

오른쪽 그림과 같이 극대 또는 극소가 되는 점의 x좌표를 a, b, c, 변곡점의 x좌표를 d, e라 하자.

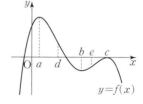

(i) $f'(x)=0$을 만족시키는 x의 값은

$x=a$ 또는 $x=b$ 또는 $x=c$

(ii) $f''(x)=0$을 만족시키는 x의 값은

$x=d$ 또는 $x=e$

(i), (ii)에서 주어진 방정식을 만족시키는 서로 다른 실근의 개수는 $3+2=5$

750 답 ③

ㄱ. $f''(x)=0$을 만족시키는 x의 값의 좌우에서 $f''(x)$의 부호가 바뀔 때 함수 $f(x)$는 변곡점을 갖는다. 즉, 변곡점의 개수는 함수 $f'(x)$의 극점의 개수와 같다. 따라서 함수 $f(x)$는 $x=b$, $x=0$, $x=c$, $x=e$에서 변곡점을 가지므로 변곡점의 개수는 4이다. (참)

ㄴ. $f'(x)=0$을 만족시키는 x의 값의 좌우에서 $f'(x)$의 부호가 양에서 음으로 바뀔 때 함수 $f(x)$는 극대이다. 따라서 함수 $f(x)$는 $x=d$에서 극대이므로 극대가 되는 x의 개수는 1이다. (참)

ㄷ. 구간 $[a, d]$에서 $f'(x)\geq0$이므로 함수 $f(x)$는 증가하고, 구간 $[d, e]$에서 $f'(x)\leq0$이므로 함수 $f(x)$는 감소한다. 따라서 구간 $[a, e]$에서 $f(x)$의 최댓값은 $f(d)$이다. (거짓)

따라서 옳은 것은 ㄱ, ㄴ이다.

참고 $f'(x)=0$에서 $x=a$ 또는 $x=0$ 또는 $x=d$ 또는 $x=f$
$f''(x)=0$에서 $x=b$ 또는 $x=0$ 또는 $x=c$ 또는 $x=e$

x	$\cdots$	a	$\cdots$	b	$\cdots$	0	$\cdots$	c
$f'(x)$	$-$	0	$+$	$+$	$+$	0	$+$	$+$
$f''(x)$	$+$	$+$	$+$	0	$-$	0	$+$	0
$f(x)$	$\searrow$	극소	$\nearrow$	변곡점	$\nearrow$	변곡점	$\nearrow$	변곡점

x	$\cdots$	d	$\cdots$	e	$\cdots$	f	$\cdots$
$f'(x)$	$+$	0	$-$	$-$	$-$	0	$+$
$f''(x)$	$-$	$-$	$-$	0	$+$	$+$	$+$
$f(x)$	$\nearrow$	극대	$\searrow$	변곡점	$\searrow$	극소	$\nearrow$

751 답 ③

$f(x)=e^{x^2}$으로 놓으면 $f'(x)=2xe^{x^2}$
곡선 $y=e^{x^2}$ 위의 점 $P(t, e^{t^2})$에서의 접선의 기울기는
$f'(t)=2te^{t^2}$이므로 접선의 방정식은 $y=2te^{t^2}(x-t)+e^{t^2}$
위 식에 $y=0$을 대입하면
$2te^{t^2}(x-t)+e^{t^2}=0$, $e^{t^2}(2tx-2t^2+1)=0$
$\therefore x=\dfrac{2t^2-1}{2t}=t-\dfrac{1}{2t}$

즉, 점 Q의 좌표는 $\left(t-\dfrac{1}{2t}, 0\right)$이므로
$\overline{QH}=t-\left(t-\dfrac{1}{2t}\right)=\dfrac{1}{2t}$, $\overline{PH}=e^{t^2}$
삼각형 PQH의 넓이를 $S(t)$라 하면
$S(t)=\dfrac{1}{2}\times\dfrac{1}{2t}\times e^{t^2}=\dfrac{e^{t^2}}{4t}$
$S'(t)=\dfrac{2te^{t^2}\times4t-e^{t^2}\times4}{16t^2}=\dfrac{(2t^2-1)e^{t^2}}{4t^2}$
$S'(t)=0$에서 $t=\dfrac{\sqrt{2}}{2}$ $(\because t>0)$
함수 $S(t)$의 증가와 감소를 표로 나타내면 다음과 같다.

t	0	$\cdots$	$\dfrac{\sqrt{2}}{2}$	$\cdots$
$S'(t)$		$-$	0	$+$
$S(t)$		$\searrow$	$\dfrac{\sqrt{2e}}{4}$	$\nearrow$

따라서 $S(t)$는 $t=\dfrac{\sqrt{2}}{2}$에서 최솟값 $\dfrac{\sqrt{2e}}{4}$를 가지므로 삼각형 PQH의 넓이의 최솟값은 $\dfrac{\sqrt{2e}}{4}$이다.

752 답 $a>\ln 3e$

$f(x)=x\ln x-ax$로 놓으면 $x>0$이고
$f'(x)=\ln x+x\times\dfrac{1}{x}-a=\ln x+1-a$
$f'(x)=0$에서 $x=e^{a-1}$
함수 $f(x)$의 증가와 감소를 표로 나타내면 다음과 같다.

x	0	$\cdots$	e^{a-1}	$\cdots$
$f'(x)$		$-$	0	$+$
$f(x)$		$\searrow$	$-e^{a-1}$ (극소)	$\nearrow$

함수 $f(x)$는 $x=e^{a-1}$에서 극솟값 $-e^{a-1}$을 가지므로 함수 $y=f(x)$의 그래프는 오른쪽 그림과 같다. 방정식

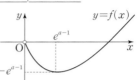

$x\ln x-ax=-3$이 서로 다른 두 실근을 갖기 위해서는 곡선 $y=f(x)$와 직선 $y=-3$이 서로 다른 두 점에서 만나야 하므로
$-e^{a-1}<-3$, $e^{a-1}>3$
$a-1>\ln 3$, $a>\ln 3+1$ $\therefore a>\ln 3e$

753 답 ③

함수 $f(x)$의 정의역은 $5-x>0$이므로 $x<5$이다.
$f(x)=2\ln(5-x)+\dfrac{1}{4}x^2$에서
$f'(x)=\dfrac{-2}{5-x}+\dfrac{x}{2}=\dfrac{2}{x-5}+\dfrac{x}{2}=\dfrac{(x-1)(x-4)}{2(x-5)}$
$f'(x)=0$에서 $x=1$ 또는 $x=4$
$f''(x)=\dfrac{-2}{(x-5)^2}+\dfrac{1}{2}=\dfrac{(x-3)(x-7)}{2(x-5)^2}$이므로
$f''(x)=0$에서 $x=3$ $(\because x<5)$
함수 $f(x)$의 증가와 감소, 오목과 볼록을 표로 나타내면 다음과 같다.

x	$\cdots$	1	$\cdots$	3	$\cdots$	4	$\cdots$	5
$f'(x)$	$-$	0	$+$	$+$	$+$	0	$-$	
$f''(x)$	$+$	$+$	$+$	0	$-$	$-$	$-$	
$f(x)$	$\searrow$	$\dfrac{1}{4}+4\ln 2$ 극소	$\nearrow$	$\dfrac{9}{4}+2\ln 2$ 변곡점	$\nearrow$	4 극대	$\searrow$	

ㄱ. 함수 $f(x)$는 $x=4$에서 극댓값을 갖는다. (참)

ㄴ. 곡선 $y=f(x)$의 변곡점의 개수는 1이다. (거짓)

ㄷ. 함수 $y=f(x)$의 그래프와 직선 $y=\dfrac{1}{4}$은 다음 그림과 같으므로 방정식 $f(x)=\dfrac{1}{4}$의 실근의 개수는 1이다. (참)

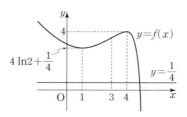

따라서 옳은 것은 ㄱ, ㄷ이다.

754 답 ⑤

ㄱ. $f(x)=2x\cos x$에서
$$f'(x)=2\cos x-2x\sin x$$
$f'(a)=0$이면 $2\cos a-2a\sin a=0$, $\cos a=a\sin a$
$$\frac{\sin a}{\cos a}=\frac{1}{a}\left(\because a\neq\frac{\pi}{2}\right)$$
$$\therefore \tan a=\frac{1}{a} \text{ (참)}$$

ㄴ. $\tan x=\dfrac{\sin x}{\cos x}$에서

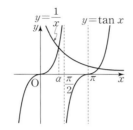

$\sin x=\cos x\tan x$이므로
$$f'(x)=2\cos x(1-x\tan x)=0$$
$\cos x\neq0$이므로 $\tan x=\dfrac{1}{x}$

$\tan x=\dfrac{1}{x}$의 근을 a라 하면

$0<a<\dfrac{\pi}{2}$이고 $0\leq x\leq\pi$에서 함수 $f(x)$의 증가와 감소를 표로 나타내면 다음과 같다.

x	0	$\cdots$	a	$\cdots$	$\dfrac{\pi}{2}$	$\cdots$	π
$f'(x)$	2	$+$	0	$-$		$-$	-2
$f(x)$	0	↗	$2a\cos a$	↘	0	↘	-2π

함수 $f(x)$는 $x=a$에서 극댓값을 가지므로 $a=a$이다.
$$f'\left(\frac{\pi}{4}\right)=\sqrt{2}\left(1-\frac{\pi}{4}\right)>0$$
$$f'\left(\frac{\pi}{3}\right)=1-\frac{\sqrt{3}}{3}\pi<0$$
이므로 사잇값의 정리에 의해 $f'(a)=0$인 실수 a가 구간 $\left(\dfrac{\pi}{4}, \dfrac{\pi}{3}\right)$에 있다. (참)

ㄷ. 함수 $f(x)=2x\cos x$에서
$f(0)=0$, $f\left(\dfrac{\pi}{2}\right)=0$이고, ㄴ에 의하여 함수 $f(x)$는 $x=a$에서 극댓값을 갖는다.
또한
$$f\left(\frac{\pi}{4}\right)=2\times\frac{\pi}{4}\times\cos\frac{\pi}{4}$$
$$=\frac{\sqrt{2}}{4}\pi>1,$$
$$f\left(\frac{\pi}{3}\right)=2\times\frac{\pi}{3}\times\cos\frac{\pi}{3}$$
$$=\frac{\pi}{3}>1$$
이므로 구간 $\left[0, \dfrac{\pi}{2}\right]$에서 방정식 $f(x)=1$의 서로 다른 실근의 개수는 2이다. (참)
따라서 옳은 것은 ㄱ, ㄴ, ㄷ이다.

755 답 ③

$x=t-\dfrac{2}{t}$, $y=2t+\dfrac{1}{t}$에서
$\dfrac{dx}{dt}=1+\dfrac{2}{t^2}$, $\dfrac{dy}{dt}=2-\dfrac{1}{t^2}$이므로 시각 $t=1$에서의 점 P의 속도는 $(3, 1)$이다.
따라서 시각 $t=1$에서의 점 P의 속력은
$$\sqrt{3^2+1^2}=\sqrt{10}$$

756 답 ①

$x=3\ln(t+2)$, $y=\dfrac{a}{t+2}$에서
$\dfrac{dx}{dt}=\dfrac{3}{t+2}$, $\dfrac{dy}{dt}=-\dfrac{a}{(t+2)^2}$이므로 시각 $t=1$에서의 점 P의 속도는 $\left(1, -\dfrac{a}{9}\right)$
이때 시각 $t=1$에서의 점 P의 속력이 $\sqrt{5}$이므로
$$\sqrt{1^2+\left(-\frac{a}{9}\right)^2}=\sqrt{5}, 1+\left(\frac{a}{9}\right)^2=5$$
$$\frac{a}{9}=2 \ (\because a>0) \qquad \therefore a=18$$

757 답 ⑤

$x=e^t\sin 2t$, $y=e^t\cos 2t$에서
$$\frac{dx}{dt}=e^t\sin 2t+2e^t\cos 2t=e^t(\sin 2t+2\cos 2t)$$
$$\frac{dy}{dt}=e^t\cos 2t-2e^t\sin 2t=e^t(\cos 2t-2\sin 2t)$$
이므로 시각 t에서의 점 P의 속력은
$$\sqrt{\left(\frac{dx}{dt}\right)^2+\left(\frac{dy}{dt}\right)^2}$$
$$=\sqrt{\{e^t(\sin 2t+2\cos 2t)\}^2+\{e^t(\cos 2t-2\sin 2t)\}^2}$$
$$=\sqrt{e^{2t}(5\sin^2 2t+5\cos^2 2t)}$$
$$=\sqrt{5}e^t$$
점 P의 속력이 $\sqrt{5}e$일 때
$\sqrt{5}e^t=\sqrt{5}e$에서 $t=1$
$$\frac{d^2x}{dt^2}=e^t(\sin 2t+2\cos 2t)+e^t(2\cos 2t-4\sin 2t)$$
$$=e^t(4\cos 2t-3\sin 2t)$$
$$\frac{d^2y}{dt^2}=e^t(\cos 2t-2\sin 2t)+e^t(-2\sin 2t-4\cos 2t)$$
$$=e^t(-3\cos 2t-4\sin 2t)$$
이므로 시각 t에서의 점 P의 가속도의 크기는
$$\sqrt{\left(\frac{d^2x}{dt^2}\right)^2+\left(\frac{d^2y}{dt^2}\right)^2}$$
$$=\sqrt{\{e^t(4\cos 2t-3\sin 2t)\}^2+\{e^t(-3\cos 2t-4\sin 2t)\}^2}$$
$$=\sqrt{e^{2t}(25\sin^2 2t+25\cos^2 2t)}=5e^t$$
따라서 $t=1$에서의 점 P의 가속도의 크기는 $5e$이다.

758 답 $\dfrac{\sqrt{3}}{6}$

단계 1 점 A의 좌표 구하기

$f(x)=\dfrac{x^2-1}{x^2+1}$에서

$f'(x)=\dfrac{2x\times(x^2+1)-(x^2-1)\times 2x}{(x^2+1)^2}$

$\qquad=\dfrac{4x}{(x^2+1)^2}$

$f'(x)=0$에서 $x=0$

$x=0$의 좌우에서 $f'(x)$의 부호가 바뀌므로 $f(x)$는 $x=0$에서 극값을 갖는다.

이때 $f(0)=-1$이므로 A$(0,\,-1)$ ……30%

단계 2 두 점 B, C의 좌표 구하기

$f''(x)=\dfrac{4\times(x^2+1)^2-4x\times 2\times 2x\times(x^2+1)}{(x^2+1)^4}$

$\qquad=\dfrac{4(x^2+1)-16x^2}{(x^2+1)^3}$

$\qquad=\dfrac{4-12x^2}{(x^2+1)^3}$

$\qquad=\dfrac{4(1+\sqrt{3}x)(1-\sqrt{3}x)}{(x^2+1)^3}$

$f''(x)=0$에서 $x=-\dfrac{\sqrt{3}}{3}$ 또는 $x=\dfrac{\sqrt{3}}{3}$

$x<-\dfrac{\sqrt{3}}{3}$ 또는 $x>\dfrac{\sqrt{3}}{3}$일 때 $f''(x)<0$,

$-\dfrac{\sqrt{3}}{3}<x<\dfrac{\sqrt{3}}{3}$일 때 $f''(x)>0$

즉, $x=-\dfrac{\sqrt{3}}{3}$, $x=\dfrac{\sqrt{3}}{3}$의 좌우에서 $f''(x)$의 부호가 바뀌므로 변곡점의 좌표는

B$\left(-\dfrac{\sqrt{3}}{3},\,-\dfrac{1}{2}\right)$, C$\left(\dfrac{\sqrt{3}}{3},\,-\dfrac{1}{2}\right)$ ……40%

단계 3 삼각형 ABC의 넓이 구하기

삼각형 ABC의 넓이는

$\dfrac{1}{2}\times\dfrac{2\sqrt{3}}{3}\times\dfrac{1}{2}=\dfrac{\sqrt{3}}{6}$ ……30%

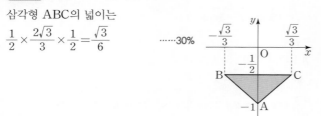

759 답 $2-2\ln 2$

단계 1 $f(x)=e^{2x}-4x$로 놓고 $f'(x)$ 구하기

$f(x)=e^{2x}-4x$로 놓으면

$f'(x)=2e^{2x}-4=2(e^{2x}-2)$ ……30%

단계 2 $f(x)$의 최솟값 구하기

$f'(x)=0$에서 $e^{2x}=2$, $2x=\ln 2$

$\therefore x=\dfrac{\ln 2}{2}$

함수 $f(x)$의 증가와 감소를 표로 나타내면 다음과 같다.

x	$\cdots$	$\dfrac{\ln 2}{2}$	$\cdots$
$f'(x)$	$-$	0	$+$
$f(x)$	$\searrow$	$2-2\ln 2$	$\nearrow$

따라서 함수 $f(x)$는 $x=\dfrac{\ln 2}{2}$에서 최솟값 $2-2\ln 2$를 갖는다.
……50%

단계 3 실수 k의 최댓값 구하기

모든 실수 x에 대하여 부등식 $f(x)\geq k$가 성립하므로 실수 k의 값의 범위는 $k\leq 2-2\ln 2$이다.

따라서 실수 k의 최댓값은 $2-2\ln 2$이다. ……20%

Ⅲ. 적분법

1 여러 가지 적분법

➜ 본책 122쪽~125쪽

760 답 $\ln|x| - \dfrac{1}{x} + C$

$$\int\left(\dfrac{1}{x} + \dfrac{1}{x^2}\right)dx = \int\left(\dfrac{1}{x} + x^{-2}\right)dx$$
$$= \ln|x| - x^{-1} + C$$
$$= \ln|x| - \dfrac{1}{x} + C$$

761 답 $\dfrac{3}{5}x\sqrt[3]{x^2} - \dfrac{2}{3}x\sqrt{x} + C$

$$\int\left(\sqrt[3]{x^2} - \sqrt{x}\right)dx = \int\left(x^{\frac{2}{3}} - x^{\frac{1}{2}}\right)dx$$
$$= \dfrac{3}{5}x^{\frac{5}{3}} - \dfrac{2}{3}x^{\frac{3}{2}} + C$$
$$= \dfrac{3}{5}x\sqrt[3]{x^2} - \dfrac{2}{3}x\sqrt{x} + C$$

참고 $\sqrt[p]{x^q}$ 의 부정적분을 구할 때에는 $x^{\frac{q}{p}}$으로 변형한다.

762 답 $\dfrac{2}{5}x^2\sqrt{x} - \dfrac{1}{2x^2} + C$

$$\int\left(x\sqrt{x} + \dfrac{1}{x^3}\right)dx = \int\left(x^{\frac{3}{2}} + x^{-3}\right)dx$$
$$= \dfrac{2}{5}x^{\frac{5}{2}} - \dfrac{1}{2}x^{-2} + C$$
$$= \dfrac{2}{5}x^2\sqrt{x} - \dfrac{1}{2x^2} + C$$

763 답 $-\dfrac{2}{\sqrt{x}} + C$

$$\int\dfrac{1}{x\sqrt{x}}dx = \int x^{-\frac{3}{2}}dx = -2x^{-\frac{1}{2}} + C = -\dfrac{2}{\sqrt{x}} + C$$

764 답 $4x - 3\ln|x| - \dfrac{1}{2x^4} + C$

$$\int\left(4 - \dfrac{3}{x} + \dfrac{2}{x^5}\right)dx = \int\left(4 - \dfrac{3}{x} + 2x^{-5}\right)dx$$
$$= 4x - 3\ln|x| - \dfrac{1}{2}x^{-4} + C$$
$$= 4x - 3\ln|x| - \dfrac{1}{2x^4} + C$$

765 답 $2x - \ln|x| + \dfrac{3}{x} + C$

$$\int\dfrac{2x^3 - x^2 - 3x}{x^3}dx = \int\left(2 - \dfrac{1}{x} - \dfrac{3}{x^2}\right)dx$$
$$= \int\left(2 - \dfrac{1}{x} - 3x^{-2}\right)dx$$
$$= 2x - \ln|x| + 3x^{-1} + C$$
$$= 2x - \ln|x| + \dfrac{3}{x} + C$$

766 답 $x + 4\sqrt{x} + \ln|x| + C$

$$\int\dfrac{(\sqrt{x}+1)^2}{x}dx = \int\dfrac{x + 2\sqrt{x} + 1}{x}dx$$
$$= \int\left(1 + \dfrac{2}{\sqrt{x}} + \dfrac{1}{x}\right)dx$$
$$= \int\left(1 + 2x^{-\frac{1}{2}} + \dfrac{1}{x}\right)dx$$
$$= x + 4x^{\frac{1}{2}} + \ln|x| + C$$
$$= x + 4\sqrt{x} + \ln|x| + C$$

767 답 $\dfrac{2}{5}x^2\sqrt{x} - 3x^2 + 6x\sqrt{x} + C$

$$\int\dfrac{(x - 3\sqrt{x})^2}{\sqrt{x}}dx = \int\dfrac{x^2 - 6x\sqrt{x} + 9x}{\sqrt{x}}dx$$
$$= \int\left(x\sqrt{x} - 6x + 9\sqrt{x}\right)dx$$
$$= \int\left(x^{\frac{3}{2}} - 6x + 9x^{\frac{1}{2}}\right)dx$$
$$= \dfrac{2}{5}x^{\frac{5}{2}} - 3x^2 + 6x^{\frac{3}{2}} + C$$
$$= \dfrac{2}{5}x^2\sqrt{x} - 3x^2 + 6x\sqrt{x} + C$$

768 답 $\dfrac{2}{3}x\sqrt{x} - x + C$

$$\int(\sqrt[4]{x} + 1)(\sqrt[4]{x} - 1)dx = \int(\sqrt{x} - 1)dx$$
$$= \int\left(x^{\frac{1}{2}} - 1\right)dx$$
$$= \dfrac{2}{3}x^{\frac{3}{2}} - x + C$$
$$= \dfrac{2}{3}x\sqrt{x} - x + C$$

769 답 $\dfrac{3}{4}x\sqrt[3]{x} - 3\sqrt[3]{x} + C$

$$\int\dfrac{x - 1}{\sqrt[3]{x^2}}dx = \int\left(x^{\frac{1}{3}} - x^{-\frac{2}{3}}\right)dx$$
$$= \dfrac{3}{4}x^{\frac{4}{3}} - 3x^{\frac{1}{3}} + C$$
$$= \dfrac{3}{4}x\sqrt[3]{x} - 3\sqrt[3]{x} + C$$

770 답 $2e^{x+1} + C$

$$\int 2e^{x+1}dx = 2e\int e^x dx$$
$$= 2e \times e^x + C$$
$$= 2e^{x+1} + C$$

771 답 $\dfrac{3^{x+5}}{\ln 3}+C$

$\displaystyle\int 3^{x+5}\,dx=3^5\int 3^x\,dx$

$\qquad=3^5\times\dfrac{3^x}{\ln 3}+C$

$\qquad=\dfrac{3^{x+5}}{\ln 3}+C$

772 답 $\dfrac{2^{2x-1}}{\ln 2}+C$

$\displaystyle\int 2^{2x}\,dx=\int 4^x\,dx$

$\qquad=\dfrac{4^x}{\ln 4}+C$

$\qquad=\dfrac{2^{2x-1}}{\ln 2}+C$

773 답 $-e^{-x}-\dfrac{2^{x-3}}{\ln 2}+C$

$\displaystyle\int(e^{-x}-2^{x-3})\,dx=\int\left(\left(\dfrac{1}{e}\right)^x-\dfrac{2^x}{8}\right)dx$

$\qquad=\dfrac{\left(\dfrac{1}{e}\right)^x}{\ln\dfrac{1}{e}}-\dfrac{2^x}{8\ln 2}+C$

$\qquad=-e^{-x}-\dfrac{2^{x-3}}{\ln 2}+C$

774 답 $\dfrac{25^x}{2\ln 5}-\dfrac{2\times 5^x}{\ln 5}+x+C$

$\displaystyle\int(5^x-1)^2\,dx=\int(25^x-2\times 5^x+1)\,dx$

$\qquad=\dfrac{25^x}{2\ln 5}-\dfrac{2\times 5^x}{\ln 5}+x+C$

775 답 $\dfrac{2^x}{\ln 2}-x+C$

$\displaystyle\int\dfrac{4^x-1}{2^x+1}\,dx=\int\dfrac{(2^x+1)(2^x-1)}{2^x+1}\,dx$

$\qquad=\int(2^x-1)\,dx$

$\qquad=\dfrac{2^x}{\ln 2}-x+C$

776 답 $-2\cos x-3\sin x+C$

$\displaystyle\int(2\sin x-3\cos x)\,dx=-2\cos x-3\sin x+C$

777 답 $\tan x-5\cot x+C$

$\displaystyle\int(\sec^2 x+5\csc^2 x)\,dx=\tan x-5\cot x+C$

778 답 $-5\cos x+\sec x+C$

$\displaystyle\int\left(5\sin x+\dfrac{\tan x}{\cos x}\right)dx$

$\qquad=\int(5\sin x+\sec x\tan x)\,dx$

$\qquad=-5\cos x+\sec x+C$

779 답 $x+\csc x+C$

$\displaystyle\int(\sin x-\cot x)\csc x\,dx$

$\qquad=\int(1-\cot x\csc x)\,dx$

$\qquad=x+\csc x+C$

780 답 $\tan x-x+C$

$\displaystyle\int\tan^2 x\,dx=\int(\sec^2 x-1)\,dx$

$\qquad=\tan x-x+C$

날선특강 삼각함수 사이의 관계

(1) $\sin^2 x+\cos^2 x=1$

(2) $1+\tan^2 x=\sec^2 x$

(3) $1+\cot^2 x=\csc^2 x$

781 답 $-\cot x-3x+C$

$\displaystyle\int(\cot^2 x-2)\,dx=\int(\csc^2 x-1-2)\,dx$

$\qquad=\int(\csc^2 x-3)\,dx$

$\qquad=-\cot x-3x+C$

782 답 $-\cos x+C$

$\displaystyle\int\cos x\tan x\,dx=\int\sin x\,dx$

$\qquad=-\cos x+C$

783 답 $x+\cos x+C$

$\displaystyle\int\dfrac{\cos^2 x}{1+\sin x}\,dx=\int\dfrac{1-\sin^2 x}{1+\sin x}\,dx$

$\qquad=\int(1-\sin x)\,dx$

$\qquad=x+\cos x+C$

784 답 $\dfrac{1}{12}(2x-3)^6+C$

$2x-3=t$ 로 놓으면 $x=\dfrac{t+3}{2}$, $\dfrac{dx}{dt}=\dfrac{1}{2}$ 이므로

$$\int (2x-3)^5\,dx = \int \frac{1}{2}t^5\,dt$$

$$= \frac{1}{12}t^6 + C$$

$$= \frac{1}{12}(2x-3)^6 + C$$

참고 $\int f(x)\,dx = F(x)+C$일 때 $ax+b=t$로 놓으면

$x = \dfrac{t-b}{a}$, $\dfrac{dx}{dt} = \dfrac{1}{a}$이므로

$$\int f(ax+b)\,dx = \int \frac{1}{a}f(t)\,dt = \frac{1}{a}F(t)+C$$

$$= \frac{1}{a}F(ax+b)+C$$

785 답 $\dfrac{2}{3}(x-2)\sqrt{x+1}+C$

$x+1=t$로 놓으면 $x=t-1$, $\dfrac{dx}{dt}=1$이므로

$$\int \frac{x}{\sqrt{x+1}}\,dx = \int \frac{t-1}{\sqrt{t}}\,dt$$

$$= \int \left(\sqrt{t} - \frac{1}{\sqrt{t}}\right)dt$$

$$= \int (t^{\frac{1}{2}} - t^{-\frac{1}{2}})\,dt$$

$$= \frac{2}{3}t^{\frac{3}{2}} - 2t^{\frac{1}{2}} + C$$

$$= \frac{2}{3}t\sqrt{t} - 2\sqrt{t} + C$$

$$= \frac{2}{3}(x+1)\sqrt{x+1} - 2\sqrt{x+1} + C$$

$$= \frac{2}{3}(x-2)\sqrt{x+1} + C$$

786 답 $-\dfrac{1}{2}e^{-2x+1}+C$

$-2x+1=t$로 놓으면 $x=-\dfrac{t-1}{2}$, $\dfrac{dx}{dt}=-\dfrac{1}{2}$이므로

$$\int e^{-2x+1}\,dx = \int -\frac{1}{2}e^t\,dt$$

$$= -\frac{1}{2}e^t + C$$

$$= -\frac{1}{2}e^{-2x+1} + C$$

787 답 $-\dfrac{1}{4}\cos(4x-1)+C$

$4x-1=t$로 놓으면 $x=\dfrac{t+1}{4}$, $\dfrac{dx}{dt}=\dfrac{1}{4}$이므로

$$\int \sin(4x-1)\,dx = \int \frac{1}{4}\sin t\,dt$$

$$= -\frac{1}{4}\cos t + C$$

$$= -\frac{1}{4}\cos(4x-1) + C$$

788 답 $\dfrac{1}{5}(x^2+1)^5+C$

$x^2+1=t$로 놓으면 $\dfrac{dt}{dx}=2x$이므로

$$\int 2x(x^2+1)^4\,dx = \int t^4\,dt$$

$$= \frac{1}{5}t^5 + C$$

$$= \frac{1}{5}(x^2+1)^5 + C$$

789 답 $\dfrac{1}{3}(x^2+2)\sqrt{x^2+2}+C$

$x^2+2=t$로 놓으면 $\dfrac{dt}{dx}=2x$이므로

$$\int x\sqrt{x^2+2}\,dx = \int \frac{1}{2}\sqrt{t}\,dt = \int \frac{1}{2}t^{\frac{1}{2}}\,dt$$

$$= \frac{1}{3}t^{\frac{3}{2}} + C = \frac{1}{3}t\sqrt{t} + C$$

$$= \frac{1}{3}(x^2+2)\sqrt{x^2+2} + C$$

790 답 $\dfrac{1}{2}(\ln x)^2+C$

$\ln x=t$로 놓으면 $\dfrac{dt}{dx}=\dfrac{1}{x}$이므로

$$\int \frac{\ln x}{x}\,dx = \int t\,dt = \frac{1}{2}t^2 + C$$

$$= \frac{1}{2}(\ln x)^2 + C$$

791 답 $\dfrac{1}{3}\sin^3 x+C$

$\sin x=t$로 놓으면 $\dfrac{dt}{dx}=\cos x$이므로

$$\int \sin^2 x\cos x\,dx = \int t^2\,dt$$

$$= \frac{1}{3}t^3 + C$$

$$= \frac{1}{3}\sin^3 x + C$$

792 답 $\dfrac{1}{2}\ln(x^2+4)+C$

$$\int \frac{x}{x^2+4}\,dx = \frac{1}{2}\int \frac{(x^2+4)'}{x^2+4}\,dx$$

$$= \frac{1}{2}\ln(x^2+4) + C$$

793 답 $\ln(e^x+e^{-x})+C$

$$\int \frac{e^x-e^{-x}}{e^x+e^{-x}}\,dx = \int \frac{(e^x+e^{-x})'}{e^x+e^{-x}}\,dx$$

$$= \ln(e^x+e^{-x}) + C$$

794 답 $-\ln|\cos x|+C$

$$\int \tan x\,dx=\int \frac{\sin x}{\cos x}\,dx=-\int \frac{(\cos x)'}{\cos x}\,dx$$
$$=-\ln|\cos x|+C$$

795 답 $\ln|\ln x|+C$

$$\int \frac{1}{x\ln x}\,dx=\int \frac{(\ln x)'}{\ln x}\,dx$$
$$=\ln|\ln x|+C$$

796 답 $x+5\ln|x-3|+C$

$$\int \frac{x+2}{x-3}\,dx=\int \left(1+\frac{5}{x-3}\right)dx$$
$$=x+5\ln|x-3|+C$$

797 답 $\frac{1}{2}x^2+x+2\ln|x-1|+C$

$$\int \frac{x^2+1}{x-1}\,dx=\int \left(x+1+\frac{2}{x-1}\right)dx$$
$$=\frac{1}{2}x^2+x+2\ln|x-1|+C$$

798 답 $\frac{1}{2}x^2+x+2\ln|x+2|+C$

$$\int \frac{x^2+3x+4}{x+2}\,dx=\int \frac{(x+1)(x+2)+2}{x+2}\,dx$$
$$=\int \left(x+1+\frac{2}{x+2}\right)dx$$
$$=\frac{1}{2}x^2+x+2\ln|x+2|+C$$

799 답 $\frac{1}{2}\ln\left|\frac{x}{x+2}\right|+C$

$$\int \frac{1}{x^2+2x}\,dx=\int \frac{1}{x(x+2)}\,dx$$
$$=\frac{1}{2}\int \left(\frac{1}{x}-\frac{1}{x+2}\right)dx$$
$$=\frac{1}{2}(\ln|x|-\ln|x+2|)+C$$
$$=\frac{1}{2}\ln\left|\frac{x}{x+2}\right|+C$$

800 답 $\ln\frac{(x-1)^2}{|x+1|}+C$

$\dfrac{x+3}{x^2-1}=\dfrac{x+3}{(x-1)(x+1)}=\dfrac{A}{x-1}+\dfrac{B}{x+1}$ (단, A, B는 상수)

라 하면

$$\frac{x+3}{(x-1)(x+1)}=\frac{(A+B)x+(A-B)}{(x-1)(x+1)}$$

위의 등식은 x에 대한 항등식이므로

$A+B=1$, $A-B=3$

두 식을 연립하여 풀면

$A=2$, $B=-1$

$$\therefore \int \frac{x+3}{x^2-1}\,dx=\int \left(\frac{2}{x-1}-\frac{1}{x+1}\right)dx$$
$$=2\ln|x-1|-\ln|x+1|+C$$
$$=\ln\frac{(x-1)^2}{|x+1|}+C$$

801 답 $\ln\frac{(x-2)^4}{(x-1)^2}+C$

$\dfrac{2x}{x^2-3x+2}=\dfrac{2x}{(x-1)(x-2)}=\dfrac{A}{x-1}+\dfrac{B}{x-2}$

(단, A, B는 상수)

라 하면

$$\frac{2x}{(x-1)(x-2)}=\frac{(A+B)x-(2A+B)}{(x-1)(x-2)}$$

위의 등식은 x에 대한 항등식이므로

$A+B=2$, $2A+B=0$

두 식을 연립하여 풀면 $A=-2$, $B=4$

$$\therefore \int \frac{2x}{x^2-3x+2}\,dx$$
$$=\int \left(\frac{-2}{x-1}+\frac{4}{x-2}\right)dx$$
$$=-2\ln|x-1|+4\ln|x-2|+C$$
$$=\ln\frac{(x-2)^4}{(x-1)^2}+C$$

802 답 $-(x+1)e^{-x}+C$

$u(x)=x$, $v'(x)=e^{-x}$으로 놓으면

$u'(x)=1$, $v(x)=-e^{-x}$이므로

$$\int xe^{-x}\,dx=-xe^{-x}+\int e^{-x}\,dx$$
$$=-xe^{-x}-e^{-x}+C$$
$$=-(x+1)e^{-x}+C$$

803 답 $(x-1)\sin x+\cos x+C$

$u(x)=x-1$, $v'(x)=\cos x$로 놓으면

$u'(x)=1$, $v(x)=\sin x$이므로

$$\int (x-1)\cos x\,dx=(x-1)\sin x-\int \sin x\,dx$$
$$=(x-1)\sin x+\cos x+C$$

804 답 $x\ln x-x+C$

$u(x)=\ln x$, $v'(x)=1$로 놓으면

$u'(x)=\dfrac{1}{x}$, $v(x)=x$이므로

$$\int \ln x\,dx=x\ln x-\int 1\,dx$$
$$=x\ln x-x+C$$

805 답 $(x+1)e^x+C$

$u(x)=x+2$, $v'(x)=e^x$으로 놓으면

$u'(x)=1$, $v(x)=e^x$이므로

$$\int (x+2)e^x dx=(x+2)e^x-\int e^x dx$$
$$=(x+2)e^x-e^x+C$$
$$=(x+1)e^x+C$$

806 답 $-x\cos x+\sin x+C$

$u(x)=x$, $v'(x)=\sin x$로 놓으면

$u'(x)=1$, $v(x)=-\cos x$이므로

$$\int x\sin x\, dx=-x\cos x+\int \cos x\, dx$$
$$=-x\cos x+\sin x+C$$

807 답 $\dfrac{1}{2}x^2\ln x-\dfrac{1}{4}x^2+C$

$u(x)=\ln x$, $v'(x)=x$로 놓으면

$u'(x)=\dfrac{1}{x}$, $v(x)=\dfrac{1}{2}x^2$이므로

$$\int x\ln x\, dx=\ln x\times \dfrac{1}{2}x^2-\int \dfrac{1}{2}x\, dx$$
$$=\dfrac{1}{2}x^2\ln x-\dfrac{1}{4}x^2+C$$

도전! 유형 연습하기

➡ 본책 126쪽~132쪽

808 답 -4

단계 1 부정적분 구하기

$$f(x)=\int \dfrac{3x+1}{x^2}\, dx$$
$$=\int \left(\dfrac{3}{x}+\dfrac{1}{x^2}\right)dx$$
$$=3\ln|x|-\dfrac{1}{x}+C$$

단계 2 적분상수 C 구하기

$f(e)=-\dfrac{1}{e}$에서 $3-\dfrac{1}{e}+C=-\dfrac{1}{e}$이므로 $C=-3$

단계 3 $f(1)$의 값 구하기

$$f(x)=3\ln|x|-\dfrac{1}{x}-3$$
$$\therefore f(1)=-1-3=-4$$

809 답 ④

$$f(x)=\int \dfrac{(2x-1)(x-3)}{x^2}\, dx$$
$$=\int \dfrac{2x^2-7x+3}{x^2}\, dx$$
$$=\int \left(2-\dfrac{7}{x}+\dfrac{3}{x^2}\right)dx$$
$$=2x-7\ln|x|-\dfrac{3}{x}+C$$
$$\therefore f(e)-f(-e)=\left(2e-7-\dfrac{3}{e}+C\right)-\left(-2e-7+\dfrac{3}{e}+C\right)$$
$$=4e-\dfrac{6}{e}$$

810 답 $F(x)=-\dfrac{2}{\sqrt{x}}+\dfrac{1}{2x^2}-\dfrac{1}{2}$

$$f(x)=\dfrac{x\sqrt{x}-1}{x^3}$$
$$=\dfrac{1}{x\sqrt{x}}-\dfrac{1}{x^3}$$
$$=x^{-\frac{3}{2}}-x^{-3}$$

이므로

$$F(x)=\int f(x)\, dx$$
$$=\int (x^{-\frac{3}{2}}-x^{-3})\, dx$$
$$=-2x^{-\frac{1}{2}}+\dfrac{1}{2}x^{-2}+C$$
$$=-\dfrac{2}{\sqrt{x}}+\dfrac{1}{2x^2}+C$$

$F(1)=-2$에서 $-2+\dfrac{1}{2}+C=-2$이므로 $C=-\dfrac{1}{2}$

$$\therefore F(x)=-\dfrac{2}{\sqrt{x}}+\dfrac{1}{2x^2}-\dfrac{1}{2}$$

811 답 24

$F(x)=xf(x)-x^3-\sqrt{x}$의 양변을 미분하면

$f(x)=f(x)+xf'(x)-3x^2-\dfrac{1}{2\sqrt{x}}$이므로

$$f'(x)=3x+\dfrac{1}{2x\sqrt{x}}$$
$$f(x)=\int \left(3x+\dfrac{1}{2x\sqrt{x}}\right)dx$$
$$=\dfrac{3}{2}x^2-\dfrac{1}{\sqrt{x}}+C$$

$f(1)=1$에서 $\dfrac{3}{2}-1+C=1$이므로 $C=\dfrac{1}{2}$

따라서 $f(x)=\dfrac{3}{2}x^2-\dfrac{1}{\sqrt{x}}+\dfrac{1}{2}$이므로

$$f(4)=24-\dfrac{1}{2}+\dfrac{1}{2}=24$$

812 답 ③

단계 1 부정적분 구하기

$f'(x)=\dfrac{8^x+1}{2^x+1}$ 이므로

$f(x)=\displaystyle\int\dfrac{8^x+1}{2^x+1}dx=\int\dfrac{(2^x+1)(4^x-2^x+1)}{2^x+1}dx$

$\qquad=\displaystyle\int(4^x-2^x+1)dx$

$\qquad=\dfrac{4^x}{2\ln 2}-\dfrac{2^x}{\ln 2}+x+C$

단계 2 적분상수 C 구하기

$f(1)=-1$ 에서

$\dfrac{4}{2\ln 2}-\dfrac{2}{\ln 2}+1+C=-1$ 이므로 $C=-2$

단계 3 $f(2)$의 값 구하기

$f(x)=\dfrac{4^x}{2\ln 2}-\dfrac{2^x}{\ln 2}+x-2$

$\therefore f(2)=\dfrac{16}{2\ln 2}-\dfrac{4}{\ln 2}+2-2=\dfrac{4}{\ln 2}$

813 답 $\dfrac{1}{2}e^2-e+2$

$f(x)=\displaystyle\int\dfrac{e^{3x}+1}{e^x+1}dx$

$\qquad=\displaystyle\int\dfrac{(e^x+1)(e^{2x}-e^x+1)}{e^x+1}dx$

$\qquad=\displaystyle\int(e^{2x}-e^x+1)dx$

$\qquad=\dfrac{1}{2}e^{2x}-e^x+x+C$

$f(0)=\dfrac{1}{2}$ 에서 $\dfrac{1}{2}-1+C=\dfrac{1}{2}$ 이므로 $C=1$

따라서 $f(x)=\dfrac{1}{2}e^{2x}-e^x+x+1$ 이므로

$f(1)=\dfrac{1}{2}e^2-e+2$

814 답 ②

$f'(x)=\displaystyle\lim_{h\to 0}\dfrac{f(x+h)-f(x)}{h}$

$\qquad=(7^x-1)^2$

$\qquad=7^{2x}-2\times 7^x+1$

$f(x)=\displaystyle\int f'(x)dx$

$\qquad=\dfrac{7^{2x}}{\ln 49}-\dfrac{2\times 7^x}{\ln 7}+x+C$

$\qquad=\dfrac{1}{\ln 7}\Big(\dfrac{1}{2}\times 7^{2x}-2\times 7^x\Big)+x+C$

따라서 $a=\dfrac{1}{2}$, $b=-2$ 이므로

$ab=-1$

815 답 $f(x)=\dfrac{e^x-e^{-x}}{2}$, $g(x)=\dfrac{e^x+e^{-x}}{2}$

㈎의 두 식을 변끼리 더하면

$2f'(x)=e^x+e^{-x}$ $\qquad \therefore f'(x)=\dfrac{e^x+e^{-x}}{2}$

또 $g'(x)=e^x-f'(x)=\dfrac{e^x-e^{-x}}{2}$ 이므로

$f(x)=\displaystyle\int\dfrac{e^x+e^{-x}}{2}dx=\dfrac{1}{2}(e^x-e^{-x})+C_1$

$g(x)=\displaystyle\int\dfrac{e^x-e^{-x}}{2}dx=\dfrac{1}{2}(e^x+e^{-x})+C_2$

이때 $f(0)=0$ 에서 $C_1=0$

$g(0)=1$ 에서 $1+C_2=1$ 이므로 $C_2=0$

$\therefore f(x)=\dfrac{e^x-e^{-x}}{2}$, $g(x)=\dfrac{e^x+e^{-x}}{2}$

다른 풀이

$f(x)+g(x)=e^x+C_1$ $\qquad\qquad\cdots\ \bigcirc$

$f(x)-g(x)=-e^{-x}+C_2$ $\qquad\quad\cdots\ \bigcirc\!\!\bigcirc$

$f(0)+g(0)=1+C_1=1$ 에서 $C_1=0$

$f(0)-g(0)=-1+C_2=-1$ 에서 $C_2=0$

$\bigcirc+\bigcirc\!\!\bigcirc$ 을 하면 $f(x)=\dfrac{e^x-e^{-x}}{2}$

$\bigcirc-\bigcirc\!\!\bigcirc$ 을 하면 $g(x)=\dfrac{e^x+e^{-x}}{2}$

816 답 -4

$f'(x)=\begin{cases}\dfrac{2}{x^3} & (x>1)\\ 5^x & (x<1)\end{cases}$ 에서

$f(x)=\begin{cases}-\dfrac{1}{x^2}+C_1 & (x>1)\\ \dfrac{5^x}{\ln 5}+C_2 & (x<1)\end{cases}$

$f(2)=\dfrac{3}{4}$ 이므로 $-\dfrac{1}{4}+C_1=\dfrac{3}{4}$, $C_1=1$

$f(x)$는 $x=1$에서 연속이므로

$f(1)=\displaystyle\lim_{x\to 1+}\Big(-\dfrac{1}{x^2}+1\Big)=\lim_{x\to 1-}\Big(\dfrac{5^x}{\ln 5}+C_2\Big)$, $C_2=-\dfrac{5}{\ln 5}$

따라서 $f(0)=\dfrac{1}{\ln 5}+C_2=\dfrac{1}{\ln 5}-\dfrac{5}{\ln 5}=\dfrac{-4}{\ln 5}$ 이므로

$a=-4$

817 답 $f(x)=2\tan x-x+\dfrac{\pi}{3}$

단계 1 주어진 식 변형하기

$\displaystyle\int\dfrac{\sin^2 x+1}{\cos^2 x}dx=\int\Big(\dfrac{\sin^2 x}{\cos^2 x}+\dfrac{1}{\cos^2 x}\Big)dx$

$\qquad\qquad\qquad\qquad=\displaystyle\int(\tan^2 x+\sec^2 x)dx$

$\qquad\qquad\qquad\qquad=\displaystyle\int(2\sec^2 x-1)dx$

단계 2 부정적분 구하기

$$f(x)=\int (2\sec^2 x-1)\,dx=2\tan x-x+C$$

단계 3 $f(x)$ 구하기

$f\left(\dfrac{\pi}{3}\right)=2\sqrt{3}$에서

$2\sqrt{3}-\dfrac{\pi}{3}+C=2\sqrt{3}$이므로 $C=\dfrac{\pi}{3}$

$\therefore f(x)=2\tan x-x+\dfrac{\pi}{3}$

---

818 답 ③

$$\begin{aligned}
f(x)&=\int \frac{\sin x}{1+\sin x}\,dx\\
&=\int \frac{\sin x(1-\sin x)}{(1+\sin x)(1-\sin x)}\,dx\\
&=\int \frac{\sin x-\sin^2 x}{\cos^2 x}\,dx\\
&=\int \left(\frac{1}{\cos x}\times\frac{\sin x}{\cos x}-\frac{\sin^2 x}{\cos^2 x}\right)dx\\
&=\int (\sec x\tan x-\tan^2 x)\,dx\\
&=\int (\sec x\tan x+1-\sec^2 x)\,dx\\
&=\sec x-\tan x+x+C
\end{aligned}$$

$f\left(\dfrac{\pi}{4}\right)=\dfrac{\pi}{4}$에서

$\sqrt{2}-1+\dfrac{\pi}{4}+C=\dfrac{\pi}{4}$이므로 $C=1-\sqrt{2}$

따라서 $f(x)=\sec x-\tan x+x+1-\sqrt{2}$이므로

$f(0)=1+1-\sqrt{2}=2-\sqrt{2}$

---

819 답 $-\sqrt{3}$

$f'(x)$는 첫째항이 1, 공비가 $\cos^2 x$인 등비급수이고

$0<x<\dfrac{\pi}{2}$에서 $0<\cos^2 x<1$이므로

$$f'(x)=\frac{1}{1-\cos^2 x}$$

$$\begin{aligned}
f(x)&=\int \frac{1}{1-\cos^2 x}\,dx\\
&=\int \frac{1}{\sin^2 x}\,dx\\
&=\int \csc^2 x\,dx\\
&=-\cot x+C
\end{aligned}$$

$f\left(\dfrac{\pi}{4}\right)=-1$에서 $-1+C=-1$이므로 $C=0$

따라서 $f(x)=-\cot x$이므로

$f\left(\dfrac{\pi}{6}\right)=-\cot\dfrac{\pi}{6}=-\sqrt{3}$

---

820 답 ③

단계 1 반각의 공식을 이용하여 부정적분 구하기

$$\begin{aligned}
f(x)&=\int \sin^2\frac{x}{2}\,dx\\
&=\int \frac{1-\cos x}{2}\,dx\\
&=\frac{1}{2}x-\frac{1}{2}\sin x+C
\end{aligned}$$

단계 2 $f(\pi)$의 값 구하기

$f(0)=\dfrac{\pi}{2}$에서 $C=\dfrac{\pi}{2}$

따라서 $f(x)=\dfrac{1}{2}x-\dfrac{1}{2}\sin x+\dfrac{\pi}{2}$이므로

$f(\pi)=\dfrac{\pi}{2}+\dfrac{\pi}{2}=\pi$

---

821 답 ⑤

$f'(x)=\left(\sin\dfrac{x}{2}+\cos\dfrac{x}{2}\right)^2$이므로

$$\begin{aligned}
f(x)&=\int \left(\sin\frac{x}{2}+\cos\frac{x}{2}\right)^2 dx\\
&=\int \left(1+2\sin\frac{x}{2}\cos\frac{x}{2}\right)dx\\
&=\int (1+\sin x)\,dx\\
&=x-\cos x+C
\end{aligned}$$

$f(0)=0$에서 $-1+C=0$ $\quad\therefore C=1$

따라서 $f(x)=x-\cos x+1$이므로

$f(\pi)=\pi+1+1=\pi+2$

---

822 답 $-\dfrac{\pi}{2}$

$$\begin{aligned}
&\lim_{h\to 0}\frac{f(x+3h)-f(x)}{h}\\
&=\lim_{h\to 0}\frac{f(x+3h)-f(x)}{3h}\times 3\\
&=3f'(x)
\end{aligned}$$

$\therefore f'(x)=2\cos^2\dfrac{x}{2}$

$$\begin{aligned}
f(x)&=\int 2\cos^2\frac{x}{2}\,dx\\
&=\int (1+\cos x)\,dx\\
&=x+\sin x+C
\end{aligned}$$

$f\left(\dfrac{\pi}{2}\right)=1$에서 $\dfrac{\pi}{2}+1+C=1$

$\therefore C=-\dfrac{\pi}{2}$

따라서 $f(x)=x+\sin x-\dfrac{\pi}{2}$이므로

$f(0)=-\dfrac{\pi}{2}$

823 답 $\dfrac{2}{5}$

단계 1 $x-1=t$로 치환하여 나타내기

$x-1=t$로 놓으면 $x=t+1$, $\dfrac{dx}{dt}=1$이므로

$$f(x)=\int x\sqrt{x-1}\,dx=\int(t+1)\sqrt{t}\,dt$$

$$=\int(t\sqrt{t}+\sqrt{t})\,dt=\int\left(t^{\frac{3}{2}}+t^{\frac{1}{2}}\right)dt$$

단계 2 부정적분 구하기

$$f(x)=\int\left(t^{\frac{3}{2}}+t^{\frac{1}{2}}\right)dt=\frac{2}{5}t^{\frac{5}{2}}+\frac{2}{3}t^{\frac{3}{2}}+C$$

$$=\frac{2}{5}(x-1)^{\frac{5}{2}}+\frac{2}{3}(x-1)^{\frac{3}{2}}+C$$

단계 3 $f(2)$의 값 구하기

$f(1)=-\dfrac{2}{3}$에서 $C=-\dfrac{2}{3}$

따라서 $f(x)=\dfrac{2}{5}(x-1)^{\frac{5}{2}}+\dfrac{2}{3}(x-1)^{\frac{3}{2}}-\dfrac{2}{3}$이므로

$$f(2)=\frac{2}{5}+\frac{2}{3}-\frac{2}{3}=\frac{2}{5}$$

824 답 ①

$x-2=t$로 놓으면 $x=t+2$, $\dfrac{dx}{dt}=1$이므로

$$F(x)=\int\frac{3x}{\sqrt{x-2}}\,dx=\int\frac{3t+6}{\sqrt{t}}\,dt$$

$$=\int\left(3\sqrt{t}+\frac{6}{\sqrt{t}}\right)dt=\int\left(3t^{\frac{1}{2}}+6t^{-\frac{1}{2}}\right)dt$$

$$=2t^{\frac{3}{2}}+12t^{\frac{1}{2}}+C=2(x-2)^{\frac{3}{2}}+12(x-2)^{\frac{1}{2}}+C$$

$F(3)=10$에서 $2+12+C=10$ $\quad\therefore C=-4$

따라서 $F(x)=2(x-2)^{\frac{3}{2}}+12(x-2)^{\frac{1}{2}}-4$이므로

$F(2)=-4$

825 답 $\dfrac{1}{9}e^{3x-1}-\sin x-\dfrac{1}{3e}x+C$

$f'(x)=e^{3x-1}+\sin x$이므로

$$f(x)=\int(e^{3x-1}+\sin x)\,dx=\int e^{3x-1}\,dx+\int\sin x\,dx$$

$\int e^{3x-1}\,dx$에서 $3x-1=t$로 놓으면

$x=\dfrac{t+1}{3}$, $\dfrac{dx}{dt}=\dfrac{1}{3}$이므로

$$\int e^{3x-1}\,dx=\int\frac{1}{3}e^t\,dt=\frac{1}{3}e^t+C_1=\frac{1}{3}e^{3x-1}+C_1$$

$$\int\sin x\,dx=-\cos x+C_2$$

$$\therefore f(x)=\int e^{3x-1}\,dx+\int\sin x\,dx=\frac{1}{3}e^{3x-1}-\cos x+C$$

$f(0)=-1$에서 $\dfrac{1}{3e}-1+C=-1$ $\quad\therefore C=-\dfrac{1}{3e}$

$$\therefore\int f(x)\,dx=\int\left(\frac{1}{3}e^{3x-1}-\cos x-\frac{1}{3e}\right)dx$$

$$=\frac{1}{9}e^{3x-1}-\sin x-\frac{1}{3e}x+C$$

826 답 ③

$$f(x)=\int(\sin x-\sin 2x)\,dx$$

$$=\int\sin x\,dx-\int\sin 2x\,dx$$

$$\int\sin x\,dx=-\cos x+C_1$$

$\int\sin 2x\,dx$에서 $2x=t$로 놓으면 $x=\dfrac{t}{2}$, $\dfrac{dx}{dt}=\dfrac{1}{2}$이므로

$$\int\sin 2x\,dx=\int\frac{1}{2}\sin t\,dt$$

$$=-\frac{1}{2}\cos t+C_2$$

$$=-\frac{1}{2}\cos 2x+C_2$$

$$\therefore f(x)=\int\sin x\,dx-\int\sin 2x\,dx$$

$$=-\cos x+\frac{1}{2}\cos 2x+C$$

$f'(x)=0$인 x의 값은

$$\sin x-\sin 2x=\sin x-2\sin x\cos x$$

$$=\sin x(1-2\cos x)=0$$에서

$\sin x=0$ 또는 $\cos x=\dfrac{1}{2}$

$$\therefore x=\frac{\pi}{3},\ \pi,\ \frac{5}{3}\pi\ (\because 0<x<2\pi)$$

$0<x<2\pi$에서 함수 $f(x)$의 증가와 감소를 표로 나타내면

x	0	$\cdots$	$\dfrac{\pi}{3}$	$\cdots$	π	$\cdots$	$\dfrac{5}{3}\pi$	$\cdots$	2π
$f'(x)$		$-$	0	$+$	0	$-$	0	$+$	
$f(x)$		$\searrow$	극소	$\nearrow$	극대	$\searrow$	극소	$\nearrow$	

$f(x)$의 극댓값이 1이므로

$f(\pi)=1$에서 $1+\dfrac{1}{2}+C=1$ $\quad\therefore C=-\dfrac{1}{2}$

$$\therefore f(x)=-\cos x+\frac{1}{2}\cos 2x-\frac{1}{2}$$

따라서 $f(x)$의 극솟값은

$$f\left(\frac{\pi}{3}\right)=f\left(\frac{5}{3}\pi\right)=-\frac{1}{2}-\frac{1}{4}-\frac{1}{2}=-\frac{5}{4}$$

827 답 $-4\sqrt{2}$

단계 1 $9-x^2=t$로 치환하여 나타내기

$9-x^2=t$로 놓으면 $\dfrac{dt}{dx}=-2x$이므로

$$F(x)=\int\frac{x}{\sqrt{9-x^2}}\,dx=\int\left(-\frac{1}{2\sqrt{t}}\right)dt$$

$$=\int-\frac{1}{2}t^{-\frac{1}{2}}\,dt$$

단계 2 부정적분 구하기

$$F(x)=\int -\frac{1}{2}t^{-\frac{1}{2}}dt=-t^{\frac{1}{2}}+C$$

$$=-\sqrt{t}+C=-\sqrt{9-x^2}+C$$

단계 3 $F(1)$의 값 구하기

$F(3)=-2\sqrt{2}$에서 $C=-2\sqrt{2}$

따라서 $F(x)=-\sqrt{9-x^2}-2\sqrt{2}$이므로

$F(1)=-2\sqrt{2}-2\sqrt{2}=-4\sqrt{2}$

828 답 ②

$x^3+x+2=t$로 놓으면 $\dfrac{dt}{dx}=3x^2+1$이므로

$$\int(3x^2+1)(x^3+x+2)^4\,dx=\int t^4\,dt=\frac{1}{5}t^5+C$$

$$=\frac{1}{5}(x^3+x+2)^5+C$$

따라서 $a=\dfrac{1}{5}$, $b=5$이므로 $a+b=\dfrac{26}{5}$

829 답 $2\sqrt{3}$

$$\lim_{h\to0}\frac{f(x+h)-f(x-h)}{h}$$

$$=\lim_{h\to0}\left\{\frac{f(x+h)-f(x)}{h}+\frac{f(x-h)-f(x)}{-h}\right\}$$

$$=2f'(x)=(4x+2)\sqrt{x^2+x+3}$$

$$\therefore f'(x)=(2x+1)\sqrt{x^2+x+3}$$

$x^2+x+3=t$로 놓으면 $\dfrac{dt}{dx}=2x+1$이므로

$$f(x)=\int(2x+1)\sqrt{x^2+x+3}\,dx$$

$$=\int\sqrt{t}\,dt=\int t^{\frac{1}{2}}\,dt=\frac{2}{3}t^{\frac{3}{2}}+C$$

$$=\frac{2}{3}(x^2+x+3)^{\frac{3}{2}}+C$$

$f(2)=18$에서 $18+C=18$ $\therefore C=0$

따라서 $f(x)=\dfrac{2}{3}(x^2+x+3)^{\frac{3}{2}}$이므로

$$f(0)=\frac{2}{3}\times3^{\frac{3}{2}}=2\sqrt{3}$$

830 답 e

$$f(x)=\int\frac{2\ln x-1}{x}\,dx=\int\frac{2\ln x}{x}\,dx-\int\frac{1}{x}\,dx$$

$\displaystyle\int\frac{2\ln x}{x}\,dx$에서 $\ln x=t$로 놓으면 $\dfrac{dt}{dx}=\dfrac{1}{x}$이므로

$$\int\frac{2\ln x}{x}\,dx=\int 2t\,dt=t^2+C_1=(\ln x)^2+C_1$$

$$f(x)=\int\frac{2\ln x}{x}\,dx-\int\frac{1}{x}\,dx=(\ln x)^2-\ln x+C\ (\because x>0)$$

$f(1)=-6$에서 $C=-6$이므로

$$f(x)=(\ln x)^2-\ln x-6$$

방정식 $(\ln x)^2-\ln x-6=0$에서 $\ln x=X$로 놓으면

$X^2-X-6=0$, $(X-3)(X+2)=0$ $\therefore X=3$ 또는 $X=-2$

$\therefore \ln x=3$ 또는 $\ln x=-2$

$\therefore x=e^3$ 또는 $x=e^{-2}=\dfrac{1}{e^2}$

따라서 방정식 $f(x)=0$의 모든 근의 곱은 $e^3\times\dfrac{1}{e^2}=e$

831 답 ②

$$f'(x)=\begin{cases} x^2e^{x^3} & (x>0) \\ \sin x\cos x & (x<0) \end{cases}$$ 이므로

(i) $f'(x)=x^2e^{x^3}$에서

$x^3=t$로 놓으면 $\dfrac{dt}{dx}=3x^2$이므로

$$f(x)=\int\frac{1}{3}e^t\,dt=\frac{1}{3}e^t+C_1=\frac{1}{3}e^{x^3}+C_1$$

(ii) $f'(x)=\sin x\cos x$에서

$\sin x=t$로 놓으면 $\dfrac{dt}{dx}=\cos x$이므로

$$f(x)=\int t\,dt=\frac{1}{2}t^2+C_2$$

$$=\frac{1}{2}\sin^2 x+C_2$$

$$\therefore f(x)=\begin{cases} \dfrac{1}{3}e^{x^3}+C_1 & (x>0) \\ \dfrac{1}{2}\sin^2 x+C_2 & (x<0) \end{cases}$$

$f\left(-\dfrac{\pi}{2}\right)=\dfrac{1}{2}+C_2=\dfrac{1}{2}$에서 $C_2=0$

또 $f(x)$가 $x=0$에서 연속이므로

$f(0)=\dfrac{1}{3}+C_1=C_2$에서 $C_1=-\dfrac{1}{3}$

$$\therefore f(1)=\frac{1}{3}e-\frac{1}{3}=\frac{e-1}{3}$$

832 답 2

$$f(x)=\int\sin^3 x\,dx=\int\sin x\times\sin^2 x\,dx$$

$$=\int\sin x(1-\cos^2 x)\,dx$$

$\cos x=t$로 놓으면 $\dfrac{dt}{dx}=-\sin x$이므로

$$f(x)=\int\{-(1-t^2)\}\,dt=\int(t^2-1)\,dt$$

$$=\frac{1}{3}t^3-t+C=\frac{1}{3}\cos^3 x-\cos x+C$$

$f(0)=\dfrac{4}{3}$에서 $\dfrac{1}{3}-1+C=\dfrac{4}{3}$이므로 $C=2$

따라서 $f(x)=\dfrac{1}{3}\cos^3 x-\cos x+2$이므로

$$f\left(\frac{\pi}{2}\right)=2$$

833 답 ③

$$\int \tan^3 x \, dx = \int \tan x \times \tan^2 x \, dx$$

$$= \int \tan x (\sec^2 x - 1) \, dx$$

$$= \int (\tan x \sec^2 x - \tan x) \, dx$$

$$= \int \tan x \sec^2 x \, dx - \int \frac{\sin x}{\cos x} \, dx$$

(i) $\int \tan x \sec^2 x \, dx$ 에서

$\sec x = t$ 로 놓으면 $\dfrac{dt}{dx} = \sec x \tan x$ 이므로

$$\int \tan x \sec^2 x \, dx = \int t \, dt = \frac{1}{2} t^2 + C_1$$

$$= \frac{1}{2} \sec^2 x + C_1$$

(ii) $\int \dfrac{\sin x}{\cos x} \, dx$ 에서

$\cos x = s$ 로 놓으면 $\dfrac{ds}{dx} = -\sin x$ 이므로

$$\int \frac{\sin x}{\cos x} \, dx = \int -\frac{1}{s} \, ds = -\ln |s| + C_2$$

$$= -\ln |\cos x| + C_2$$

(i), (ii)에 의하여

$$\int \tan^3 x \, dx = \int \tan x \sec^2 x \, dx - \int \frac{\sin x}{\cos x} \, dx$$

$$= \frac{1}{2} \sec^2 x + C_1 + \ln |\cos x| - C_2$$

$$= \frac{1}{2 \cos^2 x} + \ln |\cos x| + C$$

참고 $\int \tan x \sec^2 x \, dx$ 에서 $\tan x = t$ 로 놓으면

$\dfrac{dt}{dx} = \sec^2 x$ 이므로

$$\int \tan x \sec^2 x \, dx = \int t \, dt = \frac{1}{2} t^2 + C_3 = \frac{1}{2} \tan^2 x + C_3$$

이때 $1 + \tan^2 x = \sec^2 x$ 를 이용하면

$$\frac{1}{2} \tan^2 x + C_3 = \frac{1}{2} (\sec^2 x - 1) + C_3 = \frac{1}{2} \sec^2 x + C_1$$

과 같이 변형할 수 있다.

834 답 $\ln (e+1)$

단계 1 주어진 식 간단히 하기

$$f(x) = \int \frac{e^{2x}}{e^{2x}-1} \, dx - \int \frac{e^x}{e^{2x}-1} \, dx = \int \frac{e^{2x} - e^x}{e^{2x}-1} \, dx$$

$$= \int \frac{e^x(e^x-1)}{(e^x+1)(e^x-1)} \, dx = \int \frac{e^x}{e^x+1} \, dx$$

단계 2 부정적분 구하기

$(e^x + 1)' = e^x$ 이므로

$$f(x) = \int \frac{e^x}{e^x+1} \, dx = \int \frac{(e^x+1)'}{e^x+1} \, dx$$

$$= \ln (e^x + 1) + C \ (\because e^x + 1 > 0)$$

단계 3 $f(1)$의 값 구하기

$f(0) = \ln 2$ 에서 $\ln 2 + C = \ln 2$ 이므로 $C = 0$

따라서 $f(x) = \ln (e^x + 1)$ 이므로 $f(1) = \ln (e+1)$

835 답 ①

$$f(x) = \int \frac{x-2}{x^2-4x+2} \, dx = \frac{1}{2} \int \frac{(x^2-4x+2)'}{x^2-4x+2} \, dx$$

$$= \frac{1}{2} \ln |x^2 - 4x + 2| + C$$

$f(2) = 0$ 에서 $\dfrac{1}{2} \ln 2 + C = 0$ 이므로 $C = -\dfrac{1}{2} \ln 2$

따라서 $f(x) = \dfrac{1}{2} \ln |x^2 - 4x + 2| - \dfrac{1}{2} \ln 2$ 이므로

$$f(1) = -\frac{\ln 2}{2}$$

836 답 $f(x) = e^{2x+1}$

$f'(x) = 2f(x)$ 에서 $\dfrac{f'(x)}{f(x)} = 2$ 이므로

$$\int \frac{f'(x)}{f(x)} \, dx = \int 2 \, dx$$

$\ln f(x) = 2x + C \ (\because f(x) > 0)$

$\therefore f(x) = e^{2x+C}$

이때 $f(0) = e$ 이므로 $e^C = e$, $C = 1$

$\therefore f(x) = e^{2x+1}$

837 답 6

단계 1 분자를 분모로 나누어 몫과 나머지로 나타내기

$$\frac{2x^2+3x-5}{x+3} = \frac{(2x-3)(x+3)+4}{x+3} = 2x - 3 + \frac{4}{x+3}$$

단계 2 $f(x)$ 구하기

$$\lim_{h \to 0} \frac{f(x+h) - f(x)}{h} = f'(x) \text{이므로}$$

$$f(x) = \int \frac{2x^2+3x-5}{x+3} \, dx$$

$$= \int \left(2x - 3 + \frac{4}{x+3} \right) dx$$

$$= x^2 - 3x + 4 \ln |x+3| + C$$

$f(-2) = 10$ 에서 $4 + 6 + C = 10$ 이므로 $C = 0$

$f(x) = x^2 - 3x + 4 \ln |x+3|$

단계 3 $a+b$의 값 구하기

$f(1) = -2 + 8 \ln 2$

따라서 $a = 8$, $b = -2$ 이므로 $a + b = 6$

참고 $(2x^2 + 3x - 5) \div (x+3)$의 몫과 나머지는 조립제법을 이용하여 다음과 같이 구할 수 있다.

$$
\begin{array}{r|rrr}
-3 & 2 & 3 & -5 \\
   &   & -6 & 9 \\
\hline
   & 2 & -3 & 4
\end{array}
$$

따라서 몫은 $2x - 3$, 나머지는 4이다.

838 답 ②

$$f(x) = \int \frac{x^2-4}{x+1}\,dx = \int \frac{(x+1)(x-1)-3}{x+1}\,dx$$
$$= \int \left(x-1-\frac{3}{x+1}\right)dx = \frac{1}{2}x^2-x-3\ln|x+1|+C$$

$f(0)=1$에서 $C=1$

따라서 $f(x)=\frac{1}{2}x^2-x-3\ln|x+1|+1$이므로

$$f(2)=-3\ln 3+1$$

839 답 ⑤

단계 1 부분분수로 나타내기

$$\frac{4}{x^2-2x-3} = \frac{4}{(x-3)(x+1)} = \frac{1}{x-3}-\frac{1}{x+1}$$

단계 2 부정적분 구하기

$$f(x) = \int \frac{4}{x^2-2x-3}\,dx$$
$$= \int \left(\frac{1}{x-3}-\frac{1}{x+1}\right)dx$$
$$= \ln|x-3|-\ln|x+1|+C$$
$$= \ln\left|\frac{x-3}{x+1}\right|+C$$

단계 3 $f(0)$의 값 구하기

$f(1)=0$에서 $C=0$

따라서 $f(x)=\ln\left|\frac{x-3}{x+1}\right|$이므로

$$f(0)=\ln 3$$

840 답 ③

$$f(x) = \int \frac{x-2}{x^2+3x+2}\,dx - \int \frac{x-1}{x^2+3x+2}\,dx$$
$$= \int \frac{-1}{x^2+3x+2}\,dx$$
$$= \int \frac{-1}{(x+1)(x+2)}\,dx$$
$$= \int \left(\frac{1}{x+2}-\frac{1}{x+1}\right)dx$$
$$= \ln|x+2|-\ln|x+1|+C$$
$$= \ln\left|\frac{x+2}{x+1}\right|+C$$

$f(0)=\ln 2$에서 $\ln 2+C=\ln 2$이므로 $C=0$

$$f(x)=\ln\left|\frac{x+2}{x+1}\right|$$

$$\sum_{n=1}^{30} f(n) = \sum_{n=1}^{30} \ln\left|\frac{n+2}{n+1}\right|$$
$$= \ln\frac{3}{2}+\ln\frac{4}{3}+\ln\frac{5}{4}+\cdots+\ln\frac{32}{31}$$
$$= \ln\left(\frac{3}{2}\times\frac{4}{3}\times\frac{5}{4}\times\cdots\times\frac{32}{31}\right)$$
$$= \ln\frac{32}{2}=\ln 16=4\ln 2$$

841 답 0

$$\frac{4x+5}{x^2+x-2} = \frac{4x+5}{(x+2)(x-1)} = \frac{A}{x+2}+\frac{B}{x-1}$$

(단, A, B는 상수)

라 하면

$$\frac{4x+5}{(x+2)(x-1)} = \frac{(A+B)x+(-A+2B)}{(x+2)(x-1)}$$

위의 등식은 x에 대한 항등식이므로

$A+B=4,\ -A+2B=5$

두 식을 연립하여 풀면 $A=1$, $B=3$

$$f(x) = \int \frac{4x+5}{x^2+x-2}\,dx$$
$$= \int \left(\frac{1}{x+2}+\frac{3}{x-1}\right)dx$$
$$= \ln|x+2|+3\ln|x-1|+C$$
$$= \ln|(x+2)(x-1)^3|+C$$

$f(2)=-\ln 2$에서 $2\ln 2+C=-\ln 2$이므로 $C=-3\ln 2$

따라서 $f(x)=\ln|(x+2)(x-1)^3|-3\ln 2$이므로

$$f(-1)=3\ln 2-3\ln 2=0$$

842 답 1

곡선 $y=f(x)$ 위의 임의의 점 $(x,\ y)$에서의 접선에 수직인 직선의 기울기가 $-e^x-1$이므로 점 $(x,\ y)$에서의 접선의 기울기는 $\frac{1}{e^x+1}$이다.

즉, $f'(x)=\frac{1}{e^x+1}$이므로 $e^x=t$로 놓으면

$$\frac{dt}{dx}=e^x=t$$이므로

$$f(x) = \int \frac{1}{e^x+1}\,dx$$
$$= \int \frac{1}{t(t+1)}\,dt$$
$$= \int \left(\frac{1}{t}-\frac{1}{t+1}\right)dt$$
$$= \ln|t|-\ln|t+1|+C$$
$$= \ln\left|\frac{t}{t+1}\right|+C$$
$$= \ln\frac{e^x}{e^x+1}+C \left(\because \frac{e^x}{e^x+1}>0\right)$$

$$\therefore f(1)-f(-1) = \left(\ln\frac{e}{e+1}+C\right)-\left(\ln\frac{1}{e+1}+C\right)$$
$$= \ln\frac{\frac{e}{e+1}}{\frac{1}{e+1}}=\ln e=1$$

날선 특강 직선의 기울기

(1) 곡선 $y=f(x)$ 위의 점 $P(a,\ f(a))$에서의 접선의 기울기는 $x=a$에서의 미분계수 $f'(a)$와 같다.

(2) 좌표평면 위에서 수직인 두 직선의 기울기의 곱은 -1이다.

843 답 ③

단계 1 미분한 결과가 간단한 함수를 $u(x)$, 적분하기 쉬운 함수를 $v'(x)$
로 놓고 $u'(x)$, $v(x)$ 구하기

$u(x)=1-x$, $v'(x)=e^x$으로 놓으면

$u'(x)=-1$, $v(x)=e^x$

단계 2 부분적분법 이용하여 부정적분 구하기

$f(x)=\int(1-x)e^x\,dx$

$\quad=(1-x)e^x-\int(-e^x)\,dx$

$\quad=(1-x)e^x+e^x+C$

$\quad=(2-x)e^x+C$

단계 3 $f(1)$의 값 구하기

$f(0)=2$에서 $2+C=2$이므로 $C=0$

따라서 $f(x)=(2-x)e^x$이므로

$f(1)=e$

844 답 ④

$f'(x)=(x+a)\cos 2x$이므로

$f'(\pi)=0$에서 $\pi+a=0$ $\quad\therefore a=-\pi$

$f(x)=\int(x-\pi)\cos 2x\,dx$

$u(x)=x-\pi$, $v'(x)=\cos 2x$로 놓으면

$u'(x)=1$, $v(x)=\dfrac{1}{2}\sin 2x$이므로

$f(x)=\int(x-\pi)\cos 2x\,dx$

$\quad=\dfrac{1}{2}(x-\pi)\sin 2x-\int\dfrac{1}{2}\sin 2x\,dx$

$\quad=\dfrac{1}{2}(x-\pi)\sin 2x+\dfrac{1}{4}\cos 2x+C$

$f(0)=1$에서 $\dfrac{1}{4}+C=1$이므로 $C=\dfrac{3}{4}$

따라서 $f(x)=\dfrac{1}{2}(x-\pi)\sin 2x+\dfrac{1}{4}\cos 2x+\dfrac{3}{4}$이므로

$f\left(\dfrac{3}{2}\pi\right)=-\dfrac{1}{4}+\dfrac{3}{4}=\dfrac{1}{2}$

845 답 e^2+2

$y=e^x-1$에서 $x=\ln(y+1)$

x와 y를 바꾸면 $y=\ln(x+1)$

$\therefore g(x)=\ln(x+1)$

$\int g(x)\,dx=\int\ln(x+1)\,dx$에서

$u(x)=\ln(x+1)$, $v'(x)=1$로 놓으면

$u'(x)=\dfrac{1}{x+1}$, $v(x)=x$이므로

$h(x)=\int g(x)\,dx=\int\ln(x+1)\,dx$

$\quad=x\ln(x+1)-\int\dfrac{x}{x+1}\,dx$

$\quad=x\ln(x+1)-\int\left(1-\dfrac{1}{x+1}\right)dx$

$\quad=x\ln(x+1)-x+\ln(x+1)+C$

$\quad=(x+1)\ln(x+1)-x+C$

$h(0)=1$에서 $C=1$이므로

$h(x)=(x+1)\ln(x+1)-x+1$

$h(e^2-1)=2e^2-e^2+1+1=e^2+2$

846 답 3

$f(x)=\int xe^x\,dx$에서

$u(x)=x$, $v'(x)=e^x$으로 놓으면

$u'(x)=1$, $v(x)=e^x$이므로

$f(x)=\int xe^x\,dx=xe^x-\int e^x\,dx$

$\quad=xe^x-e^x+C=(x-1)e^x+C$

$f'(x)=xe^x=0$에서 $x=0$

$-1\le x\le 1$에서 함수 $f(x)$의 증가와 감소를 표로 나타내면

x	-1	$\cdots$	0	$\cdots$	1
$f'(x)$		$-$	0	$+$	
$f(x)$		$\searrow$	극소	$\nearrow$	

$f(x)$는 $x=0$에서 극소이면서 최소이다.

$f(0)=-1+C=2$이므로 $C=3$

$\therefore f(x)=(x-1)e^x+3$

$f(-1)=-2e^{-1}+3=3-\dfrac{2}{e}$,

$f(1)=3$

따라서 $f(x)$의 최댓값은 3이다.

847 답 2

단계 1 부분적분법 이용하기

$u(x)=x^2$, $v'(x)=\sin x$로 놓으면

$u'(x)=2x$, $v(x)=-\cos x$이므로

$f(x)=\int x^2\sin x\,dx$

$\quad=-x^2\cos x+\int 2x\cos x\,dx$ $\quad\cdots\bigcirc$

단계 2 부분적분법 한 번 더 이용하기

$\int 2x\cos x\,dx$에서

$g(x)=2x$, $h'(x)=\cos x$로 놓으면

$g'(x)=2$, $h(x)=\sin x$이므로

$\int 2x\cos x\,dx=2x\sin x-\int 2\sin x\,dx$

$\quad=2x\sin x+2\cos x+C$ $\quad\cdots\bigcirc$

단계 3 $f(x)$를 구하고 $f(0)$의 값 구하기

㉡을 ㉠에 대입하면

$$f(x)=-x^2\cos x+2x\sin x+2\cos x+C$$
$$=(2-x^2)\cos x+2x\sin x+C$$

$f\left(\dfrac{\pi}{2}\right)=\pi$에서 $\pi+C=\pi$이므로 $C=0$

따라서 $f(x)=(2-x^2)\cos x+2x\sin x$이므로

$$f(0)=2$$

848 답 ③

$$F(x)=\int (\ln x)^2\,dx$$

$u(x)=(\ln x)^2$, $v'(x)=1$로 놓으면

$u'(x)=\dfrac{2\ln x}{x}$, $v(x)=x$이므로

$$F(x)=\int (\ln x)^2\,dx$$
$$=x(\ln x)^2-\int 2\ln x\,dx \qquad \cdots ㉠$$

$\int 2\ln x\,dx$에서

$g(x)=2\ln x$, $h'(x)=1$로 놓으면

$g'(x)=\dfrac{2}{x}$, $h(x)=x$이므로

$$\int 2\ln x\,dx=2x\ln x-\int 2\,dx$$
$$=2x\ln x-2x+C \qquad \cdots ㉡$$

㉡을 ㉠에 대입하면

$$F(x)=x(\ln x)^2-2x\ln x+2x-C$$

$F(e)=e$에서

$e-2e+2e-C=e$이므로 $C=0$

따라서 $F(x)=x(\ln x)^2-2x\ln x+2x$이므로

$$F(1)=2$$

849 답 -3

$$\int (x^2-2)e^{-x}\,dx$$에서

$u(x)=x^2-2$, $v'(x)=e^{-x}$으로 놓으면

$u'(x)=2x$, $v(x)=-e^{-x}$이므로

$$\int (x^2-2)e^{-x}\,dx$$
$$=-(x^2-2)e^{-x}+\int 2xe^{-x}\,dx \qquad \cdots ㉠$$

$\int 2xe^{-x}\,dx$에서

$g(x)=2x$, $h'(x)=e^{-x}$으로 놓으면

$g'(x)=2$, $h(x)=-e^{-x}$이므로

$$\int 2xe^{-x}\,dx=-2xe^{-x}+\int 2e^{-x}\,dx$$
$$=-2xe^{-x}-2e^{-x}+C \qquad \cdots ㉡$$

㉡을 ㉠에 대입하면

$$\int (x^2-2)e^{-x}\,dx$$
$$=-(x^2-2)e^{-x}-2xe^{-x}-2e^{-x}+C$$
$$=e^{-x}(-x^2-2x)+C$$

따라서 $p=-1$, $q=-2$, $r=0$이므로

$$p+q+r=-3$$

850 답 ④

$$f(x)=\int e^x\sin x\,dx$$에서

$u(x)=e^x$, $v'(x)=\sin x$로 놓으면

$u'(x)=e^x$, $v(x)=-\cos x$이므로

$$f(x)=\int e^x\sin x\,dx$$
$$=-e^x\cos x+\int e^x\cos x\,dx \qquad \cdots ㉠$$

$\int e^x\cos x\,dx$에서

$g(x)=e^x$, $h'(x)=\cos x$로 놓으면

$g'(x)=e^x$, $h(x)=\sin x$이므로

$$\int e^x\cos x\,dx=e^x\sin x-\int e^x\sin x\,dx \qquad \cdots ㉡$$

㉡을 ㉠에 대입하면

$$\int e^x\sin x\,dx=-e^x\cos x+e^x\sin x-\int e^x\sin x\,dx$$
$$2\int e^x\sin x\,dx=-e^x\cos x+e^x\sin x$$
$$f(x)=\int e^x\sin x\,dx=\dfrac{e^x(\sin x-\cos x)}{2}+C$$

$f(0)=0$에서 $-\dfrac{1}{2}+C=0$이므로 $C=\dfrac{1}{2}$

따라서 $f(x)=\dfrac{e^x(\sin x-\cos x)}{2}+\dfrac{1}{2}$이므로

$$f(\pi)=\dfrac{e^\pi+1}{2}$$

참고 두 번의 부분적분법을 이용할 때 $\int f(x)g'(x)\,dx$ 꼴에서 $f(x)$, $g'(x)$로 놓는 함수는 같은 형태이어야 한다.

즉, 주어진 문제에서 $g(x)=\cos x$, $h'(x)=e^x$으로 놓으면 문제가 해결되지 않는다.

851 답 ⑤

$f'(x)=e^x\cos x$, $f(0)=\dfrac{1}{2}$이므로

$$f(x)=\int e^x\cos x\,dx$$에서

$u(x)=e^x$, $v'(x)=\cos x$로 놓으면

$u'(x)=e^x$, $v(x)=\sin x$이므로

$$f(x)=\int e^x\cos x\,dx=e^x\sin x-\int e^x\sin x\,dx \qquad \cdots ㉠$$

$\int e^x \sin x\, dx$에서

$g(x)=e^x$, $h'(x)=\sin x$로 놓으면

$g'(x)=e^x$, $h(x)=-\cos x$이므로

$\int e^x \sin x\, dx = -e^x \cos x + \int e^x \cos x\, dx$ ⋯ ㉡

㉡을 ㉠에 대입하면

$\int e^x \cos x\, dx = e^x \sin x + e^x \cos x - \int e^x \cos x\, dx$

$2\int e^x \cos x\, dx = e^x \sin x + e^x \cos x$

$f(x)=\int e^x \cos x\, dx = \dfrac{e^x(\sin x + \cos x)}{2} + C$

$f(0)=\dfrac{1}{2}$에서 $\dfrac{1}{2}+C=\dfrac{1}{2}$이므로 $C=0$

$\therefore f(x)=\dfrac{e^x(\sin x + \cos x)}{2}$

방정식 $\dfrac{e^x(\sin x + \cos x)}{2}=0$에서

$e^x>0$이므로 $\sin x + \cos x = 0$

$\sin x = -\cos x$, $\dfrac{\sin x}{\cos x}=-1$, $\tan x = -1$

$0<x<2\pi$에서 $\tan x = -1$을 만족시키는 x의 값은

$x=\dfrac{3}{4}\pi,\ \dfrac{7}{4}\pi$

따라서 모든 x의 값의 합은

$\dfrac{3}{4}\pi + \dfrac{7}{4}\pi = \dfrac{5}{2}\pi$

실전! 기출 문제 정복하기

➜ 본책 133쪽~135쪽

852 답 ②

$f(x)=\begin{cases} -k\cos x + C_1 & (x<0) \\ \sin 2x - x + C_2 & (x>0) \end{cases}$ 이므로

$f(\pi)=1$에서 $-\pi + C_2 = 1$ $\therefore C_2 = \pi + 1$

$f(-\pi)=1$에서 $k + C_1 = 1$ $\therefore C_1 = -k+1$

$x=0$에서 연속이므로 $-k+C_1 = C_2$, $-2k+1 = \pi + 1$

$\therefore k = -\dfrac{\pi}{2}$

853 답 $\dfrac{7}{15}$

$\cos x = t$로 놓으면 $\dfrac{dt}{dx}=-\sin x$이므로

$f(x)=\int \sin^5 x\, dx$

$=\int \sin x \sin^4 x\, dx$

$=\int \sin x (1-\cos^2 x)^2\, dx$

$=\int \{-(1-t^2)^2\}\, dt$

$=\int (-t^4 + 2t^2 - 1)\, dt$

$=-\dfrac{1}{5}t^5 + \dfrac{2}{3}t^3 - t + C$

$=-\dfrac{1}{5}\cos^5 x + \dfrac{2}{3}\cos^3 x - \cos x + C$

$f\left(\dfrac{\pi}{2}\right)=1$에서 $C=1$

따라서 $f(x)=-\dfrac{1}{5}\cos^5 x + \dfrac{2}{3}\cos^3 x - \cos x + 1$이므로

$f(0)=-\dfrac{1}{5}+\dfrac{2}{3}-1+1=\dfrac{7}{15}$

854 답 ④

$e^x + k = t$로 놓으면 $\dfrac{dt}{dx}=e^x$이므로

$f(x)=\int 3e^x \sqrt{e^x + k}\, dx = \int 3\sqrt{t}\, dt$

$=\int 3t^{\frac{1}{2}}\, dt = 2t^{\frac{3}{2}} + C$

$=2(e^x + k)^{\frac{3}{2}} + C$

$f(0)=6$, $f'(0)=6$이므로

$f(0)=2(1+k)^{\frac{3}{2}}+C=6$, $f'(0)=3\sqrt{1+k}=6$

$\therefore k=3$, $C=-10$

따라서 $f(x)=2(e^x+3)^{\frac{3}{2}}-10$이므로

$f(\ln 6)=2\times 9^{\frac{3}{2}}-10=44$

855 답 ④

$\dfrac{f'(x)}{f(x)}=\dfrac{x}{x^2+3}$이므로

$\int \dfrac{f'(x)}{f(x)}\, dx = \int \dfrac{x}{x^2+3}\, dx$

$\ln f(x) = \dfrac{1}{2}\int \dfrac{(x^2+3)'}{x^2+3}\, dx$

$=\dfrac{1}{2}\ln(x^2+3)+C\ (\because f(x)>0)$

$\ln f(1)=\ln 2 + C$에서

$\ln 2 = \ln 2 + C$이므로 $C=0$

따라서 $f(x)=\sqrt{x^2+3}$이므로 $f(2)=\sqrt{7}$

856 답 ②

㈎에서 $\{f(x)\}^2 f'(x)=\dfrac{2x}{x^2+1}$ 의 양변을 각각 x에 대하여 적

분하면

$$\int \{f(x)\}^2 f'(x)\,dx=\int \frac{2x}{x^2+1}\,dx$$

$f(x)=t$로 놓으면 $f'(x)=\dfrac{dt}{dx}$이므로

$$\int \{f(x)\}^2 f'(x)\,dx=\int t^2\,dt=\frac{1}{3}t^3+C_1$$

$$=\frac{1}{3}\{f(x)\}^3+C_1$$

$x^2+1=s$로 놓으면 $\dfrac{ds}{dx}=2x$이므로

$$\int \frac{2x}{x^2+1}\,dx=\int \frac{1}{s}\,ds=\ln|s|+C_2=\ln(x^2+1)+C_2$$

$\therefore \{f(x)\}^3=3\ln(x^2+1)+C$

㈏에서 $f(0)=0$이므로 $C=0$

따라서 $\{f(x)\}^3=3\ln(x^2+1)$이므로 $\{f(1)\}^3=3\ln 2$

857 답 12π

$\ln x=t$로 놓으면 $\dfrac{dt}{dx}=\dfrac{1}{x}$이므로

$$f(x)=\int \frac{\sin(\ln x)}{x}\,dx=\int \sin t\,dt$$

$$=-\cos t+C=-\cos(\ln x)+C$$

$f(e^{\frac{\pi}{2}})=1$에서 $-\cos(\ln e^{\frac{\pi}{2}})+C=1$이므로 $C=1$

$\therefore f(x)=-\cos(\ln x)+1$

방정식 $f(x)=0$에서 $\cos(\ln x)=1$

$\ln x=2n\pi$ (단, $x>1$이므로 n은 자연수)

$\therefore x=e^{2n\pi}$ (단, n은 자연수)

따라서 $a_1=e^{2\pi}$, $a_2=e^{4\pi}$, $a_3=e^{6\pi}$이므로

$\ln a_1 a_2 a_3=\ln e^{2\pi}e^{4\pi}e^{6\pi}=\ln e^{12\pi}=12\pi$

858 답 ④

$$f(x)=\int \frac{1}{\sin x}\,dx=\int \frac{1}{2\sin\frac{x}{2}\cos\frac{x}{2}}\,dx$$

$$=\int \frac{\dfrac{1}{\cos^2\frac{x}{2}}}{\dfrac{2\sin\frac{x}{2}}{\cos\frac{x}{2}}}\,dx=\int \frac{\sec^2\frac{x}{2}}{2\tan\frac{x}{2}}\,dx$$

$$=\int \frac{\left(\tan\frac{x}{2}\right)'}{\tan\frac{x}{2}}\,dx=\ln\left|\tan\frac{x}{2}\right|+C$$

$f\left(\dfrac{\pi}{2}\right)=0$에서 $C=0$이므로 $f(x)=\ln\left|\tan\dfrac{x}{2}\right|$

$\therefore f\left(\dfrac{\pi}{3}\right)=\ln\left(\tan\dfrac{\pi}{6}\right)=\ln\dfrac{1}{\sqrt3}=-\dfrac{1}{2}\ln 3$

다른 풀이

$$f(x)=\int \frac{1}{\sin x}\,dx=\int \frac{\sin x}{\sin^2 x}\,dx$$

$$=\int \frac{\sin x}{1-\cos^2 x}\,dx$$

$\cos x=t$로 놓으면 $\dfrac{dt}{dx}=-\sin x$이므로

$$f(x)=\int \frac{\sin x}{1-\cos^2 x}\,dx$$

$$=\int \frac{1}{t^2-1}\,dt$$

$$=\int \frac{1}{(t-1)(t+1)}\,dt$$

$$=\frac{1}{2}\int \left(\frac{1}{t-1}-\frac{1}{t+1}\right)\,dt$$

$$=\frac{1}{2}(\ln|t-1|-\ln|t+1|)+C$$

$$=\frac{1}{2}\ln\left|\frac{t-1}{t+1}\right|+C$$

$$=\frac{1}{2}\ln\left|\frac{\cos x-1}{\cos x+1}\right|+C$$

$f\left(\dfrac{\pi}{2}\right)=0$에서 $C=0$이므로 $f(x)=\dfrac{1}{2}\ln\left|\dfrac{\cos x-1}{\cos x+1}\right|$

$\therefore f\left(\dfrac{\pi}{3}\right)=-\dfrac{1}{2}\ln 3$

859 답 $\dfrac{1}{4}$

$$f(x)=\int \frac{1}{4x^2-1}\,dx$$

$$=\int \frac{1}{(2x-1)(2x+1)}\,dx$$

$$=\frac{1}{2}\int \left(\frac{1}{2x-1}-\frac{1}{2x+1}\right)\,dx$$

$$=\frac{1}{4}(\ln|2x-1|-\ln|2x+1|)+C$$

$$=\frac{1}{4}\ln\left|\frac{2x-1}{2x+1}\right|+C$$

$f(1)=0$이므로 $-\dfrac{1}{4}\ln 3+C=0$에서 $C=\dfrac{1}{4}\ln 3$

$\therefore f(x)=\dfrac{1}{4}\ln\left|\dfrac{2x-1}{2x+1}\right|+\dfrac{1}{4}\ln 3$

방정식 $f(x)=0$에서

$$\frac{1}{4}\left(\ln\left|\frac{2x-1}{2x+1}\right|+\ln 3\right)=0$$

$$\ln\left|\frac{2x-1}{2x+1}\right|+\ln 3=0$$

$$\ln 3\left|\frac{2x-1}{2x+1}\right|=0,\ 3\left|\frac{2x-1}{2x+1}\right|=1$$

$\dfrac{2x-1}{2x+1}=\dfrac{1}{3},\ \dfrac{2x-1}{2x+1}=-\dfrac{1}{3}$에서

$x=1$ 또는 $x=\dfrac{1}{4}$

따라서 나머지 한 근은 $\dfrac{1}{4}$이다.

860 답 ③

$\{e^{f(x)}\}'=5xe^{f(x)-x}$에서

$f'(x)e^{f(x)}=5xe^{-x}e^{f(x)}$이므로

$f'(x)=5xe^{-x}$

$u(x)=5x,\ v'(x)=e^{-x}$으로 놓으면

$u'(x)=5,\ v(x)=-e^{-x}$이므로

$f(x)=\displaystyle\int 5xe^{-x}\,dx$

$\qquad =-5xe^{-x}+\displaystyle\int 5e^{-x}\,dx$

$\qquad =-5xe^{-x}-5e^{-x}+C$

$f(0)=1$에서 $-5+C=1$이므로 $C=6$

따라서 $f(x)=-5xe^{-x}-5e^{-x}+6$이므로

$f(-1)=5e-5e+6=6$

861 답 ⑤

$f'(x)=\dfrac{\ln x}{x^2}$에서

$u(x)=\ln x,\ v'(x)=\dfrac{1}{x^2}$로 놓으면

$u'(x)=\dfrac{1}{x},\ v(x)=-\dfrac{1}{x}$이므로

$f(x)=\displaystyle\int \dfrac{\ln x}{x^2}\,dx$

$\qquad =-\dfrac{\ln x}{x}+\displaystyle\int \dfrac{1}{x^2}\,dx$

$\qquad =-\dfrac{\ln x}{x}-\dfrac{1}{x}+C$

$f'(x)=\dfrac{\ln x}{x^2}=0$에서 $x=1$

$x>0$에서 함수 $f(x)$의 증가와 감소를 표로 나타내면

x	0	$\cdots$	1	$\cdots$
$f'(x)$		$-$	0	$+$
$f(x)$		$\searrow$	극소	$\nearrow$

$f(x)$는 $x=1$일 때 극솟값 1을 가지므로

$f(1)=-1+C=1$에서 $C=2$

따라서 $f(x)=-\dfrac{\ln x}{x}-\dfrac{1}{x}+2$이므로

$f(e)=-\dfrac{1}{e}-\dfrac{1}{e}+2=2-\dfrac{2}{e}$

862 답 ②

$\{xf(x)\}'=f(x)+xf'(x)=x\cos x$이므로

$\displaystyle\int \{xf(x)\}'\,dx=\displaystyle\int x\cos x\,dx$

$u(x)=x,\ v'(x)=\cos x$로 놓으면

$u'(x)=1,\ v(x)=\sin x$이므로

$xf(x)=x\sin x-\displaystyle\int \sin x\,dx$

$\qquad =x\sin x+\cos x+C$

㉮에서 $f\!\left(\dfrac{\pi}{2}\right)=1$이므로

$\dfrac{\pi}{2}f\!\left(\dfrac{\pi}{2}\right)=\dfrac{\pi}{2}\sin\dfrac{\pi}{2}+\cos\dfrac{\pi}{2}+C$에서

$\dfrac{\pi}{2}=\dfrac{\pi}{2}+C\qquad \therefore C=0$

$\pi f(\pi)=\pi\sin\pi+\cos\pi$에서

$f(\pi)=-\dfrac{1}{\pi}$

863 답 ⑤

$\displaystyle\lim_{h\to 0}\dfrac{f(x+2h)-f(x-h)}{h}$

$=\displaystyle\lim_{h\to 0}\left\{\dfrac{f(x+2h)-f(x)}{2h}\times 2+\dfrac{f(x-h)-f(x)}{-h}\right\}$

$=3f'(x)$이므로

$f'(x)=e^{-x}\cos 2x$

$u(x)=e^{-x},\ v'(x)=\cos 2x$로 놓으면

$u'(x)=-e^{-x},\ v(x)=\dfrac{1}{2}\sin 2x$이므로

$f(x)=\displaystyle\int e^{-x}\cos 2x\,dx$

$\qquad =\dfrac{1}{2}e^{-x}\sin 2x+\displaystyle\int \dfrac{1}{2}e^{-x}\sin 2x\,dx$ $\qquad \cdots$ ㉠

$\displaystyle\int \dfrac{1}{2}e^{-x}\sin 2x\,dx$에서

$g(x)=\dfrac{1}{2}e^{-x},\ h'(x)=\sin 2x$로 놓으면

$g'(x)=-\dfrac{1}{2}e^{-x},\ h(x)=-\dfrac{1}{2}\cos 2x$이므로

$\displaystyle\int \dfrac{1}{2}e^{-x}\sin 2x\,dx$

$=-\dfrac{1}{4}e^{-x}\cos 2x-\displaystyle\int \dfrac{1}{4}e^{-x}\cos 2x\,dx$ $\qquad \cdots$ ㉡

㉡을 ㉠에 대입하면

$\displaystyle\int e^{-x}\cos 2x\,dx$

$=\dfrac{1}{2}e^{-x}\sin 2x-\dfrac{1}{4}e^{-x}\cos 2x-\displaystyle\int \dfrac{1}{4}e^{-x}\cos 2x\,dx$

$\dfrac{5}{4}\displaystyle\int e^{-x}\cos 2x\,dx=\dfrac{1}{4}(2e^{-x}\sin 2x-e^{-x}\cos 2x)+C_1$

$\therefore f(x)=\displaystyle\int e^{-x}\cos 2x\,dx$

$\qquad =\dfrac{1}{5}(2e^{-x}\sin 2x-e^{-x}\cos 2x)+C$

$f(0)=0$에서 $-\dfrac{1}{5}+C=0$이므로 $C=\dfrac{1}{5}$

따라서 $f(x)=\dfrac{1}{5}(2e^{-x}\sin 2x-e^{-x}\cos 2x+1)$이므로

$f(-\pi)=\dfrac{1-e^{\pi}}{5}$

864 답 $\dfrac{3}{e}-1$

단계 1 $f''(x)$, $f'(x)$의 부정적분 구하기

$$f'(x)=\int\left(3e^{-x}+\frac{3}{2\sqrt{x}}\right)dx$$

$$=\int\left(3e^{-x}+\frac{3}{2}x^{-\frac{1}{2}}\right)dx$$

$$=-3e^{-x}+3x^{\frac{1}{2}}+C_1$$

$$=-3e^{-x}+3\sqrt{x}+C_1$$

$$f(x)=\int\left(-3e^{-x}+3\sqrt{x}+C_1\right)dx$$

$$=\int\left(-3e^{-x}+3x^{\frac{1}{2}}+C_1\right)dx$$

$$=3e^{-x}+2x^{\frac{3}{2}}+C_1x+C_2$$

$$=3e^{-x}+2x\sqrt{x}+C_1x+C_2$$

(단, C_1, C_2는 적분상수) ……50%

단계 2 적분상수 C_1, C_2 구하기

$$\lim_{x\to 0}\frac{f(x)}{x}=-3$$에서

$f(0)=0$, $f'(0)=-3$이므로

$3+C_2=0$, $-3+C_1=-3$

$\therefore C_1=0$, $C_2=-3$ ……30%

단계 3 $f(1)$의 값 구하기

$f(x)=3e^{-x}+2x\sqrt{x}-3$이므로

$$f(1)=\frac{3}{e}-1$$ ……20%

> **날선 특강** 함수의 극한
>
> $\lim\limits_{x\to a}\dfrac{f(x)}{g(x)}=L$ (L은 실수)일 때
>
> (1) $x\to a$일 때 (분모) $\to 0$이면 (분자) $\to 0$
>
> (2) $x\to a$일 때 (분자) $\to 0$이면 (분모) $\to 0$ (단, $L\neq 0$)

865 답 $\dfrac{\pi}{2}-2$

단계 1 $f'(x)$ 구하기

양변을 미분하면

$$f(x)=f(x)+xf'(x)-2x\sin x-x^2\cos x$$

$$\therefore f'(x)=2\sin x+x\cos x$$ ……20%

단계 2 $f'(x)$의 부정적분 구하기

$$f(x)=\int f'(x)\,dx$$

$$=\int(2\sin x+x\cos x)\,dx$$

$$=2\int\sin x\,dx+\int x\cos x\,dx$$

$$=-2\cos x+\int x\cos x\,dx$$

$$\int x\cos x\,dx$$에서

$u(x)=x$, $v'(x)=\cos x$로 놓으면

$u'(x)=1$, $v(x)=\sin x$이므로

$$f(x)=-2\cos x+x\sin x-\int\sin x\,dx$$

$$=-2\cos x+x\sin x+\cos x+C$$

$$=x\sin x-\cos x+C$$ (단, C는 적분상수) ……50%

단계 3 $f\left(\dfrac{\pi}{2}\right)$의 값 구하기

$F(\pi)=-\pi$에서 $\pi f(\pi)=-\pi$이므로 $f(\pi)=-1$

$f(\pi)=1+C=-1$이므로 $C=-2$

따라서 $f(x)=x\sin x-\cos x-2$이므로

$$f\left(\frac{\pi}{2}\right)=\frac{\pi}{2}-2$$ ……30%

2 정적분

➜ 본책 136쪽~138쪽

866 답 4

$$\int_e^{e^2} \frac{4}{x}\, dx = \Big[4\ln|x| \Big]_e^{e^2} = 8 - 4 = 4$$

867 답 $\dfrac{8}{\ln 3} + 2$

$$\int_0^2 \frac{9^x - 1}{3^x - 1}\, dx = \int_0^2 \frac{(3^x + 1)(3^x - 1)}{3^x - 1}\, dx$$
$$= \int_0^2 (3^x + 1)\, dx = \Big[\frac{3^x}{\ln 3} + x \Big]_0^2$$
$$= \frac{8}{\ln 3} + 2$$

868 답 $4(e-1)$

$$\int_0^1 (e^x + 1)^2\, dx + \int_1^0 (e^x - 1)^2\, dx$$
$$= \int_0^1 (e^x + 1)^2\, dx - \int_0^1 (e^x - 1)^2\, dx$$
$$= \int_0^1 \{ (e^x + 1)^2 - (e^x - 1)^2 \}\, dx$$
$$= \int_0^1 4e^x\, dx = \Big[4e^x \Big]_0^1 = 4(e-1)$$

869 답 $\dfrac{5}{3}$

$$\int_1^2 (\sqrt{x} - 1)\, dx + \int_2^4 (\sqrt{x} - 1)\, dx$$
$$= \int_1^4 (\sqrt{x} - 1)\, dx = \int_1^4 (x^{\frac{1}{2}} - 1)\, dx$$
$$= \Big[\frac{2}{3} x^{\frac{3}{2}} - x \Big]_1^4$$
$$= \Big(\frac{16}{3} - 4 \Big) - \Big(\frac{2}{3} - 1 \Big) = \frac{5}{3}$$

870 답 $3\sqrt{3}$

$2\sin x$는 기함수, $3\cos x$는 우함수이므로

$$\int_{-\frac{\pi}{3}}^{\frac{\pi}{3}} (2\sin x + 3\cos x)\, dx$$
$$= 2\int_0^{\frac{\pi}{3}} 3\cos x\, dx$$
$$= 6\Big[\sin x \Big]_0^{\frac{\pi}{3}} = 3\sqrt{3}$$

871 답 $e - \dfrac{1}{e}$

$f(x) = \dfrac{e^x + e^{-x}}{2}$으로 놓으면 $f(-x) = f(x)$

따라서 $f(x)$는 우함수이므로

$$\int_{-1}^1 \frac{e^x + e^{-x}}{2}\, dx = 2\int_0^1 \frac{e^x + e^{-x}}{2}\, dx$$
$$= 2\Big[\frac{e^x - e^{-x}}{2} \Big]_0^1 = e - \frac{1}{e}$$

872 답 6

$f(x+3) = f(x)$이므로

$$\int_1^4 f(x)\, dx = \int_4^7 f(x)\, dx = \int_7^{10} f(x)\, dx = 2$$
$$\therefore \int_1^{10} f(x)\, dx = \int_1^4 f(x)\, dx + \int_4^7 f(x)\, dx + \int_7^{10} f(x)\, dx$$
$$= 2 + 2 + 2 = 6$$

873 답 $\dfrac{1}{7}$

$2x - 1 = t$로 놓으면 $x = \dfrac{t+1}{2}$, $\dfrac{dx}{dt} = \dfrac{1}{2}$

$x = 0$일 때 $t = -1$, $x = 1$일 때 $t = 1$이므로

$$\int_0^1 (2x-1)^6\, dx = \int_{-1}^1 t^6 \times \frac{1}{2}\, dt = \frac{1}{2} \int_{-1}^1 t^6\, dt$$
$$= \frac{1}{2} \Big[\frac{1}{7} t^7 \Big]_{-1}^1$$
$$= \frac{1}{2} \Big(\frac{1}{7} - \Big(-\frac{1}{7} \Big) \Big) = \frac{1}{7}$$

874 답 $\dfrac{34}{15}$

$4 - x = t$로 놓으면 $x = 4 - t$, $\dfrac{dx}{dt} = -1$

$x = 3$일 때 $t = 1$, $x = 4$일 때 $t = 0$이므로

$$\int_3^4 x\sqrt{4-x}\, dx = \int_1^0 -(4-t)\sqrt{t}\, dt = \int_0^1 (4\sqrt{t} - t\sqrt{t})\, dt$$
$$= \int_0^1 (4t^{\frac{1}{2}} - t^{\frac{3}{2}})\, dt = \Big[\frac{8}{3} t^{\frac{3}{2}} - \frac{2}{5} t^{\frac{5}{2}} \Big]_0^1$$
$$= \frac{8}{3} - \frac{2}{5} = \frac{34}{15}$$

875 답 $\dfrac{\sqrt{2}}{6}$

$\sin x = t$로 놓으면 $\dfrac{dt}{dx} = \cos x$

$x = 0$일 때 $t = 0$, $x = \dfrac{\pi}{4}$일 때 $t = \dfrac{\sqrt{2}}{2}$이므로

$$\int_0^{\frac{\pi}{4}} 2\sin^2 x \cos x\, dx = \int_0^{\frac{\sqrt{2}}{2}} 2t^2\, dt = \Big[\frac{2}{3} t^3 \Big]_0^{\frac{\sqrt{2}}{2}} = \frac{\sqrt{2}}{6}$$

876 답 $\dfrac{1}{2}$

$\ln x = t$로 놓으면 $\dfrac{dt}{dx} = \dfrac{1}{x}$

$x = 1$일 때 $t = 0$, $x = e$일 때 $t = 1$이므로

$$\int_1^e \frac{\ln x}{x}\, dx = \int_0^1 t\, dt = \Big[\frac{1}{2} t^2 \Big]_0^1 = \frac{1}{2}$$

877 답 $\ln \dfrac{3}{2}$

$e^x = t$로 놓으면 $\dfrac{dt}{dx} = e^x$

$x=0$일 때 $t=1$, $x=\ln 2$일 때 $t=2$이므로

$$\int_0^{\ln 2} \frac{e^x}{e^x+1}\, dx = \int_1^2 \frac{1}{t+1}\, dt = \Big[\ln|t+1| \Big]_1^2$$
$$= \ln 3 - \ln 2 = \ln \frac{3}{2}$$

878 답 $\ln 2$

$x^2+3x+4=t$로 놓으면 $\dfrac{dt}{dx} = 2x+3$

$x=-1$일 때 $t=2$, $x=0$일 때 $t=4$이므로

$$\int_{-1}^0 \frac{2x+3}{x^2+3x+4}\, dx = \int_2^4 \frac{1}{t}\, dt = \Big[\ln|t| \Big]_2^4$$
$$= \ln 4 - \ln 2 = \ln 2$$

879 답 (개) : $2\cos\theta$, (내) : $\dfrac{\pi}{6}$, (대) : $\dfrac{\pi}{2}$, (래) : $\sin 2\theta$, (매) : $\dfrac{2}{3}\pi - \dfrac{\sqrt{3}}{2}$

$x=2\sin\theta \left(-\dfrac{\pi}{2} \le \theta \le \dfrac{\pi}{2} \right)$로 놓으면

$$\frac{dx}{d\theta} = \boxed{2\cos\theta}$$

$x=1$일 때 $\theta = \boxed{\dfrac{\pi}{6}}$, $x=2$일 때 $\theta = \boxed{\dfrac{\pi}{2}}$이므로

$$\int_1^2 \sqrt{4-x^2}\, dx = \int_{\frac{\pi}{6}}^{\frac{\pi}{2}} \sqrt{4-4\sin^2\theta} \times 2\cos\theta\, d\theta$$
$$= \int_{\frac{\pi}{6}}^{\frac{\pi}{2}} 4\cos^2\theta\, d\theta$$
$$= \int_{\frac{\pi}{6}}^{\frac{\pi}{2}} 4 \times \frac{1+\cos 2\theta}{2}\, d\theta$$
$$= \Big[2\theta + \boxed{\sin 2\theta} \Big]_{\frac{\pi}{6}}^{\frac{\pi}{2}}$$
$$= \pi - \frac{\pi}{3} - \sin\frac{\pi}{3}$$
$$= \boxed{\frac{2}{3}\pi - \frac{\sqrt{3}}{2}}$$

880 답 $\dfrac{\pi}{12}$

$x=\tan\theta \left(-\dfrac{\pi}{2} < \theta < \dfrac{\pi}{2} \right)$로 놓으면 $\dfrac{dx}{d\theta} = \sec^2\theta$

$x=1$일 때 $\theta = \dfrac{\pi}{4}$, $x=\sqrt{3}$일 때 $\theta = \dfrac{\pi}{3}$이므로

$$\int_1^{\sqrt{3}} \frac{1}{1+x^2}\, dx = \int_{\frac{\pi}{4}}^{\frac{\pi}{3}} \frac{1}{1+\tan^2\theta} \times \sec^2\theta\, d\theta$$
$$= \int_{\frac{\pi}{4}}^{\frac{\pi}{3}} \frac{1}{\sec^2\theta} \times \sec^2\theta\, d\theta$$
$$= \int_{\frac{\pi}{4}}^{\frac{\pi}{3}} 1\, d\theta = \Big[\theta \Big]_{\frac{\pi}{4}}^{\frac{\pi}{3}}$$
$$= \frac{\pi}{3} - \frac{\pi}{4} = \frac{\pi}{12}$$

881 답 $\dfrac{\pi}{2}$

$x=\sin\theta \left(-\dfrac{\pi}{2} \le \theta \le \dfrac{\pi}{2} \right)$로 놓으면 $\dfrac{dx}{d\theta} = \cos\theta$

$x=0$일 때 $\theta=0$, $x=1$일 때 $\theta = \dfrac{\pi}{2}$이므로

$$\int_0^1 \frac{1}{\sqrt{1-x^2}}\, dx = \int_0^{\frac{\pi}{2}} \frac{1}{\sqrt{1-\sin^2\theta}} \times \cos\theta\, d\theta$$
$$= \int_0^{\frac{\pi}{2}} \frac{1}{\sqrt{\cos^2\theta}} \times \cos\theta\, d\theta$$
$$= \int_0^{\frac{\pi}{2}} 1\, d\theta = \Big[\theta \Big]_0^{\frac{\pi}{2}} = \frac{\pi}{2}$$

882 답 1

$u(x)=x$, $v'(x)=e^x$으로 놓으면

$u'(x)=1$, $v(x)=e^x$이므로

$$\int_0^1 xe^x\, dx = \Big[xe^x \Big]_0^1 - \int_0^1 e^x\, dx = e - \Big[e^x \Big]_0^1$$
$$= e - (e-1) = 1$$

883 답 $2\pi - 2$

$u(x)=2x$, $v'(x)=\sin x$로 놓으면

$u'(x)=2$, $v(x)=-\cos x$이므로

$$\int_{\frac{\pi}{2}}^{\pi} 2x\sin x\, dx = \Big[-2x\cos x \Big]_{\frac{\pi}{2}}^{\pi} + \int_{\frac{\pi}{2}}^{\pi} 2\cos x\, dx$$
$$= 2\pi + \Big[2\sin x \Big]_{\frac{\pi}{2}}^{\pi} = 2\pi - 2$$

884 답 1

$u(x)=\ln x$, $v'(x)=1$로 놓으면

$u'(x)=\dfrac{1}{x}$, $v(x)=x$이므로

$$\int_1^e \ln x\, dx = \Big[x\ln x \Big]_1^e - \int_1^e 1\, dx$$
$$= e - \Big[x \Big]_1^e = e - (e-1) = 1$$

885 답 $2 - \dfrac{5}{e}$

$u(x)=x^2$, $v'(x)=e^{-x}$으로 놓으면

$u'(x)=2x$, $v(x)=-e^{-x}$이므로

$$\int_0^1 x^2 e^{-x}\, dx = \Big[-x^2 e^{-x} \Big]_0^1 + \int_0^1 2x e^{-x}\, dx$$
$$= -e^{-1} + \int_0^1 2x e^{-x}\, dx \quad \cdots \ \ominus$$

$\displaystyle\int_0^1 2x e^{-x}\, dx$에서

$g(x)=2x$, $h'(x)=e^{-x}$으로 놓으면

$g'(x)=2$, $h(x)=-e^{-x}$이므로

$$\int_0^1 2xe^{-x}\,dx = \left[-2xe^{-x}\right]_0^1 + \int_0^1 2e^{-x}\,dx$$
$$= -2e^{-1} + \left[-2e^{-x}\right]_0^1$$
$$= -2e^{-1} + (-2e^{-1}+2)$$
$$= -4e^{-1}+2 \qquad \cdots \ ㉡$$

㉡을 ㉠에 대입하여 정리하면

$$\int_0^1 x^2 e^{-x}\,dx = -e^{-1} + \int_0^1 2xe^{-x}\,dx$$
$$= -e^{-1} - 4e^{-1} + 2 = 2 - \frac{5}{e}$$

886 답 $f(x) = 1 + \dfrac{4}{x^3} + \dfrac{1}{2\sqrt{x}}$

주어진 등식의 양변을 x에 대하여 미분하면

$$f(x) = 1 + \frac{4}{x^3} + \frac{1}{2\sqrt{x}}$$

887 답 $f(x) = 2e^{2x} + \sin x$

주어진 등식의 양변을 x에 대하여 미분하면

$$f(x) = 2e^{2x} + \sin x$$

888 답 $f(x) = \ln x + 1$

주어진 등식의 양변을 x에 대하여 미분하면

$$f(x) = \ln x + 1$$

889 답 4

$f(t) = (2^t+1)^2$이라 하고 $f(t)$의 한 부정적분을 $F(t)$라 하면

$$\lim_{x \to 0} \frac{1}{x}\int_0^x (2^t+1)^2\,dt = \lim_{x \to 0} \frac{1}{x}\int_0^x f(t)\,dt$$
$$= \lim_{x \to 0} \frac{F(x)-F(0)}{x}$$
$$= F'(0) = f(0) = 4$$

890 답 $\pi + 1$

$f(t) = t - \cos t$라 하고 $f(t)$의 한 부정적분을 $F(t)$라 하면

$$\lim_{x \to \pi} \frac{1}{x-\pi}\int_\pi^x (t-\cos t)\,dt = \lim_{x \to \pi} \frac{1}{x-\pi}\int_\pi^x f(t)\,dt$$
$$= \lim_{x \to \pi} \frac{F(x)-F(\pi)}{x-\pi}$$
$$= F'(\pi) = f(\pi) = \pi + 1$$

891 답 e

$f(t) = t\ln t$라 하고 $f(t)$의 한 부정적분을 $F(t)$라 하면

$$\lim_{x \to 0} \frac{1}{x}\int_e^{x+e} t\ln t\,dt = \lim_{x \to 0} \frac{1}{x}\int_e^{x+e} f(t)\,dt$$
$$= \lim_{x \to 0} \frac{F(x+e)-F(e)}{x}$$
$$= F'(e) = f(e) = e$$

도전! 유형 연습하기

➡ 본책 139쪽~147쪽

892 답 $\dfrac{2}{3}$

단계 1 피적분함수 간단히 하기

$$\int_1^4 \frac{(1-\sqrt{x})^2}{\sqrt{x}}\,dx = \int_1^4 \frac{1-2\sqrt{x}+x}{\sqrt{x}}\,dx$$
$$= \int_1^4 \left(\frac{1}{\sqrt{x}} - 2 + \sqrt{x}\right)dx$$
$$= \int_1^4 \left(x^{-\frac{1}{2}} - 2 + x^{\frac{1}{2}}\right)dx$$

단계 2 정적분의 값 구하기

$$\int_1^4 \left(x^{-\frac{1}{2}} - 2 + x^{\frac{1}{2}}\right)dx = \left[2x^{\frac{1}{2}} - 2x + \frac{2}{3}x^{\frac{3}{2}}\right]_1^4$$
$$= \left(4 - 8 + \frac{16}{3}\right) - \left(2 - 2 + \frac{2}{3}\right) = \frac{2}{3}$$

893 답 ②

$$\int_2^6 \frac{x-2}{x+2}\,dx = \int_2^6 \left(1 - \frac{4}{x+2}\right)dx$$
$$= \left[x - 4\ln|x+2|\right]_2^6$$
$$= (6 - 4\ln 8) - (2 - 4\ln 4)$$
$$= 4 - 4\ln 2$$

894 답 25

$$\int_0^1 (3^x-1)(9^x+3^x+1)\,dx$$
$$= \int_0^1 (27^x-1)\,dx = \left[\frac{27^x}{\ln 27} - x\right]_0^1$$
$$= \left(\frac{27}{\ln 27} - 1\right) - \frac{1}{\ln 27} = \frac{26}{3\ln 3} - 1$$

따라서 $a = 26$, $b = -1$이므로 $a + b = 25$

895 답 ④

$$\int_{\frac{\pi}{6}}^{\frac{\pi}{3}} \frac{1}{\sin^2 x \cos^2 x}\,dx = \int_{\frac{\pi}{6}}^{\frac{\pi}{3}} \frac{\sin^2 x + \cos^2 x}{\sin^2 x \cos^2 x}\,dx$$
$$= \int_{\frac{\pi}{6}}^{\frac{\pi}{3}} \left(\frac{1}{\cos^2 x} + \frac{1}{\sin^2 x}\right)dx$$
$$= \int_{\frac{\pi}{6}}^{\frac{\pi}{3}} (\sec^2 x + \csc^2 x)\,dx$$
$$= \left[\tan x - \cot x\right]_{\frac{\pi}{6}}^{\frac{\pi}{3}}$$
$$= \left(\sqrt{3} - \frac{1}{\sqrt{3}}\right) - \left(\frac{1}{\sqrt{3}} - \sqrt{3}\right)$$
$$= 2\sqrt{3} - \frac{2}{\sqrt{3}} = 2\sqrt{3} - \frac{2\sqrt{3}}{3} = \frac{4\sqrt{3}}{3}$$

896 답 ③

곡선 $y=x^4$ 위의 임의의 점 $P(x, y)$에서의 접선의 기울기 $y'=4x^3$은 $\tan \theta(x)$와 같으므로

$\tan \theta(x)=4x^3$

$\therefore \cot \theta(x)=\dfrac{1}{\tan \theta(x)}=\dfrac{1}{4x^3}$

$\displaystyle\int_{\frac{1}{2}}^1 \cot \theta(x)\,dx=\int_{\frac{1}{2}}^1 \dfrac{1}{4x^3}\,dx=\left[-\dfrac{1}{8x^2}\right]_{\frac{1}{2}}^1$

$\qquad\qquad\qquad\qquad =-\dfrac{1}{8}+\dfrac{1}{2}=\dfrac{3}{8}$

897 답 ③

단계 1 정적분의 성질을 이용하여 식 간단히 하기

$\displaystyle\int_1^2 \dfrac{x+1}{x^2+2x}\,dx+\int_2^1 \dfrac{x-3}{x^2+2x}\,dx$

$=\displaystyle\int_1^2 \dfrac{x+1}{x^2+2x}\,dx-\int_1^2 \dfrac{x-3}{x^2+2x}\,dx$

$=\displaystyle\int_1^2 \dfrac{4}{x^2+2x}\,dx=\int_1^2 \dfrac{4}{x(x+2)}\,dx$

$=2\displaystyle\int_1^2 \left(\dfrac{1}{x}-\dfrac{1}{x+2}\right)dx$

단계 2 정적분의 값 구하기

$2\displaystyle\int_1^2 \left(\dfrac{1}{x}-\dfrac{1}{x+2}\right)dx=2\Big[\ln|x|-\ln|x+2|\Big]_1^2$

$\qquad\qquad\qquad\qquad =2(\ln 2-\ln 4+\ln 3)=2\ln \dfrac{3}{2}$

898 답 45

$\displaystyle\int_{10}^8 f(x)\,dx+\int_1^6 f(y)\,dy-\int_{10}^6 f(z)\,dz$

$=-\displaystyle\int_8^{10} f(x)\,dx+\int_1^6 f(x)\,dx+\int_6^{10} f(x)\,dx$

$=\displaystyle\int_1^8 f(x)\,dx=\int_1^8 4\sqrt[3]{x}\,dx=\int_1^8 4x^{\frac{1}{3}}\,dx$

$=\left[3x^{\frac{4}{3}}\right]_1^8=3(16-1)=45$

899 답 1

$\displaystyle\int_0^{\ln 3} \dfrac{e^{2x}}{e^x+1}\,dx+\int_{\ln 3}^0 \dfrac{1}{e^x+1}\,dx$

$=\displaystyle\int_0^{\ln 3} \dfrac{e^{2x}}{e^x+1}\,dx-\int_0^{\ln 3} \dfrac{1}{e^x+1}\,dx$

$=\displaystyle\int_0^{\ln 3} \dfrac{e^{2x}-1}{e^x+1}\,dx=\int_0^{\ln 3} \dfrac{(e^x+1)(e^x-1)}{e^x+1}\,dx$

$=\displaystyle\int_0^{\ln 3} (e^x-1)\,dx=\Big[e^x-x\Big]_0^{\ln 3}$

$=(3-\ln 3)-1=2-\ln 3$

따라서 $a=2$, $b=-1$이므로

$a+b=1$

900 답 ⑤

$\displaystyle\int_0^\pi (\sin x+1)^2\,dx-\int_\pi^0 (\cos y-1)^2\,dy$

$=\displaystyle\int_0^\pi (\sin x+1)^2\,dx+\int_0^\pi (\cos x-1)^2\,dx$

$=\displaystyle\int_0^\pi (3+2\sin x-2\cos x)\,dx$

$=\Big[3x-2\cos x-2\sin x\Big]_0^\pi$

$=3\pi+2+2$

$=4+3\pi$

901 답 e

$\displaystyle\int_{-1}^3 f(x)\,dx=\int_{-1}^0 f(x)\,dx+\int_0^3 f(x)\,dx$

$\qquad\qquad =\displaystyle\int_{-1}^0 (e^{-x}-1)\,dx+\int_0^3 \pi \sin \pi x\,dx$

$\qquad\qquad =\Big[-e^{-x}-x\Big]_{-1}^0+\Big[-\cos \pi x\Big]_0^3$

$\qquad\qquad =-1-(-e+1)+(1+1)$

$\qquad\qquad =e$

902 답 ①

단계 1 $2^x-1=0$을 만족시키는 x의 값을 경계로 적분 구간을 나누기

$2^x-1=0$에서 $x=0$

$|2^x-1|=\begin{cases} 2^x-1 & (x\geq 0) \\ -2^x+1 & (x\leq 0)\end{cases}$이므로

$\displaystyle\int_{-1}^1 |2^x-1|\,dx=\int_{-1}^0 (-2^x+1)\,dx+\int_0^1 (2^x-1)\,dx$

단계 2 정적분의 값 구하기

$\displaystyle\int_{-1}^0 (-2^x+1)\,dx+\int_0^1 (2^x-1)\,dx$

$=\left[-\dfrac{2^x}{\ln 2}+x\right]_{-1}^0+\left[\dfrac{2^x}{\ln 2}-x\right]_0^1$

$=-\dfrac{1}{\ln 2}-\left(-\dfrac{1}{2\ln 2}-1\right)+\left(\dfrac{2}{\ln 2}-1\right)-\dfrac{1}{\ln 2}$

$=\dfrac{1}{2\ln 2}$

903 답 e^2+e-2

$|x|=\begin{cases} x & (x\geq 0) \\ -x & (x\leq 0)\end{cases}$이므로

$\displaystyle\int_{-1}^2 e^{|x|}\,dx=\int_{-1}^0 e^{-x}\,dx+\int_0^2 e^x\,dx$

$\qquad\qquad =\Big[-e^{-x}\Big]_{-1}^0+\Big[e^x\Big]_0^2$

$\qquad\qquad =(-1+e)+(e^2-1)$

$\qquad\qquad =e^2+e-2$

904 답 ②

$$|\sin x - \cos x| = \begin{cases} \cos x - \sin x & \left(0 \le x \le \dfrac{\pi}{4}\right) \\ \sin x - \cos x & \left(\dfrac{\pi}{4} \le x \le \pi\right) \end{cases} \text{이므로}$$

$$\int_0^\pi |\sin x - \cos x|\, dx$$

$$= \int_0^{\frac{\pi}{4}} (\cos x - \sin x)\, dx + \int_{\frac{\pi}{4}}^\pi (\sin x - \cos x)\, dx$$

$$= \Big[\sin x + \cos x\Big]_0^{\frac{\pi}{4}} + \Big[-\cos x - \sin x\Big]_{\frac{\pi}{4}}^\pi$$

$$= \left(\frac{\sqrt{2}}{2} + \frac{\sqrt{2}}{2}\right) - 1 + 1 - \left(-\frac{\sqrt{2}}{2} - \frac{\sqrt{2}}{2}\right) = 2\sqrt{2}$$

905 답 $\dfrac{2}{\pi}$

$0 \le x \le \dfrac{3}{2}\pi$에서

$(f \circ g)(x) = |\cos x| + k$

$$= \begin{cases} \cos x + k & \left(0 \le x \le \dfrac{\pi}{2}\right) \\ -\cos x + k & \left(\dfrac{\pi}{2} \le x \le \dfrac{3}{2}\pi\right) \end{cases} \text{이므로}$$

$$\int_0^{\frac{3}{2}\pi} (f \circ g)(x)\, dx = \int_0^{\frac{\pi}{2}} (\cos x + k)\, dx + \int_{\frac{\pi}{2}}^{\frac{3}{2}\pi} (-\cos x + k)\, dx$$

$$= \Big[\sin x + kx\Big]_0^{\frac{\pi}{2}} + \Big[-\sin x + kx\Big]_{\frac{\pi}{2}}^{\frac{3}{2}\pi}$$

$$= 1 + \frac{\pi}{2}k + 1 + \frac{3}{2}\pi k - \left(-1 + \frac{\pi}{2}k\right)$$

$$= \frac{3}{2}\pi k + 3$$

따라서 $\dfrac{3}{2}\pi k + 3 = 6$이므로 $k = \dfrac{2}{\pi}$

906 답 ④

단계 1 우함수, 기함수의 성질을 이용하여 주어진 식 간단히 하기

x^2은 우함수, $\sin x$는 기함수이므로 $x^2 \sin x$는 기함수이다.
또 $\tan x$는 기함수, $\cos 2x$는 우함수이므로

$$\int_{-\frac{\pi}{4}}^{\frac{\pi}{4}} (x^2 \sin x - \tan x + \cos 2x)\, dx$$

$$= 2\int_0^{\frac{\pi}{4}} \cos 2x\, dx$$

단계 2 정적분의 값 구하기

$$2\int_0^{\frac{\pi}{4}} \cos 2x\, dx = \Big[\sin 2x\Big]_0^{\frac{\pi}{4}} = 1$$

날선특강 우함수, 기함수의 곱

(1) (우함수) × (우함수) = (우함수)

(2) (우함수) × (기함수) = (기함수)

(3) (기함수) × (기함수) = (우함수)

907 답 ④

$f(x) = 2^x + 2^{-x}$으로 놓으면
$f(-x) = 2^{-x} + 2^x = f(x)$이므로 $f(x)$는 우함수이다.
또 $g(x) = 5^x - 5^{-x}$으로 놓으면
$g(-x) = 5^{-x} - 5^x = -(5^x - 5^{-x}) = -g(x)$이므로
$g(x)$는 기함수이다.

$$\therefore \int_{-1}^1 (2^x + 5^x + 2^{-x} - 5^{-x})\, dx$$

$$= \int_{-1}^1 (2^x + 2^{-x})\, dx + \int_{-1}^1 (5^x - 5^{-x})\, dx$$

$$= 2\int_0^1 (2^x + 2^{-x})\, dx = 2\left[\frac{2^x}{\ln 2} - \frac{2^{-x}}{\ln 2}\right]_0^1$$

$$= 2\left(\frac{2}{\ln 2} - \frac{1}{2\ln 2}\right) = \frac{3}{\ln 2}$$

908 답 ②

ㄱ. $f(-x)e^{(-x)^2} = -f(x)e^{x^2}$이므로 $f(x)e^{x^2}$은 기함수이다.

$$\therefore \int_{-1}^1 f(x)e^{x^2}\, dx = 0$$

ㄴ. $\cos f(-x) = \cos(-f(x)) = \cos f(x)$이므로 $\cos f(x)$
는 우함수이다.

ㄷ. $f(-x)\sin(-x) = -f(x) \times (-\sin x) = f(x)\sin x$이
므로 $f(x)\sin x$는 우함수이다.

ㄹ. $e^{f(-x)} - e^{-f(-x)} = e^{-f(x)} - e^{f(x)} = -(e^{f(x)} - e^{-f(x)})$이므로
$e^{f(x)} - e^{-f(x)}$는 기함수이다.

$$\therefore \int_{-2}^2 (e^{f(x)} - e^{-f(x)})\, dx = 0$$

따라서 정적분의 값이 항상 0인 것은 ㄱ, ㄹ이다.

909 답 ④

단계 1 함수 $|\sin 2x|$의 주기 구하기

$y = \sin 2x$는 주기가 $\dfrac{2\pi}{2} = \pi$인 주기함수이므로

$y = |\sin 2x|$의 주기는 $\dfrac{\pi}{2}$이다.

단계 2 정적분의 값 구하기

$$\int_0^{\frac{\pi}{2}} |\sin 2x|\, dx = \int_0^{\frac{\pi}{2}} \sin 2x\, dx$$

$$= \Big[-\frac{1}{2}\cos 2x\Big]_0^{\frac{\pi}{2}} = \frac{1}{2} + \frac{1}{2} = 1$$

$$\therefore \int_0^{10\pi} |\sin 2x|\, dx = 20\int_0^{\frac{\pi}{2}} |\sin 2x|\, dx = 20$$

날선특강 삼각함수의 주기

(1) 함수 $y = a\sin bx + c$의 주기 ➡ $\dfrac{2\pi}{|b|}$

(2) 함수 $y = a\cos bx + c$의 주기 ➡ $\dfrac{2\pi}{|b|}$

(3) 함수 $y = a\tan bx + c$의 주기 ➡ $\dfrac{\pi}{|b|}$

910 답 ①

$y=\cos 4x-1$은 주기가 $\dfrac{2\pi}{4}=\dfrac{\pi}{2}$인 주기함수이고, 우함수이므로

$$\int_{-\frac{\pi}{4}}^{\frac{\pi}{4}}(\cos 4x-1)\,dx=2\int_0^{\frac{\pi}{4}}(\cos 4x-1)\,dx$$

$$=2\Big[\dfrac{1}{4}\sin 4x-x\Big]_0^{\frac{\pi}{4}}=-\dfrac{\pi}{2}$$

$$\therefore \int_{-\frac{\pi}{4}}^{\frac{9}{4}\pi}(\cos 4x-1)\,dx=5\int_{-\frac{\pi}{4}}^{\frac{\pi}{4}}(\cos 4x-1)\,dx=-\dfrac{5}{2}\pi$$

911 답 $4\Big(e-\dfrac{1}{e}\Big)$

$f(x+2)=f(x)$이므로

$$\int_{-1}^1 f(x)\,dx=\int_3^5 f(x)\,dx=\int_5^7 f(x)\,dx$$

$$=\int_7^9 f(x)\,dx=\int_9^{11}f(x)\,dx$$

또 $-1\le x\le 1$에서

$f(-x)=\dfrac{e^{-x}+e^x}{2}=f(x)$이므로 $f(x)$는 우함수이다.

$$\therefore \int_3^{11}f(x)\,dx=4\int_{-1}^1 f(x)\,dx=8\int_0^1 \dfrac{e^x+e^{-x}}{2}\,dx$$

$$=8\Big[\dfrac{e^x-e^{-x}}{2}\Big]_0^1=8\times\dfrac{e-e^{-1}}{2}$$

$$=4\Big(e-\dfrac{1}{e}\Big)$$

912 답 $\dfrac{1}{3}$

단계 1 $2x+1=t$로 치환하여 t에 대한 식으로 나타내기

$2x+1=t$로 놓으면 $x=\dfrac{t-1}{2}$, $\dfrac{dx}{dt}=\dfrac{1}{2}$

$x=0$일 때 $t=1$, $x=1$일 때 $t=3$이므로

$$\int_0^1 \dfrac{x}{\sqrt{2x+1}}\,dx=\int_1^3 \dfrac{t-1}{4\sqrt{t}}\,dt$$

단계 2 정적분의 값 구하기

$$\int_1^3 \dfrac{t-1}{4\sqrt{t}}\,dt=\dfrac{1}{4}\int_1^3\Big(\sqrt{t}-\dfrac{1}{\sqrt{t}}\Big)\,dt$$

$$=\dfrac{1}{4}\int_1^3\big(t^{\frac{1}{2}}-t^{-\frac{1}{2}}\big)\,dt$$

$$=\dfrac{1}{4}\Big[\dfrac{2}{3}t^{\frac{3}{2}}-2t^{\frac{1}{2}}\Big]_1^3$$

$$=\dfrac{1}{4}\Big\{(2\sqrt{3}-2\sqrt{3})-\Big(\dfrac{2}{3}-2\Big)\Big\}$$

$$=\dfrac{1}{3}$$

913 답 ⑤

$x^2-2=t$로 놓으면 $\dfrac{dt}{dx}=2x$

$x=\sqrt{2}$일 때 $t=0$, $x=\sqrt{3}$일 때 $t=1$이므로

$$\int_{\sqrt{2}}^{\sqrt{3}}x^3\sqrt{x^2-2}\,dx=\int_{\sqrt{2}}^{\sqrt{3}}x^2\sqrt{x^2-2}\times x\,dx$$

$$=\int_0^1 (t+2)\sqrt{t}\times\dfrac{1}{2}\,dt$$

$$=\int_0^1\Big(\dfrac{t\sqrt{t}}{2}+\sqrt{t}\Big)\,dt$$

$$=\int_0^1\Big(\dfrac{t^{\frac{3}{2}}}{2}+t^{\frac{1}{2}}\Big)\,dt$$

$$=\Big[\dfrac{1}{5}t^{\frac{5}{2}}+\dfrac{2}{3}t^{\frac{3}{2}}\Big]_0^1=\dfrac{1}{5}+\dfrac{2}{3}=\dfrac{13}{15}$$

914 답 ⑤

$x+1=t$로 놓으면 $x=t-1$, $\dfrac{dx}{dt}=1$

$x=0$일 때 $t=1$, $x=3$일 때 $t=4$이므로

$$\int_0^3 \sqrt{x}\,f(x+1)\,dx=\int_1^4 \sqrt{t-1}\,f(t)\,dt$$

이때 $1\le t\le 4$에서 $f(t)=3$이므로

$$\int_1^4 \sqrt{t-1}\,f(t)\,dt=\int_1^4 3(t-1)^{\frac{1}{2}}\,dt=\Big[2(t-1)^{\frac{3}{2}}\Big]_1^4=6\sqrt{3}$$

다른 풀이

$f(x)=\begin{cases}3x & (0\le x\le 1)\\ 3 & (1\le x\le 4)\end{cases}$ 에서

$f(x+1)=\begin{cases}3x+3 & (-1\le x\le 0)\\ 3 & (0\le x\le 3)\end{cases}$

$$\therefore \int_0^3 \sqrt{x}\,f(x+1)\,dx=\int_0^3 3\sqrt{x}\,dx=\Big[2x^{\frac{3}{2}}\Big]_0^3=6\sqrt{3}$$

915 답 63

$6-x=t$로 놓으면 $\dfrac{dt}{dx}=-1$

$x=0$일 때 $t=6$, $x=3$일 때 $t=3$이므로

$$\int_0^3 f(6-x)\,dx=\int_6^3 \{-f(t)\}\,dt=\int_3^6 f(t)\,dt$$

$$\int_0^3 \{f(x)+f(6-x)\}\,dx=\int_0^3 f(x)\,dx+\int_0^3 f(6-x)\,dx$$

$$=\int_0^3 f(x)\,dx+\int_3^6 f(x)\,dx$$

$$=\int_0^6 f(x)\,dx=\int_0^6 2^x\,dx=\Big[\dfrac{2^x}{\ln 2}\Big]_0^6$$

$$=\dfrac{64}{\ln 2}-\dfrac{1}{\ln 2}=\dfrac{63}{\ln 2}=\dfrac{k}{\ln 2}$$

$$\therefore k=63$$

916 답 $\dfrac{1}{2}\ln 5$

$e^x=t$로 놓으면 $\dfrac{dt}{dx}=e^x$

$x=0$일 때 $t=1$, $x=\ln 3$일 때 $t=3$이므로

$$\int_0^{\ln 3} \frac{e^x}{e^x+e^{-x}}\,dx=\int_1^3 \frac{1}{t+t^{-1}}\,dt=\int_1^3 \frac{t}{t^2+1}\,dt$$
$$=\frac{1}{2}\int_1^3 \frac{(t^2+1)'}{t^2+1}\,dt=\frac{1}{2}\Big[\ln(t^2+1)\Big]_1^3$$
$$=\frac{1}{2}(\ln 10-\ln 2)=\frac{1}{2}\ln 5$$

917 답 ④

$\ln x=t$로 놓으면 $\dfrac{dt}{dx}=\dfrac{1}{x}$

$x=1$일 때 $t=0$, $x=k$일 때 $t=\ln k$이므로

$$f(k)=\int_1^k \frac{\sqrt{\ln x}}{x}\,dx=\int_0^{\ln k}\sqrt{t}\,dt$$
$$=\Big[\frac{2}{3}t^{\frac{3}{2}}\Big]_0^{\ln k}=\frac{2}{3}(\ln k)\sqrt{\ln k}$$
$$\therefore f(k^9)=\frac{2}{3}(\ln k^9)\sqrt{\ln k^9}=27\times\frac{2}{3}(\ln k)\sqrt{\ln k}=27f(k)$$

918 답 ②

$$\int_0^\pi \frac{\sin x}{1+2\cos x}\,dx-\int_\pi^0 \frac{2\sin x}{1+2\cos x}\,dx$$
$$=\int_0^\pi \frac{\sin x}{1+2\cos x}\,dx+\int_0^\pi \frac{2\sin x}{1+2\cos x}\,dx$$
$$=\int_0^\pi \frac{3\sin x}{1+2\cos x}\,dx$$

$\cos x=t$로 놓으면 $\dfrac{dt}{dx}=-\sin x$

$x=0$일 때 $t=1$, $x=\pi$일 때 $t=-1$이므로

$$\int_0^\pi \frac{3\sin x}{1+2\cos x}\,dx=\int_1^{-1} \frac{-3}{1+2t}\,dt=\int_{-1}^1 \frac{3}{1+2t}\,dt$$
$$=\Big[\frac{3}{2}\ln|1+2t|\Big]_{-1}^1=\frac{3}{2}\ln 3$$

919 답 ④

$$\int_0^{\frac{\pi}{2}}\cos^3 x\,dx=\int_0^{\frac{\pi}{2}}\cos^2 x\times\cos x\,dx$$
$$=\int_0^{\frac{\pi}{2}}(1-\sin^2 x)\cos x\,dx$$

$\sin x=t$로 놓으면 $\dfrac{dt}{dx}=\cos x$

$x=0$일 때 $t=0$, $x=\dfrac{\pi}{2}$일 때 $t=1$이므로

$$\int_0^{\frac{\pi}{2}}(1-\sin^2 x)\cos x\,dx=\int_0^1 (1-t^2)\,dt$$
$$=\Big[t-\frac{1}{3}t^3\Big]_0^1=1-\frac{1}{3}=\frac{2}{3}$$

920 답 ②

$a+\ln x=t$로 놓으면 $\dfrac{dt}{dx}=\dfrac{1}{x}$

$x=e$일 때 $t=a+1$, $x=e^3$일 때 $t=a+3$이므로

$$\int_e^{e^3} \frac{a+\ln x}{x}\,dx=\int_{a+1}^{a+3} t\,dt=\Big[\frac{1}{2}t^2\Big]_{a+1}^{a+3}=2a+4$$

$\displaystyle\int_0^\pi (1+\cos x)\sin x\,dx$에서 $1+\cos x=s$로 놓으면

$\dfrac{ds}{dx}=-\sin x$

$x=0$일 때 $s=2$, $x=\pi$일 때 $s=0$이므로

$$\int_0^\pi (1+\cos x)\sin x\,dx=\int_2^0 (-s)\,ds=\int_0^2 s\,ds$$
$$=\Big[\frac{1}{2}s^2\Big]_0^2=2$$

$\displaystyle\int_e^{e^3} \frac{a+\ln x}{x}\,dx=\int_0^\pi (1+\cos x)\sin x\,dx$이므로

$2a+4=2$ $\therefore a=-1$

921 답 ④

단계 1 $x=\sqrt{3}\tan\theta\left(-\dfrac{\pi}{2}<\theta<\dfrac{\pi}{2}\right)$로 치환하기

$x=\sqrt{3}\tan\theta\left(-\dfrac{\pi}{2}<\theta<\dfrac{\pi}{2}\right)$로 놓으면 $\dfrac{dx}{d\theta}=\sqrt{3}\sec^2\theta$

$x=-1$일 때 $\theta=-\dfrac{\pi}{6}$, $x=3$일 때 $\theta=\dfrac{\pi}{3}$이므로

$$\int_{-1}^3 \frac{1}{3+x^2}\,dx=\int_{-\frac{\pi}{6}}^{\frac{\pi}{3}} \frac{1}{3(1+\tan^2\theta)}\times\sqrt{3}\sec^2\theta\,d\theta$$
$$=\int_{-\frac{\pi}{6}}^{\frac{\pi}{3}} \frac{1}{3\sec^2\theta}\times\sqrt{3}\sec^2\theta\,d\theta$$
$$=\int_{-\frac{\pi}{6}}^{\frac{\pi}{3}} \frac{\sqrt{3}}{3}\,d\theta$$

단계 2 정적분의 값 구하기

$$\int_{-\frac{\pi}{6}}^{\frac{\pi}{3}} \frac{\sqrt{3}}{3}\,d\theta=\Big[\frac{\sqrt{3}}{3}\theta\Big]_{-\frac{\pi}{6}}^{\frac{\pi}{3}}$$
$$=\frac{\sqrt{3}}{3}\Big(\frac{\pi}{3}+\frac{\pi}{6}\Big)$$
$$=\frac{\sqrt{3}}{6}\pi$$

922 답 $2-\pi$

$x=4\sin\theta\left(-\dfrac{\pi}{2}\le\theta\le\dfrac{\pi}{2}\right)$로 놓으면 $\dfrac{dx}{d\theta}=4\cos\theta$

$x=0$일 때 $\theta=0$, $x=2\sqrt{3}$일 때 $\theta=\dfrac{\pi}{3}$이므로

$$\int_0^{2\sqrt{3}} \frac{x-3}{\sqrt{16-x^2}}\,dx=\int_0^{\frac{\pi}{3}} \frac{4\sin\theta-3}{\sqrt{16(1-\sin^2\theta)}}\times4\cos\theta\,d\theta$$
$$=\int_0^{\frac{\pi}{3}} \frac{4\sin\theta-3}{4\cos\theta}\times4\cos\theta\,d\theta$$
$$=\int_0^{\frac{\pi}{3}} (4\sin\theta-3)\,d\theta$$
$$=\Big[-4\cos\theta-3\theta\Big]_0^{\frac{\pi}{3}}$$
$$=(-2-\pi)-(-4)$$
$$=2-\pi$$

923 답 $\dfrac{1}{4}$

$x=2\sin\theta\left(-\dfrac{\pi}{2}\le\theta\le\dfrac{\pi}{2}\right)$로 놓으면 $\dfrac{dx}{d\theta}=2\cos\theta$

$x=0$일 때 $\theta=0$, $x=\sqrt{2}$일 때 $\theta=\dfrac{\pi}{4}$이므로

$\displaystyle\int_0^{\sqrt{2}}\dfrac{1}{(4-x^2)\sqrt{4-x^2}}\,dx$

$=\displaystyle\int_0^{\frac{\pi}{4}}\dfrac{2\cos\theta}{(4-4\sin^2\theta)\sqrt{4-4\sin^2\theta}}\,d\theta$

$=\displaystyle\int_0^{\frac{\pi}{4}}\dfrac{2\cos\theta}{4\cos^2\theta\times 2\cos\theta}\,d\theta$

$=\displaystyle\int_0^{\frac{\pi}{4}}\dfrac{1}{4\cos^2\theta}\,d\theta=\int_0^{\frac{\pi}{4}}\dfrac{\sec^2\theta}{4}\,d\theta$

$=\left[\dfrac{\tan\theta}{4}\right]_0^{\frac{\pi}{4}}=\dfrac{1}{4}$

924 답 ④

$2x=a\tan\theta\left(-\dfrac{\pi}{2}<\theta<\dfrac{\pi}{2}\right)$로 놓으면

$x=\dfrac{a}{2}\tan\theta$, $\dfrac{dx}{d\theta}=\dfrac{a}{2}\sec^2\theta$

$x=0$일 때 $\theta=0$, $x=\dfrac{a}{2}$일 때 $\theta=\dfrac{\pi}{4}$이므로

$\displaystyle\int_0^{\frac{a}{2}}\dfrac{2}{4x^2+a^2}\,dx=\int_0^{\frac{\pi}{4}}\dfrac{1}{a^2\tan^2\theta+a^2}\times a\sec^2\theta\,d\theta$

$\qquad\qquad\qquad\qquad=\displaystyle\int_0^{\frac{\pi}{4}}\dfrac{1}{a}\,d\theta=\left[\dfrac{1}{a}\theta\right]_0^{\frac{\pi}{4}}=\dfrac{\pi}{4a}$

따라서 $\dfrac{\pi}{4a}=\dfrac{\pi}{4}$이므로 $a=1$

925 답 ①

$\displaystyle\int_{\frac{1}{2}}^1\sqrt{2x-x^2}\,dx=\int_{\frac{1}{2}}^1\sqrt{1-(x-1)^2}\,dx$에서

$x-1=\sin\theta\left(-\dfrac{\pi}{2}\le\theta\le\dfrac{\pi}{2}\right)$로 놓으면

$x=1+\sin\theta$, $\dfrac{dx}{d\theta}=\cos\theta$

$x=\dfrac{1}{2}$일 때 $\theta=-\dfrac{\pi}{6}$, $x=1$일 때 $\theta=0$이므로

$\displaystyle\int_{\frac{1}{2}}^1\sqrt{1-(x-1)^2}\,dx=\int_{-\frac{\pi}{6}}^0\sqrt{1-\sin^2\theta}\cos\theta\,d\theta$

$\qquad\qquad\qquad\qquad=\displaystyle\int_{-\frac{\pi}{6}}^0\cos^2\theta\,d\theta=\int_{-\frac{\pi}{6}}^0\dfrac{1+\cos 2\theta}{2}\,d\theta$

$\qquad\qquad\qquad\qquad=\left[\dfrac{1}{2}\theta+\dfrac{1}{4}\sin 2\theta\right]_{-\frac{\pi}{6}}^0$

$\qquad\qquad\qquad\qquad=\dfrac{1}{12}\pi+\dfrac{1}{8}\sqrt{3}$

따라서 $a=\dfrac{1}{8}$, $b=\dfrac{1}{12}$이므로

$\dfrac{b}{a}=\dfrac{2}{3}$

926 답 $-\dfrac{1}{2}$

단계 1 주어진 식을 간단히 하기

$\displaystyle\int_0^1 f(x)\,dx-\int_{\frac{\pi}{2}}^1 f(x)\,dx$

$=\displaystyle\int_0^1 f(x)\,dx+\int_1^{\frac{\pi}{2}} f(x)\,dx$

$=\displaystyle\int_0^{\frac{\pi}{2}} f(x)\,dx$

$=\displaystyle\int_0^{\frac{\pi}{2}} x\cos 2x\,dx$

단계 2 부분적분법을 이용하여 정적분의 값 구하기

$u(x)=x$, $v'(x)=\cos 2x$로 놓으면

$u'(x)=1$, $v(x)=\dfrac{1}{2}\sin 2x$이므로

$\displaystyle\int_0^{\frac{\pi}{2}} x\cos 2x\,dx$

$=\left[\dfrac{x}{2}\sin 2x\right]_0^{\frac{\pi}{2}}-\displaystyle\int_0^{\frac{\pi}{2}}\dfrac{1}{2}\sin 2x\,dx$

$=\left[\dfrac{1}{4}\cos 2x\right]_0^{\frac{\pi}{2}}$

$=-\dfrac{1}{4}-\dfrac{1}{4}=-\dfrac{1}{2}$

927 답 ③

$u(x)=\ln x$, $v'(x)=2x-1$로 놓으면

$u'(x)=\dfrac{1}{x}$, $v(x)=x^2-x$이므로

$\displaystyle\int_1^e (2x-1)\ln x\,dx$

$=\left[(x^2-x)\ln x\right]_1^e-\displaystyle\int_1^e (x-1)\,dx$

$=(e^2-e)-\left[\dfrac{1}{2}x^2-x\right]_1^e$

$=(e^2-e)-\left\{\left(\dfrac{1}{2}e^2-e\right)-\left(\dfrac{1}{2}-1\right)\right\}$

$=\dfrac{1}{2}(e^2-1)$

928 답 ③

$\displaystyle\int_{-1}^1 |x|e^x\,dx=\int_{-1}^0 (-xe^x)\,dx+\int_0^1 xe^x\,dx$

$u(x)=x$, $v'(x)=e^x$으로 놓으면

$u'(x)=1$, $v(x)=e^x$이므로

$-\left[xe^x\right]_{-1}^0+\displaystyle\int_{-1}^0 e^x\,dx+\left[xe^x\right]_0^1-\int_0^1 e^x\,dx$

$=-e^{-1}+\left[e^x\right]_{-1}^0+e-\left[e^x\right]_0^1$

$=-e^{-1}+(1-e^{-1})+e-(e-1)$

$=2-\dfrac{2}{e}$

929 답 ②

단계 1 부분적분법을 이용하기

$u(x)=e^{-x}$, $v'(x)=\sin x$로 놓으면

$u'(x)=-e^{-x}$, $v(x)=-\cos x$이므로

$$\int_0^\pi e^{-x}\sin x\,dx=\Big[-e^{-x}\cos x\Big]_0^\pi-\int_0^\pi e^{-x}\cos x\,dx$$

$$=e^{-\pi}+1-\int_0^\pi e^{-x}\cos x\,dx \quad\cdots\ \bigcirc$$

단계 2 부분적분법을 한 번 더 이용하여 정적분의 값 구하기

$\displaystyle\int_0^\pi e^{-x}\cos x\,dx$에서

$g(x)=e^{-x}$, $h'(x)=\cos x$로 놓으면

$g'(x)=-e^{-x}$, $h(x)=\sin x$이므로

$$\int_0^\pi e^{-x}\cos x\,dx=\Big[e^{-x}\sin x\Big]_0^\pi+\int_0^\pi e^{-x}\sin x\,dx$$

$$=\int_0^\pi e^{-x}\sin x\,dx \quad\cdots\ \bigcirc$$

$\bigcirc$을 $\bigcirc$에 대입하면

$$\int_0^\pi e^{-x}\sin x\,dx=e^{-\pi}+1-\int_0^\pi e^{-x}\sin x\,dx$$

$$\therefore \int_0^\pi e^{-x}\sin x\,dx=\frac{1}{2}(e^{-\pi}+1)$$

930 답 ①

$u(x)=x^2$, $v'(x)=\cos x$로 놓으면

$u'(x)=2x$, $v(x)=\sin x$이므로

$$\int_0^\pi x^2\cos x\,dx=\Big[x^2\sin x\Big]_0^\pi-\int_0^\pi 2x\sin x\,dx$$

$$=-\int_0^\pi 2x\sin x\,dx \quad\cdots\ \bigcirc$$

$\displaystyle\int_0^\pi 2x\sin x\,dx$에서

$g(x)=2x$, $h'(x)=\sin x$로 놓으면

$g'(x)=2$, $h(x)=-\cos x$이므로

$$\int_0^\pi 2x\sin x\,dx=\Big[-2x\cos x\Big]_0^\pi+\int_0^\pi 2\cos x\,dx$$

$$=2\pi+\Big[2\sin x\Big]_0^\pi=2\pi \quad\cdots\ \bigcirc$$

$\bigcirc$을 $\bigcirc$에 대입하면 $\displaystyle\int_0^\pi x^2\cos x\,dx=-2\pi$

931 답 1

$u(x)=e^x$, $v'(x)=\sin x+\cos x$로 놓으면

$u'(x)=e^x$, $v(x)=-\cos x+\sin x$이므로

$$\int_0^{\frac{\pi}{2}} e^x(\sin x+\cos x)\,dx$$

$$=\Big[e^x(-\cos x+\sin x)\Big]_0^{\frac{\pi}{2}}-\int_0^{\frac{\pi}{2}} e^x(-\cos x+\sin x)\,dx$$

$$=e^{\frac{\pi}{2}}+1-\int_0^{\frac{\pi}{2}} e^x(-\cos x+\sin x)\,dx \quad\cdots\ \bigcirc$$

$\displaystyle\int_0^{\frac{\pi}{2}} e^x(-\cos x+\sin x)\,dx$에서

$g(x)=e^x$, $h'(x)=-\cos x+\sin x$로 놓으면

$g'(x)=e^x$, $h(x)=-\sin x-\cos x$이므로

$$\int_0^{\frac{\pi}{2}} e^x(-\cos x+\sin x)\,dx$$

$$=\Big[e^x(-\sin x-\cos x)\Big]_0^{\frac{\pi}{2}}+\int_0^{\frac{\pi}{2}} e^x(\sin x+\cos x)\,dx$$

$$=-e^{\frac{\pi}{2}}+1+\int_0^{\frac{\pi}{2}} e^x(\sin x+\cos x)\,dx \quad\cdots\ \bigcirc$$

$\bigcirc$을 $\bigcirc$에 대입하면

$$\int_0^{\frac{\pi}{2}} e^x(\sin x+\cos x)\,dx$$

$$=2e^{\frac{\pi}{2}}-\int_0^{\frac{\pi}{2}} e^x(\sin x+\cos x)\,dx$$

$$\therefore \int_0^{\frac{\pi}{2}} e^x(\sin x+\cos x)\,dx=e^{\frac{\pi}{2}}$$

따라서 $a=1$, $b=0$이므로 $a+b=1$

932 답 $2e$

단계 1 $\displaystyle\int_0^1 e^{-t}f(t)\,dt=k$로 놓고 $f(x)$의 식 세우기

$$\int_0^1 e^{-t}f(t)\,dt=k\ (\text{단, }k\text{는 상수}) \quad\cdots\ \bigcirc$$

로 놓으면 $f(x)=e^x+k \quad\cdots\ \bigcirc$

단계 2 k의 값 구하기

$\bigcirc$을 $\bigcirc$에 대입하면

$$k=\int_0^1 e^{-t}(e^t+k)\,dt=\int_0^1 (1+ke^{-t})\,dt$$

$$=\Big[t-ke^{-t}\Big]_0^1=(1-ke^{-1})+k$$

$$\therefore k=e$$

단계 3 $f(1)$의 값 구하기

$f(x)=e^x+e$이므로 $f(1)=e+e=2e$

933 답 ③

$$\int_0^{\frac{\pi}{2}} f(t)\sin t\,dt=k\ (\text{단, }k\text{는 상수}) \quad\cdots\ \bigcirc$$

로 놓으면 $f(x)=\cos x+2k \quad\cdots\ \bigcirc$

$\bigcirc$을 $\bigcirc$에 대입하면

$$k=\int_0^{\frac{\pi}{2}} (\cos t+2k)\sin t\,dt$$

$$=\int_0^{\frac{\pi}{2}} (\cos t\sin t+2k\sin t)\,dt$$

$$=\int_0^{\frac{\pi}{2}} \Big(\frac{1}{2}\sin 2t+2k\sin t\Big)\,dt$$

$$=\Big[-\frac{1}{4}\cos 2t-2k\cos t\Big]_0^{\frac{\pi}{2}}$$

$$=\frac{1}{4}-\Big(-\frac{1}{4}-2k\Big)=\frac{1}{2}+2k$$

$$\therefore k=-\frac{1}{2}$$

따라서 $f(x)=\cos x-1$이므로

$$f\left(\frac{\pi}{3}\right)=\frac{1}{2}-1=-\frac{1}{2}$$

934 답 ④

$$\int_1^e f(t)\,dt=k \ (\text{단, } k\text{는 상수}) \qquad \cdots \ \text{㉠}$$

로 놓으면 $f(x)=\ln x-k$ $\qquad \cdots$ ㉡

㉡을 ㉠에 대입하면

$$k=\int_1^e (\ln t-k)\,dt=\int_1^e \ln t\,dt-\int_1^e k\,dt$$

이때 $\int_1^e \ln t\,dt$에서

$u(t)=\ln t,\ v'(t)=1$로 놓으면

$u'(t)=\dfrac{1}{t},\ v(t)=t$이므로

$$\int_1^e \ln t\,dt=\Big[t\ln t\Big]_1^e-\int_1^e 1\,dt=e-\Big[t\Big]_1^e$$
$$=e-(e-1)=1$$

즉, $k=1-\int_1^e k\,dt=1-\Big[kt\Big]_1^e$

$$=1-(ke-k)=1-ke+k$$

$$\therefore k=\frac{1}{e}$$

따라서 $f(x)=\ln x-\dfrac{1}{e}$이므로

$$f(e^2)=2-\frac{1}{e}$$

935 답 1

단계 1 주어진 식의 양변을 x에 대하여 미분하기

$xf(x)=3-x+\displaystyle\int_1^x f(t)\,dt$의 양변을 x에 대하여 미분하면

$$f(x)+xf'(x)=-1+f(x)$$

$$\therefore f'(x)=-\frac{1}{x}$$

$$\therefore f(x)=\int\left(-\frac{1}{x}\right)dx=-\ln x+C$$

단계 2 주어진 식의 양변에 $x=1$ 대입하기

$xf(x)=3-x+\displaystyle\int_1^x f(t)\,dt$의 양변에 $x=1$을 대입하면

$$f(1)=2+\int_1^1 f(t)\,dt=2$$

단계 3 $f(e)$의 값 구하기

$f(1)=2$에서 $-\ln 1+C=2$ $\qquad \therefore C=2$

따라서 $f(x)=-\ln x+2$이므로

$$f(e)=-1+2=1$$

936 답 ①

$$\int_0^x f(t)\,dt=(x-1)\cos 2x+ax^2-a \qquad \cdots \ \text{㉠}$$

㉠의 양변을 x에 대하여 미분하면

$$f(x)=\cos 2x-2(x-1)\sin 2x+2ax$$

㉠의 양변에 $x=0$을 대입하면

$$0=-1-a \qquad \therefore a=-1$$

따라서 $f(x)=\cos 2x-2(x-1)\sin 2x-2x$이므로

$$f(\pi)=1-2\pi$$

937 답 ④

$$\int_1^x f(t)\,dt=xf(x)-x^2\ln x \qquad \cdots \ \text{㉠}$$

㉠의 양변을 x에 대하여 미분하면

$$f(x)=f(x)+xf'(x)-2x\ln x-x$$

$$\therefore f'(x)=2\ln x+1$$

$$\therefore f(x)=\int(2\ln x+1)\,dx$$

$u(x)=2\ln x+1,\ v'(x)=1$로 놓으면

$u'(x)=\dfrac{2}{x},\ v(x)=x$이므로

$$f(x)=\int(2\ln x+1)\,dx=x(2\ln x+1)-\int 2\,dx$$
$$=2x\ln x-x+C$$

㉠의 양변에 $x=1$을 대입하면 $f(1)=0$이므로

$$-1+C=0,\ C=1$$

따라서 $f(x)=2x\ln x-x+1$이므로

$$f(e)=2e-e+1=e+1$$

938 답 ①

단계 1 $f(x)$ 구하기

$$\int_0^x (x-t)f(t)\,dt=\cos 2x+ax+b\text{에서}$$

$$x\int_0^x f(t)\,dt-\int_0^x tf(t)\,dt=\cos 2x+ax+b \qquad \cdots \ \text{㉠}$$

㉠의 양변을 x에 대하여 미분하면

$$\int_0^x f(t)\,dt+xf(x)-xf(x)=-2\sin 2x+a$$

$$\int_0^x f(t)\,dt=-2\sin 2x+a \qquad \cdots \ \text{㉡}$$

㉡의 양변을 x에 대하여 미분하면

$$f(x)=-4\cos 2x$$

단계 2 $f\left(\dfrac{\pi}{2}\right)+a+b$의 값 구하기

㉠의 양변에 $x=0$을 대입하면

$$0=1+b,\ b=-1$$

㉡의 양변에 $x=0$을 대입하면 $a=0$

$$\therefore f\left(\frac{\pi}{2}\right)+a+b=4+0-1=3$$

939 답 ②

$F(x)=\int_0^x (x-t)f(t)\,dt$에서

$F(x)=x\int_0^x f(t)\,dt-\int_0^x tf(t)\,dt$

위의 등식의 양변을 x에 대하여 미분하면

$F'(x)=\int_0^x f(t)\,dt+xf(x)-xf(x)$

$\therefore F'(x)=\int_0^x f(t)\,dt$

$F'(k)=\int_0^k f(t)\,dt=\int_0^k \dfrac{2t+1}{t^2+t+1}\,dt$

$\qquad=\int_0^k \dfrac{(t^2+t+1)'}{t^2+t+1}\,dt=\Big[\ln(t^2+t+1)\Big]_0^k$

$\qquad=\ln(k^2+k+1)$

이므로 $k^2+k+1=7$

$k^2+k-6=0,\ (k+3)(k-2)=0$

이때 $k>0$이므로 $k=2$

940 답 e

$\int_1^x f(t)\,dt=x-1+\int_1^x (x-t)f(t)\,dt$에서

$\int_1^x f(t)\,dt=x-1+x\int_1^x f(t)\,dt-\int_1^x tf(t)\,dt$

위의 등식의 양변을 x에 대하여 미분하면

$f(x)=1+\int_1^x f(t)\,dt+xf(x)-xf(x)$

$\therefore f(x)=1+\int_1^x f(t)\,dt$ $\qquad\cdots$ ㉠

㉠의 양변을 x에 대하여 미분하면

$f'(x)=f(x)$

$\dfrac{f'(x)}{f(x)}=1$ $\qquad\cdots$ ㉡

㉡의 양변의 부정적분을 구하면

$\int \dfrac{f'(x)}{f(x)}\,dx=\int 1\,dx$

$\ln f(x)=x+C\ (\because f(x)>0)$

$f(x)=e^{x+C}$

㉠의 양변에 $x=1$을 대입하면 $f(1)=1$이므로

$e^{1+C}=1,\ C=-1$

따라서 $f(x)=e^{x-1}$이므로 $f(2)=e$

941 답 $\dfrac{1}{6}$

단계 1 $f'(x)$ 구하기

$f(x)=\int_0^x (\sqrt{t}-t)\,dt$의 양변을 x에 대하여 미분하면

$f'(x)=\sqrt{x}-x$

$f'(x)=\sqrt{x}-x=0$에서 $x=1\ (\because x>0)$

단계 2 $f(x)$의 극값 구하기

함수 $f(x)$의 증가와 감소를 표로 나타내면 다음과 같다.

x	0	$\cdots$	1	$\cdots$
$f'(x)$		$+$	0	$-$
$f(x)$		↗	극대	↘

따라서 함수 $f(x)$는 $x=1$에서 극댓값을 가지므로

$f(1)=\int_0^1 (\sqrt{t}-t)\,dt$

$\qquad=\Big[\dfrac{2}{3}t^{\frac{3}{2}}-\dfrac{1}{2}t^2\Big]_0^1$

$\qquad=\dfrac{2}{3}-\dfrac{1}{2}=\dfrac{1}{6}$

942 답 ④

$f(x)=\int_0^x (t+a)e^t\,dt$의 양변을 x에 대하여 미분하면

$f'(x)=(x+a)e^x$

$f'(x)=0$에서 $(x+a)e^x=0$

$\therefore x=-a$

함수 $f(x)$의 증가와 감소를 표로 나타내면 다음과 같다.

x	$\cdots$	$-a$	$\cdots$
$f'(x)$	$-$	0	$+$
$f(x)$	↘	극소	↗

따라서 함수 $f(x)$는 $x=-a$에서 극소이면서 최소이므로

$a=-3$

$f(3)=\int_0^3 (t-3)e^t\,dt$에서

$u(t)=t-3,\ v'(t)=e^t$으로 놓으면

$u'(t)=1,\ v(t)=e^t$이므로

$b=f(3)=\int_0^3 (t-3)e^t\,dt=\Big[(t-3)e^t\Big]_0^3-\int_0^3 e^t\,dt$

$\qquad=3-\Big[e^t\Big]_0^3=3-(e^3-1)=4-e^3$

$\therefore a+b=-3+(4-e^3)$

$\qquad\quad=-e^3+1$

943 답 ⑤

$f(x)=\int_0^x (1+2\cos t)\sin t\,dt$의 양변을 x에 대하여 미분하면

$f'(x)=(1+2\cos x)\sin x$

$f'(x)=0$에서 $\cos x=-\dfrac{1}{2}$ 또는 $\sin x=0$

$\therefore x=\dfrac{2}{3}\pi$ 또는 $x=\dfrac{4}{3}\pi$ 또는 $x=\pi$

함수 $f(x)$의 증가와 감소를 표로 나타내면 다음과 같다.

x	0	$\cdots$	$\dfrac{2}{3}\pi$	$\cdots$	π	$\cdots$	$\dfrac{4}{3}\pi$	$\cdots$	2π
$f'(x)$		$+$	0	$-$	0	$+$	0	$-$	
$f(x)$		↗	극대	↘	극소	↗	극대	↘	

따라서 함수 $f(x)$는 $x=\pi$에서 극솟값을 가지고, $x=\dfrac{2}{3}\pi$, $\dfrac{4}{3}\pi$

에서 극댓값을 가진다.

$$a=f(\pi)=\int_0^\pi (1+2\cos t)\sin t\,dt$$

$$=\int_0^\pi (\sin t+2\cos t\sin t)\,dt$$

$$=\int_0^\pi (\sin t+\sin 2t)\,dt$$

$$=\Big[-\cos t-\frac{1}{2}\cos 2t\Big]_0^\pi$$

$$=\Big(1-\frac{1}{2}\Big)-\Big(-1-\frac{1}{2}\Big)=2$$

같은 방법으로 하면

$$f\Big(\frac{2}{3}\pi\Big)=\Big[-\cos t-\frac{1}{2}\cos 2t\Big]_0^{\frac{2}{3}\pi}$$

$$=\Big(\frac{1}{2}+\frac{1}{4}\Big)-\Big(-1-\frac{1}{2}\Big)=\frac{9}{4}$$

$$f\Big(\frac{4}{3}\pi\Big)=\Big[-\cos t-\frac{1}{2}\cos 2t\Big]_0^{\frac{4}{3}\pi}$$

$$=\Big(\frac{1}{2}+\frac{1}{4}\Big)-\Big(-1-\frac{1}{2}\Big)=\frac{9}{4}$$

이므로 $b=\dfrac{9}{4}$

$\therefore 2b-a=\dfrac{5}{2}$

944 답 ④

단계 1 미분계수의 정의를 이용하여 극한값 구하기

함수 $f(x)$의 한 부정적분을 $F(x)$라 하면

$$\lim_{h\to 0}\frac{1}{h}\int_2^{2+2h}f(x)\,dx=\lim_{h\to 0}\frac{1}{h}\Big[F(x)\Big]_2^{2+2h}$$

$$=\lim_{h\to 0}\frac{F(2+2h)-F(2)}{h}$$

$$=\lim_{h\to 0}\frac{F(2+2h)-F(2)}{2h}\times 2$$

$$=2F'(2)=2f(2)$$

단계 2 $2f(2)$의 값 구하기

$f(x)=(x+\sin\pi x)^2$이므로

$2f(2)=2\times 2^2=8$

945 답 ①

$f(x)=e^x\ln x$라 하고 $f(x)$의 한 부정적분을 $F(x)$라 하면

$$\lim_{x\to e}\frac{1}{e-x}\int_e^x e^t\ln t\,dt=\lim_{x\to e}\frac{1}{e-x}\Big[F(t)\Big]_e^x$$

$$=\lim_{x\to e}\frac{F(x)-F(e)}{e-x}$$

$$=\lim_{x\to e}\Big\{-\frac{F(x)-F(e)}{x-e}\Big\}$$

$$=-F'(e)=-f(e)$$

$f(x)=e^x\ln x$이므로 $-f(e)=-e^e$

946 답 $\dfrac{2}{3}$

$f(x)=\sqrt{3^x+1}-x^3$이라 하고 $f(x)$의 한 부정적분을 $F(x)$라
하면

$$\lim_{x\to 1}\frac{1}{x^3-1}\int_1^{x^2}(\sqrt{3^t+1}-t^3)\,dt$$

$$=\lim_{x\to 1}\frac{1}{x^3-1}\Big[F(t)\Big]_1^{x^2}$$

$$=\lim_{x\to 1}\frac{F(x^2)-F(1)}{x^3-1}$$

$$=\lim_{x\to 1}\Big\{\frac{F(x^2)-F(1)}{x^2-1}\times\frac{x^2-1}{x^3-1}\Big\}$$

$$=\lim_{x\to 1}\Big\{\frac{F(x^2)-F(1)}{x^2-1}\times\frac{(x-1)(x+1)}{(x-1)(x^2+x+1)}\Big\}$$

$$=\lim_{x\to 1}\Big\{\frac{F(x^2)-F(1)}{x^2-1}\times\frac{x+1}{x^2+x+1}\Big\}$$

$$=\frac{2}{3}F'(1)=\frac{2}{3}f(1)$$

$f(x)=\sqrt{3^x+1}-x^3$이므로

$$\frac{2}{3}f(1)=\frac{2}{3}(\sqrt{4}-1)=\frac{2}{3}$$

→ 본책 148쪽~151쪽

947 답 30

$$\int_1^4\Big(\sqrt{x}+\frac{1}{\sqrt{x}}\Big)^3 dx+\int_4^1\Big(\sqrt{x}-\frac{1}{\sqrt{x}}\Big)^3 dx$$

$$=\int_1^4\Big(\sqrt{x}+\frac{1}{\sqrt{x}}\Big)^3 dx-\int_1^4\Big(\sqrt{x}-\frac{1}{\sqrt{x}}\Big)^3 dx$$

$$=\int_1^4\Big\{\Big(\sqrt{x}+\frac{1}{\sqrt{x}}\Big)^3-\Big(\sqrt{x}-\frac{1}{\sqrt{x}}\Big)^3\Big\}dx$$

$$=\int_1^4\Big(6\sqrt{x}+\frac{2}{x\sqrt{x}}\Big)dx$$

$$=\int_1^4\Big(6x^{\frac{1}{2}}+2x^{-\frac{3}{2}}\Big)dx$$

$$=\Big[4x^{\frac{3}{2}}-4x^{-\frac{1}{2}}\Big]_1^4$$

$$=(32-2)-(4-4)$$

$$=30$$

948 답 ①

$f(g(x))=x$, $g(f(x))=x$이므로

$f'(g(x))g'(x)=1$, $g'(f(x))f'(x)=1$

$\displaystyle\int_1^3 \left\{ \frac{f(x)}{f'(g(x))} + \frac{g(x)}{g'(f(x))} \right\} dx$

$\displaystyle = \int_1^3 \{f(x)g'(x)+g(x)f'(x)\}\,dx$

$\displaystyle = \int_1^3 \{f(x)g(x)\}'\,dx$

$\displaystyle = \Big[f(x)g(x) \Big]_1^3$

$= f(3)g(3)-f(1)g(1)$

$f(1)=3$에서 $g(3)=1$, $g(1)=3$에서 $f(3)=1$

$\therefore f(3)g(3)-f(1)g(1)=1\times 1-3\times 3$
$$=-8$$

949 답 ④

$0<x<\pi$에서 $\sqrt{3}\cos x-\sin x=0$

$\sqrt{3}\cos x=\sin x$, $\sqrt{3}=\dfrac{\sin x}{\cos x}$

$\tan x=\sqrt{3}$, $x=\dfrac{\pi}{3}$이므로

$|\sqrt{3}\cos x-\sin x|=\begin{cases} \sqrt{3}\cos x-\sin x & \left(0\le x\le \dfrac{\pi}{3}\right) \\ -\sqrt{3}\cos x+\sin x & \left(\dfrac{\pi}{3}\le x\le \pi\right) \end{cases}$

$\displaystyle\int_0^\pi |\sqrt{3}\cos x-\sin x|\,dx$

$\displaystyle = \int_0^{\frac{\pi}{3}} (\sqrt{3}\cos x-\sin x)\,dx + \int_{\frac{\pi}{3}}^\pi (-\sqrt{3}\cos x+\sin x)\,dx$

$\displaystyle = \Big[\sqrt{3}\sin x+\cos x \Big]_0^{\frac{\pi}{3}} + \Big[-\sqrt{3}\sin x-\cos x \Big]_{\frac{\pi}{3}}^\pi$

$= \left(\dfrac{3}{2}+\dfrac{1}{2}-1\right) + \left(1+\dfrac{3}{2}+\dfrac{1}{2}\right)$

$= 4$

950 답 -35

$\displaystyle\int_{-2}^1 (\sin x-3)f(x)\,dx$

$\displaystyle = \int_{-2}^1 f(x)\sin x\,dx - 3\int_{-2}^1 f(x)\,dx$

$f(-x)\sin(-x)=-f(x)\sin x$이므로 함수 $f(x)\sin x$는 기함수, 즉 원점에 대하여 대칭이다.

$\displaystyle\int_{-2}^1 f(x)\sin x\,dx$

$\displaystyle = \int_{-2}^2 f(x)\sin x\,dx - \int_1^2 f(x)\sin x\,dx$

$=0-5=-5$

또 $f(-x)=f(x)$이므로 함수 $f(x)$는 우함수, 즉 y축에 대하여 대칭이다.

$\displaystyle\int_{-2}^1 f(x)\,dx = \int_{-2}^{-1} f(x)\,dx + \int_{-1}^1 f(x)\,dx$

$\displaystyle = \int_1^2 f(x)\,dx + 2\int_0^1 f(x)\,dx$

$= 4+2\times 3=10$

$\therefore \displaystyle\int_{-2}^1 (\sin x-3)f(x)\,dx$

$\displaystyle = \int_{-2}^1 f(x)\sin x\,dx - 3\int_{-2}^1 f(x)\,dx$

$= -5-3\times 10$

$= -35$

951 답 $\dfrac{8}{7}$

$\displaystyle a_n+a_{n+2} = \int_0^{\frac{\pi}{4}} (\tan^n x+\tan^{n+2} x)\,dx$

$\displaystyle = \int_0^{\frac{\pi}{4}} \tan^n x(1+\tan^2 x)\,dx$

$\displaystyle = \int_0^{\frac{\pi}{4}} \tan^n x \times \sec^2 x\,dx$

$\tan x=t$로 놓으면 $\dfrac{dt}{dx}=\sec^2 x$

$x=0$일 때 $t=0$, $x=\dfrac{\pi}{4}$일 때 $t=1$이므로

$\displaystyle\int_0^{\frac{\pi}{4}} \tan^n x \times \sec^2 x\,dx = \int_0^1 t^n\,dt$

$= \left[\dfrac{1}{n+1}t^{n+1} \right]_0^1 = \dfrac{1}{n+1}$

$\therefore \displaystyle\sum_{k=1}^8 a_k = (a_1+a_3)+(a_2+a_4)+(a_5+a_7)+(a_6+a_8)$

$= \dfrac{1}{2}+\dfrac{1}{3}+\dfrac{1}{6}+\dfrac{1}{7}=\dfrac{8}{7}$

952 답 $e-\dfrac{1}{e}$

$-x=t$로 놓으면 $\dfrac{dt}{dx}=-1$

$x=-1$일 때 $t=1$, $x=0$일 때 $t=0$이므로

$\displaystyle\int_{-1}^0 f(x)\,dx = \int_1^0 \{-f(-t)\}\,dt = \int_0^1 f(-x)\,dx$

$\therefore \displaystyle\int_{-1}^1 f(x)\,dx = \int_{-1}^0 f(x)\,dx + \int_0^1 f(x)\,dx$

$\displaystyle = \int_0^1 f(-x)\,dx + \int_0^1 f(x)\,dx$

$\displaystyle = \int_0^1 \{f(x)+f(-x)\}\,dx$

$\displaystyle = \int_0^1 (e^x+e^{-x})\,dx$

$= \Big[e^x-e^{-x} \Big]_0^1$

$= (e-e^{-1})-(1-1)$

$= e-\dfrac{1}{e}$

953 답 ①

$$\int_0^{\frac{\pi}{3}} \tan x \ln(\cos x)\,dx = \int_0^{\frac{\pi}{3}} \frac{\sin x}{\cos x} \times \ln(\cos x)\,dx$$

에서 $\cos x = t$로 놓으면 $\dfrac{dt}{dx} = -\sin x$

$x=0$일 때 $t=1$, $x=\dfrac{\pi}{3}$일 때 $t=\dfrac{1}{2}$이므로

$$\int_0^{\frac{\pi}{3}} \frac{\sin x}{\cos x} \times \ln(\cos x)\,dx$$

$$= \int_1^{\frac{1}{2}} \left(-\frac{\ln t}{t}\right) dt$$

$$= \int_{\frac{1}{2}}^1 \frac{\ln t}{t}\,dt$$

$\displaystyle\int_{\frac{1}{2}}^1 \dfrac{\ln t}{t}\,dt$에서 $\ln t = s$로 놓으면 $\dfrac{ds}{dt} = \dfrac{1}{t}$

$t=\dfrac{1}{2}$일 때 $s=-\ln 2$, $t=1$일 때 $s=0$이므로

$$\int_{\frac{1}{2}}^1 \frac{\ln t}{t}\,dt = \int_{-\ln 2}^0 s\,ds$$

$$= \left[\frac{1}{2}s^2\right]_{-\ln 2}^0$$

$$= -\frac{1}{2}(\ln 2)^2$$

954 답 3

$f(x) = t$로 놓으면 $\dfrac{dt}{dx} = f'(x)$

$x=1$일 때 $t=f(1)=2$, $x=2$일 때 $t=f(2)=4$이므로

$$\int_1^2 f(x)g(x)\,dx = \int_1^2 f(x) \times \frac{1}{2}f'(x)\,dx$$

$$= \int_2^4 \frac{t}{2}\,dt$$

$$= \left[\frac{t^2}{4}\right]_2^4 = 3$$

다른 풀이

$u(x)=f(x)$, $v'(x)=f'(x)$로 놓으면

$u'(x)=f'(x)$, $v(x)=f(x)$이므로

$$\int_1^2 f(x)f'(x)\,dx = \left[\{f(x)\}^2\right]_1^2 - \int_1^2 f'(x)f(x)\,dx$$

$$\therefore \int_1^2 f(x)f'(x)\,dx = \frac{\{f(2)\}^2 - \{f(1)\}^2}{2}$$

$$= \frac{4^2 - 2^2}{2}$$

$$= 6$$

$$\therefore \int_1^2 f(x)g(x)\,dx = \int_1^2 f(x) \times \frac{1}{2}f'(x)\,dx$$

$$= \frac{1}{2}\int_1^2 f(x)f'(x)\,dx$$

$$= \frac{1}{2} \times 6$$

$$= 3$$

955 답 ②

$\dfrac{1}{x}=t$로 놓으면 $\dfrac{dt}{dx} = -\dfrac{1}{x^2}$

$x=\dfrac{1}{2}$일 때 $t=2$, $x=2$일 때 $t=\dfrac{1}{2}$이므로

$$\int_{\frac{1}{2}}^2 \frac{1}{x^2}f\left(\frac{1}{x}\right) dx = \int_2^{\frac{1}{2}} (-f(t))\,dt$$

$$= \int_{\frac{1}{2}}^2 f(t)\,dt$$

$$\therefore \int_{\frac{1}{2}}^2 \left\{2f(x) + \frac{1}{x^2}f\left(\frac{1}{x}\right)\right\} dx$$

$$= 2\int_{\frac{1}{2}}^2 f(x)\,dx + \int_{\frac{1}{2}}^2 \frac{1}{x^2}f\left(\frac{1}{x}\right) dx$$

$$= 2\int_{\frac{1}{2}}^2 f(x)\,dx + \int_{\frac{1}{2}}^2 f(x)\,dx$$

$$= 3\int_{\frac{1}{2}}^2 f(x)\,dx$$

$$\int_{\frac{1}{2}}^2 \left(\frac{1}{x} + \frac{1}{x^2}\right) dx = \left[\ln|x| - \frac{1}{x}\right]_{\frac{1}{2}}^2$$

$$= \left(\ln 2 - \frac{1}{2}\right) - \left(\ln \frac{1}{2} - 2\right)$$

$$= \ln 2 - \ln \frac{1}{2} + \frac{3}{2}$$

$$= 2\ln 2 + \frac{3}{2}$$

$3\displaystyle\int_{\frac{1}{2}}^2 f(x)\,dx = 2\ln 2 + \dfrac{3}{2}$이므로

$$\int_{\frac{1}{2}}^2 f(x)\,dx = \frac{2\ln 2}{3} + \frac{1}{2}$$

다른 풀이

$$2f(x) + \frac{1}{x^2}f\left(\frac{1}{x}\right) = \frac{1}{x} + \frac{1}{x^2} \qquad \cdots \text{㉠}$$

㉠에서 x 대신 $\dfrac{1}{x}$을 대입하면

$$2f\left(\frac{1}{x}\right) + x^2 f(x) = x + x^2$$

양변을 $2x^2$으로 나누면

$$\frac{1}{x^2}f\left(\frac{1}{x}\right) + \frac{1}{2}f(x) = \frac{1}{2x} + \frac{1}{2} \qquad \cdots \text{㉡}$$

㉠−㉡을 하면

$$\frac{3}{2}f(x) = \frac{1}{2x} + \frac{1}{x^2} - \frac{1}{2}$$

$$\therefore f(x) = \frac{1}{3x} + \frac{2}{3x^2} - \frac{1}{3}$$

$$\therefore \int_{\frac{1}{2}}^2 f(x)\,dx = \int_{\frac{1}{2}}^2 \left(\frac{1}{3x} + \frac{2}{3x^2} - \frac{1}{3}\right) dx$$

$$= \left[\frac{1}{3}\ln|x| - \frac{2}{3x} - \frac{1}{3}x\right]_{\frac{1}{2}}^2$$

$$= \left(\frac{1}{3}\ln 2 - 1\right) - \left(\frac{1}{3}\ln \frac{1}{2} - \frac{3}{2}\right)$$

$$= \frac{2\ln 2}{3} + \frac{1}{2}$$

956 답 ④

$f(a)=0$이므로 $f(2a)=2f(a)f'(a)=0$

$\displaystyle\int_a^{2a}\frac{\{f(x)\}^2}{x^2}\,dx$에서

$u(x)=\{f(x)\}^2$, $v'(x)=\dfrac{1}{x^2}$로 놓으면

$u'(x)=2f(x)f'(x)$, $v(x)=-\dfrac{1}{x}$이므로

$\displaystyle\int_a^{2a}\frac{\{f(x)\}^2}{x^2}\,dx=\left[-\frac{1}{x}\{f(x)\}^2\right]_a^{2a}+\int_a^{2a}\frac{2f(x)f'(x)}{x}\,dx$

$\displaystyle\qquad\qquad\qquad\quad=\int_a^{2a}\frac{f(2x)}{x}\,dx$

$2x=t$로 놓으면 $x=\dfrac{t}{2}$, $\dfrac{dx}{dt}=\dfrac{1}{2}$

$x=a$일 때 $t=2a$, $x=2a$일 때 $t=4a$이므로

$\displaystyle\int_a^{2a}\frac{f(2x)}{x}\,dx=\int_{2a}^{4a}\frac{f(t)}{\frac{t}{2}}\times\frac{1}{2}\,dt$

$\displaystyle\qquad\qquad\qquad=\int_{2a}^{4a}\frac{f(t)}{t}\,dt=k$

$\therefore\displaystyle\int_a^{2a}\frac{\{f(x)\}^2}{x^2}\,dx=k$

다른 풀이

$\displaystyle\int_a^{2a}\frac{\{f(x)\}^2}{x^2}\,dx$에서

$\dfrac{\{f(x)\}^2}{x^2}=g(x)$라 하면

$g'(x)=\dfrac{2f(x)f'(x)\times x^2-2x\{f(x)\}^2}{(x^2)^2}$

$\qquad\quad=\dfrac{f(2x)}{x^2}-\dfrac{2\{f(x)\}^2}{x^3}$

$xg'(x)=\dfrac{f(2x)}{x}-2g(x)$

$\displaystyle\int_a^{2a}xg'(x)\,dx=\int_a^{2a}\frac{f(2x)}{x}\,dx-\int_a^{2a}2g(x)\,dx$

$\left[xg(x)\right]_a^{2a}-\displaystyle\int_a^{2a}g(x)\,dx$

$=\displaystyle\int_a^{2a}\frac{f(2x)}{x}\,dx-2\int_a^{2a}g(x)\,dx$ $\qquad\cdots\,\bigcirc$

이때 $f(a)=0$이므로 $g(a)=0$

즉, $f(2a)=g(2a)=0$이다.

따라서 ㉠을 간단히 하면

$\displaystyle\int_a^{2a}g(x)\,dx=\int_a^{2a}\frac{f(2x)}{x}\,dx-\left[xg(x)\right]_a^{2a}=\int_a^{2a}\frac{f(2x)}{x}\,dx$

$2x=t$라 하면 $x=\dfrac{t}{2}$, $\dfrac{dx}{dt}=\dfrac{1}{2}$

$x=a$일 때 $t=2a$, $x=2a$일 때 $t=4a$이므로

$\displaystyle\int_a^{2a}\frac{f(2x)}{x}\,dx=\int_{2a}^{4a}\frac{f(t)}{t}\,dt=k$

$\therefore\displaystyle\int_a^{2a}\frac{\{f(x)\}^2}{x^2}\,dx=k$

957 답 ④

$f(a)=\displaystyle\int_0^\pi(x-a\sin x)^2\,dx$

$\qquad=\displaystyle\int_0^\pi(x^2-2ax\sin x+a^2\sin^2 x)\,dx$

$\qquad=\left[\dfrac{1}{3}x^3\right]_0^\pi-2a\displaystyle\int_0^\pi x\sin x\,dx+a^2\int_0^\pi\sin^2 x\,dx$

$\qquad=\dfrac{\pi^3}{3}-2a\displaystyle\int_0^\pi x\sin x\,dx+a^2\int_0^\pi\sin^2 x\,dx$

$\displaystyle\int_0^\pi x\sin x\,dx$에서

$u(x)=x$, $v'(x)=\sin x$로 놓으면

$u'(x)=1$, $v(x)=-\cos x$이므로

$\displaystyle\int_0^\pi x\sin x\,dx=\left[-x\cos x\right]_0^\pi+\int_0^\pi\cos x\,dx$

$\displaystyle\qquad\qquad\qquad=\pi+\left[\sin x\right]_0^\pi=\pi$

$\displaystyle\int_0^\pi\sin^2 x\,dx=\int_0^\pi\frac{1-\cos 2x}{2}\,dx$

$\displaystyle\qquad\qquad\quad=\left[\dfrac{1}{2}x-\dfrac{1}{4}\sin 2x\right]_0^\pi=\dfrac{\pi}{2}$

$\therefore f(a)=\dfrac{\pi^3}{3}-2\pi a+\dfrac{\pi}{2}a^2$

$\qquad\quad=\dfrac{\pi}{2}(a-2)^2+\dfrac{\pi^3}{3}-2\pi$

따라서 함수 $f(a)$를 최소로 하는 실수 a의 값은 2이다.

958 답 ②

$I_1=\displaystyle\int_0^1 xe^x\,dx$에서

$u(x)=x$, $v'(x)=e^x$으로 놓으면

$u'(x)=1$, $v(x)=e^x$이므로

$I_1=\displaystyle\int_0^1 xe^x\,dx$

$\quad=\left[xe^x\right]_0^1-\displaystyle\int_0^1 e^x\,dx$

$\quad=e-\left[e^x\right]_0^1=e-(e-1)=1$

또 $g(x)=x^n$, $h'(x)=e^x$으로 놓으면

$g'(x)=nx^{n-1}$, $h(x)=e^x$이므로

$I_n=\displaystyle\int_0^1 x^n e^x\,dx$

$\quad=\left[x^n e^x\right]_0^1-\displaystyle\int_0^1 nx^{n-1}e^x\,dx$

$\quad=e-n\displaystyle\int_0^1 x^{n-1}e^x\,dx=e-nI_{n-1}$

ㄱ. $I_2=e-2I_1=e-2$ (거짓)

ㄴ. $I_4=e-4I_3$이므로 $4I_3+I_4=e$

$\quad\therefore 8I_3+2I_4=2e$ (거짓)

ㄷ. $I_n=e-nI_{n-1}$ (참)

따라서 옳은 것은 ㄷ이다.

959 답 ④

$$\int_0^1 f(x)g'(x)\,dx$$

$$=\Big[\,f(x)g(x)\,\Big]_0^1-\int_0^1 f'(x)g(x)\,dx$$

$$=\{f(1)g(1)-f(0)g(0)\}-\int_0^1 \frac{x^2}{(1+x^3)^2}\,dx$$

$$=f(1)-\int_0^1 \frac{x^2}{(1+x^3)^2}\,dx \qquad \cdots \text{㉠}$$

$$\int_0^1 \frac{x^2}{(1+x^3)^2}\,dx \text{에서}$$

$1+x^3=t$ 라 하면 $\dfrac{dt}{dx}=3x^2$ 이고

$x=0$ 일 때 $t=1$, $x=1$ 일 때 $t=2$ 이므로

$$\int_0^1 \frac{x^2}{(1+x^3)^2}\,dx=\int_1^2 \frac{1}{3}\times\frac{1}{t^2}\,dt=\frac{1}{3}\Big[-\frac{1}{t}\Big]_1^2$$

$$=\frac{1}{3}\Big(-\frac{1}{2}+1\Big)=\frac{1}{6}$$

따라서 ㉠에서 $f(1)-\displaystyle\int_0^1 \frac{x^2}{(1+x^3)^2}\,dx=f(1)-\frac{1}{6}=\frac{1}{6}$

$$\therefore f(1)=\frac{1}{3}$$

960 답 ⑤

$f(g(x))=f(e^x)=ae^x+b$ 이므로

$$ae^x+b=\int_0^x f(t)g(t)\,dt-xe^x+3$$

위의 등식의 양변을 x 에 대하여 미분하면

$$ae^x=f(x)g(x)-e^x-xe^x$$

$$f(x)g(x)=(x+a+1)e^x$$

$$\therefore (ax+b)e^x=(x+a+1)e^x$$

$e^x\neq 0$ 이므로 $ax+b=x+a+1$

위의 식은 x 에 대한 항등식이므로 $a=1$, $b=a+1=2$

따라서 $f(x)=x+2$ 이므로 $f(2)=4$

961 답 e^2-1

$f(x)=\displaystyle\int_0^x \frac{1}{1+t^2}\,dt$ 의 양변을 x 에 대하여 미분하면

$$f'(x)=\frac{1}{1+x^2}$$

$$\int_0^a \frac{e^{f(x)}}{1+x^2}\,dx=\int_0^a e^{f(x)}\times f'(x)\,dx \text{이므로}$$

$f(x)=t$ 로 놓으면 $\dfrac{dt}{dx}=f'(x)$

$x=0$ 일 때 $t=f(0)=0$, $x=a$ 일 때 $t=f(a)=2$ 이므로

$$\therefore \int_0^a \frac{e^{f(x)}}{1+x^2}\,dx=\int_0^a e^{f(x)}\times f'(x)\,dx=\int_0^2 e^t\,dt$$

$$=\Big[\,e^t\,\Big]_0^2=e^2-1$$

962 답 ③

$f(x)=\displaystyle\int_1^x (t-t\ln t)\,dt$ 의 양변을 x 에 대하여 미분하면

$$f'(x)=x-x\ln x=x(1-\ln x)$$

$f'(x)=0$ 에서 $x=e$ $(\because x>0)$

함수 $f(x)$ 의 증가와 감소를 표로 나타내면 다음과 같다.

x	0	$\cdots$	e	$\cdots$
$f'(x)$		$+$	0	$-$
$f(x)$		↗	극대	↘

따라서 함수 $f(x)$ 는 $x=e$ 에서 극대이면서 최대이므로

$m=e$, $M=f(e)$

$M=\displaystyle\int_1^e (t-t\ln t)\,dt=\int_1^e t(1-\ln t)\,dt \text{에서}$

$u(t)=1-\ln t$, $v'(t)=t$ 로 놓으면

$u'(t)=-\dfrac{1}{t}$, $v(t)=\dfrac{1}{2}t^2$ 이므로

$$M=\Big[\frac{1}{2}t^2(1-\ln t)\Big]_1^e+\int_1^e \frac{1}{2}t\,dt=-\frac{1}{2}+\Big[\frac{1}{4}t^2\Big]_1^e$$

$$=-\frac{1}{2}+\frac{1}{4}e^2-\frac{1}{4}=\frac{1}{4}e^2-\frac{3}{4}$$

$$\therefore 4M-m^2=e^2-3-e^2=-3$$

963 답 ③

$f'(x)=\dfrac{2x-1}{x^2-x+1}=0$ 에서 $x=\dfrac{1}{2}$

함수 $f(x)$ 의 증가와 감소를 표로 나타내면 다음과 같다.

x	$\cdots$	$\dfrac{1}{2}$	$\cdots$
$f'(x)$	$-$	0	$+$
$f(x)$	↘	극소	↗

따라서 함수 $f(x)$ 는 $x=\dfrac{1}{2}$ 에서 극소이면서 최소이다.

$$f\Big(\frac{1}{2}\Big)=\int_0^{\frac{1}{2}} \frac{2t-1}{t^2-t+1}\,dt=\int_0^{\frac{1}{2}} \frac{(t^2-t+1)'}{t^2-t+1}\,dt$$

$$=\Big[\ln(t^2-t+1)\Big]_0^{\frac{1}{2}}=\ln\frac{3}{4}$$

964 답 4

함수 $f(x)$ 의 한 부정적분을 $F(x)$ 라 하면

$$\lim_{h\to 0}\frac{1}{h}\int_{4-h}^{4+2h} f(t)\,dt$$

$$=\lim_{h\to 0}\frac{1}{h}\Big[F(t)\Big]_{4-h}^{4+2h}=\lim_{h\to 0}\frac{F(4+2h)-F(4-h)}{h}$$

$$=\lim_{h\to 0}\Big\{\frac{F(4+2h)-F(4)}{2h}\times 2+\frac{F(4-h)-F(4)}{-h}\Big\}$$

$$=2F'(4)+F'(4)=3F'(4)=3f(4)$$

$$f(4)=\int_0^4 \frac{t-1}{\sqrt{t}+1}\,dt=\int_0^4 (\sqrt{t}-1)\,dt$$

$$=\Big[\frac{2}{3}t^{\frac{3}{2}}-t\Big]_0^4=\frac{16}{3}-4=\frac{4}{3}$$

$$\therefore 3f(4)=4$$

965 답 25

단계 1 $2x=t$로 치환하기

$2x=t$로 놓으면 $\dfrac{dt}{dx}=2$

$x=0$일 때 $t=0$, $x=1$일 때 $t=2$이므로

$\displaystyle\int_0^1 f(2x)\,dx=\int_0^2 f(t)\times\dfrac{1}{2}\,dt=2$

$\therefore \displaystyle\int_0^2 f(x)\,dx=4$ ······30%

단계 2 $1-x=s$로 치환하기

$1-x=s$로 놓으면 $\dfrac{ds}{dx}=-1$

$x=-2$일 때 $s=3$, $x=-1$일 때 $s=2$이므로

$\displaystyle\int_{-2}^{-1} f(1-x)\,dx=\int_3^2 \{-f(s)\}ds$

$\qquad\qquad\qquad =\displaystyle\int_2^3 f(s)\,ds=3$

$\therefore \displaystyle\int_2^3 f(x)\,dx=3$ ······30%

단계 3 $\displaystyle\int_0^{11} f(x)\,dx$의 값 구하기

$\displaystyle\int_0^3 f(x)\,dx=\int_0^2 f(x)\,dx+\int_2^3 f(x)\,dx$

$\qquad\qquad =4+3=7$

$f(x+3)=f(x)$이므로

$\displaystyle\int_0^{11} f(x)\,dx$

$=\displaystyle\int_0^3 f(x)\,dx+\int_3^6 f(x)\,dx+\int_6^9 f(x)\,dx+\int_9^{11} f(x)\,dx$

$=3\displaystyle\int_0^3 f(x)\,dx+\int_0^2 f(x)\,dx$

$=3\times 7+4$

$=25$ ······40%

966 답 $\dfrac{1}{3}$

단계 1 $\displaystyle\int_0^1 tf(t)\,dt=k$로 놓고 $f(x)$의 식 세우기

$\displaystyle\int_0^1 tf(t)\,dt=k$ (단, k는 상수) $\cdots$ ㉠

로 놓으면 $f(x)=e^x-k$ $\cdots$ ㉡ ······20%

단계 2 $f(x)$를 $\displaystyle\int_0^1 tf(t)\,dt=k$에 대입하여 k의 값 구하기

㉡을 ㉠에 대입하면

$\displaystyle\int_0^1 t(e^t-k)\,dt=k$

$\displaystyle\int_0^1 te^t\,dt-\int_0^1 kt\,dt=k$

$\displaystyle\int_0^1 te^t\,dt$에서 $u(t)=t$, $v'(t)=e^t$으로 놓으면

$u'(t)=1$, $v(t)=e^t$이므로

$k=\Big[te^t\Big]_0^1-\displaystyle\int_0^1 e^t\,dt-\int_0^1 kt\,dt$

$=e-\Big[e^t\Big]_0^1-\Big[\dfrac{k}{2}t^2\Big]_0^1$

$=e-(e-1)-\dfrac{k}{2}$

$=1-\dfrac{k}{2}$

$\therefore k=\dfrac{2}{3}$ ······70%

단계 3 $f(0)$의 값 구하기

$f(x)=e^x-\dfrac{2}{3}$이므로

$f(0)=1-\dfrac{2}{3}=\dfrac{1}{3}$ ······10%

3 정적분의 활용

➜ 본책 152쪽~155쪽

967 답 (가) : $\dfrac{k}{n}$, (나) : $\dfrac{1}{n^3}$, (다) : $\dfrac{1}{3}$

닫힌구간 $[0,\ 1]$을 n 등분한 각 소구간의 오른쪽 끝점의 x좌표는 차례로 $\dfrac{1}{n}$, $\dfrac{2}{n}$, $\cdots$, $\dfrac{n-1}{n}$, 1이므로 그림의 직사각형의 넓이의 합을 S_n이라 하면

$$S_n=\frac{1}{n}\sum_{k=1}^{n}\left(\boxed{\frac{k}{n}}\right)^2=\frac{1}{n^3}\sum_{k=1}^{n}k^2$$

$$=\boxed{\frac{1}{n^3}}\times\frac{n(n+1)(2n+1)}{6}$$

$$=\frac{(n+1)(2n+1)}{6n^2}$$

$$\therefore S=\lim_{n\to\infty}S_n=\boxed{\frac{1}{3}}$$

968 답 (가) : $\dfrac{1}{n}$, (나) : $\dfrac{k}{n}$, (다) : $\dfrac{1}{5}$

$$\lim_{n\to\infty}\frac{1}{n^5}(1^4+2^4+3^4+\cdots+n^4)$$

$$=\lim_{n\to\infty}\frac{1}{n^5}\sum_{k=1}^{n}k^4=\lim_{n\to\infty}\sum_{k=1}^{n}\left(\frac{k}{n}\right)^4\times\frac{1}{n}$$

이때 $f(x)=x^4$, $a=0$, $b=1$로 놓으면

$$\varDelta x=\boxed{\frac{1}{n}},\ x_k=\boxed{\frac{k}{n}}$$

따라서 정적분과 급수의 합 사이의 관계에 의하여

$$\lim_{n\to\infty}\sum_{k=1}^{n}\left(\frac{k}{n}\right)^4\times\frac{1}{n}=\lim_{n\to\infty}\sum_{k=1}^{n}f(x_k)\varDelta x=\int_0^1 f(x)\,dx$$

$$=\int_0^1 x^4\,dx=\left[\frac{1}{5}x^5\right]_0^1=\boxed{\frac{1}{5}}$$

969 답 $\dfrac{15}{4}$

$$\lim_{n\to\infty}\frac{1}{n}\left\{\left(\frac{n+1}{n}\right)^3+\left(\frac{n+2}{n}\right)^3+\cdots+\left(\frac{2n}{n}\right)^3\right\}$$

$$=\lim_{n\to\infty}\sum_{k=1}^{n}\left(\frac{n+k}{n}\right)^3\times\frac{1}{n}$$

$$=\lim_{n\to\infty}\sum_{k=1}^{n}\left(1+\frac{k}{n}\right)^3\times\frac{1}{n}$$

이때 $f(x)=x^3$, $a=1$, $b=2$로 놓으면

$$\varDelta x=\frac{1}{n},\ x_k=1+\frac{k}{n}$$

따라서 정적분과 급수의 합 사이의 관계에 의하여

$$\lim_{n\to\infty}\sum_{k=1}^{n}\left(1+\frac{k}{n}\right)^3\times\frac{1}{n}=\lim_{n\to\infty}\sum_{k=1}^{n}f(x_k)\varDelta x$$

$$=\int_1^2 f(x)\,dx$$

$$=\int_1^2 x^3\,dx=\left[\frac{1}{4}x^4\right]_1^2=\frac{15}{4}$$

970 답 e^2-1

오른쪽 그림에서 구하는 넓이는

$$\int_0^2 e^x\,dx=\left[e^x\right]_0^2=e^2-1$$

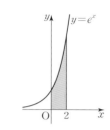

971 답 4

오른쪽 그림에서 구하는 넓이는

$$\int_0^{2\pi}|\sin x|\,dx$$

$$=\int_0^{\pi}\sin x\,dx$$

$$\quad+\int_{\pi}^{2\pi}(-\sin x)\,dx$$

$$=2\int_0^{\pi}\sin x\,dx=2\left[-\cos x\right]_0^{\pi}=4$$

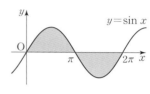

972 답 $\ln 2$

$y=\dfrac{1}{x}+2$에서 $\dfrac{1}{x}=y-2$

$$\therefore x=\frac{1}{y-2}$$

따라서 구하는 넓이는

$$\int_0^1\left(-\frac{1}{y-2}\right)dy$$

$$=\left[-\ln|y-2|\right]_0^1=\ln 2$$

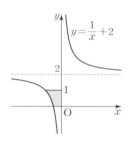

973 답 2

$y=\sqrt{x+1}$에서 $y^2=x+1$

$$\therefore x=y^2-1$$

따라서 구하는 넓이는

$$\int_0^2|y^2-1|\,dy$$

$$=\int_0^1(-y^2+1)\,dy+\int_1^2(y^2-1)\,dy$$

$$=\left[-\frac{1}{3}y^3+y\right]_0^1+\left[\frac{1}{3}y^3-y\right]_1^2$$

$$=\left(-\frac{1}{3}+1\right)+\left(\frac{8}{3}-2\right)-\left(\frac{1}{3}-1\right)=2$$

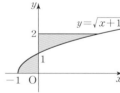

974 답 $\dfrac{1}{6}$

곡선 $y=\sqrt{x}$와 직선 $y=x$의 교점의 x좌표는 $\sqrt{x}=x$에서

$$x^2-x=0,\ x(x-1)=0$$

$$\therefore x=0\ \text{또는}\ x=1$$

따라서 구하는 넓이는

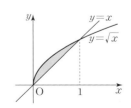

$$\int_0^1 (\sqrt{x}-x)\,dx$$
$$=\left[\frac{2}{3}x^{\frac{3}{2}}-\frac{1}{2}x^2\right]_0^1=\frac{2}{3}-\frac{1}{2}=\frac{1}{6}$$

975 답 $2\sqrt{2}$

$0 \le x \le \pi$에서 두 곡선 $y=\sin x$, $y=\cos x$의 교점의 x좌표는 $\sin x=\cos x$에서 $\tan x=1$

$\therefore x=\dfrac{\pi}{4}$

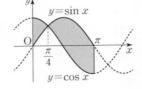

따라서 구하는 넓이는

$$\int_0^\pi |\sin x-\cos x|\,dx$$
$$=\int_0^{\frac{\pi}{4}} (\cos x-\sin x)\,dx+\int_{\frac{\pi}{4}}^\pi (\sin x-\cos x)\,dx$$
$$=\left[\sin x+\cos x\right]_0^{\frac{\pi}{4}}+\left[-\cos x-\sin x\right]_{\frac{\pi}{4}}^\pi$$
$$=(\sqrt{2}-1)+(1+\sqrt{2})$$
$$=2\sqrt{2}$$

976 답 $\dfrac{1}{2}e^2-e+\dfrac{3}{2}$

$y=e^x$에서 $x=\ln y$
$y=-x+1$에서 $x=-y+1$
따라서 구하는 넓이는

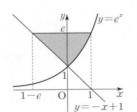

$$\int_1^e \{\ln y-(-y+1)\}\,dy$$
$$=\int_1^e (\ln y+y-1)\,dy$$
$$=\left[y\ln y\right]_1^e-\int_1^e 1\,dy+\left[\frac{1}{2}y^2-y\right]_1^e$$
$$=e-\left[y\right]_1^e+\left(\frac{1}{2}e^2-e+\frac{1}{2}\right)$$
$$=\frac{1}{2}e^2-e+\frac{3}{2}$$

977 답 $2(e^2-1)$

$y=\ln x$에서 $x=e^y$
$y=\ln(-x)$에서 $x=-e^y$
따라서 구하는 넓이는

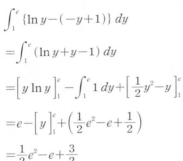

$$\int_0^2 \{e^y-(-e^y)\}\,dy$$
$$=\int_0^2 2e^y\,dy=\left[2e^y\right]_0^2$$
$$=2(e^2-1)$$

978 답 $\dfrac{10\sqrt{5}}{3}\,cm^3$

높이가 $x\,cm$일 때의 단면의 넓이가 $\sqrt{5-x}\,cm^2$이므로 구하는 입체도형의 부피는

$$\int_0^5 \sqrt{5-x}\,dx=\left[-\frac{2}{3}(5-x)^{\frac{3}{2}}\right]_0^5=\frac{10\sqrt{5}}{3}\,(cm^3)$$

979 답 $130\,cm^3$

물의 높이가 $x\,cm$일 때의 수면의 넓이가 $(\sqrt{2x+3})^2=2x+3$ 이므로 구하는 그릇의 부피는

$$\int_0^{10} (2x+3)\,dx=\left[x^2+3x\right]_0^{10}=130(cm^3)$$

980 답 $\dfrac{17}{6}$

x좌표가 x인 점을 지나고 x축에 수직인 평면으로 자른 단면의 넓이는 $(\sqrt{x}+1)^2$이므로 구하는 입체도형의 부피는

$$\int_0^1 (\sqrt{x}+1)^2\,dx=\int_0^1 (x+2\sqrt{x}+1)\,dx$$
$$=\left[\frac{1}{2}x^2+\frac{4}{3}x^{\frac{3}{2}}+x\right]_0^1$$
$$=\frac{1}{2}+\frac{4}{3}+1=\frac{17}{6}$$

981 답 $\dfrac{\sqrt{3}}{2}$

x좌표가 x인 점을 지나고 x축에 수직인 평면으로 자른 단면의 넓이는 $\dfrac{\sqrt{3}}{4}(\sqrt{\sin x})^2$이므로 구하는 입체도형의 부피는

$$\int_0^\pi \frac{\sqrt{3}}{4}\sin x\,dx=\left[-\frac{\sqrt{3}}{4}\cos x\right]_0^\pi$$
$$=\frac{\sqrt{3}}{4}+\frac{\sqrt{3}}{4}=\frac{\sqrt{3}}{2}$$

982 답 ㈎ : x^2, ㈏ : $\dfrac{1}{3}x^3$, ㈐ : $\dfrac{1}{3}Sh$

오른쪽 그림과 같이 사각뿔의 꼭 짓점 O를 원점, 꼭짓점에서 밑면 에 내린 수선을 x축으로 정하자. x좌표가 x인 점을 지나고 x축에 수직인 평면으로 자른 단 면의 넓이를 $S(x)$라 하면

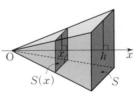

$$S(x):S=\boxed{x^2}:h^2,\ S(x)=\frac{x^2}{h^2}S$$

따라서 구하는 부피 V는

$$V=\int_0^h S(x)\,dx=\int_0^h \frac{x^2}{h^2}S\,dx$$
$$=\frac{S}{h^2}\left[\frac{1}{3}x^3\right]_0^h=\boxed{\frac{1}{3}Sh}$$

참고 두 닮은 도형의 넓이의 비는 닮음비의 제곱의 비와 같다.

983 답 $\dfrac{2}{\pi}$

$t=0$에서의 점 P의 위치가 0이므로 $t=3$에서의 점 P의 위치는

$0+\displaystyle\int_0^3 v(t)\,dt=\int_0^3 \sin\pi t\,dt=\left[-\dfrac{1}{\pi}\cos\pi t\right]_0^3=\dfrac{2}{\pi}$

984 답 $\dfrac{1}{2\pi}$

$t=\dfrac{1}{3}$에서 $t=\dfrac{1}{2}$까지 점 P의 위치의 변화량은

$\displaystyle\int_{\frac{1}{3}}^{\frac{1}{2}} v(t)\,dt=\int_{\frac{1}{3}}^{\frac{1}{2}}\sin\pi t\,dt=\left[-\dfrac{1}{\pi}\cos\pi t\right]_{\frac{1}{3}}^{\frac{1}{2}}=\dfrac{1}{2\pi}$

985 답 $\dfrac{4}{\pi}$

$t=0$에서 $t=2$까지 점 P가 움직인 거리는

$\displaystyle\int_0^2 |v(t)|\,dt=\int_0^2 |\sin\pi t|\,dt=2\int_0^1 \sin\pi t\,dt$

$\qquad=2\left[-\dfrac{1}{\pi}\cos\pi t\right]_0^1=\dfrac{4}{\pi}$

986 답 12

$\dfrac{dx}{dt}=t^2-1$, $\dfrac{dy}{dt}=2t$이므로 점 P가 움직인 거리는

$\displaystyle\int_0^3 \sqrt{(t^2-1)^2+(2t)^2}\,dt=\int_0^3 \sqrt{(t^2+1)^2}\,dt=\int_0^3 (t^2+1)\,dt$

$\qquad=\left[\dfrac{1}{3}t^3+t\right]_0^3=12$

987 답 6

$\dfrac{dx}{dt}=2\cos 2t$, $\dfrac{dy}{dt}=-2\sin 2t$이므로 점 P가 움직인 거리는

$\displaystyle\int_0^3 \sqrt{(2\cos 2t)^2+(-2\sin 2t)^2}\,dt$

$=\displaystyle\int_0^3 \sqrt{4(\cos^2 2t+\sin^2 2t)}\,dt$

$=\displaystyle\int_0^3 2\,dt=\left[2t\right]_0^3=6$

988 답 $\dfrac{15}{2}$

$\dfrac{dx}{dt}=t-1$, $\dfrac{dy}{dt}=2t^{\frac{1}{2}}=2\sqrt{t}$이므로 점 P가 움직인 거리는

$\displaystyle\int_0^3 \sqrt{(t-1)^2+(2\sqrt{t})^2}\,dt$

$=\displaystyle\int_0^3 \sqrt{(t+1)^2}\,dt=\int_0^3 (t+1)\,dt$

$=\left[\dfrac{1}{2}t^2+t\right]_0^3=\dfrac{15}{2}$

989 답 $\dfrac{16-4\sqrt{2}}{3}$

$\dfrac{dy}{dx}=(x-1)^{\frac{1}{2}}=\sqrt{x-1}$이므로 주어진 곡선의 길이는

$\displaystyle\int_2^4 \sqrt{1+(\sqrt{x-1})^2}\,dx=\int_2^4 \sqrt{x}\,dx=\left[\dfrac{2}{3}x^{\frac{3}{2}}\right]_2^4$

$\qquad=\dfrac{16}{3}-\dfrac{4\sqrt{2}}{3}=\dfrac{16-4\sqrt{2}}{3}$

990 답 $e-\dfrac{1}{e}$

$\dfrac{dy}{dx}=\dfrac{e^x-e^{-x}}{2}$이므로 주어진 곡선의 길이는

$\displaystyle\int_{-1}^1 \sqrt{1+\left(\dfrac{e^x-e^{-x}}{2}\right)^2}\,dx$

$=\displaystyle\int_{-1}^1 \sqrt{1+\dfrac{e^{2x}+e^{-2x}-2}{4}}\,dx=\int_{-1}^1 \sqrt{\dfrac{e^{2x}+e^{-2x}+2}{4}}\,dx$

$=\displaystyle\int_{-1}^1 \sqrt{\left(\dfrac{e^x+e^{-x}}{2}\right)^2}\,dx=\int_{-1}^1 \dfrac{e^x+e^{-x}}{2}\,dx$

$=\left[\dfrac{e^x-e^{-x}}{2}\right]_{-1}^1=e-\dfrac{1}{e}$

도전! 유형 연습하기

➔ 본책 156쪽~164쪽

991 답 $\dfrac{2}{\pi}$

단계 1 주어진 급수를 $\displaystyle\lim_{n\to\infty}\sum_{k=1}^{n} a_k$ 꼴로 나타내기

$\displaystyle\lim_{n\to\infty}\dfrac{1}{n}\left(\sin\dfrac{\pi}{n}+\sin\dfrac{2\pi}{n}+\cdots+\sin\dfrac{n\pi}{n}\right)$

$=\displaystyle\lim_{n\to\infty}\sum_{k=1}^{n}\dfrac{1}{n}\sin\dfrac{k\pi}{n}=\dfrac{1}{\pi}\lim_{n\to\infty}\sum_{k=1}^{n}\dfrac{\pi}{n}\sin\dfrac{k\pi}{n}$

단계 2 급수의 합을 정적분으로 나타내기

$f(x)=\sin x$, $a=0$, $b=\pi$로 놓으면

$\Delta x=\dfrac{\pi}{n}$, $x_k=\dfrac{k\pi}{n}$

따라서 정적분과 급수의 합 사이의 관계에 의하여

$\dfrac{1}{\pi}\displaystyle\lim_{n\to\infty}\sum_{k=1}^{n}\sin\dfrac{k\pi}{n}\times\dfrac{\pi}{n}=\dfrac{1}{\pi}\lim_{n\to\infty}\sum_{k=1}^{n}f(x_k)\Delta x$

$\qquad=\dfrac{1}{\pi}\displaystyle\int_0^\pi f(x)\,dx$

$\qquad=\dfrac{1}{\pi}\displaystyle\int_0^\pi \sin x\,dx$

단계 3 정적분의 값 구하기

$\dfrac{1}{\pi}\displaystyle\int_0^\pi \sin x\,dx=\dfrac{1}{\pi}\left[-\cos x\right]_0^\pi=\dfrac{2}{\pi}$

992 답 $\ln 2$

$\lim_{n \to \infty}\left(\dfrac{1}{n+1}+\dfrac{1}{n+2}+\dfrac{1}{n+3}+\cdots+\dfrac{1}{2n}\right)$

$=\lim_{n \to \infty}\sum_{k=1}^{n}\dfrac{1}{n+k}=\lim_{n \to \infty}\sum_{k=1}^{n}\dfrac{1}{1+\dfrac{k}{n}}\times\dfrac{1}{n}$

$f(x)=\dfrac{1}{1+x}$, $a=0$, $b=1$로 놓으면

$\varDelta x=\dfrac{1}{n}$, $x_k=\dfrac{k}{n}$

따라서 정적분과 급수의 합 사이의 관계에 의하여

$\lim_{n \to \infty}\sum_{k=1}^{n}\dfrac{1}{1+\dfrac{k}{n}}\times\dfrac{1}{n}=\lim_{n \to \infty}\sum_{k=1}^{n}f(x_k)\,\varDelta x$

$=\displaystyle\int_0^1\dfrac{1}{1+x}\,dx$

$=\Big[\ln|1+x|\Big]_0^1=\ln 2$

993 답 ①

$f(x)=\dfrac{\ln x}{x}$, $a=1$, $b=4$로 놓으면

$\varDelta x=\dfrac{3}{n}$, $x_k=1+\dfrac{3k}{n}$

따라서 정적분과 급수의 합 사이의 관계에 의하여

$\lim_{n \to \infty}\sum_{k=1}^{n}f\left(1+\dfrac{3k}{n}\right)\dfrac{1}{n}$

$=\lim_{n \to \infty}\sum_{k=1}^{n}f\left(1+\dfrac{3k}{n}\right)\dfrac{3}{n}\times\dfrac{1}{3}=\dfrac{1}{3}\lim_{n \to \infty}\sum_{k=1}^{n}f(x_k)\,\varDelta x$

$=\dfrac{1}{3}\displaystyle\int_1^4 f(x)\,dx=\dfrac{1}{3}\int_1^4\dfrac{\ln x}{x}\,dx$

$=\dfrac{1}{3}\Big[\dfrac{1}{2}(\ln x)^2\Big]_1^4=\dfrac{1}{6}(\ln 4)^2=\dfrac{2}{3}(\ln 2)^2$

994 답 $2\pi-4$

$\lim_{n \to \infty}\dfrac{\pi^2}{n^2}\left(\cos\dfrac{\pi}{2n}+2\cos\dfrac{2\pi}{2n}+\cdots+n\cos\dfrac{n\pi}{2n}\right)$

$=\lim_{n \to \infty}\sum_{k=1}^{n}\dfrac{k\pi^2}{n^2}\cos\dfrac{k\pi}{2n}$

$f(x)=x\cos x$, $a=0$, $b=\dfrac{\pi}{2}$로 놓으면

$\varDelta x=\dfrac{\pi}{2n}$, $x_k=\dfrac{k\pi}{2n}$

따라서 정적분과 급수의 합 사이의 관계에 의하여

$\lim_{n \to \infty}\sum_{k=1}^{n}\dfrac{k\pi^2}{n^2}\cos\dfrac{k\pi}{2n}$

$=\lim_{n \to \infty}\sum_{k=1}^{n}\dfrac{k\pi}{2n}\cos\dfrac{k\pi}{2n}\times\dfrac{\pi}{2n}\times4$

$=4\lim_{n \to \infty}\sum_{k=1}^{n}f(x_k)\,\varDelta x$

$=4\displaystyle\int_0^{\frac{\pi}{2}}x\cos x\,dx=4\left(\Big[x\sin x\Big]_0^{\frac{\pi}{2}}-\int_0^{\frac{\pi}{2}}\sin x\,dx\right)$

$=4\left(\dfrac{\pi}{2}+\Big[\cos x\Big]_0^{\frac{\pi}{2}}\right)=4\left(\dfrac{\pi}{2}-1\right)=2\pi-4$

995 답 $\dfrac{6}{\pi}$

단계 1 $\lim_{n \to \infty}\sum_{k=1}^{n}a_k$ 꼴로 나타내기

부채꼴 OAP_k의 반지름의 길이는 3, 중심각의 크기는 $\dfrac{k\pi}{2n}$이므로 $\overline{P_kQ_k}=3\sin\dfrac{k\pi}{2n}$

$\therefore \lim_{n \to \infty}\dfrac{1}{n}\sum_{k=1}^{n-1}\overline{P_kQ_k}=\lim_{n \to \infty}\sum_{k=1}^{n-1}\dfrac{3}{n}\sin\dfrac{k\pi}{2n}$

단계 2 급수의 합을 정적분으로 나타내기

$f(x)=\sin x$, $a=0$, $b=\dfrac{\pi}{2}$로 놓으면

$\varDelta x=\dfrac{\pi}{2n}$, $x_k=\dfrac{k\pi}{2n}$

따라서 정적분과 급수의 합 사이의 관계에 의하여

$\lim_{n \to \infty}\sum_{k=1}^{n-1}\dfrac{3}{n}\sin\dfrac{k\pi}{2n}=\lim_{n \to \infty}\sum_{k=1}^{n-1}\dfrac{\pi}{2n}\sin\dfrac{k\pi}{2n}\times\dfrac{6}{\pi}$

$=\dfrac{6}{\pi}\displaystyle\int_0^{\frac{\pi}{2}}\sin x\,dx$

단계 3 정적분의 값 구하기

$\dfrac{6}{\pi}\displaystyle\int_0^{\frac{\pi}{2}}\sin x\,dx=\dfrac{6}{\pi}\Big[-\cos x\Big]_0^{\frac{\pi}{2}}=\dfrac{6}{\pi}$

참고 사분원의 호의 길이를 n 등분하면 사분원의 중심각의 크기인 $\dfrac{\pi}{2}$도 n 등분되므로 $\angle AOP_k=\dfrac{\pi}{2}\times\dfrac{k}{n}=\dfrac{k\pi}{2n}$

996 답 $2(e^2-1)$

삼각형 AP_kQ_k는 정삼각형이므로

$\overline{P_kQ_k}=\overline{AP_k}=\dfrac{2k}{n}$

$\therefore \lim_{n \to \infty}\dfrac{4}{n}\sum_{k=1}^{n-1}e^{\overline{P_kQ_k}}=\lim_{n \to \infty}\dfrac{4}{n}\sum_{k=1}^{n-1}e^{\frac{2k}{n}}$

이때 $f(x)=e^x$, $a=0$, $b=2$로 놓으면

$\varDelta x=\dfrac{2}{n}$, $x_k=\dfrac{2k}{n}$

따라서 정적분과 급수의 합 사이의 관계에 의하여

$\lim_{n \to \infty}\dfrac{4}{n}\sum_{k=1}^{n-1}e^{\frac{2k}{n}}=2\lim_{n \to \infty}\sum_{k=1}^{n-1}e^{\frac{2k}{n}}\times\dfrac{2}{n}$

$=2\displaystyle\int_0^2 e^x\,dx=2\Big[e^x\Big]_0^2=2(e^2-1)$

997 답 $e+\dfrac{1}{e}-2$

단계 1 $f(x)\geq0$의 구간과 $f(x)\leq0$의 구간으로 나누기

오른쪽 그림에서 구하는 넓이는

$\displaystyle\int_{-1}^1|e^x-1|\,dx$

$=\displaystyle\int_{-1}^0(-e^x+1)\,dx$

$+\displaystyle\int_0^1(e^x-1)\,dx$

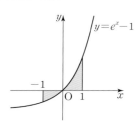

단계 2 정적분의 값 구하기

$$\int_{-1}^{0} (-e^x+1)\, dx + \int_{0}^{1} (e^x-1)\, dx$$

$$=\Big[-e^x+x\Big]_{-1}^{0} + \Big[e^x-x\Big]_{0}^{1}$$

$$=\left(-1+\frac{1}{e}+1\right)+(e-1-1)=e+\frac{1}{e}-2$$

---

998 답 ⑤

오른쪽 그림에서 구하는 넓이는

$$\int_{0}^{2} \left|\frac{2}{x+1}-1\right| dx$$

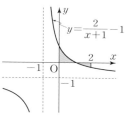

$$=\int_{0}^{1}\left(\frac{2}{x+1}-1\right) dx$$

$$\quad +\int_{1}^{2}\left(-\frac{2}{x+1}+1\right) dx$$

$$=\Big[2\ln|x+1|-x\Big]_{0}^{1}+\Big[-2\ln|x+1|+x\Big]_{1}^{2}$$

$$=(2\ln 2-1)+(-2\ln 3+2)-(-2\ln 2+1)$$

$$=4\ln 2-2\ln 3=\ln\frac{16}{9}$$

---

999 답 2

오른쪽 그림에서

$$\int_{a}^{6} \sqrt{x-a}\, dx=\frac{16}{3}$$이므로

$$\Big[\frac{2}{3}(x-a)^{\frac{3}{2}}\Big]_{a}^{6}=\frac{16}{3}$$

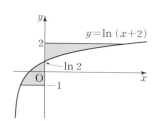

$$\frac{2}{3}(6-a)^{\frac{3}{2}}=\frac{16}{3}$$

$$(6-a)^{\frac{3}{2}}=8=2^3,\ (6-a)^{\frac{1}{2}}=2,\ 6-a=4 \qquad \therefore a=2$$

1000 답 $\frac{1}{2}$

$$a_n=\int_{0}^{\pi}|n\cos x|\, dx=2\int_{0}^{\frac{\pi}{2}} n\cos x\, dx=2\Big[n\sin x\Big]_{0}^{\frac{\pi}{2}}=2n$$

$$\therefore \sum_{n=1}^{\infty}\frac{1}{(n+1)a_n}=\sum_{n=1}^{\infty}\frac{1}{2n(n+1)}=\lim_{n\to\infty}\sum_{k=1}^{n}\frac{1}{2}\left(\frac{1}{k}-\frac{1}{k+1}\right)$$

$$=\lim_{n\to\infty}\frac{1}{2}\left(1-\frac{1}{n+1}\right)=\frac{1}{2}$$

1001 답 ②

$$\int_{0}^{\pi} |x\sin 2x|\, dx$$

$$=\int_{0}^{\frac{\pi}{2}} x\sin 2x\, dx+\int_{\frac{\pi}{2}}^{\pi} (-x\sin 2x)\, dx$$

$$=\Big[-\frac{1}{2}x\cos 2x\Big]_{0}^{\frac{\pi}{2}}+\int_{0}^{\frac{\pi}{2}}\frac{1}{2}\cos 2x\, dx$$

$$\quad +\Big[\frac{1}{2}x\cos 2x\Big]_{\frac{\pi}{2}}^{\pi}-\int_{\frac{\pi}{2}}^{\pi}\frac{1}{2}\cos 2x\, dx$$

$$=\frac{\pi}{4}+\Big[\frac{1}{4}\sin 2x\Big]_{0}^{\frac{\pi}{2}}+\left(\frac{\pi}{2}+\frac{\pi}{4}\right)-\Big[\frac{1}{4}\sin 2x\Big]_{\frac{\pi}{2}}^{\pi}=\pi$$

1002 답 $e^2+\frac{1}{e}+4\ln 2-6$

단계 1 $x=g(y)$ 꼴로 식 정리하기

$y=\ln(x+2)$에서 $e^y=x+2$ $\qquad \therefore x=e^y-2$

단계 2 $g(y)\geq 0$의 구간과 $g(y)\leq 0$에 따라 구간 나누기

$$\int_{-1}^{2} |e^y-2|\, dy$$

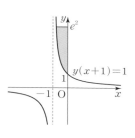

$$=\int_{-1}^{\ln 2} (-e^y+2)\, dy$$

$$\quad +\int_{\ln 2}^{2} (e^y-2)\, dy$$

단계 3 정적분의 값 구하기

$$\int_{-1}^{\ln 2} (-e^y+2)\, dy+\int_{\ln 2}^{2} (e^y-2)\, dy$$

$$=\Big[-e^y+2y\Big]_{-1}^{\ln 2}+\Big[e^y-2y\Big]_{\ln 2}^{2}$$

$$=-2+2\ln 2-(-e^{-1}-2)+e^2-4-(2-2\ln 2)$$

$$=e^2+\frac{1}{e}+4\ln 2-6$$

1003 답 ②

$y(x+1)=1$에서 $x+1=\frac{1}{y}$

$$\therefore x=\frac{1}{y}-1$$

따라서 구하는 넓이는

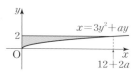

$$\int_{1}^{e^2}\left(-\frac{1}{y}+1\right) dy$$

$$=\Big[-\ln|y|+y\Big]_{1}^{e^2}$$

$$=(-2+e^2)-1=e^2-3$$

1004 답 ④

오른쪽 그림에서

$$\int_{0}^{2} (3y^2+ay)\, dy=10$$

$$\Big[y^3+\frac{1}{2}ay^2\Big]_{0}^{2}=10$$

$$8+2a=10 \qquad \therefore a=1$$

1005 답 68

$S_1:S_2=2:1$이므로 $S_1=2S_2$

또 $y=\frac{1}{x}$에서 $x=\frac{1}{y}$

(i) $1<k<8$인 경우

$$\int_{1}^{k}\frac{1}{y}\, dy=2\int_{k}^{8}\frac{1}{y}\, dy$$

$$\Big[\ln|y|\Big]_{1}^{k}=2\Big[\ln|y|\Big]_{k}^{8}$$

$$\ln k=2(3\ln 2-\ln k),\ 3\ln k=6\ln 2 \qquad \therefore k=4$$

(ii) $k>8$인 경우

$$\int_1^k \frac{1}{y}\,dy=2\int_8^k \frac{1}{y}\,dy$$

$$\Big[\ln|y|\Big]_1^k=2\Big[\ln|y|\Big]_8^k$$

$$\ln k=2(\ln k-3\ln 2),\ \ln k=6\ln 2$$

$$\therefore k=64$$

따라서 모든 k의 값의 합은

$$4+64=68$$

1006 답 $\dfrac{3\sqrt{3}}{2}-1$

단계 1 두 곡선 $y=\sin x$, $y=\cos 2x$의 교점의 x좌표 구하기

$\cos 2x=\sin x$에서 $1-2\sin^2 x=\sin x$

$2\sin^2 x+\sin x-1=0$,

$(2\sin x-1)(\sin x+1)=0$

$$\therefore \sin x=\frac{1}{2}\ \text{또는}\ \sin x=-1$$

$0\le x\le \dfrac{\pi}{2}$에서 $x=\dfrac{\pi}{6}$

단계 2 구하는 도형의 넓이를 정적분으로 나타내기

오른쪽 그림에서 구하는 도형의
넓이는

$$\int_0^{\frac{\pi}{2}}|\cos 2x-\sin x|\,dx$$

$$=\int_0^{\frac{\pi}{6}}(\cos 2x-\sin x)\,dx$$

$$+\int_{\frac{\pi}{6}}^{\frac{\pi}{2}}(\sin x-\cos 2x)\,dx$$

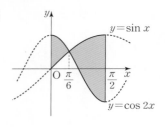

단계 3 정적분의 값 구하기

$$\int_0^{\frac{\pi}{6}}(\cos 2x-\sin x)\,dx+\int_{\frac{\pi}{6}}^{\frac{\pi}{2}}(\sin x-\cos 2x)\,dx$$

$$=\Big[\frac{1}{2}\sin 2x+\cos x\Big]_0^{\frac{\pi}{6}}+\Big[-\cos x-\frac{1}{2}\sin 2x\Big]_{\frac{\pi}{6}}^{\frac{\pi}{2}}$$

$$=\Big(\frac{\sqrt{3}}{4}+\frac{\sqrt{3}}{2}\Big)-1+\Big(\frac{\sqrt{3}}{2}+\frac{\sqrt{3}}{4}\Big)$$

$$=\frac{3\sqrt{3}}{2}-1$$

1007 답 ①

오른쪽 그림에서

$$\int_0^1 (2^x-2^{-x})\,dx$$

$$=\Big[\frac{2^x}{\ln 2}+\frac{2^{-x}}{\ln 2}\Big]_0^1$$

$$=\Big(\frac{2}{\ln 2}+\frac{1}{2\ln 2}\Big)-\Big(\frac{1}{\ln 2}+\frac{1}{\ln 2}\Big)$$

$$=\frac{1}{2\ln 2}$$

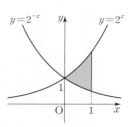

1008 답 $2\ln 2-1$

곡선 $y=\dfrac{2x}{x^2+1}$와 직선 $y=x$의 교점의 x좌표는

$\dfrac{2x}{x^2+1}=x$에서 $x\Big(\dfrac{2}{x^2+1}-1\Big)=0$

$x=0$ 또는 $\dfrac{2}{x^2+1}=1$

$$\therefore x=0\ \text{또는}\ x=1\ \text{또는}\ x=-1$$

따라서 구하는 도형의 넓이는

$$\int_{-1}^{1}\Big|\frac{2x}{x^2+1}-x\Big|\,dx$$

$$=\int_{-1}^{0}\Big(x-\frac{2x}{x^2+1}\Big)\,dx+\int_0^1\Big(\frac{2x}{x^2+1}-x\Big)\,dx$$

$$=2\int_0^1\Big(\frac{2x}{x^2+1}-x\Big)\,dx=2\Big[\ln|x^2+1|-\frac{1}{2}x^2\Big]_0^1$$

$$=2\Big(\ln 2-\frac{1}{2}\Big)=2\ln 2-1$$

1009 답 $\log_a b-1$

$$S_1=\int_p^q(\log_a x-\log_b x)\,dx=\int_p^q\Big(\frac{\ln x}{\ln a}-\frac{\ln x}{\ln b}\Big)\,dx$$

$$=\Big(\frac{1}{\ln a}-\frac{1}{\ln b}\Big)\int_p^q \ln x\,dx$$

$$S_2=\int_p^q \log_b x\,dx=\int_p^q \frac{\ln x}{\ln b}\,dx=\frac{1}{\ln b}\int_p^q \ln x\,dx$$

$$\therefore \frac{S_1}{S_2}=\frac{\Big(\dfrac{1}{\ln a}-\dfrac{1}{\ln b}\Big)\displaystyle\int_p^q \ln x\,dx}{\dfrac{1}{\ln b}\displaystyle\int_p^q \ln x\,dx}=\frac{\dfrac{1}{\ln a}-\dfrac{1}{\ln b}}{\dfrac{1}{\ln b}}$$

$$=\frac{\ln b}{\ln a}-1=\log_a b-1$$

> **낯선특강** 로그의 밑의 변환 공식
>
> $$\log_a b=\frac{\log_c b}{\log_c a}=\frac{1}{\log_b a}$$

1010 답 $\dfrac{9}{2}$

단계 1 곡선 $y^2=x+1$과 직선 $y=x-1$의 교점 구하기

곡선 $y^2=x+1$과 직선 $y=x-1$의 교점의 y좌표는

$x=y^2-1$, $x=y+1$에서 $y^2-1=y+1$

$y^2-y-2=0$, $(y+1)(y-2)=0$

$$\therefore y=-1\ \text{또는}\ y=2$$

단계 2 구하는 도형의 넓이 구하기

오른쪽 그림에서 구하는 도형의 넓이는

$$\int_{-1}^{2}(y+1-y^2+1)\,dy$$

$$=\int_{-1}^{2}(-y^2+y+2)\,dy$$

$$=\Big[-\frac{1}{3}y^3+\frac{1}{2}y^2+2y\Big]_{-1}^{2}=\frac{9}{2}$$

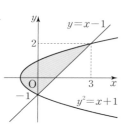

1011 답 $\dfrac{5}{6}$

두 곡선 $y=\sqrt{x}$와 $y=\sqrt{2(x-2)}$의 교점의 y좌표는

$x=y^2$, $x=\dfrac{y^2}{2}+2$에서

$y^2=\dfrac{y^2}{2}+2$, $y^2=4$ $\therefore y=2\,(\because y>0)$

오른쪽 그림에서 구하는 도형의 넓이는

$\displaystyle\int_1^2\left(\dfrac{y^2}{2}+2-y^2\right)dy$

$=\displaystyle\int_1^2\left(-\dfrac{y^2}{2}+2\right)dy$

$=\left[-\dfrac{1}{6}y^3+2y\right]_1^2=\dfrac{5}{6}$

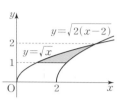

1012 답 $e+\dfrac{1}{e}-2$

$0<x<1$에서 $y=-\ln x$이므로

$x=e^{-y}$

$x\geq1$에서 $y=\ln x$이므로

$x=e^y$

따라서 구하는 도형의 넓이는

$\displaystyle\int_0^1(e^y-e^{-y})\,dy=\left[e^y+e^{-y}\right]_0^1$

$=e+\dfrac{1}{e}-2$

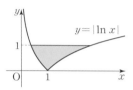

1013 답 $\dfrac{e}{2}-1$

단계 1 접선의 방정식 구하기

곡선 $y=e^x$에서 $y'=e^x$이므로 곡선 위의 점 $(t,\,e^t)$에서의 접선의 기울기는 e^t이고 접선의 방정식은

$y-e^t=e^t(x-t)$ $\therefore y=e^t(x-t)+e^t$

이 직선이 원점을 지나므로

$0=-te^t+e^t$, $(1-t)e^t=0$

$\therefore t=1\,(\because e^t>0)$

접선의 방정식은 $y=ex$

단계 2 구하는 도형의 넓이 구하기

오른쪽 그림에서 구하는 도형의 넓이는

$\displaystyle\int_0^1(e^x-ex)\,dx=\left[e^x-\dfrac{e}{2}x^2\right]_0^1$

$=\dfrac{e}{2}-1$

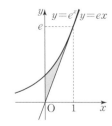

1014 답 e^2-1

곡선 $y=\ln x$에서 $y'=\dfrac{1}{x}$이므로 곡선 위의 점 $(e^2,\,2)$에서의 접선의 기울기는 $\dfrac{1}{e^2}$이고 접선의 방정식은

$y-2=\dfrac{1}{e^2}(x-e^2)$ $\therefore y=\dfrac{1}{e^2}x+1$

$y=\ln x$에서 $x=e^y$

$y=\dfrac{1}{e^2}x+1$에서 $x=e^2(y-1)$

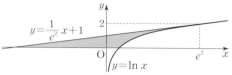

위의 그림에서 구하는 도형의 넓이는

$\displaystyle\int_0^2(e^y-e^2y+e^2)\,dy=\left[e^y-\dfrac{e^2}{2}y^2+e^2y\right]_0^2$

$=e^2-2e^2+2e^2-1$

$=e^2-1$

1015 답 $2\sqrt{3}$

곡선 $y=2\sqrt{x-3}$에서 $y'=\dfrac{1}{\sqrt{x-3}}$이므로

곡선 위의 점 $(t,\,2\sqrt{t-3})$에서의 접선의 기울기는 $\dfrac{1}{\sqrt{t-3}}$이고

접선의 방정식은

$y=\dfrac{1}{\sqrt{t-3}}(x-t)+2\sqrt{t-3}$

이 직선이 원점을 지나므로

$0=-\dfrac{t}{\sqrt{t-3}}+2\sqrt{t-3}$, $0=-t+2(t-3)$ $\therefore t=6$

따라서 접선의 방정식은 $y=\dfrac{1}{\sqrt{3}}x$

이때 $y=2\sqrt{x-3}$에서 $x=\dfrac{y^2}{4}+3$

$y=\dfrac{1}{\sqrt{3}}x$에서 $x=\sqrt{3}\,y$

오른쪽 그림에서 구하는 도형의 넓이는

$\displaystyle\int_0^{2\sqrt{3}}\left(\dfrac{y^2}{4}+3-\sqrt{3}\,y\right)dy$

$=\left[\dfrac{y^3}{12}+3y-\dfrac{\sqrt{3}}{2}y^2\right]_0^{2\sqrt{3}}$

$=2\sqrt{3}$

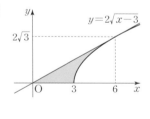

1016 답 $\dfrac{2}{\pi}$

단계 1 정적분으로 나타내기

$\displaystyle\int_0^1\left(\sin\dfrac{\pi}{2}x-k\right)dx=0$

단계 2 k의 값 구하기

$\left[-\dfrac{2}{\pi}\cos\dfrac{\pi}{2}x-kx\right]_0^1=0$, $-k+\dfrac{2}{\pi}=0$

$\therefore k=\dfrac{2}{\pi}$

1017 답 $\dfrac{9}{8}$

$\displaystyle\int_0^a (\sqrt{2x}-1)\,dx=0$ 이므로

$\left[\dfrac{1}{3}(2x)^{\frac{3}{2}}-x\right]_0^a=0,\ \dfrac{2a}{3}\sqrt{2a}-a=0,\ a\left(\dfrac{2}{3}\sqrt{2a}-1\right)=0$

이때 $a>\dfrac{1}{2}$ 이므로 $\dfrac{2}{3}\sqrt{2a}-1=0$

$\sqrt{2a}=\dfrac{3}{2}$ $\therefore a=\dfrac{9}{8}$

1018 답 $2e-6$

$\displaystyle\int_0^1 (ax+2-e^x)\,dx=0$ 이므로

$\left[\dfrac{a}{2}x^2+2x-e^x\right]_0^1=0,\ \dfrac{a}{2}+2-e+1=0$

$\dfrac{a}{2}=e-3$ $\therefore a=2e-6$

1019 답 ⑤

단계 1 곡선 $y=e^x$과 x축 및 두 직선 $x=0$, $x=\ln 3$으로 둘러싸인 도형의 넓이 구하기

곡선 $y=e^x$과 x축 및 두 직선 $x=0$, $x=\ln 3$으로 둘러싸인 도형의 넓이를 S_1이라 하면

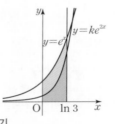

$S_1=\displaystyle\int_0^{\ln 3} e^x\,dx=\left[e^x\right]_0^{\ln 3}=3-1=2$

단계 2 곡선 $y=ke^{2x}$과 x축 및 두 직선 $x=0$, $x=\ln 3$으로 둘러싸인 도형의 넓이 구하기

곡선 $y=ke^{2x}$과 x축 및 두 직선 $x=0$, $x=\ln 3$으로 둘러싸인 도형의 넓이를 S_2라 하면

$S_2=\displaystyle\int_0^{\ln 3} ke^{2x}\,dx=\left[\dfrac{1}{2}ke^{2x}\right]_0^{\ln 3}=\dfrac{9}{2}k-\dfrac{1}{2}k=4k$

단계 3 k의 값 구하기

$S_2=\dfrac{1}{2}S_1$이므로 $4k=1$ $\therefore k=\dfrac{1}{4}$

1020 답 $\dfrac{1}{8}$

곡선 $y=\sqrt{x}$와 x축 및 직선 $x=4$로 둘러싸인 도형의 넓이를 S_1이라 하면

$S_1=\displaystyle\int_0^4 \sqrt{x}\,dx=\left[\dfrac{2}{3}x^{\frac{3}{2}}\right]_0^4=\dfrac{16}{3}$

곡선 $y=ax^2$과 x축 및 직선 $x=4$로 둘러싸인 도형의 넓이를 S_2라 하면

$S_2=\displaystyle\int_0^4 ax^2\,dx=\left[\dfrac{a}{3}x^3\right]_0^4=\dfrac{64}{3}a$

$S_2=\dfrac{1}{2}S_1$이므로 $\dfrac{64}{3}a=\dfrac{8}{3}$ $\therefore a=\dfrac{1}{8}$

1021 답 $\dfrac{3\sqrt{3}}{4\pi}$

곡선 $y=\cos 2x$와 x축, y축 및 직선 $x=\dfrac{\pi}{6}$로 둘러싸인 도형의 넓이를 S_1이라 하면

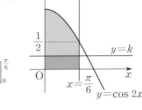

$S_1=\displaystyle\int_0^{\frac{\pi}{6}} \cos 2x\,dx=\left[\dfrac{1}{2}\sin 2x\right]_0^{\frac{\pi}{6}}$

$=\dfrac{\sqrt{3}}{4}$

직선 $y=k$와 x축, y축 및 직선 $x=\dfrac{\pi}{6}$로 둘러싸인 도형은 직사각형이므로 그 넓이를 S_2라 하면 $S_2=\dfrac{\pi}{6}k$

$S_2=\dfrac{1}{2}S_1$이므로 $\dfrac{\pi}{6}k=\dfrac{\sqrt{3}}{8}$ $\therefore k=\dfrac{3\sqrt{3}}{4\pi}$

1022 답 $\dfrac{4}{3}$

두 곡선 $y=a\cos x$와 $y=\sin x$의 교점의 x좌표를 $\theta\left(0<\theta<\dfrac{\pi}{2}\right)$라 하면 $a\cos\theta=\sin\theta$에서 $\tan\theta=a$이므로

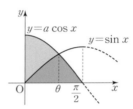

$\sin\theta=\dfrac{a}{\sqrt{a^2+1}},\ \cos\theta=\dfrac{1}{\sqrt{a^2+1}}$

$0\le x\le\dfrac{\pi}{2}$에서 곡선 $y=a\cos x$ 및 x축, y축으로 둘러싸인 도형의 넓이를 S_1이라 하면

$S_1=\displaystyle\int_0^{\frac{\pi}{2}} a\cos x\,dx=\left[a\sin x\right]_0^{\frac{\pi}{2}}=a$

$0\le x\le\theta$에서 두 곡선 $y=a\cos x$, $y=\sin x$ 및 y축으로 둘러싸인 도형의 넓이를 S_2라 하면

$S_2=\displaystyle\int_0^{\theta} (a\cos x-\sin x)\,dx$

$=\left[a\sin x+\cos x\right]_0^{\theta}=a\sin\theta+\cos\theta-1$

$=\dfrac{a^2}{\sqrt{a^2+1}}+\dfrac{1}{\sqrt{a^2+1}}-1=\dfrac{a^2+1}{\sqrt{a^2+1}}-1=\sqrt{a^2+1}-1$

$S_2=\dfrac{1}{2}S_1$이므로

$\sqrt{a^2+1}-1=\dfrac{a}{2},\ \sqrt{a^2+1}=\dfrac{a}{2}+1$

$a^2+1=\dfrac{a^2}{4}+a+1,\ 3a^2-4a=0,\ a(3a-4)=0$

$\therefore a=\dfrac{4}{3}\ (\because a>0)$

참고 $\tan\theta=a,\ \sin\theta=\dfrac{a}{\sqrt{a^2+1}},\ \cos\theta=\dfrac{1}{\sqrt{a^2+1}}$

1023 답 ②

단계 1 역함수의 그래프의 성질을 이용하여 관계식 세우기

두 곡선 $y=f(x)$와 $y=g(x)$의 그래프
는 직선 $y=x$에 대하여 대칭이므로
오른쪽 그림에서
(A의 넓이)$=$(B의 넓이)

$$\therefore \int_0^e g(x)\,dx=1\times e-\int_0^1 f(x)\,dx$$

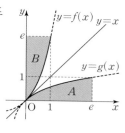

단계 2 $\int_0^e g(x)\,dx$의 값 구하기

$$\int_0^e g(x)\,dx=e-\int_0^1 f(x)\,dx=e-\int_0^1 xe^x\,dx$$

$$=e-\left[xe^x\right]_0^1+\int_0^1 e^x\,dx$$

$$=e-e+\left[e^x\right]_0^1=e-1$$

1024 답 $2e^2-e$

오른쪽 그림에서 정적분
$\int_e^{e^2} f(x)\,dx$의 값은 A의
넓이와 같고, 정적분
$\int_1^2 g(x)\,dx$의 값은 B의
넓이와 같으므로

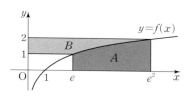

$$\int_e^{e^2} f(x)\,dx+\int_1^2 g(x)\,dx=2e^2-e$$

1025 답 ②

단계 1 두 곡선의 교점의 x좌표 구하기

오른쪽 그림과 같이 두 곡선
$y=f(x)$와 $y=g(x)$는 직선
$y=x$에 대하여 대칭이므로 두 곡
선의 교점의 x좌표는 곡선
$y=f(x)$와 직선 $y=x$의 교점의
x좌표와 같다.

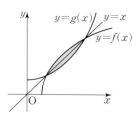

즉, $\sqrt{4x-3}=x$에서

$x^2-4x+3=0$, $(x-1)(x-3)=0$

$\therefore x=1$ 또는 $x=3$

단계 2 두 곡선으로 둘러싸인 도형의 넓이 구하기

두 곡선 $y=f(x)$와 $y=g(x)$로 둘러싸인 도형의 넓이는 곡선
$y=f(x)$와 직선 $y=x$로 둘러싸인 도형의 넓이의 2배와 같으므
로 구하는 도형의 넓이는

$$2\int_1^3 (\sqrt{4x-3}-x)\,dx=2\left[\frac{1}{6}(4x-3)^{\frac{3}{2}}-\frac{1}{2}x^2\right]_1^3$$

$$=\frac{2}{3}$$

1026 답 4

오른쪽 그림과 같이 두 곡선
$y=f(x)$와 $y=g(x)$는 직선
$y=x$에 대하여 대칭이므로 두 곡
선의 교점의 x좌표는 곡선
$y=f(x)$와 직선 $y=x$의 교점의
x좌표와 같다.

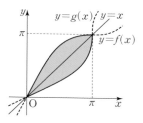

즉, $x+\sin x=x$에서 $\sin x=0$

$\therefore x=0$ 또는 $x=\pi$

두 곡선 $y=f(x)$와 $y=g(x)$로 둘러싸인 도형의 넓이는 곡선
$y=f(x)$와 직선 $y=x$로 둘러싸인 도형의 넓이의 2배와 같으므
로 구하는 도형의 넓이는

$$2\int_0^\pi (x+\sin x-x)\,dx=2\int_0^\pi \sin x\,dx=2\left[-\cos x\right]_0^\pi=4$$

1027 답 $1-\dfrac{4}{\pi}\ln 2$

오른쪽 그림과 같이 두 곡선
$y=f(x)$와 $y=g(x)$는 직선
$y=x$에 대하여 대칭이므로
두 곡선의 교점의 x좌표는 곡
선 $y=f(x)$와 직선 $y=x$의
교점의 x좌표와 같다.

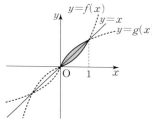

즉, $\tan\dfrac{\pi}{4}x=x$에서 $x=0$ 또는 $x=1$

두 곡선 $y=f(x)$와 $y=g(x)$로 둘러싸인 도형의 넓이는 곡선
$y=f(x)$와 직선 $y=x$로 둘러싸인 도형의 넓이의 2배와 같다.
따라서 구하는 도형의 넓이는

$$2\int_0^1 \left(x-\tan\frac{\pi}{4}x\right)dx=2\int_0^1 \left(x-\frac{\sin\frac{\pi}{4}x}{\cos\frac{\pi}{4}x}\right)dx$$

$$=2\left[\frac{1}{2}x^2+\frac{4}{\pi}\ln\left|\cos\frac{\pi}{4}x\right|\right]_0^1$$

$$=2\left(\frac{1}{2}+\frac{4}{\pi}\ln\frac{1}{\sqrt{2}}\right)=1-\frac{4}{\pi}\ln 2$$

1028 답 ③

단계 1 단면의 넓이 구하기

밑면으로부터의 높이가 x일 때 단면의 넓이는

$\pi(\sqrt{x\sin x})^2=\pi x\sin x$

단계 2 용기의 부피 구하기

구하는 용기의 부피는

$$\int_0^{\frac{\pi}{2}} \pi x\sin x\,dx=\pi\left(\left[-x\cos x\right]_0^{\frac{\pi}{2}}+\int_0^{\frac{\pi}{2}}\cos x\,dx\right)$$

$$=\pi\left[\sin x\right]_0^{\frac{\pi}{2}}=\pi$$

1029 답 15

물의 높이가 x일 때 단면의 넓이는

$2^x \times (2^x \times 2) = 2 \times 4^x$

물의 높이가 2일 때의 수조에 담긴 물의 부피는

$$\int_0^2 2 \times 4^x \, dx = \left[\frac{4^x}{\ln 2} \right]_0^2 = \frac{15}{\ln 2}$$

따라서 $\frac{15}{\ln 2} = \frac{k}{\ln 2}$이므로 $k=15$

1030 답 3

$\int_0^a \frac{2x+1}{x^2+x+1} \, dx = \ln 13$에서

$\left[\ln |x^2+x+1| \right]_0^a = \ln 13$

즉, $\ln(a^2+a+1) = \ln 13$이므로

$a^2+a-12=0$, $(a+4)(a-3)=0$

$\therefore a=3 \ (\because a>0)$

1031 답 $\frac{\pi}{8}$

단계 1 단면의 넓이 구하기

x좌표가 x인 점을 지나고 x축에 수직인 평면으로 입체도형을 자른 단면의 넓이를 $S(x)$라 하면

$S(x) = \frac{1}{2} \cos^2 x$

단계 2 입체도형의 부피 구하기

구하는 입체도형의 부피는

$$\int_0^{\frac{\pi}{2}} \frac{1}{2} \cos^2 x \, dx = \int_0^{\frac{\pi}{2}} \frac{1+\cos 2x}{4} \, dx$$
$$= \left[\frac{1}{4}x + \frac{1}{8} \sin 2x \right]_0^{\frac{\pi}{2}}$$
$$= \frac{\pi}{8}$$

1032 답 $\frac{81}{10}$

x좌표가 x인 점을 지나고 x축에 수직인 평면으로 자른 단면의 넓이를 $S(x)$라 하면

$S(x) = (-x^2+3x)^2$

따라서 구하는 입체도형의 부피는

$$\int_0^3 (-x^2+3x)^2 \, dx = \int_0^3 (x^4-6x^3+9x^2) \, dx$$
$$= \left[\frac{1}{5}x^5 - \frac{3}{2}x^4 + 3x^3 \right]_0^3$$
$$= \frac{243}{5} - \frac{243}{2} + 81$$
$$= \frac{81}{10}$$

1033 답 ④

오른쪽 그림과 같이 밑면의 중심을 원점, 지름 AB를 x축으로 잡고, x좌표가 x인 점을 지나고 x축에 수직인 평면으로 자른 단면의 넓이를 $S(x)$라 하면

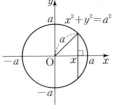

$S(x) = \frac{\sqrt{3}}{4} (2\sqrt{a^2-x^2})^2 = \sqrt{3}(a^2-x^2)$

따라서 구하는 입체도형의 부피는

$$\int_{-a}^{a} \sqrt{3}(a^2-x^2) \, dx = 2\sqrt{3} \int_0^a (a^2-x^2) \, dx$$
$$= 2\sqrt{3} \left[a^2 x - \frac{1}{3}x^3 \right]_0^a$$
$$= 2\sqrt{3} \times \frac{2}{3}a^3 = \frac{4\sqrt{3}}{3}a^3$$

1034 답 $4-\pi$

x좌표가 x인 점을 지나고 x축에 수직인 평면으로 자른 단면의 넓이를 $S(x)$라 하면 $S(x) = 4\tan^2 x$

따라서 구하는 입체도형의 부피는

$$\int_0^{\frac{\pi}{4}} 4\tan^2 x \, dx = 4 \int_0^{\frac{\pi}{4}} (\sec^2 x - 1) \, dx$$
$$= 4 \left[\tan x - x \right]_0^{\frac{\pi}{4}} = 4-\pi$$

1035 답 $\frac{6}{\pi}$

단계 1 점 P가 출발한 후 두 번째로 운동 방향을 바꾼 시각 구하기

$t>0$일 때 $v(t) = \cos \frac{\pi}{2} t = 0$을 만족시키는 t의 값은 작은 수부터 차례로 $t=1, 3, 5, \cdots$이므로 점 P가 출발한 후 두 번째로 운동 방향을 바꾼 시각은 $t=3$일 때이다.

단계 2 점 P가 움직인 거리 구하기

점 P가 움직인 거리는

$$\int_0^3 \left| \cos \frac{\pi}{2} t \right| \, dt = 3 \int_0^1 \cos \frac{\pi}{2} t \, dt$$
$$= \frac{6}{\pi} \left[\sin \frac{\pi}{2} t \right]_0^1 = \frac{6}{\pi}$$

1036 답 ④

$0 \le t \le 2$일 때 $v(t) \le 0$이므로

$$\int_0^3 |(t-2)e^t| \, dt$$
$$= \int_0^2 (2-t)e^t \, dt + \int_2^3 (t-2)e^t \, dt$$
$$= \left[(2-t)e^t \right]_0^2 + \int_0^2 e^t \, dt + \left[(t-2)e^t \right]_2^3 - \int_2^3 e^t \, dt$$
$$= -2 + \left[e^t \right]_0^2 + e^3 - \left[e^t \right]_2^3$$
$$= 2e^2 - 3$$

1037 답 -2

시각 t에서의 점 P의 위치를 $x(t)$라 하면

$x(t) = \int_0^t \sin t(2\cos t - 1)\,dt = \int_0^t (\sin 2t - \sin t)\,dt$

$\qquad = \left[-\frac{1}{2}\cos 2t + \cos t \right]_0^t = -\frac{1}{2}\cos 2t + \cos t - \frac{1}{2}$

$\qquad = -\frac{1}{2}(2\cos^2 t - 1) + \cos t - \frac{1}{2}$

$\qquad = -\cos^2 t + \cos t$

$\qquad = -\left(\cos t - \frac{1}{2} \right)^2 + \frac{1}{4}$

$0 \le t \le 2\pi$에서 $-1 \le \cos t \le 1$이므로

$-2 \le -\left(\cos t - \frac{1}{2} \right)^2 + \frac{1}{4} \le \frac{1}{4}$

즉, $-2 \le x(t) \le \frac{1}{4}$이므로 점 P가 원점에서 가장 멀리 떨어져 있을 때의 위치는 -2이다.

1038 답 $e - \dfrac{1}{e}$

단계 1 $\dfrac{dx}{dt}, \dfrac{dy}{dt}$ 구하기

$\dfrac{dx}{dt} = \dfrac{1}{t}, \dfrac{dy}{dt} = \dfrac{1}{2}\left(1 - \dfrac{1}{t^2} \right)$

단계 2 점 P가 움직인 거리 구하기

시각 $t = \dfrac{1}{e}$에서 $t = e$까지 점 P가 움직인 거리는

$\int_{\frac{1}{e}}^{e} \sqrt{\left(\dfrac{1}{t} \right)^2 + \left\{ \dfrac{1}{2}\left(1 - \dfrac{1}{t^2} \right) \right\}^2}\,dt$

$= \int_{\frac{1}{e}}^{e} \sqrt{\left\{ \dfrac{1}{2}\left(1 + \dfrac{1}{t^2} \right) \right\}^2}\,dt = \int_{\frac{1}{e}}^{e} \dfrac{1}{2}\left(1 + \dfrac{1}{t^2} \right)\,dt$

$= \dfrac{1}{2}\left[t - \dfrac{1}{t} \right]_{\frac{1}{e}}^{e} = e - \dfrac{1}{e}$

1039 답 ④

$\dfrac{dx}{dt} = \cos t - \sqrt{3}\sin t,\ \dfrac{dy}{dt} = \sqrt{3}\cos t + \sin t$

이때 시각 $t=0$에서 $t=a$까지 점 P가 움직인 거리는 π이므로

$\int_0^a \sqrt{(\cos t - \sqrt{3}\sin t)^2 + (\sqrt{3}\cos t + \sin t)^2}\,dt = \pi$

$\int_0^a \sqrt{4(\cos^2 t + \sin^2 t)}\,dt = \pi,\ \int_0^a 2\,dt = \pi$

$\left[2t \right]_0^a = \pi,\ 2a = \pi \qquad \therefore a = \dfrac{\pi}{2}$

1040 답 $\dfrac{1}{8}(e^2 + 7)$

$\dfrac{dx}{dt} = e^t,\ \dfrac{dy}{dt} = \dfrac{1}{4}e^{2t} - 1$이므로 시각 $t=0$에서 $t=1$까지 점 P가 움직인 거리는

$\int_0^1 \sqrt{e^{2t} + \left(\dfrac{1}{4}e^{2t} - 1 \right)^2}\,dt$

$= \int_0^1 \sqrt{\left(\dfrac{1}{4}e^{2t} + 1 \right)^2}\,dt = \int_0^1 \left(\dfrac{1}{4}e^{2t} + 1 \right)\,dt$

$= \left[\dfrac{1}{8}e^{2t} + t \right]_0^1 = \dfrac{1}{8}(e^2 + 7)$

1041 답 ①

$\dfrac{dx}{dt} = 2e^{2t}\cos t - e^{2t}\sin t = e^{2t}(2\cos t - \sin t)$

$\dfrac{dy}{dt} = 2e^{2t}\sin t + e^{2t}\cos t = e^{2t}(2\sin t + \cos t)$

이므로 시각 $t=0$에서 $t=\pi$까지 점 P가 움직인 거리는

$\int_0^\pi \sqrt{e^{4t}(2\cos t - \sin t)^2 + e^{4t}(2\sin t + \cos t)^2}\,dt$

$= \int_0^\pi \sqrt{5e^{4t}}\,dt = \int_0^\pi \sqrt{5}\,e^{2t}\,dt$

$= \left[\dfrac{\sqrt{5}}{2}e^{2t} \right]_0^\pi = \dfrac{\sqrt{5}}{2}(e^{2\pi} - 1)$

1042 답 $\dfrac{59}{24}$

단계 1 $\dfrac{dy}{dx}$ 구하기

$y = \dfrac{x^3}{3} + \dfrac{1}{4x}$이므로 $\dfrac{dy}{dx} = x^2 - \dfrac{1}{4x^2}$

단계 2 곡선의 길이 구하기

구하는 곡선의 길이는

$\int_1^2 \sqrt{1 + \left(x^2 - \dfrac{1}{4x^2} \right)^2}\,dx$

$= \int_1^2 \sqrt{x^4 + \dfrac{1}{2} + \dfrac{1}{16x^4}}\,dx = \int_1^2 \sqrt{\left(x^2 + \dfrac{1}{4x^2} \right)^2}\,dx$

$= \int_1^2 \left(x^2 + \dfrac{1}{4x^2} \right)\,dx = \left[\dfrac{1}{3}x^3 - \dfrac{1}{4x} \right]_1^2 = \dfrac{59}{24}$

1043 답 $\dfrac{15}{4} + \ln 2$

$y = \dfrac{1}{4}x^2 - \ln\sqrt{x}$이므로 $\dfrac{dy}{dx} = \dfrac{x}{2} - \dfrac{1}{2x}$

따라서 구하는 곡선의 길이는

$\int_1^4 \sqrt{1 + \left(\dfrac{x}{2} - \dfrac{1}{2x} \right)^2}\,dx$

$= \int_1^4 \sqrt{\dfrac{x^2}{4} + \dfrac{1}{2} + \dfrac{1}{4x^2}}\,dx = \int_1^4 \sqrt{\left(\dfrac{x}{2} + \dfrac{1}{2x} \right)^2}\,dx$

$= \int_1^4 \left(\dfrac{x}{2} + \dfrac{1}{2x} \right)\,dx = \left[\dfrac{x^2}{4} + \dfrac{\ln|x|}{2} \right]_1^4 = \dfrac{15}{4} + \ln 2$

1044 답 ②

$y = \dfrac{4}{3}x\sqrt{x} = \dfrac{4}{3}x^{\frac{3}{2}}$이므로 $\dfrac{dy}{dx} = 2x^{\frac{1}{2}} = 2\sqrt{x}$

따라서 구하는 곡선의 길이는

$$\int_0^a \sqrt{1+(2\sqrt{x})^2}\,dx$$

$$=\int_0^a \sqrt{1+4x}\,dx=\left[\frac{1}{4}\times\frac{2}{3}(1+4x)^{\frac{3}{2}}\right]_0^a$$

$$=\frac{1}{6}(1+4a)^{\frac{3}{2}}-\frac{1}{6}$$

즉, $\frac{1}{6}(1+4a)^{\frac{3}{2}}-\frac{1}{6}=\frac{13}{3}$에서 $(1+4a)^{\frac{3}{2}}=27$

$1+4a=9$ $\therefore a=2$

실전! 기출 문제 정복하기

➡ 본책 165쪽~168쪽

1045 답 $\dfrac{\pi}{3}$

$$\lim_{n\to\infty}\sum_{k=1}^n \frac{1}{\sqrt{4n^2-(n+k)^2}}=\lim_{n\to\infty}\sum_{k=1}^n \frac{1}{\sqrt{n^2\left\{4-\left(1+\frac{k}{n}\right)^2\right\}}}$$

$$=\lim_{n\to\infty}\sum_{k=1}^n \frac{1}{\sqrt{4-\left(1+\frac{k}{n}\right)^2}}\times\frac{1}{n}$$

$$=\int_1^2 \frac{1}{\sqrt{4-x^2}}\,dx$$

$x=2\sin\theta\left(-\dfrac{\pi}{2}\le\theta\le\dfrac{\pi}{2}\right)$로 놓으면 $\dfrac{dx}{d\theta}=2\cos\theta$

$x=1$일 때 $\theta=\dfrac{\pi}{6}$, $x=2$일 때 $\theta=\dfrac{\pi}{2}$이므로

$$\int_1^2 \frac{1}{\sqrt{4-x^2}}\,dx=\int_{\frac{\pi}{6}}^{\frac{\pi}{2}} \frac{1}{2\cos\theta}\times 2\cos\theta\,d\theta=\left[\theta\right]_{\frac{\pi}{6}}^{\frac{\pi}{2}}=\frac{\pi}{3}$$

1046 답 ②

$f'(x)>0$, $f''(x)>0$이므로 연속함수 $f(x)$의 그래프는 닫힌 구간 $[0,1]$에서 아래로 볼록하게 증가한다.

또 역함수 $f^{-1}(x)$의 그래프는 곡선 $y=f(x)$와 직선 $y=x$에 대하여 대칭이므로 오른쪽 그래프와 같다.

이때 $\displaystyle\int_0^1 \{f^{-1}(x)-f(x)\}\,dx$의 값은 오른쪽 그림에서 색칠한 부분의 넓이와 같고, 이는 직선 $y=x$와 곡선 $y=f(x)$로 둘러싸인 부분의 넓이의 2배와 같다.

직선 $y=x$와 곡선 $y=f(x)$로 둘러싸인 부분의 넓이는 정적분의 정의에 의해

$$\int_0^1 \{x-f(x)\}\,dx=\lim_{n\to\infty}\sum_{k=1}^n \left\{\frac{k}{n}-f\left(\frac{k}{n}\right)\right\}\frac{1}{n}$$이므로

$$\int_0^1 \{f^{-1}(x)-f(x)\}\,dx$$

$$=2\int_0^1 \{x-f(x)\}\,dx$$

$$=2\lim_{n\to\infty}\sum_{k=1}^n \left\{\frac{k}{n}-f\left(\frac{k}{n}\right)\right\}\frac{1}{n}$$

$$=\lim_{n\to\infty}\sum_{k=1}^n \left\{\frac{k}{n}-f\left(\frac{k}{n}\right)\right\}\frac{2}{n}$$

1047 답 $\dfrac{8}{\pi}$

반원의 중심을 O라 하면

$$\angle AOP_k=\frac{k\pi}{n}$$

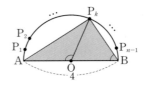

원주각의 크기는 중심각의 크기의 $\dfrac{1}{2}$배이므로 $\angle ABP_k=\dfrac{k\pi}{2n}$

직각삼각형 ABP_k에서 $\overline{AP_k}=4\sin\dfrac{k\pi}{2n}$, $\overline{BP_k}=4\cos\dfrac{k\pi}{2n}$

$$\therefore S_k=\frac{1}{2}\times 4\sin\frac{k\pi}{2n}\times 4\cos\frac{k\pi}{2n}$$

$$=8\sin\frac{k\pi}{2n}\cos\frac{k\pi}{2n}$$

$$=4\sin\frac{k\pi}{n}$$

$$\therefore \lim_{n\to\infty}\frac{1}{n}\sum_{k=1}^{n-1} S_k=\lim_{n\to\infty}\frac{1}{n}\sum_{k=1}^{n-1} 4\sin\frac{k\pi}{n}$$

$$=\lim_{n\to\infty}\frac{4}{\pi}\sum_{k=1}^{n-1}\sin\frac{k\pi}{n}\times\frac{\pi}{n}$$

$$=\frac{4}{\pi}\int_0^\pi \sin x\,dx=\frac{4}{\pi}\left[-\cos x\right]_0^\pi=\frac{8}{\pi}$$

1048 답 2

$$S_n=\int_{(n-1)\pi}^{n\pi}\left|\left(\frac{1}{2}\right)^n\sin x\right|\,dx$$

$$=\left(\frac{1}{2}\right)^n\int_{(n-1)\pi}^{n\pi}|\sin x|\,dx$$

이때 $y=|\sin x|$는 주기가 π인 주기함수이므로 임의의 자연수 n에 대하여

$$\int_{(n-1)\pi}^{n\pi}|\sin x|\,dx=\int_0^\pi \sin x\,dx=\left[-\cos x\right]_0^\pi=2$$

$$\therefore S_n=\left(\frac{1}{2}\right)^n\int_{(n-1)\pi}^{n\pi}|\sin x|\,dx$$

$$=2\times\left(\frac{1}{2}\right)^n=\left(\frac{1}{2}\right)^{n-1}$$

$$\therefore \sum_{n=1}^\infty S_n=\sum_{n=1}^\infty\left(\frac{1}{2}\right)^{n-1}=\frac{1}{1-\frac{1}{2}}=2$$

1049 답 ②

$2x^2=t$로 놓으면 $4x=\dfrac{dt}{dx}$

$x=0$일 때 $t=0$, $x=2$일 때 $t=8$이므로

$$\int_0^2 xf(2x^2)\,dx=\frac{1}{4}\int_0^8 f(t)\,dt$$

$$=\frac{1}{4}\left\{\int_0^5 f(t)\,dt+\int_5^8 f(t)\,dt\right\}$$

$$=\frac{1}{4}(7-3)=1$$

1050 답 $\dfrac{1}{e}$

$$S_n=\int_n^{n+1} e^{-x}\,dx=\left[-e^{-x}\right]_n^{n+1}$$

$$=-e^{-n-1}+e^{-n}=\left(1-\frac{1}{e}\right)\left(\frac{1}{e}\right)^n$$

$$\therefore \sum_{n=1}^{\infty} S_n=\sum_{n=1}^{\infty}\left(1-\frac{1}{e}\right)\left(\frac{1}{e}\right)^n=\left(1-\frac{1}{e}\right)\times\frac{\frac{1}{e}}{1-\frac{1}{e}}$$

$$=\frac{e-1}{e}\times\frac{1}{e-1}=\frac{1}{e}$$

1051 답 96

$f(x)=\displaystyle\int_0^x (a-t)e^t\,dt$의 양변을 미분하면

$f'(x)=(a-x)e^x$

$f'(x)=0$에서 $x=a$ $(\because e^x>0)$

따라서 함수 $f(x)$는 $x=a$에서 극대이자 최대가 된다.

$$\therefore f(a)=\int_0^a (a-t)e^t\,dt$$

$$=\left[(a-t)e^t\right]_0^a+\int_0^a e^t\,dt$$

$$=-a+\left[e^t\right]_0^a=-a+e^a-1$$

즉, 최댓값은 32이므로 $f(a)=e^a-a-1=32$

따라서 곡선 $y=3e^x$과 두 직선 $x=a$,
$y=3$으로 둘러싸인 부분의 넓이는

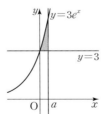

$$\int_0^a (3e^x-3)\,dx=\left[3(e^x-x)\right]_0^a$$

$$=3(e^a-a-1)$$

$$=96$$

1052 답 ⑤

ㄱ. $1\le x\le e$이므로
$0\le \ln x\le 1$
따라서 n은 2 이상의 자
연수이므로
$(\ln x)^n\ge(\ln x)^{n+1}$ (참)

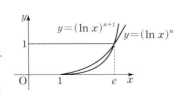

ㄴ. ㄱ에서 $(\ln x)^n\ge(\ln x)^{n+1}$이므로
$S_n<S_{n+1}$ (참)

ㄷ. 함수 $f(x)=(\ln x)^n$의 그래
프와 역함수 $g(x)$의 그래프
는 직선 $y=x$에 대하여 대
칭이므로

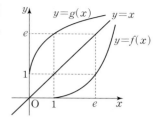

$$S_n=\int_0^1 g(x)\,dx\ (참)$$

따라서 옳은 것은 ㄱ, ㄴ, ㄷ이다.

1053 답 $\ln 3$

곡선 $y=\dfrac{1}{x}$과 직선 $y=3x$의 교점의 x좌표는

$\dfrac{1}{x}=3x$에서 $3x^2-1=0$, $(\sqrt{3}x-1)(\sqrt{3}x+1)=0$

$\therefore x=\dfrac{1}{\sqrt{3}}\ (\because x>0)$

곡선 $y=\dfrac{1}{x}$과 직선 $y=\dfrac{1}{3}x$의 교점의 x좌표는

$\dfrac{1}{x}=\dfrac{1}{3}x$에서 $x^2-3=0$, $(x-\sqrt{3})(x+\sqrt{3})=0$

$\therefore x=\sqrt{3}\ (\because x>0)$

따라서 구하는 도형의 넓이는

$$\int_0^{\frac{1}{\sqrt{3}}}\left(3x-\frac{1}{3}x\right)dx+\int_{\frac{1}{\sqrt{3}}}^{\sqrt{3}}\left(\frac{1}{x}-\frac{1}{3}x\right)dx$$

$$=\left[\frac{4}{3}x^2\right]_0^{\frac{1}{\sqrt{3}}}+\left[\ln x-\frac{1}{6}x^2\right]_{\frac{1}{\sqrt{3}}}^{\sqrt{3}}$$

$$=\ln 3$$

다른 풀이 두 직선 $y=3x$와 $y=\dfrac{1}{3}x$는 역함수 관계에 있으므로

직선 $y=x$에 대하여 대칭이다.

따라서 곡선 $y=\dfrac{1}{x}$과 두 직선 $y=3x$, $y=\dfrac{1}{3}x$로 둘러싸인 도형

의 넓이는 곡선 $y=\dfrac{1}{x}$과 두 직선 $y=x$, $y=\dfrac{1}{3}x$로 둘러싸인 도

형의 넓이의 2배이다.

$y=\dfrac{1}{x}$과 $y=x$의 교점의 x좌표는

$\dfrac{1}{x}=x$에서 $x^2=1$ $\therefore x=1\ (\because x>0)$

$y=\dfrac{1}{x}$과 $y=\dfrac{1}{3}x$의 교점의 x좌표는

$\dfrac{1}{x}=\dfrac{1}{3}x$에서 $x^2=3$ $\therefore x=\sqrt{3}\ (\because x>0)$

따라서 구하는 도형의 넓이는

$$2\left\{\int_0^1\left(x-\frac{1}{3}x\right)dx+\int_1^{\sqrt{3}}\left(\frac{1}{x}-\frac{1}{3}x\right)dx\right\}$$

$$=2\left(\left[\frac{1}{3}x^2\right]_0^1+\left[\ln|x|-\frac{1}{6}x^2\right]_1^{\sqrt{3}}\right)$$

$$=2\left(\frac{1}{3}+\ln\sqrt{3}-\frac{1}{2}+\frac{1}{6}\right)=\ln 3$$

1054 답 $\dfrac{16}{\ln 3}+45$

$n=2$일 때, $A(3^2,\ 0)$, $B(3^2,\ 3^2)$, $C(0,\ 3^2)$이다. 이때 직선 BC
와 곡선 $y=3^x$이 만나는 점은 $E(2,\ 3^2)$이다.

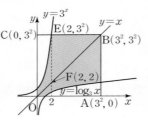

한편 두 함수 $y=3^x$, $y=\log_3 x$
는 역함수 관계이므로 두 함수
의 그래프는 직선 $y=x$에 대하
여 대칭이다. 이때 점 E를 지나
고 y축에 평행한 직선이 직선
$y=x$와 만나는 점을 F라 하면
$F(2,\ 2)$이다.

따라서 구하는 넓이 S는

$S=2\Big\{\displaystyle\int_0^2 (3^x-x)\,dx+\triangle BEF\Big\}$

$=2\Big\{\Big[\dfrac{3^x}{\ln 3}-\dfrac{1}{2}x^2\Big]_0^2+\dfrac{1}{2}\times 7\times 7\Big\}$

$=2\Big(\dfrac{8}{\ln 3}-2+\dfrac{49}{2}\Big)$

$=\dfrac{16}{\ln 3}+45$

1055 답 $\dfrac{128\sqrt{3}}{3}$

오른쪽 그림과 같이 밑면의 지름 AB를
x축으로 잡고, x축 위의 점 $P(x,\ 0)$
을 지나고 x축에 수직인 평면으로 자
른 단면 PQR의 넓이를 $S(x)$라 하면

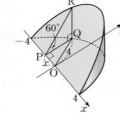

$S(x)=\dfrac{1}{2}\sqrt{16-x^2}\times\sqrt{3}\sqrt{16-x^2}$

$=\dfrac{\sqrt{3}}{2}(16-x^2)$

따라서 구하는 입체도형의 부피는

$2\displaystyle\int_0^4 \dfrac{\sqrt{3}}{2}(16-x^2)\,dx=\sqrt{3}\int_0^4 (16-x^2)\,dx$

$=\sqrt{3}\Big[16x-\dfrac{1}{3}x^3\Big]_0^4$

$=\dfrac{128\sqrt{3}}{3}$

1056 답 10 cm

오른쪽 그림과 같이 x축 위의 점 $P(x,\ 0)$
을 지나고 x축에 수직인 평면으로 자른 단
면의 넓이를 $S(x)$라 하면

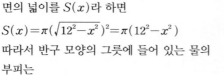
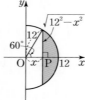

$S(x)=\pi(\sqrt{12^2-x^2})^2=\pi(12^2-x^2)$

따라서 반구 모양의 그릇에 들어 있는 물의
부피는

$\displaystyle\int_6^{12}\pi(12^2-x^2)\,dx=\pi\Big[12^2x-\dfrac{1}{3}x^3\Big]_6^{12}$

$=\pi\Big\{\Big(12^3-\dfrac{12^3}{3}\Big)-\Big(12^2\times 6-\dfrac{6^3}{3}\Big)\Big\}$

$=\pi\Big(6\times 12^2-\dfrac{7}{3}\times 6^3\Big)$

$=6^3\times\dfrac{5}{3}\pi=360\pi\,(cm^3)$

원기둥 모양의 그릇에 옮겨 부은 물의 높이를 h cm라 하면

$\pi\times 6^2\times h=360\pi$ $\qquad\therefore h=10$

1057 답 $\dfrac{1}{2}\ln\dfrac{18}{13}$

물의 높이가 x일 때 수면의 넓이를 $S(x)$라 하면

$S(x)=\Big(\sqrt{\dfrac{x+2}{x^2+4x+13}}\Big)^2=\dfrac{x+2}{x^2+4x+13}$

$S'(x)=\dfrac{x^2+4x+13-(x+2)(2x+4)}{(x^2+4x+13)^2}$

$=\dfrac{-x^2-4x+5}{(x^2+4x+13)^2}=\dfrac{-(x+5)(x-1)}{(x^2+4x+13)^2}$

$S'(x)=0$에서 $x=1$ ($\because x>0$)

함수 $S(x)$의 증가와 감소를 표로 나타내면 다음과 같다.

x	0	$\cdots$	1	$\cdots$
$S'(x)$		$+$	0	$-$
$S(x)$		$\nearrow$	극대	$\searrow$

$S(x)$는 $x=1$일 때 극대이면서 최대이므로 수면의 넓이가 최대
가 될 때의 물의 부피는

$\displaystyle\int_0^1 \dfrac{x+2}{x^2+4x+13}\,dx=\Big[\dfrac{1}{2}\ln|x^2+4x+13|\Big]_0^1=\dfrac{1}{2}\ln\dfrac{18}{13}$

1058 답 ⑤

ㄱ. $0<t<6$에서 $v(t)=\sin\dfrac{\pi}{2}t=0$을 만족시키는 t의 값은

$t=2,\ 4$이고, 이때 속도의 부호가 바뀌므로 점 P는 운동 방
향을 두 번 바꾸었다. (참)

ㄴ. $0<t<6$에서 시각 t에서의 점 P의 위치를 $x(t)$라 하면

$x(t)=\displaystyle\int_0^t \sin\dfrac{\pi}{2}t\,dt=\Big[-\dfrac{2}{\pi}\cos\dfrac{\pi}{2}t\Big]_0^t$

$=\dfrac{2}{\pi}\Big(1-\cos\dfrac{\pi}{2}t\Big)$

이때 $x(t)=0$을 만족시키는 t의 값은

$1-\cos\dfrac{\pi}{2}t=0$, $\cos\dfrac{\pi}{2}t=1$ $\qquad\therefore t=4$

즉, 점 P는 $t=4$일 때 원점을 한 번 통과하였다. (참)

ㄷ. $\displaystyle\int_0^6\Big|\sin\dfrac{\pi}{2}t\Big|\,dt=3\int_0^2 \sin\dfrac{\pi}{2}t\,dt$

$=3\Big[-\dfrac{2}{\pi}\cos\dfrac{\pi}{2}t\Big]_0^2=\dfrac{12}{\pi}$ (참)

따라서 옳은 것은 ㄱ, ㄴ, ㄷ이다.

1059 답 64

$x=4(\cos t+\sin t)$, $y=\cos 2t$에서

$\dfrac{dx}{dt}=4(-\sin t+\cos t)$, $\dfrac{dy}{dt}=-2\sin 2t$

$t=0$에서 $t=2\pi$까지 점 P가 움직인 거리는

$\displaystyle\int_0^{2\pi}\sqrt{\left(\dfrac{dx}{dt}\right)^2+\left(\dfrac{dy}{dt}\right)^2}\,dt$

$\displaystyle=\int_0^{2\pi}\sqrt{\{4(-\sin t+\cos t)\}^2+(-2\sin 2t)^2}\,dt$

$\displaystyle=\int_0^{2\pi}\sqrt{16(1-\sin 2t)+4\sin^2 2t}\,dt$

$\displaystyle=2\int_0^{2\pi}\sqrt{4(1-\sin 2t)+\sin^2 2t}\,dt$

$\displaystyle=2\int_0^{2\pi}\sqrt{(2-\sin 2t)^2}\,dt$

$\displaystyle=2\int_0^{2\pi}(2-\sin 2t)\,dt$

$\displaystyle=2\left[2t+\dfrac{1}{2}\cos 2t\right]_0^{2\pi}$

$=2\times 4\pi=8\pi$

따라서 $a=8$이므로 $a^2=64$

1060 답 78

$y=\dfrac{1}{3}(x^2+2)^{\frac{3}{2}}$에서

$\dfrac{dy}{dx}=\dfrac{1}{2}(x^2+2)^{\frac{1}{2}}\times 2x=x\sqrt{x^2+2}$

따라서 구하는 곡선의 길이는

$\displaystyle\int_0^6\sqrt{1+(x\sqrt{x^2+2})^2}\,dx$

$\displaystyle=\int_0^6\sqrt{x^4+2x^2+1}\,dx=\int_0^6\sqrt{(x^2+1)^2}\,dx$

$\displaystyle=\int_0^6(x^2+1)\,dx=\left[\dfrac{1}{3}x^3+x\right]_0^6$

$=72+6=78$

1061 답 ②

$\displaystyle\int_0^1\sqrt{1+\{f'(x)\}^2}\,dx$는 곡선 $y=f(x)$ $(0\le x\le 1)$의 길이를 의미하므로 이 길이의 최솟값은 두 점 $(0,0)$, $(1,\sqrt{3})$을 잇는 선분의 길이와 같다.

따라서 구하는 최솟값은

$\sqrt{(1-0)^2+(\sqrt{3}-0)^2}=2$

1062 답 ②

$y=\ln(9-9x^2)$에서

$\dfrac{dy}{dx}=\dfrac{-18x}{9-9x^2}=\dfrac{-2x}{1-x^2}$

따라서 구하는 곡선의 길이는

$\displaystyle\int_{-\frac{1}{2}}^{\frac{1}{2}}\sqrt{1+\left(\dfrac{-2x}{1-x^2}\right)^2}\,dx$

$\displaystyle=\int_{-\frac{1}{2}}^{\frac{1}{2}}\sqrt{\left(\dfrac{1+x^2}{1-x^2}\right)^2}\,dx=\int_{-\frac{1}{2}}^{\frac{1}{2}}\dfrac{1+x^2}{1-x^2}\,dx$

$\displaystyle=\int_{-\frac{1}{2}}^{\frac{1}{2}}\left(\dfrac{2}{1-x^2}-1\right)dx=\int_{-\frac{1}{2}}^{\frac{1}{2}}\left(\dfrac{1}{x+1}-\dfrac{1}{x-1}-1\right)dx$

$\displaystyle=\left[\ln\left|\dfrac{x+1}{x-1}\right|-x\right]_{-\frac{1}{2}}^{\frac{1}{2}}=2\ln 3-1$

1063 답 $\dfrac{\pi}{2}-\dfrac{2}{\pi}$

단계 1 S_1, S_2의 값을 정적분으로 나타내기

$\displaystyle S_1=\int_0^k x\sin x\,dx$, $\displaystyle S_2=\int_k^{\frac{\pi}{2}}\left(\dfrac{\pi}{2}-x\sin x\right)dx$ ······20%

단계 2 $S_1=S_2$임을 이용하여 식을 세우고 간단히 하기

$S_1=S_2$이므로 $\displaystyle\int_0^k x\sin x\,dx=\int_k^{\frac{\pi}{2}}\left(\dfrac{\pi}{2}-x\sin x\right)dx$

$\displaystyle\int_0^k x\sin x\,dx=\int_k^{\frac{\pi}{2}}\dfrac{\pi}{2}\,dx-\int_k^{\frac{\pi}{2}}x\sin x\,dx$

$\displaystyle\int_0^k x\sin x\,dx+\int_k^{\frac{\pi}{2}}x\sin x\,dx=\int_k^{\frac{\pi}{2}}\dfrac{\pi}{2}\,dx$

$\displaystyle\int_0^{\frac{\pi}{2}}x\sin x\,dx=\int_k^{\frac{\pi}{2}}\dfrac{\pi}{2}\,dx$ ······40%

단계 3 k의 값 구하기

$\displaystyle\left[-x\cos x\right]_0^{\frac{\pi}{2}}+\int_0^{\frac{\pi}{2}}\cos x\,dx=\int_k^{\frac{\pi}{2}}\dfrac{\pi}{2}\,dx$

$\displaystyle\left[\sin x\right]_0^{\frac{\pi}{2}}=\left[\dfrac{\pi}{2}x\right]_k^{\frac{\pi}{2}}$, $1=\dfrac{\pi}{2}\left(\dfrac{\pi}{2}-k\right)$

$\therefore k=\dfrac{\pi}{2}-\dfrac{2}{\pi}$ ······40%

1064 답 8

단계 1 시각 t에서의 속도를 $v(t)$라 할 때, $|v(t)|$ 구하기

$\dfrac{dx}{dt}=1-\cos t$, $\dfrac{dy}{dt}=\sin t$이므로

$|v(t)|=\sqrt{(1-\cos t)^2+\sin^2 t}$

$\qquad=\sqrt{2-2\cos t}=\sqrt{4\sin^2\dfrac{t}{2}}$

$\qquad=\left|2\sin\dfrac{t}{2}\right|$ ······30%

단계 2 속력이 처음으로 0이 될 때의 t의 값 구하기

$\left|2\sin\dfrac{t}{2}\right|=0$, 즉 $\sin\dfrac{t}{2}=0$을 만족시키는 가장 작은 양수 t의 값은 $t=2\pi$이다.

따라서 속력은 $t=2\pi$일 때 처음으로 0이 된다. ······30%

단계 3 움직인 거리 구하기

$\displaystyle\int_0^{2\pi}\left|2\sin\dfrac{t}{2}\right|\,dt=\left[-4\cos\dfrac{t}{2}\right]_0^{2\pi}=8$ ······40%

mEmo

정답
및
풀이

필요한 유형으로 꽉 채운 핵심유형서

낯선 유형

필요한 유형으로 꽉 채운 핵심유형서